DER PRIESTERLICHE DIENST NACH JOHANNES GROPPER (1503-1559)

DER BEITRAG EINES DEUTSCHEN THEOLOGEN
ZUR ERNEUERUNG DES PRIESTERBILDES
IM RAHMEN EINES VORTRIDENTINISCHEN REFORM-
KONZEPTES FÜR DIE KIRCHLICHE PRAXIS

von

JOHANNES MEIER

ASCHENDORFFSCHE VERLAGSBUCHHANDLUNG
MÜNSTER WESTFALEN

REFORMATIONSGESCHICHTLICHE STUDIEN UND TEXTE

In Verbindung mit Remigius Bäumer, Theobald Freudenberger, Klaus Ganzer,
Konrad Repgen und Ernst-Walter Zeeden herausgegeben von

Erwin Iserloh

HEFT 113

D 20

© Aschendorff, Münster Westfalen, 1977 · Printed in Germany

Aschendorffsche Buchdruckerei, Münster Westfalen, 1977

ISBN 3-402-03760-2

VORWORT

Diese Untersuchung ist eine überarbeitete Fassung meiner Dissertation, die am 25. November 1974 vom Fachbereich Katholische Theologie der Bayerischen Julius-Maximilians-Universität Würzburg angenommen wurde. In der jetzigen Form wurde das Manuskript am 30. Juni 1975 abgeschlossen.

Ein Erstlingswerk ist nicht zu denken ohne das im kritischen Gespräch mit den Lehrern Empfangene. Deshalb möchte ich an dieser Stelle sehr herzlich den Herren Professoren danken, die mich in die Kirchengeschichte eingeführt haben: K. Honselmann (Paderborn), Th. Freudenberger (Würzburg), A. Wendehorst (Erlangen, früher Würzburg), dem verstorbenen A. Franzen (Freiburg) sowie vor allem R. Bäumer (Freiburg, früher Paderborn), von dem die ersten Anregungen zu dieser Studie ausgingen, und K. Ganzer (Würzburg), der mit dem Werden der Arbeit eng verbunden war und sich ihr und mir mit viel Geduld gewidmet hat. Nicht unerwähnt lassen möchte ich den fachlichen und persönlichen Rat von P. Dr. J. Pollet OP (Paris).

Frau I. Beck (Würzburg) hat mich bei der Fertigstellung des Manuskriptes tatkräftig unterstützt. Beim Lesen der Korrekturen halfen die Herren Pfarrer i. R. J. Blöink (Bielefeld) und K. Breitenstein (Clarholz). Dank gebührt der Studienstiftung des deutschen Volkes für langjährige Förderung, der Gesellschaft zur Herausgabe des Corpus Catholicorum und dem Herausgeber, Herrn Prof. Dr. E. Iserloh (Münster), für die Aufnahme der Arbeit in die Reformationsgeschichtlichen Studien und Texte, den Erzbistümern Paderborn und Köln für großzügige Druckkostenzuschüsse und nicht zuletzt Verlag und Druckerei für alle Mühe und Nachsicht.

Bielefeld, den 30. November 1976

Johannes Meier

INHALTSVERZEICHNIS

„Sunt, fateor, crassissimi in ecclesia
abusus, sunt morbi... Interim hoc inprimis
et ante omnia necessarium arbitror, ut
ecclesijs parochialibus idonei ministri
dentur, qui verbum Dei et velint et
possint syncere populo tradere, qui
inspectioni archipresbyterorum subsint,
utque scholae ubique instaurentur,
seminarium utique ministrorum, sine
quibus, ut brevi maxima penuria bonorum
pastorum laboremus, oportet."

Johannes Gropper
an Martin Bucer
am 10. Oktober 1541

Erster Teil:

EINLEITUNG

Zu jenen Fragen, welche die theologischen Auseinandersetzungen innerhalb der katholischen Kirche im ersten Jahrzehnt seit Abschluß des II. Vatikanischen Konzils beherrschen, gehört die nach dem priesterlichen Dienstamt. Die gegenwärtig durch eine Fülle von sehr verschiedenen, zu einem Teil extremen Standpunkten gekennzeichnete, zuweilen nicht ohne den Anschein von Verkrampfung ausgetragene Diskussion hat bisher nur wenig Mühe darauf verwendet, die Herkunft des traditionellen, bis in unsere Zeit fortgeltenden Priesterbildes zu klären. Dies ist aber erforderlich, wenn vermieden werden soll, daß das Erscheinungsbild der Tradition zu einem magisch verehrten oder blindlings bekämpften Fetisch wird.

Die kirchenhistorische Forschung leistet an den Überlieferungen der Kirche einen kritisch-aufklärerischen Dienst, indem sie diese zu einem geschichtlichen Verständnis ihrer selbst führt. Sie stellt nicht das ideologische Arsenal des innerkirchlichen Traditionalismus oder Modernismus dar. Immer fordert sie zu Anfragen in beide Richtungen heraus, sowohl gegen das fraglose Praktizieren von Überlieferungen wie gegen deren fraglose Preisgabe. Den Antrieb zum Studium bestimmter Bereiche kann die Kirchengeschichte sehr wohl aus der Gegenwartssituation der Kirche erhalten; aber sie darf keinen Verlust an Autonomie gegenüber den akuten Auseinandersetzungen hinnehmen. Ranke[1] bemerkt einmal: „Die Historie wird immer umgeschrieben .. Jede Zeit und ihre hauptsächliche Richtung macht sie sich zu eigen und trägt ihre Gedanken darauf über. Danach wird Lob und Tadel ausgeteilt. Das schleppt sich dann alles so fort. Bis man die Sache selbst gar nicht mehr erkennt. Es kann dann nichts helfen als Rückkehr zu der ursprünglichsten Mitteilung. Würde man sie aber ohne den Impuls der Gegenwart überhaupt studieren? ... Ob eine völlig wahre Geschichte möglich ist?" Wenn auch Probleme der Gegenwart das Bemühen um Erhellung historischer Zusammenhänge veranlassen, darf die Ge-

---

[1] L. von Ranke, Tagebücher, 241 (260) u. 240 (258).

Geschichte gleichwohl nach Möglichkeit nicht an einem der Gegenwart entnommenen, je nach Interessen, Wertungen, Generations-
zugehörigkeit usw. variierenden Bezugsrahmen gemessen werden;
sonst würde das Wie der historischen Darstellung verzerrt und der
Zugang zu manchen geschichtlichen Inhalten ganz versperrt werden. Ranke wies auf die ursprünglichste Mitteilung, auf die Quellen
als das Verläßliche hin. Der dort zu erhebende Befund ist letzlich
stets einmalig; er kann jedoch in einen geschichtlichen Bezugsrahmen hineingestellt werden, weil er selbst darauf zu verweisen
pflegt. Das individualisierende Verfahren der Geschichtswissen-
schaft schließt relative, dem untersuchten geschichtlichen Zeitraum
entnommene Wertungen nicht aus.

Das bis in die Gegenwart vorherrschende, neuerdings in einen
tiefgreifenden Wandlungsprozeß geratene Erscheinungsbild des
Priestertums, welches seit mehreren Jahrhunderten eine unbezwei-
felbare Auswirkung auf die innere Gliederung der katholischen
Kirche und auf ihre religiöse, pastorale sowie caritative Praxis ausübt, verdankt viele seiner charakteristischen Züge der Reformbewegung in der Kirche des 16. Jahrhunderts, deren Höhepunkt das
Konzil von Trient (1545—1563) war. Hubert Jedin, der bekannte
Historiograph des Concilium Tridentinum, hat festgestellt, daß
dieses Konzil kein eigentliches, positives Priesterideal aufgewiesen
hat, sondern — seiner Zielsetzung entsprechend — sich darauf
beschränkte, die dogmatischen Grundlagen des katholischen
Priestertums gegen den Protestantismus zu sichern, seelsorgliche
Mißstände, welche sich aus den Verhältnissen in der vorreformato-
rischen Zeit ergeben hatten, durch eine Reformgesetzgebung abzustellen und eine bessere Ausbildung der künftigen Priester durch
das Seminardekret zu ermöglichen[2].

In seinen dogmatischen Erklärungen hat das Trienter Konzil
keine exklusive Bestimmung des priesterlichen Amtes geben wollen.
Wenn es lehrte, der Priester sei vornehmlich ein Mann der Sakra-
mente, so wollte es damit die von den Reformatoren abgestrittenen
Aspekte, die sakramentalen Vollmachten der Konsekration und
Absolution, insbesondere den Bezug zum Meßopfer, herausstellen,
nicht aber eine umfassende und erschöpfende Aussage machen.
„So grundlegend wichtig dem Konzil die Beziehung des Priester-
tums zum Opfer war, eingeengt hat es den Priester nicht auf diesen
Bereich"[3].

---

[2] H. Jedin, Das Leitbild des Priesters, 110. — Ähnlich bemerkt Piet Fransen
(Das Konzil von Trient und das Priestertum, 121), das Tridentinum habe darauf verzichtet, „ein Gesamtbild vom Priestertum zu entwerfen".
[3] K. J. Becker, Der priesterliche Dienst, 96. — Auch: G. Fahrnberger, Amt und
Eucharistie auf dem Konzil von Trient, 175.

Viele der zahlreichen Dekrete „de reformatione", welche das Tridentinum verabschiedet hat, lassen erkennen, daß das Konzil dem priesterlichen Dienst in der Verkündigung, in der Liturgie und in der Pastoral ein weites Tätigkeitsfeld zugewiesen hat, ging es ihm dabei doch „letzten Endes um die Anpassung der Seelsorge an die neuen Gegebenheiten in Gesellschaft, Wirtschaft und Bildung, mit dem letzten Ziel einer religiösen Erneuerung der Kirche von innen auf der Ebene der Pfarrei und der Diözese, in den religiösen Orden und an der römischen Zentrale"[4]. Die Reformgesetzgebung des Konzils war bestrebt, den priesterlichen Dienst nicht als eine bloß administrative Angelegenheit der Kirche erscheinen zu lassen; sie setzte aufbauende Akzente, die den nüchternen Rahmen von Rechtsbestimmungen überstiegen[5]; aber sie verzichtete darauf, das Leitbild des Priesters, wie es von der Theologie der katholischen Reform entwickelt worden war, als verbindlich und verpflichtend darzustellen; indessen ist dieses Priesterideal das Substrat, aus dem die gesetzgeberischen Maßnahmen des Konzils zur Klerusreform erwachsen sind[6].

Mit Gewißheit trifft dies auf das Seminardekret zu, welches wohl eine der wichtigsten reformerischen Initiativen des Konzils beinhaltete, die Errichtung von Seminaren zur Heranbildung der Priester[7]. Mehr als jeder andere hat dieser Entschluß des Konzils das Erscheinungsbild des katholischen Priestertums in den folgenden Jahrhunderten geprägt[8]. Um ihn verstehen und würdigen zu können, reicht ein Studium allein der Konzilsdokumente nicht aus. Denn zur selben Zeit, in welcher diese Reformgesetzgebung vorbereitet wurde, durchstand das Konzil eine tiefgreifende Krise, die aus den Spannungen um die dogmatische Definition von Primat und Episkopat, insbesondere aus der Uneinigkeit über die Quelle der Jurisdiktion der Bischöfe, erwachsen war. Die Forschung bedarf deshalb einer breiteren Grundlage, „weiter ausholender Untersuchungen über die Theologie des Priestertums im 16. Jahrhundert, wie etwa derjenigen, die J. P. Massaut[9] kürzlich über Josse Clichtove veröffentlicht hat"[10].

[4] H. Jedin, Krisis und Abschluß, 79.
[5] J. Ratzinger, Opfer, Sakrament und Priestertum in der Entwicklung der Kirche, 122—124.
[6] H. Jedin (Das Leitbild des Priesters, 115) meint genau dies, wenn er sagt: „Das Leitbild des Guten Hirten, das durch die katholische Reform vor Augen gestellt war, ist dem Konzil gegenwärtig, wird aber nicht artikuliert."
[7] Als Seminardekret wird das 18. Kapitel des am 15. Juli 1563 auf der 23. Sitzung des Konzils angenommenen Reformdekretes bezeichnet (CT IX, 628, 14—630,25).
[8] S. Merkle, Das Konzil von Trient und die Universitäten, 4.
[9] J. P. Massaut, Josse Clichtove I u. II.
[10] P. Fransen, Das Konzil von Trient und das Priestertum, 137.

1*

Die vorliegende Arbeit versucht, die Vorstellungen, welche sich ein deutscher Theologe des 16. Jahrhunderts vom priesterlichen Dienst gemacht hat, zusammenfassend darzustellen. Die Wahl fiel auf Johannes Gropper (1503—1559), einen Mann, der im geistigen Ringen mit den Reformatoren das Vorgehen der älteren Kontroverstheologen überschritt, indem er sich um annehmbare Antworten auf die reformatorischen Anliegen aus der kirchlichen Tradition bemühte, der nach den erfolglosen Religionsgesprächen von Worms und Regensburg (1540/1541) und im Widerstand gegen den Reformationsversuch des Kölner Kurfürsten Hermann von Wied die Grenzen der Verständigungsprojekte erkannte, der fortan um so unbeirrter für die Erneuerung der katholischen Kirche im Erzbistum Köln tätig war und sich ein weit über diesen Raum hinausreichendes Ansehen erwarb, wie die große Verbreitung seiner Schriften, die zeitweilige konsultative Mitarbeit an der kaiserlichen Religionspolitik, die Teilnahme an der zweiten Sitzungsperiode des Trienter Konzils (1551/1552) und die zu Ende seines Lebens erfolgte Berufung an die Kurie zeigen.

Ehe die Fragestellung der vorliegenden Untersuchung aus der Perspektive der Gropper-Forschung gerechtfertigt wird, sollen — in einer freilich sehr fragmentarischen Weise — einige Stellungnahmen vorgebracht werden, die andere Theologen und Kirchenmänner aus den dem Trienter Konzil voraufgehenden Jahrzehnten des 16. Jahrhunderts zur Priesterfrage abgegeben haben. Vor diesem reichlich großzügig überschriebenen Panorama einer Theologie des Priestertums in den ersten Jahrzehnten des Reformationsjahrhunderts muß der spezifische Beitrag Groppers gesehen werden.

1. Zur Theologie des Priestertums während der ersten Jahrzehnte des 16. Jahrhunderts

In den Jahrzehnten vor Eröffnung des Trienter Konzils, insbesondere seit der raschen Ausbreitung der reformatorischen Bewegung, sahen sich die Theologen Deutschlands vor ein immer dringlicher werdendes Problem der katholischen Kirche gestellt, nämlich einen empfindlichen Pfarrermangel bei unzureichenden Ausbildungsmöglichkeiten für angehende Geistliche[1]. Auf fatale Weise

---

[1] Johannes Cochläus beklagte am 31. Januar 1540 in einem Brief an Gian Matteo Giberti die Nachlässigkeit der deutschen Bischöfe auf diesem Sektor, während zur gleichen Zeit die Lutheraner, „ii, qui non sunt episcopi", zahlreiche Ordinationen vornehmen könnten, weil sie im Erziehungswesen ein weitsichtigeres Konzept verfolgten; Cochläus schrieb unter anderem: „. . . senatus Magdaburgi instituit scholam in monasterio fratrum minorum, ubi supra 500 pueri

machte sich bemerkbar, daß es eine in der gesamten Kirche gültige Regelung der Ausbildung von Priesteramtskandidaten nicht gab. Man überließ es damals noch den jungen Klerikern, wie und wo sie sich die für ihr Amt erforderlichen Kenntnisse aneignen wollten. Der gewöhnliche Weg war ein Lehrgang innerhalb der Hausgemeinschaft eines Pfarrers; hier wurden dem künftigen Priester Minimalkenntnisse der lateinischen Sprache vermittelt, der Gebrauch des Breviers, die Riten der Meßfeier und der Spendung der Sakramente erklärt sowie Grundzüge der Glaubens- und Sittenlehre aufgezeigt[2]. Natürlich entwickelten sich auf diese Weise keine herausragenden Leistungen; erschwerend kam hinzu, daß eine geistlich-spirituelle Erziehung ganz fehlte.

Ob freilich der Bildungsstand allerorten so dürftig war, wie Bischof Hooper von Gloucester 1551 bei der Visitation des Pfarrklerus seiner britischen Diözese feststellen mußte — von 311 geprüften Geistlichen vermochten 168 die zehn Gebote nicht exakt aufzuzählen[3] —, darf in Anbetracht mancher neueren Unter-

imbuuntur isto veneno, e quibus plerique iubentur ad populum concionari, hoc est ex sermonibus Lutheri partem aliquam recitare; sic et Misnae nuper factum est, quippe veteri schola clausa nova instituta est in monasterio minorum fratribus expulsis, ubi lutherani praeceptores strenue inculcant pueris lutherismum; ita fit etiam in aliis urbibus, et hic Vratislaviae duae sunt scholae eiusmodi." Gegenüber Gasparo Contarini drückte sich der Breslauer Theologe in einem Brief vom 9. März 1540 noch verbitterter aus; er meinte, lutherische Bildungsanstalten bestünden „in omnibus fere urbibus et magnis et parvis per totam fere Germaniam, ubicunque invaluit haeresis ista, ut mihi sane difficillimum videatur e pectoribus hominum eradicare hanc luem et saniem, quam in teneris annis imbibunt in scholis et in publicis contionibus, atque etiam domi ex librorum lectionibus." Die Briefe des Cochläus sind ediert von: W. Friedensburg, Beiträge zum Briefwechsel. IV: Johannes Cochläus, 420—423 u. 423—428; die Zitate: 421f. u. 426. Ähnlich klagt Johannes Gropper im Widmungsbrief der „Institutio catholica" (c VII r): „Tam paucos hodie videmus, qui ecclesiasticum munus suscipere, qui iugo Domini humeros ad curandas animas (quod tamen in ecclesia munus est omnium augustissimum) submittere velint." Auf den Gedanken, dem Priestermangel durch Ordination von Frauen abzuhelfen, kommt Gropper nicht; anders Pedro de Soto, der allerdings eine solche Lösung des Problems kategorisch ablehnt (Tractatus de institutione sacerdotum, f. 350v): „... illud est omnium primum, huius sacramenti solum capaces esse viros, non mulieres, ita ut prorsus nihil fiat, si ordinetur mulier, quod ex ipsa naturali ratione (quae docet, mulierem subditam esse debere nec dominari in virum) Paulus aperte prohibuit: Mulierem (inquit) in ecclesia loqui non permitto nec dominari in virum. Quo aperte explicat, omnem potestatem ecclesiasticam eis esse negatam." Vgl. 1 Kor 14, 34.

[2] E. Wisniowski, La formation du clergé polonais, 235—237; hier wird dokumentiert, daß es in Polen bis zur Einführung der tridentinischen Seminare praktisch keine andere Ausbildungsform gab; nur ganz wenige Geistliche hatten eine bessere Vorbildung.

[3] P. Heath. The English Parish Clergy, 74f.

suchungen gerade für Teilgebiete des Reiches wohl doch bezweifelt werden. Benedikt Caspar etwa konnte mit guten Gründen für das Erzbistum Trier ausmachen, daß es „unzählige Seelsorger mit reichen Kenntnissen, Kleriker mit sittlich-reinem Lebenswandel" gegeben hat[4]. Johannes Kist ermittelte für das Bistum Bamberg, daß zwischen 1400 und 1556 von 7290 bekannten Geistlichen immerhin 2100, also 28 %, an deutschen oder außerdeutschen Universitäten immatrikuliert waren[5]; ein Teil der übrigen Kleriker wird zudem eine Dom-, Stifts- oder Klosterschule besucht haben. Martin Brecht schließlich zeigte, daß in Württemberg sogar 121 unter jenen etwa 200 Geistlichen, die ursprünglich zu katholischen Priestern geweiht worden waren und die dann nach Einführung der Reformation die erste protestantische Pfarrergeneration bildeten, ein Universitätsstudium — zumeist an der Landesuniversität in Tübingen — absolviert haben[6].

Zu Beginn des 16. Jahrhunderts herrschte noch ungebrochen die mittelalterliche Auffassung, daß mit der Erteilung der Tonsur die Aufnahme in einen privilegierten gesellschaftlichen Stand, den Klerus, verbunden sei. Der Empfang der Weihen berechtigte zur Übernahme eines Benefiziums, mit welchem bestimmte Verpflichtungen verbunden waren. Im allgemeinen brachte man dem Priester eine recht begrenzte Erwartenshaltung entgegen; er sollte sein „le ministre valide des sacrements, le juste possesseur d' un bénéfice (au moins un!), et l' explicateur, à l' occasion, du Symbole des Apôtres et du Pater Noster"[7]. Eine eigentlich seelsorgliche Tätigkeit wurde vom hohen Klerus nur sehr selten ausgeübt; auch die zum niederen Klerus gehörenden Geistlichen kümmerten sich häufig nicht darum, zumal wenn sie lediglich eine „praebenda sine cura" besaßen[8]. Ungute Folgen zeitigte die Möglichkeit, für die Erfüllung der mit einem Benefizium verbundenen Amtspflichten —

---

[4] B. Caspar, Das Erzbistum Trier im Zeitalter der Glaubensspaltung, 117.
[5] J. Kist, Die Matrikel der Geistlichkeit des Bistums Bamberg 1400—1556, XX. Das Studium wurde allerdings häufig vor dem Erwerb eines abschließenden Grades abgebrochen; außerdem beschränkte es sich meist auf den Besuch der Artistenfakultät und wurde nur selten in der theologischen Fakultät fortgesetzt.
[6] M. Brecht, Herkunft und Ausbildung, 166f.
[7] J. v. Laarhoven, La formation des prêtres dans la première moitié du XVIᵉ siècle, 157.
[8] Die Zahl gerade der Meßstiftungen und der Pfründen ohne seelsorgliche Verpflichtung nahm Ende des 15. und Anfang des 16. Jahrhunderts erheblich zu. Noch als der Höhepunkt dieser Entwicklung längst überschritten war, zählte man bei der Visitation des Stiftes St. Gereon zu Köln am 7. Februar 1549 insgesamt 30 Vikare (W. Müller, Die Kaplaneistiftung, 309f., Anm. 12; H. Foerster, Reformbestrebungen Adolfs III. von Schaumburg, 29).

etwa bezüglich der Glaubensverkündigung oder der Sakramentenspendung — einen Vikar zu bestellen[9]. Unter diesen Bedingungen
gerieten viele Angehörige des Klerus dieser Zeit in einen inneren
Widerspruch zur apostolisch-priesterlichen Idee des geistlichen
Amtes.

Solchen Tendenzen entgegenzuwirken, versuchten verschiedene
Handbücher zur Pastoral, die auf dem immer einflußreicher wer-
denden Buchmarkt zahlreich verlegt wurden. Die „Formula vivendi
sacerdotum" des aus Laer (bei Horstmar in Westfalen) gebürtigen
Kölner Kartäusers Werner Rolevinck sei unter den wenigen Beispielen, die hier aufgezählt werden sollen, an erster Stelle genannt[10]; als Grundsatz einer priesterlichen Lebensgestaltung bezeichnete sie es, „intentionem suam dirigere ad Deum"[11]; sie warb
für regelmäßige und aufmerksame Teilnahme am Kult, Pflege der
geistlichen Übungen, besonders des Stundengebetes, und eine von
Gebet und Enthaltsamkeit geprägte Lebensführung, deren Bemühen es ist, „interiorem hominem reformare"[12]. Hilfen für die
Feier der Messe und die Spendung der Sakramente wollte der
„Tractatus sacerdotalis" des polnischen Theologen und Kanonisten
Nikolaus Plowe vermitteln[13]. Ein etwas anderes Ziel verfolgte das

[9] So kam es, „dat één persoon in het bezit kon zijn van twee of meer kerkelijke
bedieningen. Dardoor leefden verscheidene geestelijken werkeloos en lieten
hun werk doen door een vicaris. Wel trad de kerk dikwijls op tegen zulke
pastores non-residentes, maar het misbruik werd niet uitgeroeid. En nu
zullen onder de arme priesters, die als vicarii dienst deden, zeker vrome
mannen geweest zijn, maar met armoede ging zoo vaak onwetendheid
gepaard" (A. Troelstra, De toestand der catechese, 64). Dafür ein Beleg aus
den Trienter Konzilsdokumenten: Der Bischof von Clermont, Guillaume du
Prat, gab in einer Ende Juni 1546 auf Aufforderung von Kardinal Cervini
dem Präsidium des Konzils eingereichten Denkschrift über die „impedimenta
residentiae" an, daß in seinem über 800 Pfarreien zählenden Bistum kaum 60
Pfarrer ihr Amt persönlich wahrnähmen; die übrigen bezögen ihre Einkünfte
aus der Pfründe, residierten aber nicht am Ort, sondern ließen ihr Amt durch
verarmte, meist ungebildete und zu junge Vikare verwalten (CT XII, 585,
15—18). — Einen guten Überblick über die hauptsächlichen pastoralen Probleme zur Zeit des Trienter Konzils bietet: A. Duval, Das Weihesakrament
auf dem Konzil von Trient, 211—219.
[10] Nach E. Voulliéme (Der Buchdruck Kölns bis zum Ende des fünfzehnten Jahrhunderts, 455, Nr. 1044) wurde die „Formula vivendi sacerdotum" erstmals
um 1472 bei Arnold ther Hoernen in Köln gedruckt; eine Neuauflage, vom
selben Verleger im Jahre 1475 besorgt, befindet sich in den Beständen des
British Museum (I A 3103); dort sind noch folgende Nachdrucke vorhanden:
Köln (Quentel) um 1490 (I A 4782); Alost (Thierry Martens) um 1490 (I A
49028); Delft (Christian Snellaert) 1496 (I A 47194); Köln (Martin de Werden) 1509 (4401 b. 46). Ich zitiere nach der zuletzt genannten Ausgabe.
[11] W. Rolevinck, Formula vivendi sacerdotum, B 4r.
[12] Ebd., C 3v.
[13] Das Werk erschien erstmals 1476 in Straßburg; ich benutze den Straßburger
Nachdruck von 1508.

ohne Nennung seines Verfassers erstmals 1489 in Augsburg erschienene „Lavacrum conscientie"; es setzte das hohe Standesideal des Priestertums[14] in Kontrast zu den im Klerus der Zeit verbreiteten Fehlhaltungen, sprach sich aber zugleich dafür aus, um der guten Priester willen auch den schlechten Ehre entgegenzubringen[15]. Sehr populär war die in volkstümlicher Sprache gehaltene, inhaltlich von großen Vorbildern inspirierte Meßauslegung des holländischen Minoriten Wilhelm von Gouda[16]. Auch das „Parochiale Curatorum" von Michael Lochmaier, dem langjährigen Wiener Universitätslehrer und späteren Passauer Domprediger, erfreute sich großer Beliebtheit; dabei berücksichtigte es mehr als andere Schriften konkrete Probleme der Gemeindepastoral[17]. Johann-Ulrich Surgant, Professor an der Universität Basel und zuletzt Pfarrer in Klein-Basel, bekundete in seinem „Manuale Curatorum" besondere Hochschätzung für die Predigt, der sich der Priester widmen solle „propter gloriam Dei et salutem hominum"[18]. Die Notwendigkeit der Einhaltung der Residenzpflicht durch die Pfarrgeistlichkeit unterstrich eine kurze Schrift, die 1509 anonym in Köln erschien[19].

Wenig originelle Gedanken trug Johann Miller-Landtsperger in einer vor dem Klerus des Archidiakonates Gars am 6. März 1514 gehaltenen Rede über das Priestertum zusammen[20]. Erheblich

---

[14] Charakteristisch ist folgender Satz (Lavacrum conscientie, f. 11r): „Christi sepulchrum valde est gloriosum, in quo corpus Christi iacuit mortuum per triduum; modo multum digniora debent esse sacerdotum corda, in quibus a morte resuscitatus quottidie dignetur inhabitare et glorificatus." Zitiert wird nach dem 1504 in Köln erschienenen Nachdruck.

[15] Lavacrum conscientie, f. 32v—38r.

[16] Das Werk erschien erstmals 1490 in Deventer; G. W. Panzer, Annales typographici I 358 (Nr. 39). Ich benutze den Straßburger Nachdruck von 1508; vom Priester heißt es u. a., er sei „mediator inter deum et populum" (A iiij v).

[17] Die Erstauflage des Werkes wurde 1497 in Leipzig gedruckt; G. W. Panzer, Annales typographici I 487 (Nr. 133). Ich zitiere nach dem Pariser Druck von 1509. Über die „cura pastoralis" schreibt M. Lochmaier (Parochiale Curatorum, f. 2r): „Cura pastoralis est duplex. Una est fori contentiosi ut corrigere, visitare, excommunicare, suspendere, interdicere; ... alia est fori penitentialis, quam habet presbyter parrochialis videlicet audiendi confessiones, consulendi, dirigendi in eis et absolvendi et penitentias iniungendi."

[18] Das Buch erschien 1503 in Basel und 1506 in Straßburg; G. W. Panzer, Annales typographici VI 177 (Nr. 21) u. 34f. (Nr. 71); ich zitiere nach einem Basler Nachdruck von 1508 (obiges Zitat: f. 1r). Das Buch sammelt eine Fülle kirchlicher und theologischer Themen, die sich als Verkündigungsinhalte eignen; in einem zweiten Teil bietet es eine Reihe von Beispielen in deutscher Sprache (f. 68r—127v).

[19] Der „Stimulus beneficiatorum" erklärte es für eine schwere Sünde, ohne ausreichenden Grund die Residenzpflicht zu vernachlässigen (A v) oder mehrere Pfründen zu vereinigen (A iiiij v).

[20] Die Rede enthält ein Sammelsurium von Gemeinplätzen und rhetorischen

brauchbarer dürften für die Geistlichen die Predigthilfen des Leipziger Theologen Hieronymus Dungersheym gewesen sein; wie die Rede von Miller-Landtsperger wurden sie 1514 in Landshut gedruckt[21]. Einen etwas anderen, mit Kritik an der mangelhaften Bildung, der Unsittlichkeit und Habsucht vieler Priester nicht sparenden Akzent setzte der Elsässer Humanist Jakob Wimpfeling; engagiert trug er das Anliegen vor, künftig für die Weihe zum Priestertum nur sittlich gefestigte und ehrbare sowie begabte Kandidaten zu berücksichtigen[22].

Urban Rieger, der 1520 Domprediger und 1524 Prediger an St. Anna zu Augsburg wurde, sich später dem Luthertum zuwendete und seine letzte Lebensdekade (1530—1541) dem Aufbau einer lutherischen Landeskirche im Herzogtum Braunschweig-Lüneburg widmete, veröffentlichte im Jahr seiner Priesterweihe (1519) ein „Opusculum de dignitate sacerdotum". Aus einem respektablen Fundus humanistischer Erudition schöpfend, verglich er darin das Priestertum der Kirche mit den verschiedenen Ausformungen, welche das Priestertum im Laufe der Religionsgeschichte bei den Barbaren, den Griechen, Römern und Juden gefunden hat. Für die wichtigsten priesterlichen Tätigkeiten hielt er die kultisch-sakramentalen Dienste; ausdrücklich betonte er die besondere Würde des priesterlichen Daseins und unterstrich die Angemessenheit der verschiedenen, dem Priestertum zuerkannten Privilegien[23]. Rieger

Übertreibungen. Zwei Beispiele: J. Miller-Landtsperger, Pro novo Sacerdote promovendo, A iij r: „Clerico nulla etas debet esse sera ad discendum." Ebd., B r: „Sicut mundus sine luce nihil valet, sic nec ecclesia sine sacerdote."

[21] Dungersheym, am 22. April 1465 zu Ochsenfurt geboren und 1495 in Würzburg zum Priester geweiht, lehrte seit 1506 Theologie in Leipzig und war in späteren Jahren bis zu seinem Tode 1540 ein scharfer Gegner der Reformatoren; in seinem „Tractatus de modo discendi" zeigte er verschiedene Erfordernisse für Inhalt und Form einer guten Predigt auf; besonders beachtlich sind seine Ausführungen über mögliche Fehlhaltungen, zu denen die Zuhörer durch eine fragwürdige Verkündigung gebracht werden können (D iiij r—E ij v).

[22] Wimpfeling richtete an den Leiter der Straßburger Domschule, Hieronymus Gebwiler, und an dessen Schüler die Aufforderung, sich über die persönlichen Ansprüche des Priestertums keine Illusionen zu machen (Sermo ad iuvenes, A iiij r): „Huius ergo ordinis dignitas, longe superat veteris olim legis vetustum Aaron sacerdotium; huius ordinis sublimitas celsior est angelis, facultas praestantior caelorum virtutibus. Etenim ordo iste is est, quem deus dei unigenitus in terris per seipsum in ara crucis administravit, et iam caelo regnans, apud patrem exercere pro nobis non desinit. Et quem exercendum in terris ipsis apostolis et eorum successoribus sacerdotibus in finem saeculi dereliquit." — Der „Sermo ad iuvenes" wurde 1517 in Wien nachgedruckt; G. W. Panzer, Annales typographici IX 33 (Nr. 179).

[23] Riegers Werk entstand anläßlich eines Besuches bei dem Konstanzer Generalvikar Dr. Johann Faber von Leutkirch. Über das Immunitätsprivileg heißt es (Opusculum, e III v): „A Constantino quoque Imperatore lex quaedam edita

wies seine Leser auf die wertvollen Abhandlungen der Kirchenväter und einiger mittelalterlicher Autoren über das Priestertum
hin und machte auch auf die Arbeiten seiner Zeitgenossen Erasmus
und Wimpfeling aufmerksam[24].

In der Tat dürfte die rasche Zunahme der Bedeutung des Buchdrucks im Leben der Zeit auch in der Pastoral nicht ohne Spuren
geblieben sein. Namentlich die wachsende Erschließung der
patristischen Quellen, zunächst der lateinischen, seit der Jahrhun-
dertwende zunehmend auch der griechischen Väter, forderte einen
Vergleich zwischen gegenwärtigen und vergangenen Verhältnissen
in der Kirche heraus; es blieb dabei nicht aus, daß die alte Kirche
zum Vorbild idealisiert wurde[25]. Nur einige, unter dem Aspekt
ihrer Auswirkungen auf das Priesterbild der Zeitgenossen bemer-
kenswerte Drucke seien hier herausgegriffen. In Pforzheim erschien
1504 zunächst in provisorischer, 1505 dann in vollständiger Fassung
auf der Grundlage einer Hirsauer Handschrift „De institutione
clericorum" von Hrabanus Maurus[26]. Ausgehend von einer einführenden Abhandlung über die Stände in der Kirche und über die
Besonderheit der priesterlichen Lebensform, betrachtet die Schrift
die wesentlichen Dienste des Priesters: Spendung der Sakramente,
Verrichtung des Stundengebetes, Askese und Bezeugung des Glaubens in Bekenntnis und Verkündigung. Die „Regula pastoralis"
Papst Gregors d. Gr. wurde 1506 in Rom[27], 1512 in Paris[28] und
1516 in Lyon[29] nachgedruckt. Besonderer Beliebtheit scheinen sich
die Werke Bernhards von Clairvaux erfreut zu haben[30]; eine Gesamtausgabe kam 1513 in Paris[31] heraus; sie wurde des öfteren
nachgedruckt[32]. Bahnbrechend waren dann namentlich die großen
Editionen, die Desiderius Erasmus von Rotterdam in Basel besorgte.

traditur, qua plus honoris Sacerdoti decernit quam ulli alij vel domino vel
regi / quoniam in illis honoretur Christus, qui vicem Christi in terra gererent,
non in his, qui terrae imperarent. Solis autem apostolis, quorum locum sacerdotes tenent / a domino esse dictum: 'Qui vos recipit, me recipit, et qui me
recipit, recipit eum, qui me misit'."

[24] U. Rieger, Opusculum, f IV v—g I r.
[25] H. Jedin, Das Bischofsideal, 76.
[26] G. W. Panzer, Annales typographici VIII 227 (Nr. 5) u. 228 (Nr. 7). Ein
weiterer Nachdruck wurde 1532 bei Johannes Prael in Köln verlegt; G. W.
Panzer, Annales typographici VI 421 (Nr. 671).
[27] G. W. Panzer, Annales typographici VIII 247 (Nr. 23).
[28] G. W. Panzer, Annales typographici VII 559 (Nr. 507).
[29] G. W. Panzer, Annales typographici VII 313 (Nr. 302).
[30] Eine Übersicht über die Vielzahl einzelner Editionen, auch unechte Werke
Bernhards umfassend, findet sich bei: G. W. Panzer, Annales typographici X
150—152.
[31] G. W. Panzer, Annales typographici VIII 1 (Nr. 610).
[32] J. P. Massaut, Josse Clichtove I 37 u. 379 (mit Anm. 29).

Seit 1516 brachte er das Schrifttum des Kirchenvaters Hieronymus heraus[33]. 1520 folgte Cyprian[34], 1522 Arnobius[35], 1523 Hilarius[36], 1526 Irenäus[37], 1527 Ambrosius[38] und Origenes[39], 1528/1529 Augustinus[40]. 1530 konnte Erasmus die lateinische Gesamtausgabe der Werke von Johannes Chrysostomus abschließen[41]; die Schrift „De dignitate sacerdotali" hatte er bereits 1525 in griechischer Sprache herausgegeben; im folgenden Jahr fand sie zwei voneinander abweichende lateinische Übersetzungen[42]. Den Reigen seiner Editionen beendete Erasmus 1532 mit der Basilius-Ausgabe[43]. Das so erschlossene reiche literarische Erbe der Antike zeichnete ein detailliertes Bild von der Vielfalt des Lebens der alten Kirche[44]; die Diskrepanz zur Gegenwart, insbesondere der Niedergang des geistlichen Amtes, konnte nicht übersehen werden. Wie reagierte darauf die zeitgenössische Theologie?

In Paris, wo der Kanzler der Universität, Geoffroy Boussard, 1505 ein Büchlein über die Geschichte des priesterlichen Pflicht-

---

[33] G. W. Panzer, Annales typographici VI 196f. (Nr. 160). Erneut aufgelegt in überarbeiteter Fassung 1526; ebd. 253 (Nr. 609).

[34] G. W. Panzer, Annales typographici VI 217 (Nr. 323); Neuauflagen in Basel 1521, 1525 und 1530 sowie in Köln 1522 und o. J.; ebd. VI 226 (Nr. 391), 248 (Nr. 570), 273f. (Nr. 764), 387 (Nr. 365—366), IX 440 (Nr. 859 d).

[35] G. W. Panzer, Annales typographici VI 231 (Nr. 430); Nachdrucke in Köln und Straßburg 1522 sowie in Köln 1532; ebd. 386 (Nr. 359), 100 (Nr. 629), 423 (Nr. 689).

[36] G. W. Panzer, Annales typographici VI 236 (Nr. 466).

[37] G. W. Panzer, Annales typographici VI 255 (Nr. 625).

[38] G. W. Panzer, Annales typographici VI 259 (Nr. 657); Nachdruck in Paris 1529; ebd. VIII 127 (Nr. 1841).

[39] G. W. Panzer, Annales typographici VI 260 (Nr. 665).

[40] Bd. I—VII erschienen 1528, Bd. VIII—X und der Registerband folgten 1529; G. W. Panzer, Annales typographici VI 267f. (Nr. 721); Nachdruck in Paris 1531/1532; ebd. VIII 161 (Nr. 2186).

[41] G. W. Panzer, Annales typographici VI 275 (Nr. 774).

[42] G.W. Panzer, Annales typographici VI 250 (Nr. 584). Die Übersetzung von J. Ceratinus erschien 1526 in Antwerpen; ebd. VI 11 (Nr. 77). Die Übersetzung von G. Brixius erschien 1526 in Paris und 1530 bei Johann Gymnich in Köln; ebd. VIII 96 (Nr. 1508) u. VI 412 (Nr. 584).

[43] G. W. Panzer, Annales typographici VI 285 (Nr. 853).

[44] Ein Beispiel, das durch Verlagsjahr und Verlagsort für diese Untersuchung nicht belanglos ist, sei noch erwähnt. Der Kölner Verleger Johann Gymnich, tätig von 1520 bis 1544 (J. Benzing, Die Buchdrucker, 224, Nr. 21), bei dessen Erben später auch Werke Johannes Groppers verlegt wurden, brachte 1536 die Schrift „De vita contemplativa" von Julianus Pomerius, dem Lehrer des Caesarius von Arles, heraus; bis ins 17. Jahrhundert wurde dieses Werk Prosper von Aquitanien zugeschrieben. Es richtet sich im ersten und zweiten Teil mit einer Darstellung des beschaulichen und tätigen Lebens an die Priester, um sie zu einer durch sittliche Vervollkommnung geprägten Lebensführung zu bewegen; der dritte Teil wendet sich mit einer Darstellung der Tugenden und Laster an alle Christen. Die Kölner Ausgabe ist dem langjährigen Mainzer Domprediger und damaligen Wiener Hofprediger Friedrich Nausea gewidmet

zölibats veröffentlichte[45], entfaltete sich im Kampf gegen die spät-
scholastische Schultheologie[46] eine neue, von der Renaissance der
Patristik befruchtete, humanistisch-reformerisch orientierte theologische Strömung; ein typischer Repräsentant dieses neuen Denkens
war Josse Clichtove, ein langjähriger Schüler des Humanisten
Jacques Lefèvre d' Étaples[47], der sich seit 1506 zunehmend der
Theologie widmete und übrigens Herausgeber der oben erwähnten
Pariser Gesamtausgabe der Werke Bernhards von Clairvaux war.
In regem geistigen Austausch mit bedeutenden Vertretern des
französischen Episkopates stehend[48], bildete Clichtove ein umfas-
sendes Konzept für die Erneuerung der Kirche durch die Reform
des bischöflichen und priesterlichen Dienstamtes aus; er legte es
in dem 1516 erschienenen „Elucidatorium ecclesiasticum ad officium
Ecclesiae pertinentia planius exponens"[49] und in dem 1519 folgenden „De vita et moribus sacerdotum opusculum"[50] der Öffentlichkeit vor; diesen Auffassungen blieb er auch treu, als die von Luther
vertretenen Lehren die Theologie in einen bis dahin unbekannten
Aufruhr des Für und Wider versetzten. Das Priestertum betrachtete
Clichtove vorrangig von seinen kultisch-sakrifiziellen Funktionen
her[51]. Die enge Zuordnung von „sacerdotium" und „sacrificium"
ist nach ihm für jede der drei Etappen der Heilsgeschichte charakteristisch, für den Alten Bund, für die Zeit Jesu Christi, der allein

wegen seiner großen Verdienste „in reparando et conservando Dominico
grege".

[45] G. Boussard, De continentia sacerdotum. Das Werk von Geoffroy Boussard wurde 1513 in Rouen nachgedruckt (P. Calendini, Geoffroy Boussard,
260f.).

[46] Sie wurde in Paris etwa von dem 1507—1517 und 1525—1531 am Collège
de Montaigu lehrenden Schotten John Maior, einem Lehrer von Jean Calvin,
vertreten (É. Amann, John Maior, 1661f.); Maiors 1509 verfaßter Sentenzenkommentar behandelt das Priestertum noch ganz unter den von der mittelalterlichen Dogmatik entwickelten Fragestellungen (L. Ott, Das Weihesakrament, 79, 87, 92, 94, 96 u. 107).

[47] Für Clichtoves „Lehrzeit" bei Lefèvre im Collège du Cardinal-Lemoine und
seine Studien an der Sorbonne (seit 1498) vgl.: J. P. Massaut, Josse Clichtove I 177—298.

[48] So insbesondere mit Guillaume Briçonnet jun., dem Bischof von Lodève, später von Meaux, mit Étienne Poncher, dem Bischof von Paris, seit 1519
Erzbischof von Sens, und mit Louis Guillard, Bischof von Tournai (1513),
dann von Chartres (1525), Châlons sur Saône (1553) und Senlis (1560).

[49] Neun Nachdrucke zwischen 1517 und 1555 in Basel, Paris und Venedig;
J. P. Massaut, Josse Clichtove I 40.

[50] 14 Nachdrucke zwischen 1520 und 1609 in Paris, Lyon, Konstanz und Krakau; J. P. Massaut, Josse Clichtove I 41.

[51] J. Clichtove, De vita et moribus sacerdotum, f. 3 r: „Sacerdos ab authoribus
diffinitur is esse, qui Deo sacrificia facienda peculiariter dicatus est."
Ähnlich: Elucidatorium, f. 104r. Zum Ganzen: J. P. Massaut, Josse Clichtove II 115—209.

zugleich Priester und Opfer ist, und für die Zeit der Kirche; die außergewöhnliche Würde des Priestertums der Kirche liegt in der Konsekrationsgewalt begründet, in der Kraft, im eucharistischen Opfer den Leib Christi zum Heil der Welt darzubringen[52]. Gleichwohl erinnert Clichtove an die menschlichen Schwächen und Unziemlichkeiten des Priesters. Aus der so aufgewiesenen Spannung leitet er die Maxime einer steten persönlichen Heiligung ab. Der Priester hat sich zu bemühen, seiner Aussonderung aus den Menschen für Gott, dem er geweiht ist, willig zu entsprechen[53]. Er soll ein „séparé" sein, ausschließlich bestimmt für den Kult, frei von den Sorgen der Welt, ein Zeichen für das Andere; es ist begreiflich, daß Clichtove von diesem Ansatz her den priesterlichen Pflichtzölibat leidenschaftlich verteidigte und ihn beinahe mit dem Keuschheitsgelübde gleichsetzte[54]; er legte sich in dieser Frage mit Geoffroy Boussard an, welcher für den Zölibat allein Gründe der Zweckmäßigkeit und des Herkommens gelten lassen wollte[55]. Neben den liturgisch-rituellen Diensten wertet Clichtove auch die pastoralen Aufgaben des Priesters ausgiebig[56]; grundsätzlich unterscheidet er jedoch zwischen Priestertum und Hirtenamt in recht akzentuierter Weise[57] — eine Eigenart, die sein Priesterbild deutlich von dem des Johannes Gropper abhebt und die auch nicht von Jean Marre, dem Bischof von Condom, geteilt wurde, welcher 1519 ein „Enchiridion sacerdotale" herausgab und darin den Priestern Hilfsmittel für die praktische Seelsorge bereitstellte[58].

Die Rezeption der Ideen Clichtoves wäre in Deutschland wohl spürbarer ausgefallen, hätten nicht die Schriften Martin Luthers um dieselbe Zeit die Diskussionen über das Priestertum in eine völlig andere Richtung gedrängt. In seinem Buch von der babylonischen Gefangenschaft der Kirche (1520)[59] wendete Luther das

---

[52] J. Clichtove, De vita et moribus sacerdotum, f. 14r—18r. Vgl. Chrysostomus, De sacerdotio III 4 u. VI 4 (MG 48, 642 u. 681).

[53] J. Clichtove, Elucidatorium, f. 28v u. 104r; Clichtove zitiert: Hieronymus, Epistula 52 (ad Nepotianum), 5 (CSEL 54, 421); vgl. Ps 16/15, 5. „Et quia vel ipse pars Domini est vel Dominum partem habet, talem se exhibere debet, ut et ipse possideat Dominum et ipse possideatur a Domino."

[54] J. Clichtove, De vita et moribus sacerdotum, f. 55r—57r.

[55] J. P. Massaut, Vers la Réforme catholique, 485f.

[56] J. P. Massaut, Josse Clichtove II 211—284.

[57] J. P. Massaut, Vers la Réforme catholique, 471, Anm. 28.

[58] G. W. Panzer, Annales typographici VIII 53 (Nr. 1072). Über den Verfasser des „Enchiridion sacerdotale": P. Rouleau, Jean Marre, évêque de Condom (1436—1521), sa vie, ses oeuvres, ses idées de réforme.

[59] Luther hat seine Ansicht vom Priestertum streng genommen nicht in der Weise einer dogmatischen Lehre vorgetragen; er hat sie über die programmatischen Streitschriften des Jahres 1520, insbesondere „De captivitate Babylonica ecclesiae praeludium" (WA 6, 497—573), aber auch „An den christlichen Adel deutscher Nation von des christlichen Standes Besserung" (WA 6,

„sola scriptura"-Prinzip auch auf das Weihesakrament an und bestritt die Beweiskraft des in der Theologie gewöhnlich als Einsetzung des besonderen Priestertums gedeuteten Auftrags Christi im Abendmahlssaal (Lk 22,19; 1 Kor 11,24): „Tut dies zu meinem Gedächtnis"[60]. Luther sah in der überkommenen Argumentation der Theologie einen Mißbrauch der Heiligen Schrift zur Rechtfertigung des „status clericalis", der Herrschaft der Kleriker über die Laien. Er protestierte gegen eine hierarchisch-legalistische Entstellung des priesterlichen Amtes in der Kirche, „gegen den Anspruch der Amtsträger auf exklusive Gottunmittelbarkeit und gleichzeitig gegen den daraus abgeleiteten Anspruch, Mittler des Heiles zwischen Gott und den Menschen zu sein"[61]. Statt dessen betonte er das allen Christen gemeinsame Priestertum, das es einem jeden ermöglicht, im Glauben, im Gebet und Opfer unmittelbar vor Gott hinzutreten. „Alle Christen sein warhafftig geystlichs stands, unnd ist unter yhn kein unterscheyd, denn des ampts halben allein"[62]. Allein die Sorge, daß der Mensch seinen gnädigen Gott findet, daß er durch den Glauben zur Rechtfertigung um Christi willen kommt, begründet den Dienst des Wortes, der Predigt des Evangeliums. Wohl nicht ohne Zusammenhang mit seiner Rechtfertigungslehre entwickelte Luther ein neues, funktional bestimmtes Amtsverständnis. Die Ordination ist nur der Ritus, den Prediger in der Kirche auszuwählen[63]. Sie verleiht keineswegs irgend-

404—469) und „Tractatus de libertate christiana" (WA 7, 49—73), in die öffentliche Diskussion gebracht. In den folgenden Jahren entwickelte er sie in Auseinandersetzung mit Hieronymus Emser, König Heinrich VIII. von England, John Fischer, Johannes Eck, Ambrosius Catharinus und anderen. Bedeutsame Ergänzungen für Luthers Auffassung vom geistlichen Amt stellen pastorale Gutachten wie „De instituendis ministris Ecclesiae" (WA 12, 170—196) dar, aber auch das Ordinationsformular von 1535 (WA 38, 401—433). Es gibt sogar eine Primizpredigt Luthers von 1517/1518 unter dem Titel „De sacerdotum dignitate" (WA 4, 655—659). Diese letzteren Schriftstücke sind jedoch von jenen Zeitgenossen, die Luther befehdeten, kaum rezipiert worden. Die Kontroverstheologie der zwanziger und dreißiger Jahre des 16. Jahrhunderts hat vor allem bei den explosiven und polemisierenden Auslassungen Luthers angesetzt. Dies trifft auch für Johannes Gropper zu. Immerhin unterscheidet er sich von den meisten zeitgenössischen Gegnern Luthers dadurch, daß er — zumindest in seinen älteren Schriften — im Kampf Zurückhaltung bewahrt, dabei klar ihm untragbar erscheinende Sätze des Reformators zurückweist, ohne dessen Namen zu zitieren, im übrigen aber subtile Auseinandersetzungen mit dem vorsichtiger argumentierenden Melanchthon bevorzugt.

[60] WA 6, 563, 10—17.
[61] H. Mühlen, Das mögliche Zentrum der Amtsfrage, 336; vgl. WA 7, 54, 31—37 u. 58, 12—19.
[62] WA 6, 407, 13—15. Ähnlich schon im Schreiben an Spalatin vom 18. Dezember 1519 (WA/Br 1, 595, 26—37).
[63] WA 6, 564, 16f.

welche privilegierenden Vollmachten[64], sie führt zu keinem besonderen Glaubensverhältnis zu Gott, sie hebt die innere Gleichheit
aller Christen vor Gott nicht auf. Sie ist „keine besondere Gnadengabe in dem Sinne, daß sie den Menschen auf besondere Weise,
ohne den Glauben oder über ihn hinaus, rechtfertigt"[65]. Sie über-
trägt lediglich den Dienst, das Wort Gottes zu predigen und die
Sakramente zu reichen. In diesem Dienst tut der Amtsträger öffentlich und im Auftrag der Gemeinde, wozu grundsätzlich alle berech-
tigt und befähigt sind[66].

Diese radikale Position hat Luther selbst in seinen späteren
Schriften nicht voll durchgehalten. Erstmals 1529 — also nach
den Auseinandersetzungen mit den Täufern und Schwärmern —
unterschied er von der Rechtfertigungsgnade eine besondere Gabe
des Heiligen Geistes, die einer Person nur in Bezug auf das ihr
anvertraute Amt gegeben wird; Luther anerkannte damit eine vom
Ordinator und vom Ordinanden unabhängige Ordinationsgabe, die
— auch gegen persönliche Unwürde des Amtsträgers — immer
wirkt, wenn das Amt geschieht[67]. Trotz dieser theologischen Diffe-
renzierung ließ auch der späte Luther nicht von seiner Kritik am
zeitgenössischen Klerus ab; er bekämpfte die übersteigerte Hochschätzung der in der Weihe übertragenen Konsekrationsgewalt,
aufgrund derer man den Priestern eine selbst die Engel überragende Würde zuschrieb und die viele Geistlichen die seelsorglichen
Dienste der Verkündigung und Gemeindebetreuung vernachlässigen ließ[68].

Die Ansichten Luthers vom priesterlichen Amt vertrat Philipp
Melanchthon in spürbar abgeschwächter Fassung. Mit Luther ver-
warf er das „Opferpriestertum" und faßte das geistliche Amt als
Dienst des Wortes und der Sakramentenspendung auf. Während

---

[64] WA 12, 173, 9—174, 22.

[65] J. Aarts, Die Lehre Martin Luthers über das Amt in der Kirche, 229.

[66] WA 6, 408, 13—17: „Dan weyl wir alle gleich priester sein, muß sich niemant
selb erfur thun und sich unterwinden, an unßer bewilligen und erwelen das
zuthun, des wir alle gleychen gewalt haben. Den was gemeyne ist, mag
niemandt on der gemeyne willen und befehle an sich nehmen." Auch: WA 8,
495, 24—33.

[67] WA 28, 467, 40—468, 8; 468, 28—36: „... Ein Mensch môge zweyerley
Weise den heiligen Geist haben, Für seine Person und für sein Ampt. Für
unser Person ist der heilige Geist nicht allezeit bey uns. Denn wir lassen uns
offt den bôsen Geist reiten ... Aber für unser Ampt, wenn wir das Evangelium predigen, Teuffen, Absolviren, Sacrament reichen nach des heiligen
Geistes Stifftung und Ordnung, ist der heilige Geist allezeit bey uns." Ähnliche Anschauungen spiegeln sich in Luthers Ordinationsformular (WA 38,
424, 1—14R; 429, 26—430, 33R; 431, 18—36R).

[68] WA 12, 182, 33—183, 4; WA 38, 199, 3—22; 221, 9—17; 222, 25—32; 234,
2—9; 238, 17—19.

er 1521 in der ersten Ausgabe seiner „Loci communes theologici"
die Sakramentalität des Ordo entschieden ablehnte, revidierte er
diese Auffassung in der zweiten Ausgabe von 1535 unter der Voraussetzung, daß man den Ordo als Dienst am Evangelium auf-
fasse[69]. Bereits in der Apologie der Confessio Augustana hatte
Melanchthon ähnliche Überlegungen angestellt[70], nachdem schon
die Confessio Augustana selbst harmonisierende Tendenzen erkennen ließ[71]. Freilich, die Lehre von dem auf Weihe und Sukzession begründeten, in eine Mittelstellung zwischen Christus und
der Kirche berufenen sakramentalen Priestertum wurde von der
Confessio Augustana nicht übernommen[72]. In der dritten Ausgabe
der „Loci communes theologici" (1543) betonte Melanchthon gegen
die Schwärmer leidenschaftlich, daß Gott in der Ordinationshandlung die Diener des Wortes in ihr kirchliches Amt einsetzt[73].
Anders als bei Luther hatte bei ihm die Vorstellung des allgemeinen Priestertums aller Christen für das Amtsverständnis nur geringe Valenz[74].

Die Lehren der Reformatoren blieben nicht unwidersprochen.
Hier ist nicht der Ort darzulegen, was alles von den zahlreichen
literarischen Widersachern Luthers gegen dessen Auffassungen
über das Priestertum ins Feld geführt wurde[75]. Nur wenige Beispiele seien herausgegriffen.

Der Engländer John Fisher, Bischof von Rochester und langjähriger Freund des Erasmus von Rotterdam, verfaßte 1525 eine
Schrift „Contra captivitatem Babylonicam Lutheri"[76], worin er

---

[69] CR 21, 211: „Quo magis miramur quid venerit in mentem Sophistis, praesertim
cum signis iustificationem tribuerent, inter sacramenta referre, ea quorum
ne verbo quidem scriptura meminisset. Nam unde confictus ordo est?"
CR 21, 470: „Maxime autem placet mihi, Ordinem, ut vocant, inter sacramenta numerari, modo ut intelligatur et ipsum ministerium Evangelii, et vocatio
ad hoc ministerium docendi Evangelium et administrandi Sacramenta."
[70] Vgl. insbesondere die Stellungnehme zu Artikel 13 (CR 27, 570f.).
[71] Vgl. Artikel 5, 13 u. 14 (CR 26, 354f. und 359f.).
[72] R. Hermann, Zur theologischen Würdigung der Augustana, 206—208.
[73] CR 21, 852f.: „Christus pontifex imponit eis manum, id est, deligit eos voce
Ecclesiae, benedicit eis ac ungit eos donis suis..., subjicit eos sibi, ut solum
Evangelium doceant, solius Christi regno serviant ... Deus vult esse publicum
ministerium, idque mirabiliter conservat et subinde repurgat, ut ad hoc
Evangelium exhibitum sciamus Ecclesiam alligatam esse."
[74] H. Lieberg (Amt und Ordination, 381) analysiert, daß der Begriff des allgemeinen Priestertums der Christen „in Melanchthons Amtslehre eine ganz
untergeordnete Rolle spielt, während er für Luther in der Entwicklung des
Amtsbegriffs ... eine geradezu fundamentale Bedeutung hat".
[75] Es kann verwiesen werden auf die Untersuchung von: G. B. da Farnese, Il
sacramento dell' ordine nel periodo precedente la sessione XXIII del Concilio
di Trento.
[76] J. Fisher, Opera, 102—271.

gegen den Wittenberger Reformator daran festhielt, daß die Priesterweihe ein durch Handauflegung und Übertragung des Heiligen
Geistes vermitteltes Sakrament ist[77]. Im selben Jahr erschien Fishers
viel beachtete und bis zum Beginn des Trienter Konzils in fünf
Auflagen verbreitete „Sacri sacerdotii defensio", welche die Fundamente der kirchlichen Lehre über das Priestertum aus der biblischen Offenbarung und aus der Tradition der lateinischen und
griechischen Väter herausarbeitete[78]. Damit vertrat Fisher eine
Position, die weit weniger populär war als jene der Reformatoren.
„He was like a man shouting in the wind and his voice went unno-
ticed in the sound and fury of the whirlwind sweeping across
Europe"[79].

Bartholomäus Arnoldi von Usingen, Augustiner wie Luther und
an der Erfurter Universität in den Jahren 1501—1505 Lehrer des
Reformators, beklagte in seinem Anfang 1525 erschienenen „Büchlein über die falschen Propheten", daß die Reformatoren wegen
ihrer attraktiven Lehren, die das sakramentale Sündenbekenntnis

---

[77] J. Fisher, Opera, 255—261.

[78] Fisher ließ diese Schrift durch den Londoner Bischof Cuthbert Tunstall und
durch den häufig unter dem Namen seines Heimatortes Romberg (bei Kierspe
in Westfalen) bekannten Kölner Professor Johannes Host begutachten. Im
Sommer 1525 erschien die Schrift in drei Ausgaben der Kölner Druckerei
Quentel; 1537 und 1542 folgten Drucke bei Jan Steels in Antwerpen, schließlich noch 1562, also ein Jahr vor Beendigung des Trienter Konzils, bei Michel
Julian in Paris. Ich zitiere nach der modernen, von H. Klein Schmeink besorgten Edition. Daß Fisher neben den dogmatischen Streitfragen auch die Bedürfnisse der Seelsorge im Auge hatte, kann folgende Stelle verdeutlichen
(Sacri sacerdotii defensio, 82f.): „Quum ... nondum quisquam in eam
[ecclesiam] irrepserit heresiarcha, qui publice conatus fuisset eam contaminare,
manifestum est identidem et ministerium ipsum, quod sacerdotum proprium
est, non tum fuisse plebi commune. Id quod iustissima ratione divinitus
ordinatum est; plebs enim formam gregis tenet, cui regendo sacerdotes velut
pastores preficiuntur. Propter quod et Christus Petro iam tertio dixit:
,Pasce oves meas.' Et profecto, quemadmodum oves, ubi pastores abfuerint,
pluribus malis afficiuntur ... Sic nimirum et populus, nisi maxima sollicitudine pastores evigilent, quidam in morbos animi dilabuntur et in omne scelus
ruunt, quidam per hereticos et schismaticos deperiuntur et laniantur misere...
At compertissimum habemus, ubi sacerdotes gregem sibi commissum pascunt
verbo pariter et exemplo, populus a multis erroribus cohibetur. Et contra,
quum sacerdotes officia sua negligentius agunt, populus in malorum omnium
barathrum preceps corruit. Eapropter haud dubie Christus ... duodecim
apostolos instituit ... ut docerent plebem. Petro tamen, quem suo gregi pri-
marium reliquit pastorem, id officii pecularius iniunxit, nimirum ut, si se
amaret, gregem suum studiose pasceret. Preter hec et apostolis sive per Christum seu per Christi Spiritum facta est potestas, ut illi pro suo iudicio
presbyteros consecrarent consecratosque preficerent ecclesiis. Neque defuit
sponsio future gratie, quoties illi cuipiam ad hunc finem suas essent imposituri
manus."

[79] W. J. O'Rourke, St. John Fisher's defence of the holy priesthood, 292.

vor dem Priester und die persönlichen guten Werke überflüssig machten, im christlichen Volk so großen Zulauf fanden[80]. Nach seiner Meinung förderte auch die Aussicht auf Abschaffung des privilegierten Priesterstandes den Siegeslauf der Reformation[81]. Arnoldi verehrte die kirchlichen Amtsträger als Stellvertreter Gottes[82]; doch sah er mit Schrecken nur wenige von ihnen nach Kräften ihre Pflicht tun; so rügte er, daß viele Bischöfe ihren Hirtendienst vernachlässigten und viele Priester ein zuchtloses, das geistliche Amt belastendes Leben führten[83]. Er glaubte, wenn in diesem Punkt Änderung geschaffen würde, sei die reformatorische Kritik ohne Chance, zumal ihr theologisch beizukommen sei.

Der Ingolstädter Professor Johannes Eck, Luthers wohl markantester Gegner, begründete die Notwendigkeit des besonderen Priestertums aus dem unauflöslichen Zusammenhang von Bund, Opfer und Priestertum[84]. Im Neuen Bund ist nach Eck diese Wirklichkeit keineswegs beseitigt[85], sondern von Jesus Christus in neuer, besserer Weise bestätigt[86]. War schon das alttestamentliche Priestertum von Gott mit hohen Ehrenvorrechten ausgestattet worden, so ist die Würde des neutestamentlichen Priestertums noch um vieles größer[87]. Das zeigt sich in der leitenden Stellung, die die Apostel und nach ihnen die Bischöfe und Priester in der Kirche innegehabt haben[88]. Eck leitet von hierher den Begriff Ordo für das Weihesakrament ab; das leitende und ordnende Amt ist vonnöten, weil „creatura in una eademque aequalitate gubernari vel vivere non potest"[89]. In das priesterliche Amt sind die Apostel und Jünger von Jesus Christus durch die Handauflegung (Lk 24,50), jenes schon

---

[80] B. Arnoldi, Libellus de falsis prophetis, C 3v.
[81] B. Arnoldi, Libellus in quo respondet, N 3r/v: „Ad haec fex populi aures accomodat, haec illi sunt evangelica dicta et paulina praecepta, per quae sibi vult fas esse invadere sacerdotes, excucullare monachos, nuptui tradere moniales, expilare templa, evertere monasteria, occupare possessiones, census et omnia Ecclesiae praedia. Nemo propterea mirari habet tam dulciter illi sonare vestra dogmata."
[82] B. Arnoldi, Libellus in quo respondet, P 3r: „Papae et caeteris praelatis meis in Ecclesia obedio loco Dei, sicut mihi praecepit Christus."
[83] B. Arnoldi, Libellus de falsis prophetis, A 4r; ders., Liber primus, quo recriminacioni respondet, E 6r, F 2r—F 3r; ebd., F 3v, tritt er für den priesterlichen Pflichtzölibat ein (auch: Libellus de falsis prophetis, G 4r).
[82] J. Eck, Homiliarius IV: De sacramentis, Hom. 59, f. 76r.
[85] Für das Priestertum des Alten Bundes verweist J. Eck (Enchiridion, f. 53v—54v) auf Num 25,13; ebenso die Kapitel Num 14 u. 16, Jer 23 sowie Mal 2.
[86] Für die Einsetzung des neutestamentlichen Priestertums durch Jesus Christus bringt J. Eck (Enchiridion, f. 51r—52v) folgende Schriftzitate: Mt 10,1—4; Mk 6, 7—13; Lk 10, 1—12 u. 22,19; Joh 20, 21—23.
[87] J. Eck. Homiliarius IV: De sacramentis, Hom. 59, f. 76v.
[88] J. Eck, Enchiridion, f. 53r/v.
[89] J. Eck, Homiliarius IV: De sacramentis, Hom. 59, f. 76r.

im Alten Bund bezeugte Zeichen der Nachfolge (Gen 48,14; Dtn 34,9), berufen worden[90]; auch an dem auf besondere Weise zum Apostolat bestellten Paulus ist die Handauflegung vollzogen worden[91]. In der Handauflegung wird eine besondere, dem apostolisch-priesterlichen Amt eigene Gnadengabe vermittelt[92], welche unverlierbar ist (Eph 1,13)[93]. Unter diesem Gesichtspunkt erscheint es Eck völlig widersinnig, die Priester — wie von den Reformatoren vorgeschlagen — durch das Volk wählen zu lassen[94] und dabei jedem Christen die Möglichkeit einzuräumen, den Verkündigungsdienst im Auftrag der Gemeinde zu übernehmen[95]. Eck nimmt auch entschieden Stellung gegen die lutherische Bestreitung der Weihestufen[96]. Die reformatorische Polemik gegen die Vielzahl der geweihten Priester und gegen die Zölibatspflicht weist Eck im „Enchiridion locorum communium adversus Lutteranos", der in Europa am weitesten verbreiteten katholischen Kontroversschrift des 16. Jahrhunderts[97], mit scharfer Zunge zurück[98].

Eine zugleich von dogmatischer Festigkeit und pastoraler Aufgeschlossenheit gekennzeichnete Darstellung der Frage des priesterlichen Dienstes findet sich in der „Tewtschen Theologey" (1528) Berthold Pürstingers, des resignierten Bischofs von Chiemsee. Nach seiner Lehre haben sich die Bischöfe als Nachfolger der Apostel, die Priester als Nachfolger der Jünger und Schüler des Herrn[99] um die Auferbauung des Leibes Christi zu sorgen, und zwar vor-

---

[90] Ebd., Hom. 60, f. 78r.

[91] Ebd., Hom. 60, f. 78v.

[92] Ebd., Hom. 61, f. 79r—80r.

[93] J. Eck, Enchiridion, f. 214r—217r. Eck handelt hier über den Tauf-, Firm- und Weihecharakter.

[94] J. Eck, Homiliarius IV: De sacramentis, Hom. 62, f. 81r/v.

[95] Ebd., Hom. 62, f. 81v u. 82r.

[96] Ebd., Hom. 63—66,3, f. 82r—87r; hier behandelt J. Eck die klassischen sieben Weihestufen; Hom. 66,4 (f. 87r/v) äußert er sich über die Tonsur, in welcher er eine eigene Weihestufe erblickt; Hom. 67 u. 68 (f. 87v—91r) betrachtet er schließlich Bischofsamt und Bischofsweihe.

[97] Pierre Fraenkel hat bisher 105 Ausgaben in zwölf verschiedenen Textfassungen feststellen können; P. Fraenkel, La version française, 49f.; ders., Johann Eck und Sir Thomas More, 483, Anm. 12. Zum Vergleich: Von dem erfolgreichsten Werk Martin Luthers, dem Kleinen Katechismus von 1529, lassen sich bis zum Todesjahr des Verfassers (1546) insgesamt 85 verschiedene Auflagen und Drucke (einschl. Übersetzungen, Zusammenfassungen und Schulausgaben) nachweisen; J. Benzing, Lutherbibliographie, 303—311 (Nr. 2589-2666). Von den verschiedenen Bearbeitungen der „Loci communes theologici" Philipp Melanchthons sind im Zeitraum des 16. Jahrhunderts 75 verschiedene Auflagen bekannt; CR 21, 59—70, 231—242; 563—592.

[98] J. Eck Enchiridion, f. 196r—198r u. 115r—120v.

[99] Berthold, Tewtsche Theologey, cap. 91, 5 u. 6 (631f.). Zitiert nach der von Wolfgang Reithmeier 1852 besorgten Edition; eine neue kritische Edition des Werkes ist wünschenswert.

nehmlich durch Ausspendung der Sakramente[100]. Sie sind von Gott zu dem wichtigen Dienst der Sorge um das Seelenheil der Menschen bevollmächtigt und üben diesen Dienst in gültiger und wirksamer Weise auch gegen ein persönlich unwürdiges Leben[101]. Pürstinger kehrt die Bedeutung der Hirtenpflichten in Bezug auf den Bischof stärker als in Bezug auf den Priester hervor; er sieht übrigens hierin und in der mit dem Bischofsamt verbundenen höheren Würde den Unterschied zum Priestertum; die Auffassung vom Episkopat als einer eigenen Weihestufe lehnt er ab[102].

Im Zusammenhang mit Berthold Pürstinger verdient ein Geistesverwandter des Bischofs von Chiemsee, der von der Forschung bisher nur wenig beachtet wurde, eine kurze Erwähnung. Gemeint ist Johannes Laski, der Erzbischof von Gnesen und Primas von Polen. Er war eifrig bemüht, die prekäre Lage der Kirche in seiner Heimat[103] zu verbessern. Auf zahlreichen Provinzialkonzilien und Diözesansynoden setzte er sich insbesondere für die Klerusreform ein. Ihm erschien besonders wichtig, den Priestern ein inneres Verhältnis zu vermitteln zu ihrem wichtigsten Dienst, den er in der Feier des Meßopfers sah. Aus diesem Grund gab er 1523 ein Missale heraus und ergänzte dies 1529 um ein „Manuale sacerdotum"[104].

Unter den italienischen Theologen dieser Zeit hatte vor Pürstinger und Laski bereits der Kardinal Thomas Cajetan, der als Legat des Papstes Martin Luther auf dem Augsburger Reichstag im Oktober 1518 verhörte, mit Nachdruck betont, daß es die ureigenste Aufgabe der Bischöfe und aller Amtsträger sei, dem Heil der Gläubigen zu dienen[105]. Das Hirtenamt des Bischofs und Pfarrers verlangt, so Cajetan, das persönliche Wachen bei der Herde; die Bedürfnisse der praktischen Seelsorge erfordern unabdingbar die persönliche Residenz des Amtsträgers[106]. Bezeichnend für Cajetan ist auch, daß er im Bußsakrament die Möglichkeit einer persönlichen Seelenführung der Gläubigen durch den Priester erblickt und entsprechende Erwartungen an den Beichtvater stellt[107]; dabei

---

[100] Berthold, Tewtsche Theologey, cap. 58, 11—13 u. 95, 1—2 (415—417 u. 656f.).

[101] Berthold, Tewtsche Theologey, cap. 94,6 (651f.).

[102] Ebd., cap. 94,4 u. 95,3 u. 4. (650f. u. 657f.).

[103] S. o. S. 5, Anm. 2.

[104] R. M. Zawadzki u. M. Zahajkiewicz, Johannis Isneri Expositio Missae, 186—188.

[105] A. Bodem, Das Wesen der Kirche nach Kardinal Cajetan, 15.

[106] Th. Cajetan, Opuscula I, tract. 3 („De Romani pontificis institutione et authoritate"), cap 11 („Petro per haec verba „Pasce oves meas' commissum a Christo pontificatum totius ecclesiae esse"), f. 31v.

[107] Die Grußformel zu Beginn des ersten Timotheusbriefes (1 Tim 1,2: „Gnade, Barmherzigkeit und Frieden") wird von Th. Cajetan (Epistolae Pauli, f. 147r) so kommentiert: „Superfluunt ambae coniunctiones. Imprecatur non

ist er der Ansicht, daß jeder Priester bei der Ordination mit der Absolutionsgewalt bereits auch einen gewissen Teil an Jurisdiktion („quasi in habitu") zur Ausübung der Absolutionsgewalt empfängt[108]. Im übrigen neigt Cajetan der Ansicht zu, allein in der Priesterweihe ein Sakrament zu sehen und alle unter dem Priestertum stehenden „ordines" nur für Sakramentalien zu halten[109].

Im Vergleich mit dem Denken Cajetans bleibt die von dem päpstlichen Legaten Lorenzo Campeggio auf dem Regensburger Konvent am 7. Juli 1524 erlassene „Ordinatio ad vitam cleri reformandam"[110] recht blaß. Dieses von Campeggio als für die ganze deutsche Kirche verbindlich gedachte Gesetz forderte die Abstellung verschiedener Mißbräuche; darunter war vornehmlich die Beseitigung häretischer Verkündigungstätigkeit und standesunwürdiger Lebensführung der Geistlichen begriffen[111]. Durch reichlich vorgesehene disziplinarische Maßnahmen sollte die vom Klerus geübte Vernachlässigung der Seelsorge geahndet werden[112]. Der deutsche Episkopat zeigte sich hingegen wenig geneigt, die Vorstellungen Campeggios zu verwirklichen; das trifft selbst für die in Regensburg anwesenden süddeutschen Bischöfe zu. Immerhin: „Wäre die Regensburger Formel, wie es geplant war, in ganz Deutschland durchgeführt worden, so hätte der Begriff ‚Reformation' nicht weiter ein Reservat der Lutheraner gebildet"[113].

Einem weiteren Italiener gebührt eine noch interessiertere Aufmerksamkeit; Gasparo Contarini war eine der lichtvollsten Erscheinungen der vortridentinischen Theologie. Lange bevor er in seinem vorletzten Lebensjahr auf dem Regensburger Religionsgespräch (1541) in einen geistigen Austausch mit Johannes Gropper trat, hatte Contarini seinem zum Bischof von Bergamo ernannten Freund Pietro Lippomani einen in strenger Form gehaltenen Katalog der Pflichten des geistlichen Amtes zugeeignet[114]. Contarini, damals (1516) noch Laie, zeigte seinem bischöflichen Freund neben dem

---

solum extrema dona (gratiam et pacem), sed etiam misericordiam, donum medium summe necessarium praelatis."

[108] Th. Cajetan, Opuscula I, tract. 7 („An sacramenti poenitentiae minister possit esse sacerdos absque iurisdictione"), f. 40v—41r.

[109] Ebd., tract. 11 („De modo tradendi seu suscipiendi sacros ordines"), f. 44r/v.

[110] ARC I 334—344.

[111] ARC I 337 f. (Artikel 1 u. 2). Artikel 1 empfiehlt für die Verkündigung die Werke von Cyprian, Chrysostomus, Ambrosius, Hieronymus, Augustinus und Gregor d. Gr.

[112] Eine Schwäche der Regensburger Formel bestand sicherlich darin, daß sie sich in vielen Verboten artikulierte, aber nur wenige positive Ziele aufzeigte.

[113] H. Jedin, Geschichte des Konzils von Trient I 174.

[114] Der Traktat „De officio episcopi" ist veröffentlicht in: G. Contarini, Opera, 401—431.

Ziel der persönlichen Vervollkommnung die vom Amt gebotenen Aufgaben im Kult, in der Katechese und Pastoral, in der Caritas und in der Administration in unmißverständlicher Klarheit auf[115]. Als Contarini 1533 ein Buch über die Sakramente der katholischen Kirche veröffentlichte, brachte er in die dogmatische Abhandlung des Weihesakramentes eine ähnliche, für die Notwendigkeiten der Seelsorge aufgeschlossene Perspektive ein. Die in der Priesterweihe mitgeteilte besondere Gnade bezweckt, so heißt es, weniger die persönliche Heiligung des Geweihten als vielmehr dessen „Konsekration", durch die er in den Dienst der Mittlerschaft und Versöhnung zwischen Gott und seinem Volk bestellt wird[116]. Den Dienst der Versöhnung vollzieht der Priester vorzüglich in der Feier des Meßopfers und in der Spendung des Bußsakramentes; dafür ist er mit der Wandlungs- und mit der Lossprechungsvollmacht ausgestattet[117].

Nächst Contarini seien zusätzlich einige andere italienische Theologen erwähnt, die in Wort und Tat an einer Lösung der Probleme um den priesterlichen Dienst mitarbeiteten. Der aus Siena stammende Dominikaner Ambrosius Catharinus hielt 1537 auf einer Diözesansynode in Lyon die Festrede über Amt und Würde der Priester und Seelenhirten[118]. Der Veroneser Bischof Gian Matteo Giberti erstrebte in seiner Diözese eine volksnahe Form der Seelsorge; Widerstände im Klerus überwand er mittels häufiger Visitationen und durch ständige persönliche Residenz im Bistum; große Anstrengungen unternahm er, die geistig-geistliche und sittliche Bildung der Priester zu verbessern; er hielt diese an, häufig zu predigen und die Eucharistie zu feiern[119]; einen Meilenstein in Gibertis Reformprogramm bildete das Erscheinen der Konstitutionen für den Veroneser Diözesanklerus im Jahre 1542[120]. Neben Giberti bemühte sich auch ein anderer Angehöriger des italienischen Episko-

---

[115] H. Jedin, Das Bischofsideal, 84—86; K. Ganzer, Zum Kirchenverständnis Gasparo Contarinis, 248 u. 252—254.

[116] G. Contarini, De sacramentis christianae legis et catholicae ecclesiae libri quatuor: Opera 329—397; dort, 377f.: „nam istitutum fuit [sacramentum ordinis] non ob maiorem sanctificationem suscipientium ordines sacros, sed ob id potissimum, ut consecrati ministri essent, ac medij inter Deum et populum. ... verum, ut supra tetigimus, magis respicit hoc Sacramentum peccata populi expianda ministerio sacerdotis, quam ipsius peccata clerici, et ideo consecratio potiorem partem habet.

[117] Ebd., 379f. u. 382. An der zuletzt genannten Stelle wird verwiesen auf Mt 26,29 u. Joh 20, 21—23.

[118] Ambrosius Catharinus, Oratio de officio et dignitate sacerdotum Christianique gregis pastorum. F. Lauchert, Die italienischen literarischen Gegner Luthers, 67.

[119] A. Prosperi , Tra evangelismo e controriforma, 198—215.

[120] Gibertis „Constitutiones" erschienen bei Antonio Putelleto in Verona im Jahre 1542. Inhaltlich sind sie beträchtlich beeinflußt von den Reformkonsti-

pates um die Belange des Priestertums; Filippo Archinto, der Bischof von Saluzzo, zeigte sich freilich hauptsächlich um ein tragfähiges dogmatisches Fundament für das katholische Priestertum in der Kontroverse mit den Reformatoren besorgt, während er pastorale Gesichtspunkte nur kaum berücksichtigte[121].

Eine eigentümliche, noch ganz der mittelalterlichen Theologie und Mystik verpflichtete und vom Schatz einer tiefen persönlichen Frömmigkeit geprägte Betrachtung des Priestertums spiegelt sich in dem „Enchiridion sacerdotum", welches der Prior der Kölner Kartause, Peter Blommeveen aus Leiden[122], im Jahre 1532 dem Drucker übergab[123]. In der an den Kölner Erzbischof Hermann von Wied gerichteten Vorrede erklärt Blommeveen, es sei seine Absicht, den Priestern wieder die dem Sakrament des Altares gebührende Ehrfurcht einzuflößen; und am Ende seiner Schrift weist er empfehlend auf die Werke des Kartäusers Dionysius van Ryckel hin, deren Edition[124] in der Kölner Kartause „gravissimis laboribus

tutionen des Kölner Provinzialkonzils von 1536; sie enthalten dreißig Kapitel „De vita, habitu, conversatione et honestate clericorum, 72 bzw. 71 Kapitel „De celebratione divinorum et ordinibus ecclesiasticis", sechs Kapitel „De praedicatione verbi divini", 29 Kapitel „De curatis ecclesiarum et eorum officio", 30 Kapitel „De sacramentis ecclesiasticis et illorum usu, administratione et sacrorum veneratione", 31 Kapitel „De poenitentiis et remissionibus", 13 Kapitel „De sponsalibus et matrimoniis", 15 Kapitel „De rebus ad unamquamque ecclesiam pertinentibus conservandis et de illis non alienandis", 22 Kapitel „De variis poenis" und fünf Kapitel „De constitutionibus".

[121] F. Archinto, Christianum de fide et sacramentis Edictum, f. 32v—34r. Die Ausgabe des „Edictum" in Ingolstadt wurde durch Johannes Cochläus veranlaßt. Erstmals erschien das Buch 1545 in Rom, als Archinto noch Bischof von Borgo S. Sepolcro und Generalvikar des Bistums Rom war. F. Lauchert, Die italienischen literarischen Gegner Luthers, 466—474; H. Jedin, Das Leitbild des Priesters, 107.

[122] J. Greven, Die Kölner Kartause, 6—26, bes. 23f.; M. Bernards, Zur Kartäusertheologie des 16. Jahrhunderts, 458 u. 466f.

[123] Nur der erste Teil dieses „Enchiridion" stammt von Blommeveen selbst (f. 1r—76v); es folgen eine „Ratio confitendi" von Johannes Host (f. 77r—88r), „Meditationes pro sacrae missae officio piissimae" von dem 1401 verstorbenen Berner Kartäuser Johannes von Brunswick (f. 89r—113v), „Sacri canonis missae compendiaria elucidatio, ex grandi opere M. Gabrielis Biel de missa officio pro parum exercitatis Christi sacerdotibus studiose collecta" samt Betrachtungen des Jülicher Kartäuser-Priors J. J. Landsberg (f. 114r—154v), schließlich „Praestantissima quaedam de superdignissimo Eucharistiae sacramento miracula" (f. 155r—179v).

[124] Herausgeber war Dietrich Loher, der Vikar der Kölner Kartause; 1532 erschien der erste Band der „Opera minora"; G. W. Panzer, Annales typographici VI 419 (Nr. 651). Zahlreiche Einzelausgaben waren schon vorher erschienen; G. W. Panzer, Annales typographici VI 412 (Nr. 589), 418 (Nr. 637—639); J. Dagens, Bibliographie chronologique, 72—76; Th. Petreius, Bibliotheca Cartusiana, 49—52. Zum Ganzen: A. Troelstra, De toestand der catechese, 65 (mit Anm. 2 u. 4), 75 (mit Anm. 2) u. 76 (mit Anm. 3 u. 4).

et impensis"[125] bewerkstelligt werde; dort werde der demütige
Leser viel Wegweisendes über den Sinn des geistlichen Lebens erfahren; er werde zu einem Standort gelangen, welcher von vornherein das Gezänk der Gegenwart überwunden habe und welcher
eine solidere Bildung vermittle, als sie „in vanissimis istis Cicero-
nianis"[126] zu finden sei. Auch Blommeveen sieht im Priester den
Mittler zwischen Gott und seinem Volk[127]; dies zeigt sich am deut-
lichsten bei der Eucharistiefeier, zu der es den Priester immer wieder drängen soll[128]; dafür bedarf er freilich einer geläuterten, von
weltlichen Sorgen freien und ausschließlich auf Gott setzenden
Auffassung seines Lebens[129]. Nur wer sich dazu durchringt, kann
den priesterlichen Dienst wirklich erfüllen; darum plädiert Blommeveen für eine sorgfältige Selbstprüfung derer, die sich auf die
heiligen Weihen vorbereiten[130]. Er verschließt aber auch nicht den
Blick davor, daß vielen Geistlichen die sittlichen Voraussetzungen
für ein standesgemäßes Leben fehlen; leidenschaftlich wettert er
gegen den Konkubinat, dabei beeinflußt von alttestamentlichen
Reinheitsvorstellungen[131]. Und er wird nicht müde, auf umfassende Besserung zu hoffen[132]. Blommeveens „Enchiridion sacerdotum"

---

[125] P. Blommeveen, Enchiridion, f. 76v.

[126] Ebd.

[127] P. Blommeveen, Enchiridion, f. 51r: „Sacerdos in persona Christi consecrat
hoc sacramentum, et ergo ipse dispensat, sicut Christus in propria persona
fecit. Ipse sacerdos etiam est medius inter deum et populum. Unde sicut ad
eum pertinet, dona populi deo offerre, ita ad eum pertinet, dona sanctificata
divinitus populo tradere."

[128] P. Blommeveen, Enchiridion, f. 50v.

[129] P. Blommeveen, Enchiridion, f. 74r: „Sola devotio movere debet hominem ad
spiritualem vitam tendentem, scilicet ut relictis secularibus actibus vel occu-
pationibus deo vacet et divinis laudibus occupetur. Deo quoque sacrificium
sui corporis et sanguinis offerat pro eius gloria, pro propria salute, pro
profectu totius ecclesiae, pro vivis et defunctis, ut cum pia intentione et
vocatione (quo ad curam animarum) ad sublimem ecclesiae statum accesserit,
totum se propriorum effundat sacramenta, orationes et merita ipsis mini-
strando cum exemplari vita, ut tandem ipse a domino (cui fideliter servivit)
dignam mercedem in futura vita in caelis acquirat."

[130] P. Blommeveen, Enchiridion, f. 73v u. 74r: „Qui igitur sacros in se ordines
ecclesiasticos intendit accipere, tenetur inquirere, quae et qualia ad statum
ecclesiasticum requiruntur, et diligenter seipsum examinare, si talem statum
ducere velit, et sic vivere incontaminate valebit. Quod si non velit aut
potuerit, statum talem vivendi dimittat. Studiose insuper in intimis voluntatis,
coram deo inspiciente, cui nota sunt omnia secreta, inquirat, quid eum moveat
ad ecclesiasticum statum assumendum, an honor dignitatis, an proventus
redditum, an necessitas cibi et potus vel similia. Et si per haec vel propter
haec movetur, omnino abstineat, ne uratur hic concupiscentia et postmodum
gehenna."

[131] P. Blommeveen, Enchiridion, f. 73r/v.

[132] P. Blommeveen, Enchiridion, f. 72v: „Ut clericorum mores et actus in melius

ist spürbar monastisch geprägt. Aspekte der seelsorglichen Arbeit haben für das Priesterbild des Kartäusers fast keinerlei Relevanz. Völlig anders verhält sich dies in etlichen Schriften, die Erasmus von Rotterdam in der Spätphase seines Lebens verfaßt hat[133]. In ihnen bekundet sich ein äußerst wacher Sinn für die Belange der Seelsorge. In der „Exomologesis" versucht Erasmus etwa, durch eine sorgfältige Abwägung der Vorteile[134] und der Nachteile[135] der Beichte Wege zu einer zeitgemäßen Erneuerung des Bußsakramentes aufzuweisen; er weiß dabei sehr wohl, daß eine Verwirklichung seiner Vorstellungen nur denkbar ist unter der Voraussetzung untadeliger persönlicher Eigenschaften der Priester[136], unter einer Voraussetzung, welcher der zeitgenössische Klerus kaum genügt. Um an dieser Misere wenigstens etwas zu ändern, bietet Erasmus in seinen Schriften Hilfen für eine möglichst gute Erfüllung der verschiedenen Dienste, die dem Priester obliegen. In der „Dilucida et pia explanatio Symboli", die in der literarischen Form eines Gespräches zwischen einem Katecheten und einem Katechumenen gestaltet ist, findet sich eine behutsame Einführung in die zentralen Wahrheiten des christlichen Glaubens; im „Ecclesiastes" wird mit einer schier unerschöpflichen Fülle von Beispielen, Skizzen und Illustrationen gezeigt, wie der Priester in der Predigt auf richtige und verständliche Weise das Evangelium an die Gläubigen zu vermitteln hat; Erasmus redet dabei durchaus einer moralisierenden Verkündigung das Wort; von ihr erwartet er einen positiven, verbessernden Einfluß auf die Gesellschaft. Der Priester soll dabei seine Aufgabe darin sehen, die Menschen auf die Ideale ihres

---

reformentur, continenter et caste studeant vivere universi, praesertim in sacris ordinibus constituti, ab omni libidinis vitio praecaventes, quatenus in conspectu omnipotentis dei puro corde et casto corpore valeant ministrare."

[133] Zu nennen sind vornehmlich: „Exomologesis, sive modus confitendi" (Basel 1524); G. W. Panzer, Annales typographici VI 244 (Nr. 533). „Modus orandi Deum" (Straßburg 1524); G. W. Panzer, Annales typographici VI 105 (Nr. 684). „Dilucida et pia explanatio Symboli" (Basel 1532); G. W. Panzer, Annales typographici VI 291 (Nr. 893). „Ecclesiastes, sive Concionator evangelicus" (Basel 1535); G. W. Panzer, Annales typographici VI 305 (Nr. 1004).

[134] Als Vorteile nennt Erasmus (Exomologesis, 147—152): Befreiung vom Hochmut der menschlichen Natur; Einsicht in die eigenen Fehler; Vorbeugung gegen Sorglosigkeit und Fahrlässigkeit; Heilung von Zweifeln und Skrupeln; Vorsatz besseren Lebenswandels; Scham angesichts der Barmherzigkeit Gottes; Fürbitte des Priesters und unversehrte Gliedschaft am Leibe Christi.

[135] Als Nachteile nennt Erasmus (Exomologesis, 153—155): Verlust eines ungetrübten Unschuldbewußtseins; Erschrecken angesichts der eigenen Fehler; Verzweiflung; Dünkel und Sorglosigkeit der Beichtväter; Gefährdung des Beichtgeheimnisses; Anfälligkeit, eine einmal gebeichtete, schuldhafte Tat zu wiederholen; fehlende Ernstnahme des Vorsatzes; Neigung zur Heuchelei.

[136] Erasmus, Exomologesis, 156.

Glaubens zu verpflichten und unter ihnen Eintracht und Frieden zu stiften[137].

Mit den soeben betrachteten Schriften des Erasmus stehen wir bereits mitten in den dreißiger Jahren des 16. Jahrhunderts. Um diese Zeit setzte, wie schon Hubert Jedin beobachtet hat, in der theologischen Literatur eine innere Wandlung ein: „Die Hochflut der Publizistik ist verebbt, die großen Rede- und Schriftenduelle hören allmählich auf; man sieht auch auf katholischer Seite ein, daß man dem Volke Positives bieten muß"[138]. Das Moment der Polemik, welches bei den meisten Autoren der zwanziger Jahre mehr oder minder beherrschend gewesen war, tritt nun in den Hintergrund oder verliert sich sogar ganz. Wohl bleibt das Anliegen der Bewahrung des katholischen Glaubensgutes wach; daneben aber verstärkt sich das Bemühen um religiös-kirchliche Erneuerung durch Berücksichtigung pastoraler Erfordernisse und durch den Versuch der Verständigung über die im Entstehen begriffenen konfessionellen Grenzen hinweg. Ist Johannes Eck der klassische Repräsentant der älteren, kontroversistisch orientierten theologischen Strömung, so darf man mit Fug und Recht Johannes Gropper für den beachtlichsten Vertreter der jüngeren deutschen Theologengeneration der vortridentinischen Zeit halten[139]. Bemerkenswert ist, daß Gropper nach dem Scheitern der Religionsgespräche und dem erfolgreichen Widerstand gegen den Reformationsversuch des Kölner Erzbischofs Hermann von Wied seine überkonfessionellen Verständigungsbemühungen aufgab und sich in seinen letzten Lebensjahren wieder kontroversistischen Positionen näherte, wobei er gleichzeitig die Notwendigkeiten der innerkirchlichen Reform immer eindringlicher betonte.

Ehe nun unter den Gesichtspunkten der Gropper-Forschung die Frage nach dem Priesterbild des Kölner Theologen gerechtfertigt wird, sei der vermittelte Überblick über die Situation des Priestertums in Theorie und Praxis während der ersten Jahrzehnte des 16. Jahrhunderts beendet mit Hinweisen auf einige andere Theologen,

---

[137] Erasmus, Modus orandi Deum, 1131: „Nec interim tamen confundendus est ordo in Ecclesia laudabiliter institutus et a majoribus nobis per manus traditus. Sacerdos adstans mensae Dominicae cum auctoritate deprecatur pro multitudine.Idem consenso suggesto, dum enarrat scripturas sacras, cum auctoritate Prophetam agit, auscultante cum silentio populo. Neque fas sit cuivis hoc muneris sibi sumere. Ubi enim non est ordo, ibi confusio est. Ubi confusio, ibi tranquillitas esse qui potest? At pax inprimis decet Ecclesiam Dei."

[138] H. Jedin, Geschichte des Konzils von Trient I 325.

[139] R. Stupperich, Unbekannte Briefe und Merkblätter Johann Groppers, 97: „Unter den deutschen katholischen Theologen der vortridentinischen Epoche verdient somit Johann Gropper, abgesehen von Johann Eck, die meiste Beachtung."

die Gedanken über den priesterlichen Dienst entwickelt und in einem bisher ungeklärten Ausmaß damit auf die Trienter Konzilsdebatten eingewirkt haben. Im deutschen Sprachraum wäre unter den Altersgefährten Groppers vorab Friedrich Nausea zu nennen, seit 1534 Hofprediger und seit 1541 Bischof in Wien, ein Mann, der die Probleme der Kirche in seiner Zeit wachen Sinnes erkannte und vielfältige Initiativen zu deren Lösung ergriff[140]. Der Mainzer Weihbischof und spätere Merseburger Bischof Michael Helding versuchte neue Perspektiven für die kirchliche Glaubensverkündigung aufzuzeigen und bemühte sich, den Priestern wieder einen Zugang zu ihrem Dienst am eucharistischen Opfer zu eröffnen[141]. Der Naumburger Bischof Julius Pflug war im Ringen um den Bestand seiner Diözese zu einer umfassenden Kirchenreform entschlossen — unter Zugeständnissen an die Protestanten in Angelegenheiten, die er als peripher bewertete, wie etwa den priesterlichen Pflichtzölibat[142]. Dagegen stellte der Bischof von Ermland, Stanislaus Hosius, in seiner „Confessio catholicae fidei" (1552) betont die Gegensätze zwischen der kirchlichen Glaubenslehre und den Meinungen der Reformatoren heraus; folglich betonte er die enge Bindung des Weihepriestertums an das Meßopfer („ubi sacrificium ibi sacerdotium"), ein Standpunkt, der auf keinerlei Verständnis bei den Protestanten rechnen konnte und wollte[143].

Außerhalb Deutschlands wäre schließlich die Theologie der Schule von Salamanca zu nennen; von den Dominikanern Francisco de Vitoria, Domingo de Soto und Pedro de Soto ging die große Erneuerung der scholastischen Theologie in Spanien aus[144]. Es war insbesondere Pedro de Soto, der als Generalvikar der Ordensprovinz „Germania inferior" und als Mitgründer der Universität Dillingen in den vierziger und fünfziger Jahren Einfluß auch im deutschen Sprachraum gewann und in seinem „Tractatus de institutione sacerdotum" respektable Ideen zur Klerusreform vorlegte[145]. Juan Bernal Diaz de Luco, Bischof von Astorga, veröffentlichte 1543 einen „Aviso de Curas", worin der Priester im Blickwinkel seiner Aufgaben als Hirt seiner Gemeinde, als geistlicher Arzt und als

---

[140] J. Beumer, Friedrich Nausea, 29—45.

[141] E. Feifel, Grundzüge einer Theologie des Gottesdienstes, 226—236.

[142] J. V. Pollet, Julius Pflug. Correspondance II 344—360 (Brief an den Meißener Bischof Johann von Maltitz vom 11. Juni 1542), hier: 353f.

[143] G. B. da Farnese, Il sacramento dell' ordine nel periodo precedente la sessione XXIII del Concilio di Trento, 256f. u. 269.

[144] Der Standpunkt dieser drei Theologen zum Verhältnis von Bischofsamt und Priestertum, der von einem Teil der Trienter Konzilsväter übernommen wurde, hat eine knappe Untersuchung erfahren durch: G. Fahrnberger, Bischofsamt und Priestertum, 44—51.

[145] G. G. Meersseman, Il tipo ideale di parroco, 32—36 u. 39—41.

Seelsorger vorgestellt wurde[146]. Ein Schüler von Domingo de Soto,
Juan de Avila, schickte sich in Andalusien zur gleichen Zeit an,
durch rastlosen apostolischen Dienst und durch Abfassung eines
reichen spirituellen Schrifttums zum „animateur" ungezählter
Priester und Ordensleute, ja mancher Heiligen und Mystiker zu
werden[147].

2. RECHTFERTIGUNG DER FRAGESTELLUNG UNTER DEN GESICHTSPUNKTEN DER GROPPER-FORSCHUNG

Erst jüngst ist von Reinhard Braunisch ein Bericht veröffentlicht worden, worin ein umfassender Überblick über die Geschichte
der Erforschung von Leben und Werk Johannes Groppers vermittelt wird[1]. Angesichts des gegenwärtigen Standes der Gropper-
Forschung urteilt Braunisch, daß trotz der Erschließung einer
großen Anzahl wichtiger Quellen, trotz der Untersuchung zahl-
reicher Einzelfragen in der historischen, weniger in der theologischen Fachliteratur und trotz des Erscheinens zweier Gropper-
Biographien[2] in unserem Jahrhundert „eine den heutigen wissen-
schaftlichen Erfordernissen genügende Monographie... noch aussteht"[3]. An die Erfüllung dieses Desiderates wird nicht zu denken
sein, solange nicht eine kritische Gesamtausgabe der Korrespondenz und des Schrifttums Groppers vorliegt[4]; neben diese Voraus-

---

[146] Der „Aviso" ist in drei spanischen und zwei italienischen Ausgaben bekannt
(Alcalá 1543 u. 1545, Medina 1550, Venedig 1565, Brescia 1569); ältere
Ausgaben hat — entgegen abweichenden Angaben bei früheren Forschern —
der zur Zeit beste Kenner der Werke von Diaz de Luco, Tomás Marin
Martinez, nicht ermitteln können (El obispo Juan Bernal Diaz de Luco y sus
tratados, 453, 458, 478—498 u. 504).

[147] Juan de Avila sah die Krise der Kirche durch einen allgemeinen Glaubensschwund verursacht; darum hielt er intensive Bemühungen auf dem Gebiet
der Evangelisation für unausweichlich. Er schlug vor, in jeder Diözese neben
dem für Katechese, Kult und Sakramentenspendung zuständigen Pfarrklerus
im Verhältnis 3:1 eigens geschulte, nicht ortsgebundene Prediger im Verkündigungsdienst einzusetzen. Auch in Fragen der Ausbildung des Priesternachwuchses entwickelte er originelle Pläne (A. Duval, Quelques idées,
121—153, bes. 130—132 u. 136—139; J. Esquerda Bifet, Escuela sacerdotal,
135, Anm. 7, 142—156, 158, Anm. 106).

[1] R. Braunisch, Die Theologie der Rechtfertigung, 1—26.

[2] W. v. Gulik, Johannes Gropper (erschienen 1906); W. Lipgens, Kardinal
Johannes Gropper (erschienen 1951).

[3] R. Braunisch, Die Theologie der Rechtfertigung, 1f.

[4] Eine Edition des Briefwechsels Groppers, zunächst den Zeitraum bis 1547 umfassend, wird von R. Braunisch unter Betreuung durch die „Gesellschaft zur
Herausgabe des Corpus Catholicorum" seit August 1971 vorbereitet.

setzung tritt eine andere, weil mit der bloßen Vorlage des Quellen-
materials der Auftrag der Forschung nicht erlischt; es bedarf eingehender Spezialuntersuchungen, und zwar nicht nur unter histo-
risch-biographischen, vielmehr besonders auch unter theologiegeschichtlichen Gesichtspunkten. Vor zehn Jahren bedauerte Hubert
Jedin, Groppers Profil sei „noch immer nicht in der zu wünschen-
den und zu verlangenden Schärfe herausgearbeitet"[5]. Auch wenn
die seitherige Forschung etliches geleistet hat, so ist Jedins Klage
gleichwohl nicht gegenstandslos geworden; dies wird sich auf ab-
sehbare Zeit nur allmählich ändern können. Vornehmlich sind
Mühen darauf zu verwenden, in der theologischen Ortung des
Kölner Theologen voranzukommen.

   Bislang kreiste die theologische Auswertung Groppers fast ausschließlich um die Rechtfertigungslehre, die ohne Zweifel das
wichtigste Problem des theologischen Werdegangs Groppers ausmacht[6]. Die Grundlinien der Fragestellung und ihrer Beantwortung
durch Gropper sind schon früh von Jedin in knappen, sicheren
Skizzen aufgezeigt worden[7]. Die deutlichen Parallelen, die zwischen
der Rechtfertigungslehre Groppers und jener Gasparo Contarinis
bestehen, sind 1926 von Hanns Rückert gekennzeichnet worden[8].
Nach ihm bemühte sich vornehmlich Robert Stupperich um eine
weitere Erhellung des komplexen Problems; leitend im Vordergrund stand bei ihm die Frage, in welchem Ausmaß die Lehre
Groppers auf den Einigungsversuch des Worms-Regensburger
Buches eingewirkt hat[9]. Die Behandlung der Rechtfertigungslehre
Groppers im Rahmen der Debatten des Trienter Konzils hatte bereits 1906 von Stephan Ehses eine kurze Darstellung erfahren[10];
nachdem die von F. Cavallera[11] gesammelten Informationen kaum
darüber hinausführten und zudem fragwürdige Voraussetzungen
annahmen, gingen P. Pas und G. Alberigo innerhalb einer weiteren
Themenstellung diese Frage aufs neue an[12].

---

[5] H. Jedin, Das Autograph Johann Groppers, 281f.
[6] Ebd., 291.
[7] H. Jedin, Studien über die Schriftstellertätigkeit Albert Pigges, 96—123, bes.
   117—123; ders., Girolamo Seripando II 260—264.
[8] H. Rückert, Die theologische Entwicklung Gasparo Contarinis, 97—106.
[9] R. Stupperich, Der Humanismus und die Wiedervereinigung der Konfessionen,
   15—19 u. 75—131; ders., Der Ursprung des „Regensburger Buches", 88—116.
[10] St. Ehses, Johannes Groppers Rechtfertigungslehre, 175—188.
[11] F. Cavallera, L' Enchiridion christianae institutionis de Jean Gropper (1538),
   bes. 25—47 (zweiter Teil der Veröffentlichung); vgl. die Kritik von G. Alberigo
   (I vescovi italiani al Concilio di Trento, 387f., Anm. 2): „... lo studio del
   Cavallera prescinde in modo inammissibile da ogni prospettiva storica."
[12] P. Pas, La doctrine de la double justice au Concile de Trent, bes. 8. u. 28;
   G. Alberigo, I vescovi italiani al Concilio di Trento, 382—394.

Die theologische Erforschung der Rechtfertigungslehre Groppers
ist durch die ausführliche Analyse, welcher Reinhard Braunisch das
„Enchiridion christianae institutionis" von 1538, Groppers Haupt-
und Erstlingswerk, unterzogen hat, auf eine neue Ebene gebracht
worden[13]; Braunisch hat im wesentlichen synchron gearbeitet — in
der Hoffnung, dies werde „der Solidität der Basis zugutekom-
men"[14]. Allerdings hat er die Verbindungslinien und Bruchstellen
zwischen dem „Enchiridion" und dem Worms-Regensburger Buch
unter Anbringung behutsamer Korrekturen an den Ergebnissen
Stupperichs aufgewiesen[15]. Ausgeklammert hat Braunisch jedoch
eine diachrone Betrachtung der weiteren Entwicklung der Rechtfertigungslehre Groppers nach 1541; hier wären vorrangig der
Disput mit Martin Bucer, die Fixierung der gewonnenen Position
einer „duplex iustitia" in der „Gegenberichtung" von 1544, der
Streit über die „Gegenberichtung" zwischen den Theologen der
Universitäten Löwen und Köln, die Berücksichtigung des Trienter
Rechtfertigungsdekretes in der „Institutio catholica" von 1550 und
die Selbstverteidigung des Kölner Theologen vor der Inquisition in
Rom 1558/1559 aufzuarbeiten.

Bleibt mithin trotz der gründlichen und umfangreichen Untersuchung von Braunisch selbst bezüglich der Rechtfertigungslehre
manches zu tun, so fällt die Bilanz der Erforschung anderer Aspekte der Theologie Groppers noch erheblich dürftiger aus. Neben
einer Untersuchung der Gebetslehre des Kölner Theologen, die
Jedin in seinem zitierten Urteil als dringlich bezeichnete[16], wären

---

[13] Die Dissertation von Reinhard Braunisch wurde 1970 an der Universität Freiburg i. Br. angenommen; in etwas abgeänderter Fassung erschien sie 1974 in
Münster im Druck. Sie stellt einen bedeutenden Fortschritt der Gropper-Forschung dar und bringt wichtige Korrekturen an den früheren Untersuchungen
der Rechtfertigungslehre Groppers an. Eines der wichtigsten Ergebnisse von
Braunisch ist die Ermittlung, daß die „Duplex-iustitia"-Lehre der „Gegenberichtung" von 1544 zwar gewisse Wurzeln im „Enchiridion" hat, jedoch
erst 1541 in den Regensburger Diskussionen klare Gestalt annahm und „gegenüber der ursprünglichen Rechtfertigungsstruktur Groppers einen klaren Bruch"
darstellt. Braunisch bestätigt im übrigen die vor fast vier Jahrzehnten erarbeitete, aber mitunter noch heute ignorierte (E. Iserloh, Die protestantische Reformation, 214) Analyse Jedins (Studien über die Schriftstellertätigkeit Albert
Pigges, 123), daß wahrscheinlich Pigge durch Gropper beeinflußt worden ist,
jedenfalls nicht dieser durch den ersteren (R. Braunisch, Die Theologie der
Rechtfertigung, 419—437; obiges Zitat: 428).

[14] R. Braunisch, Die Theologie der Rechtfertigung, 25.

[15] R. Braunisch, Die Theologie der Rechtfertigung, 18—20 u. passim.

[16] H. Jedin, Das Autograph Johann Groppers, 282. — Hans J. Limburg (Trier/
Graz), der bereits 1968 in einer unveröffentlichten Arbeit die Auswertung
einer kleineren Schrift Groppers, des „Libellus piarum precum" von 1546,
unter frömmigkeitsgeschichtlichen Fragestellungen vorgenommen hat (Titel:
Das Votivoffizium von der Menschwerdung), bereitet eine Dissertation zum

Abhandlungen auf dem Gebiet der Ekklesiologie und der Sakramentenlehre ins Auge zu fassen. Eine kurze Erörterung des Kirchenverständnisses Groppers im Vergleich mit dem Martin Bucers liegt immerhin vor, und zwar aus der Feder von Robert Stupperich[17]. Auch auf Groppers Eucharistielehre sind manche Streiflichter geworfen worden, seit Franz-Xaver Arnold ihr einen festen Platz in der Vorgeschichte des Trienter Meßopferdekretes zugewiesen hat[18]. Allerdings kann dabei die Darstellung von Franz-Josef Kötter nicht recht befriedigen, weil sie in einem weit abgesteckten Untersuchungsrahmen zu wenig in die Tiefe geht[19]. Für das „Enchiridion" liegt eine recht sorgfältig durchgeführte, unveröffentlichte Bearbeitung der Frage vor[20]. Joachim Mehlhausen hat kürzlich den Einfluß der Eucharistielehre des „Enchiridion" auf die Abendmahlslehre im Artikel 14 des Worms-Regensburger Buches untersucht[21]. Gleichwohl bleibt eine gründliche Untersuchung der Eucharistielehre Groppers zu postulieren; als Quelle kommt hier nicht einmal in erster Linie das „Enchiridion" in Betracht; hauptsächlich ist vielmehr an das 1556 erschienene Spätwerk des Kölners zu denken, eine voluminöse Monographie zur Frage der durch die Konsekration von Brot und Wein erwirkten substantialen Realpräsenz Christi in der Eucharistie, welcher Ausführungen über die Aufbewahrung der eucharistischen Spezies, über die Anbetung des Herrn im Altarsakrament und über die Angemessenheit des Kommunionempfanges unter einer Gestalt beigegeben sind[22].

Auf die Beteiligung Groppers an der allmählichen Ausbildung eines erneuerten Pfarrerideals hat als erster Gilles Gérard Meers-

---

Thema der Gebetstheologie Groppers vor. In ihr wäre namentlich zu klären, ob neben den „Loci communes theologici" Philipp Melanchthons von 1535 (Abschnitt: De oratione; CR 21, 536—542) auch der „Modus orandi Deum", den Erasmus 1524 in Straßburg veröffentlichen ließ, einen tieferen Einfluß auf den Abschnitt „De modo orandi" in Groppers „Enchiridion" ausgeübt hat. Jedenfalls dürften Zweifel an der Richtigkeit einer Bemerkung von Braunisch angebracht sein, daß dieser Abschnitt „von Erasmus überhaupt nicht beeinflußt zu sein" scheine (R. Braunisch, Die Theologie der Rechtfertigung, 37, Anm. 190).

[17] R. Stupperich, Schriftverständnis und Kirchenlehre bei Butzer und Gropper, 109—128, bes. 115—117 u. 120—122.

[18] F. X. Arnold, Vorgeschichte und Einfluß des Trienter Meßopferdekretes, 141 u. 145.

[19] F. J. Kötter, Die Eucharistielehre in den katholischen Katechismen des 16. Jahrhunderts, 48—59 u. 139—167.

[20] M. Hillenbrand, Johannes Groppers Meßopferlehre nach dem „Enchiridion Christianae Institutionis" aus dem Jahre 1538.

[21] J. Mehlhausen, Die Abendmahlsformel des Regensburger Buches, 202—209.

[22] Groppers Spätwerk ist von der Forschung bislang fast völlig vernachlässigt worden. Im Rahmen der hier vorgelegten Arbeit wird es einer ersten, notgedrungen noch recht vorläufigen Würdigung unterzogen.

seman in einem Referat vor dem Internationalen Historikerkongreß in Trient 1963 aufmerksam gemacht[23]; in einem Beitrag zur Festschrift für Hubert Jedin ist er 1965 derselben Frage etwas weiter nachgegangen[24]. Die Überlegungen Meerssemans fanden eine positive Rezeption bei Jean-Pierre Massaut[25] und August Franzen; in seiner Darstellung der im 16. Jahrhundert geführten Auseinandersetzungen um Zölibat und Priesterehe ging Franzen kurz auf die Haltung Groppers und des von ihm inspirierten Kölner Provinzialkonzils von 1536 ein; er versäumte nicht, auf Groppers Bestreben zu verweisen, „das priesterliche Ethos neu zu fundieren"[26]. An anderer Stelle betonte er, daß die Synodalstatuten von 1536 „kein nüchternes Rechtsbuch . . . sein wollten, sondern sich sehr intensiv um die Herausarbeitung eines neuen Priesterideals bemühten"[27].

Tatsächlich war die Krise des geistlichen Amtes eines der zentralen Probleme, denen sich Johannes Gropper zeit seines Lebens immer wieder gestellt hat. Aus Bingen schrieb er am 10. Oktober 1541 an Martin Bucer: „Ich bekenn / es seind in der kirchen gantz grobe misbreuch / es sinde süchten / aber so tieff eingewurtzlet / und so verseret / das sie mit strenger artznei mehr angereitzt / (wie du weist) dann geheilet werden... In dem acht ich aber / das zum ersten / und vor allem von nöten seie / das den pfarkirchen taugliche diener gegeben werden / die das Gottes wort dem volck wöllen / und vermögen lauter dargeben / die under der visitation der Ertzpriester seien / unnd das schülen allenthalben gebesseret / unn angericht werden / als nemlich ein saaht der kirchen diener / on die wir in kurtzem seer grossen mangel güter hirten leiden müssen"[28]. Solcherlei Zeugnisse ließen sich fast beliebig aufreihen. Sie verdeutlichen, wie sehr die Priesterfrage das theologische Denken und kirchenreformerische Handeln Johannes Groppers bestimmt hat. So erscheint es durchaus angebracht zu untersuchen, welche Darstellung der priesterliche Dienst in den Schriften des Kölner Theologen erfährt.

Dabei ist es unter dieser Themenstellung in vorzüglicher Weise möglich, eine charakteristische Eigenart der Gropperschen Theologie aufscheinen zu lassen. Gedacht ist an die Verbindung der

---

[23] G. G. Meersseman, Il tipo ideale di parroco, 31f.
[24] Ders., Joh. Groppers Enchiridion und das tridentinische Pfarrerideal, 19—28.
[25] J. P. Massaut, Josse Clichtove II 347f.
[26] A. Franzen, Zölibat und Priesterehe, 71. Hierzu auch: A. Heermann-Vardy, Über das Leben des Pfarrklerus im späten Mittelalter und während der Reformationszeit.
[27] A. Franzen, Bischof und Reformation, 56.
[28] Der Brief ist im Originaltext lateinisch abgefaßt; Martin Bucer veröffentlichte ihn samt einer privaten Übersetzung in seinem Buch: Von den einigen rechten wegen (p. 93 u. 96f.; das Zitat: p. 96f.).

Behandlung dogmatischer Fragen, die in der Theologie der Zeit kontrovers waren, mit pastoralen, aus den Bedürfnissen der kirchlichen Seelsorgspraxis abgeleiteten Überlegungen. Auch wenn für gewöhnlich aus sachlichen Gründen die Darstellung des priesterlichen Dienstes unter einer der beiden Perspektiven erfolgt, so bleibt doch die jeweils andere nicht unberücksichtigt. Gropper gelingt es, in einer gleichermaßen Anlaß und Inhalt der reformatorischen Kritik bedenkenden wie diese selbst durch den Verzicht auf ihre Verabsolutierungen und im Ringen um zukunftsträchtige, dabei für die gesamte Kirche praktikable und akzeptable Lösungen überwindenden Weise Antworten auf die um das Priestertum entstandenen Fragen zu finden. Wie verunsichert die Reformatoren auf diese von Gropper erstmals im „Enchiridion" entwickelte Methode reagierten, zeigen Bemerkungen in einem von Martin Luther, Justus Jonas, Johann Bugenhagen und Philipp Melanchthon im Februar 1540 unterzeichneten, an die Geistlichkeit der Reichsstadt Nürnberg gerichteten Brief[29].

Die Untersuchung von Groppers Priesterbild eignet sich überdies, die Einwirkungen des Alten und Neuen Testamentes sowie der christlichen Theologie der Antike und des Mittelalters auf das Denken des Kölners auszuloten. Der zu erhebende Befund stellt natürlich nur einen Ausschnitt aus einem größeren Spektrum dar, wird aber doch als einigermaßen exemplarisch gelten dürfen. Einen zuverlässigen Aufweis sämtlicher theologiegeschichtlichen Quellen Groppers wird erst eine kritische Gesamtausgabe erbringen können. Daß Gropper über reiche Kenntnisse insbesondere der Patristik verfügte, ist bereits von Zeitgenossen zugestanden worden, die ihm nicht eben wohlgesinnt waren[30].

3. Zum Aufbau und zur Methode der Untersuchung

Die nachfolgende Untersuchung stützt sich auf Schriften und Gutachten Johannes Groppers zu Fragen der Theologie und der Kirchenreform. Es werden nicht wahllos sämtliche bekannten Arbeiten Groppers herangezogen, sondern nur jene, denen unter dem Aspekt der Fragestellung nach dem Priesterbild ein hoher Quellenwert zukommt. Die Quellen werden dabei nach Kriterien, die ihnen in-

---

[29] WA/Br 9, 52, 49—53 (Nr. 3444): „Vidistis haud dubie Coloniense scriptum, in quo affinguntur abusibus commodiores interpretationes. Et laus ingenii putatur, has Sophisticas glossas excogitare. Itaque Romae iam et in Galliis in admiratione sunt artifices harum glossarum."
[30] Der Wittenberger Professor Caspar Cruciger schrieb am 19. Mai 1541 aus Regensburg an Bugenhagen (CR 4, 306): „Doctor Eccius aliquot iam dies decumbit febri laborans ... Itaque cum Groppero Coloniensi congrediuntur

härent sind und die im Laufe der Untersuchung deutlich werden,
zu drei Gruppen zusammengefaßt; diese erstrecken sich über die
Zeiträume 1536—1545, 1546—1552 und 1553—1559. Auf diese
Weise wird es möglich sein, eine Entwicklung Groppers in verschiedenen Phasen aufzuzeigen, wenn auch nur anhand seiner Position
zu einem bestimmten, freilich nicht unwichtigen Problem; dem Postulat einer diachronen Betrachtungsweise, welche bisher in der
Gropper-Forschung nicht oder kaum geübt worden ist, kann somit
in begrenztem Ausmaß Rechnung getragen werden.

Vor ihrer Auswertung werden die drei Quellengruppen ausführlich vorgestellt; dabei geht es darum, die Entstehungsgeschichte
der einzelnen Schriften und Gutachten aufzuhellen und sie in einen
Zusammenhang mit der persönlichen Entwicklung Groppers einzubringen. Wenn dabei auch keine eigentlich neuen Beiträge zur Biographie des Kölner Theologen geleistet werden, so erfährt doch
die Deutung bekannter Tatsachen in diesem Bezugsrahmen des
öfteren einen veränderten Akzent. Dabei soll nicht versäumt werden, den Fortgang der allgemeinen Kirchengeschichte in jenen
Jahren zu berücksichtigen, zumal Groppers Leben und Werk an
manchen Punkten sehr eng damit verwoben ist. Gute Beziehungen
zum kaiserlichen Hof und zur Kirchenleitung in Rom führten dazu,
daß Gropper „een zeer belangrijke plaats innam in de kerk in
Duitsland en aan de curie"[1].

Ein anderer Schwerpunkt bei der Vorstellung der Quellen liegt
auf der Frage nach ihrer Wirkungsgeschichte. Urteile der Zeitgenossen, aber auch mancher Späteren gilt es vorzutragen, um die
Resonanz, die Gropper gefunden hat, verläßlich ausmessen zu können. Ein wohl untrüglicher Indikator dafür, auf welchen Anklang
und Widerhall die Schriften des Kölner Theologen stießen, darf
in der Anzahl und in der Verbreitung von Nachdrucken, Neuauflagen und Übersetzungen Groppers erwartet werden. Deshalb wird
einige Sorgfalt darauf verwendet, die Nachwirkungen Groppers an
dem Befund zu prüfen, den die Druckgeschichte vermittelt. Bisherige Versuche der Gropper-Forschung in dieser Richtung erwiesen
sich als nicht ausreichend[2]. Das jetzt vorgelegte Ergebnis ist aus
einer Umfrage hervorgegangen, in die etwa 350 wissenschaftliche

---

nostri, qui non minus est pertinax et molestus, sed in alio genere; totus ebrius,
immersus, incantatus et dementatus sententiis patrum ecclesiasticorum, quos
quidem prorsus exhausisse se existimat, et huc venit horum armis sane
instructus."

[1] C. Augustijn, De godsdienstgesprekken, 128. Augustijn bezieht seine Aussage
auf den Zeitraum seit dem Scheitern der Religionsgespräche 1541.

[2] W. Lipgens, Kardinal Johannes Gropper, 224—229. Für den Zeitraum von
1542 bis 1547 führt darüber bereits die gewissenhafte Arbeit von Th. Schlüter
(Die Publizistik um den Reformationsversuch des Kölner Erzbischofs Hermann

Bibliotheken und Zentralkataloge in Europa und Nordamerika einbezogen worden sind[3].

Es wäre natürlich interessant, die wirkungsgeschichtliche Fragestellung noch weiter voranzutreiben, als das im folgenden geschehen wird. So könnte man aus den Exlibris sämtlicher erhaltenen Gropper-Drucke den genauen Kreis jener Personen und Institutionen zusammenstellen, die Eigentümer von Büchern des Verfassers Johannes Gropper waren. Auch ohne die vollständige Durchführung einer solchen, hohen technischen Aufwand erfordernden Untersuchung läßt sich aus dem bereits zur Verfügung stehenden Material ablesen, daß Groppers Werke vornehmlich für die Bibliotheken von Klöstern und Stiftskirchen, von Kollegien, Seminaren und Universitäten angeschafft wurden; unter den — selteneren — privaten Eigentümern sind hauptsächlich Pfarrer und andere Kleriker auszumachen. Die heutige Streuung von Gropper-Drucken auf Bibliotheken in vielen Staaten ist zu einem erheblichen Teil anscheinend darauf zurückzuführen, daß Gropper bereits im 16. Jahrhundert der Fachwelt in wohl sämtlichen katholischen Ländern Europas bekannt war und hier seine Leserschaft fand; darauf deuten schon die Verlagsorte hin, nämlich außer Köln Antwerpen, Löwen, Lyon, Nimwegen, Paris, Venedig und Verona.

Im Anschluß an die Einführung in die Quellen der Untersuchung erfolgt deren systematische Auswertung. Auch hierbei wird nach Möglichkeit in diachroner Betrachtungsweise verfahren. Daß die frühen Werke Groppers eine vergleichsweise starke Berücksichtigung erfahren, ist nicht nur durch den reichlichen Quellenfluß bedingt, sondern auch eine Folge des angewendeten Vorgehens: Unveränderte Aussagen brauchen nicht wiederholt zu werden; das Interesse konzentriert sich auf Differenzierungen der früher vertretenen Positionen. Überdies sind in der jüngsten Quellengruppe nur mehr spärliche Auskünfte über Groppers Priesterbild zu eruieren, was wiederum darauf zurückzuführen ist, daß das Hauptwerk dieser Periode kein allgemeines theologisches Lehrbuch ist wie das „Enchiridion" oder die „Institutio catholica", vielmehr ein spezielles Thema, die Eucharistielehre, behandelt.

Der Quellenwert der für die Untersuchung herangezogenen

von Wied), welche im Anhang auch einige Gropper-Drucke berücksichtigt, erheblich hinaus; allerdings fehlen bei Schlüter Angaben über verschiedene Nachdrucke der von ihm berücksichtigten Werke; auch die Exemplarnachweise sind unzureichend.

[3] Die außerordentliche Verbreitung des ersten Werkes Groppers, des im Anhang zu den Statuten des Kölner Provinzialkonzils von 1536 gedruckten „Enchiridion christianae institutionis" von 1538, habe ich bereits an anderer Stelle ausführlich dokumentiert: J. Meier, Das „Enchiridion christianae institutionis", 289—328, bes. 314—328.

3*

Schriften Groppers ist, wie schon erwähnt, als hoch zu veranschlagen. Muß bei Mitteilungen im Medium Sprache grundsätzlich kritisch die Möglichkeit der Verschleierung von Vorstellungen und Absichten eingeräumt werden, so erweist sich ein solcher Vorbehalt bei der Interpretation Groppers als ganz abwegig. Mit historisch-hermeneutischen Methoden kann der in den geschichtlichen Texten gemeinte Sinn wissenschaftlich objektiviert werden; insofern dieser nicht als grundsätzlich verbindlich appliziert wird, wird nicht im Sinne der philosophischen Hermeneutik Gadamers verfahren, die gerade den durch wissenschaftlich-aufklärerische Erkenntnis erwirkten Gegensatz "zwischen Tradition und Historie, zwischen Geschichte und Wissen von ihr" wieder aufheben und verschmelzen will[4].

Wie bereits gesagt und begründet worden ist, folgt die Arbeit einem individualisierenden Verfahren. Die größere Frage nach dem „tridentinischen" Priesterbild und Pfarrerideal kann nicht ausreichend beantwortet werden, solange die Kenntnisse über dessen unmittelbare Vorgeschichte derart schmal wie bislang sind. So geht es darum, das Priesterbild eines einzelnen Theologen, eben Johannes Groppers, im Rahmen von dessen Reformvorstellungen für die Praxis der kirchlichen Seelsorge offenzulegen. Daß dabei im Denken des Kölners manche Bezüge zu Zeitgenossen aufzuspüren sind, ist schon deshalb zu erwarten, weil die Inspirationen eines Mannes, der so sehr wie Gropper um die Gestaltung und Entwicklung der Kirche seiner Zeit gerungen hat, unmöglich allein aus der Vergangenheit, den fünfzehn Jahrhunderten vorreformatorischer Theologie, erfolgt sein können. Tatsächlich wird sich zeigen, daß Gropper seinen spezifischen Standort nicht selten in subtilen Auseinandersetzungen mit und differenzierenden Abgrenzungen von Martin Luther, Philipp Melanchthon und Desiderius Erasmus gefunden hat. Über diese drei berühmten Geister hinaus spiegeln Groppers Gedanken über das Priestertum manche Affinitäten ebenso wie gelegentliche Kontroversen mit den Ideen anderer Theologen des 16. Jahrhunderts. Dieser Kontext soll — ohne Aufhebung der prinzipiell individualisierenden Methode, welcher die Untersuchung folgt, — wenigstens in Rudimenten hergestellt werden. Ein solches Vorgehen erleichtert es, Gropper an den Gegebenheiten und Möglichkeiten seiner in einen bestimmten Raum und in eine bestimmte Zeit eingebundenen Situation zu messen, seine Konzeption einem in diesem Sinne relativen Werturteil zu unterziehen[5].

---

[4] H. G. Gadamer, Wahrheit und Methode, 267.
[5] D. Junker, Über die Legitimität von Werturteilen in den Sozialwissenschaften und in den Geschichtswissenschaften, 27.

Zweiter Teil:

DIE QUELLEN

1. Ausgewählte Werke Groppers aus dem Zeitraum 1536—1545

Die wichtigste Quelle, die in der folgenden Untersuchung von
Groppers Priesterbild ausgewertet wird, ist ein 1538 veröffentlichtes Doppelwerk, welches die auf einen Entwurf aus Groppers Feder
zurückgehenden Statuten des vom 6. bis zum 10 März 1536 veranstalteten Kölner Provinzialkonzils und die bekannteste Schrift Groppers, das „Enchiridion christianae institutionis", enthält. Die Entstehungsgeschichte dieser beiden in ihrer literarischen Gattung sehr
unterschiedlichen, gleichwohl aber innerlich eng miteinander zusammenhängenden Werke ist von der Forschung weitgehend geklärt worden; sie soll darum nur in knappen Zügen skizziert werden, ehe auf die inhaltlichen Eigenarten der Statuten und des „Enchiridion", auf deren Verhältnis zueinander und endlich auf die bis
heute kaum beachtete, jahrzehntelange Wirkungsgeschichte der
beiden Schriften eingegangen wird.

Seine Hinwendung zur Theologie verdankte Johannes Gropper
den Eindrücken und Erfahrungen, die er auf dem Augsburger
Reichstag von 1530, an dem er im Gefolge des Kölner Erzbischofs
Hermann von Wied teilnahm, bei einer vielseitigen Verhandlungs-
und Vermittlungstätigkeit sammeln konnte. Das Scheitern der Ausgleichsbemühungen, die man lange Wochen mit einiger Aussicht
auf Erfolg in Augsburg unternommen hatte, veranlaßte ihn zu
einem gründlichen Studium der Heiligen Schrift und der Kirchenväter[1]. So erwarb er sich eine Basis theologischen Wissens, die ihn

---

[1] Rückblickend schrieb Gropper 1556 an Kaspar Hoyer: „Iuventutem iuris prudentiae mancipavi; biblia primum et sanctos patres ab anno trigesimo, quo in
comitiis Augustensibus, quibus tum intereram, de religione agebatur, legere
coepi, sed privatim sine magistro..." (Edition des Briefes bei: W. Schwarz,
Römische Beiträge, 412—422, hier: 417f.; die Edition von W. Schwarz genügt
heutigen Ansprüchen nicht mehr in allen Belangen, obgleich sie durchaus
sorgfältig angelegt worden ist; eine verbesserte Edition ist von der Herausgabe
der Korrespondenz Johannes Groppers zu erwarten.). Schon 1545 beurteilte
Gropper die Früchte seiner autodidaktischen Studien so (Warhafftige Antwort,

befähigte, sich souverän und ohne unsachliche Polemik mit den Positionen Andersdenkender auseinanderzusetzen, und die ihm zu einem ausgewogenen Urteil über Gestalt und Maß der notwendigen innerkirchlichen Erneuerung verhalf.

Eine Gelegenheit, seine Vorstellungen niederzulegen, bot sich Gropper, seit am 28. und 29. Juni 1535 — ganz unter dem Eindruck der am 25. Juni auf gewaltsamem Weg gelungenen Niederschlagung der Herrschaft der Wiedertäufer über die Stadt Münster — in Besprechungen zwischen Räten des Kölner Erzbischofs und des Herzogs Johann III. von Jülich-Kleve-Berg die Notwendigkeit katholischer Reformmaßnahmen in Münster, aber auch in Köln und Jülich festgestellt wurde[2]; diesen Befund bestätigten die drei Landesherren Franz von Waldeck, Hermann von Wied und Herzog Johann auf einer Zusammenkunft am 19. Juli 1535 in Neuß[3]; Köln und Jülich vereinbarten, „eyn christliche loffliche reformation und ordnong in iren liebden landen uffzurichten"[4]. Auf diese Übereinkunft hin entstand der erste Entwurf der Reformstatuten, die im folgenden Jahre vom Kölner Provinzialkonzil beschlossen wurden; daß dieser erste Entwurf von Johannes Gropper stammt, ist spätestens seit der Auffindung des Autographs[5] durch Hubert Jedin unbezweifelbar[6].

Dieser Entwurf Groppers ist vermutlich dem auf der Kölner Herbstsynode versammelten Klerus vorgelegt worden, woraufhin erste Abänderungen vorgenommen wurden[7]. In dieser leicht überarbeiteten Fassung bildete Groppers Reformkonzept dann die Grundlage von Debatten, die zwischen dem 29. Dezember 1535

---

f. 42r): „ ... da mir die heilige Canones und der heiligen Väter lehr und tradition / auch allgemeiner gebrauch der catholischer Kirchen von Zeit der Apostelen bis uff uns herkommen / in diesem zymlich bewüst seind."

[2] ARC II 126—128.

[3] ARC II 129—132.

[4] ARC II 131.

[5] Köln, Historisches Archiv der Stadt, Clerus secundarius A II, p. 17 u. 31—125.

[6] Der Band „Clerus secundarius A II" war ursprünglich Eigentum von Johannes Gropper; er gelangte dann in das Archiv des Kölner Sekundarklerus, dessen Sprecher Gropper war. Bis 1963 befand sich das Archiv des Kölner Sekundarklerus im Archiv der Niederdeutschen Jesuitenprovinz zu Köln; 1963 wurde es zum Teil durch das Historische Archiv der Stadt Köln aufgekauft; bei dieser Gelegenheit konnte der wertvolle Fund gemacht werden. H. Jedin, Das Autograph Johann Groppers, 281—292.

[7] ARC II 137, Anm. 29. Diese erste Korrekturschicht tritt in einer der vier Handschriften (Sigle D), die Georg Pfeilschifter seiner Edition der Reformkonstitutionen des Kölner Provinzialkonzils zugrunde gelegt hat, auf eingeschobenen Blättern hervor (ARC II 192f.). Pfeilschifter kannte zum Zeitpunkt seiner Edition der Reformkonstitutionen das Autograph Groppers noch nicht, konnte aber nach dessen Auffindung seine Rekonstruktion des ersten Entwurfs bei nur wenigen, geringfügigen Abweichungen bestätigt sehen (ARC IV 2f.).

und dem 7. Januar 1536 in Neuß von Vertretern des Kölner Kurfürsten (Hermann von Neuenahr; Ambrosius von Virmont, Johannes Gropper) und des Jülicher Herzogs (Johann Ghogreve, Johann
von Vlatten, Hosteden, Olyschleger, Heresbach) geführt wurden[8].
Den von A. Franzen als „humanistisch-erasmianisch gesinnt"[9]
charakterisierten Räten des Herzogs von Jülich schien Groppers
Konzept nicht weit genug zu gehen[10]; das Ergebnis der Verhandlungen war ein Kompromiß in Gestalt einer zweiten Korrektur
des Statutenentwurfs[11].

Ein dritter Eingriff in den Text des Gropperschen Entwurfs geht
höchstwahrscheinlich auf das Provinzialkonzil selbst zurück; dieses
wurde, offenbar auf einen ziemlich spontanen Entschluß des Erzbischofs Hermann von Wied hin[12], am 6. März 1536 in Köln eröffnet; die Suffragandiözesen Lüttich, Minden, Münster und Osnabrück waren durch Bevollmächtigte ihrer Bischöfe vertreten, während die Utrechter Beauftragten Köln nicht erreichten, da ihnen
durch Soldaten unterwegs die Weiterreise versperrt wurde[13]. Zu
Beginn der Verhandlungen gab der Erzbischof eine Erklärung über
Zweck und Tragweite der zu fassenden Beschlüsse ab, die er im
voraus der Autorität des Apostolischen Stuhles unterwarf[14]. Nach
lebhaften Verhandlungen wurden die Beschlüsse des Provinzialkonzils am 10. März 1536 morgens im Chor des Kölner Domes
publiziert[15]. Ihre Drucklegung wurde hinausgeschoben, weil man
in Köln daran interessiert war, die Zustimmung des Herzogs Johann von Jülich-Kleve-Berg zu den Statuten einzuholen. Bei einem
ersten Verhandlungstermin am 27. April 1536 in Köln protestierten
die Vertreter des Herzogs gegen die durch das Provinzialkonzil

---

[8] Über die Neußer Konferenz liegen folgende Dokumente vor: Ein ausführliches
Protokoll (ARC II 136—138); ein von den herzoglichen Räten vorgelegtes
Verzeichnis kirchlicher Mißstände (Ebd., 139—142); kritische Anmerkungen
des herzoglichen Rates Dr. Konrad Heresbach zu Groppers Entwurf (Ebd.,
142—156); konkrete Abänderungswünsche der herzoglichen Räte (Ebd., 157—
165); der schließlich am 7. Januar 1536 gefaßte Beschluß (Ebd., 133—136).
[9] A. Franzen, Das Kölner Provinzialkonzil von 1536, 98. Auch: A. Franzen, Das
Schicksal des Erasmianismus am Niederrhein, 95—102.
[10] Heresbach wendete zum Beispiel gegen eine Bestimmung des geistlichen Amtes
vom Meßopfer und der Sündenvergebung her ein (ARC II 144, Artikel 5):
„Clericos pro peccatis populi sacrificare scripturis caret, cum Christus sit
propitiatio pro peccatis."
[11] Er ist in der handschriftlichen Überlieferung durch Pfeilschifter deutlich aus-
gemacht worden (ARC II 193f.).
[12] Köln, Historisches Archiv der Stadt, Clerus secundarius A II, p. 127—130
(„Indictio Concilii Provincialis Coloniensis" vom 17. Januar 1536 nach einem
Entwurf Groppers); ARC IV 202f.
[13] ARC II 180f.; ebd., 184, Anm. 69; ebd., 187f.
[14] ARC II 188—190.
[15] ARC II 181.

im Statutenentwurf vorgenommenen Änderungen[16]. Weitere Kommissionssitzungen fanden zwischen dem 14. und 28. Januar 1537 in Köln statt; hier kam es zu einer Versteifung der Fronten; die Jülicher brachten zahlreiche Korrekturwünsche ein und widersetzten sich besonders dem Projekt einer bischöflichen Visitation der gesamten Diözese, also auch der im herzoglichen Territorium gelegenen Gebiete des Bistums[17]; überdies verlangten sie die Veröffentlichung der Statuten in deutscher Sprache[18]; ohne Einigung ging man auseinander. In Köln unterzog man den Text der Statuten einer abschließenden vierten Revision und gab ihn daraufhin bei Peter Quentel in Druck[19]. In einem auf den 3. März 1538 datierten Synodalschreiben gab Erzbischof Hermann von Wied den Abschluß der Drucklegung bekannt und ordnete an, „ut quotquot estis ecclesiasticae professionis, cuiuscunque etiam status, dignitatis seu ordinis sitis, per nostras civitatem et diocoesim Colonienses constituti, hunc librum vobis summe necessarium a praedicto chalcographo singuli vobis comparetis"[20].

Den größten Teil dieser Publikation machten freilich nicht die Reformkonstitutionen des Provinzialkonzils aus, sondern das im Anschluß an diese ohne Nennung des Autors gedruckte „Enchiri-

[16] ARC II 166f.

[17] ARC II 169—176. Bereits im Oktober 1536 war die wahrscheinlich von Gropper entworfene Visitationsformel erschienen; zitiert wird die „Formula" nach der zweiten Auflage von 1537; beide Auflagen erschienen bei dem Drucker Peter Quentel, der seit 1520 alleiniger Leiter der Druckerei „Zum Palast" am Domhof in Köln war; bis zu seinem Tod am 29. Februar 1546 war Quentel einer der bedeutendsten Kölner Drucker. J. Benzing, Die Buchdrucker, 223 (Nr. 20).

[18] Einen Auszug aus der deutschen Version der Reformstatuten, von welcher zwei Handschriften vorliegen, hat Georg Pfeilschifter ediert (ARC II 305—318). Die falsche Datierung dieser deutschen Fassung durch W. v. Gulik (Johannes Gropper, 146f.) und ihre unhaltbare Bewertung als Vorform der kaiserlichen „Formula Reformationis" von 1548 durch W. Lipgens (Kardinal Johannes Gropper, 176 u. 228) hat vor Pfeilschifter (ARC II 121f., Anm. 9) bereits Heinrich Lutz (Reformatio Germaniae, 244—246) erkannt.

[19] Es ist nicht auszuschließen, daß die letzte Überarbeitung des Textes von Gropper selbst vorgenommen wurde. Man kann begründet feststellen, daß die verschiedenen Redaktionen den Text in der Substanz nur wenig berührt und seiner Einheitlichkeit keinen Abbruch getan haben. Im folgenden werden die „Canones" nach dem Erstdruck zitiert; außerdem wird jeweils auf die Edition Pfeilschifters (ARC II 194—305) verwiesen; redaktionelle Eingriffe werden gegebenenfalls ersichtlich gemacht.

[20] ARC II 190—192; hier: 190f. Außer dem von Pfeilschifter benutzten Exemplar des Schreibens (Paris, Bibliothèque Nationale, Manuscrit du Fonds latin, No. 10160, f. 178r—180r) ist ein weiteres erhalten in: Köln, Historisches Archiv der Stadt, Clerus secundarius A II, p. 3—7. Die Versendung des Drucks an die Suffraganbischöfe erfolgte am 8. April 1538; ARC IV 203f.

dion christianae institutionis"[21]. Gropper hat dieses sein erstes
Hauptwerk offenbar über einen längeren Zeitraum hin in mehreren
Abschnitten erarbeitet; das oben erwähnte, etwa auf das dritte
Quartal des Jahres 1535 anzusetzende Autograph Groppers enthält die Reformstatuten vollständig, das „Enchiridion" jedoch nur
in Teilen[22]. Daß auch diese wiederum in mehreren Arbeitsgängen
entstanden sind, beweisen Streichungen und Ergänzungen, alte Foliierungen und unterschiedliches Format des beschriebenen Pa-
piers[23]. Gropper scheint das „Enchiridion" erst abgeschlossen zu
haben, nachdem er 1537 — durch Krankheit bedingt — aus dem
Hofdienst entlassen worden war[24]. Als man in diesem Jahr mit der
Drucklegung der vom Provinzialkonzil verabschiedeten Reformkonstitutionen begann, reihte man beim Druck an das ausführliche
Inhaltsverzeichnis der Statuten[25] bereits eine Art Sachindex des
„Enchiridion" unter dem Titel „Loci communes theologici insignio-
res"[26] an, jedoch noch ohne Folienverweise, eine dem Leser deswegen kaum nützliche Übersicht, die darauf schließen läßt, daß das
„Enchiridion" zu diesem Zeitpunkt noch nicht endgültig ausformu-
liert war. Wahrscheinlich geht die Verzögerung der Auslieferung
des Drucks bis um die Monatswende Februar/März 1538 darauf zurück, daß Gropper später als erwartet sein theologisches Erstlingswerk vollendet hat[27].

---

[21] Die „Canones" befinden sich auf f. 1r—47v. Es folgen zwei nicht gezählte
Blätter (Lagennotation: K ij u. K iij) und f. 48, welche den Eigentitel des
„Enchiridion", das Vorwort des Erzbischofs Hermann von Wied und eine
inhaltliche Übersicht über die vier großen Abschnitte des „Enchiridion" enthalten. Der Text des „Enchiridion" füllt f. 49r—313v. Zitate beziehen sich
auf diesen Erstdruck von 1538.

[22] Es handelt sich im einzelnen um folgende Stücke: Modell eines Vorwortes
des Kölner Erzbischofs (Köln, Historisches Archiv der Stadt, Clerus secundarius A II, p. 139—145); „Explicatio Symboli Apostolorum" (Ebd., p. 147—205);
„De Sacramentis" (Ebd., p. 207—252; nur Taufe, Firmung und Eucharistie
werden abgehandelt); „Loci communes" (Ebd., p. 253—262); „De modo
orandi" (Ebd., p. 263—290). Bedeutende Abschnitte der Sakramenten- und
Gebetslehre fehlen; der über den Dekalog handelnde Teil fehlt ganz.

[23] Alte Foliierungen beginnen zum Beispiel p. 175 u. p. 263. Nach p. 182 ist
ein von fremder Hand beschriebenes Blatt eingelegt.

[24] Dazu äußert er sich 1545 selbst (Warhafftige Antwort, f. 36v).

[25] Lagennotation: a iij r—b v (ungezählte Blätter).

[26] Lagennotation: b ij r—b iij r (ungezählte Blätter). Die Wahl der „Loci"-
Form für den Index schließt nicht aus, daß dessen Entstehung vor der Endredaktion des „Enchiridion" anzusetzen ist; anderer Auffassung scheint zu
sein: R. Braunisch, Die Theologie der Rechtfertigung, 49, Anm. 241.

[27] Als Jahreszahl war in der Impressumzeile des Titels ursprünglich 1537 zu
lesen; in den meisten Exemplaren wurde dann nachträglich mit einem Hand-
stempel eine römische Eins (I) ergänzt, so daß sich die Jahreszahl 1538 ergab.
Das Register am Ende des „Enchiridion" (Lagennotation LLL vi r—MMM
vi r) trägt im Kolophon die Jahreszahl 1538; F. Gescher, Ein Synodalschreiben

Das „Enchiridion" wird in den Reformkonstitutionen des Kölner Provinzialkonzils mehrfach angekündigt und zur Konsultation, etwa in Fragen der Verkündigung und der Sakramentenspendung, den Pfarrern nachdrücklich empfohlen[28]. Die Geistlichen sollen sich demnach nicht nur in jenen konkreten und praktischen Reformmaßnahmen, welche in den Statuten gebündelt sind, auskennen[29], sondern sie haben sich auch ein tieferes theologisches Wissen anzueignen, weil dieses die Voraussetzung für Erfolge des Bemühens um Erneuerung bildet. In dem wahrscheinlich von Gropper abgefaßten, jedoch unter dem Namen des Erzbischofs Hermann von Wied veröffentlichten Vorwort zum „Enchiridion" wird der starke Umfang des Buches mit der sachlichen Notwendigkeit einer gründlichen Behandlung der vielen in der zeitgenössischen Theologie umstrittenen Lehren entschuldigt. Das „Enchiridion" wolle, so heißt es sinngemäß, kein vollkommenes und vollständiges Handbuch sein; es verstehe sich vielmehr als eine vorläufige Hilfe für die Pfarrer, ihre Gemeinden in der Wahrheit des Evangeliums zu unterweisen und einer weiteren Spaltung der Kirche vorzubeugen[30]. Der Aufbau des „Enchiridion" orientiert sich an den vier alten katechetischen Hauptstücken[31]; behandelt werden das Apostolische

des Kölner Erzbischofs Hermann von Wied aus dem Jahre 1538, 126. Statistik der nachgewiesenen Exemplare der Kölner Erstauflage: J. Meier, Das „Enchiridion christianae institutionis", 314—316, Nr. 1—6.

[28] Vgl. z. B.: Canones, f. 24r (cap. 20 u. 21; ARC II 253), f. 25v (cap. 5; ARC II 256), f. 26v (cap. 12; ARC II 258), f. 29v (cap. 30; ARC II 265) u. f. 32v cap. 50; ARC II 271).

[29] Die Visitationsformel (Formula, f. 6v) schreibt eine Prüfung der Pfarrer namentlich über die Teile 4—7 u. 9 der Statuten vor (Canones, f. 16v—32v u. 34r—37v; ARC II 236—271 u. 274—283); die Pfarrer sollen insbesondere in den Belangen der Verkündigung, der Sakramentenspendung und der kirchlichen Gewohnheiten bewandert sein; „in his enim tribus proximis titulis parochorum officium dilucide explicatur".

[30] Das Vorwort findet sich auf dem nicht foliierten Blatt mit der Lagennotation K iij (r/v) und auf f. 48r. In ihm wird u. a. die Vorläufigkeit der dargestellten Lehraussagen unterstrichen, „donec generali Concilio publicis totius ecclesiae rebus prope collapsis salubrius fuerit provisum"; sie werden zugeeignet „non delicatis hominibus, sed nostris parochis alijsque verbi dei ministris" (K iij r/v).

[31] Das wird von Gropper so begründet (Enchiridion, f. 251r): „Explicationi... symboli Apostolici, quod fidem complectitur, primus locus debebatur, quod fides ianua sit, qua ad deum acceditur. Proximum, ecclesiae sacramenta, quae veluti quaedam symboli pars esse videntur, atque adeo fidei nostrae certissima symbola sunt, postulabant. Tertium vero locum, dominicae orationis expositio merito tenuit, quod oratio primum ac praecipuum fidei opus et exercitium sit. Fidem enim in deum statim sequitur invocatio. Quartum itaque ac postremum locum iure sibi Decalogus vendicat, qui regulam plane divinam praescribit, ad quam credentibus ac sperantibus in deum tota vita deinceps exigenda sit. Homini enim necdum fidem in deum assequuto seu nondum renato, frustra

Glaubensbekenntnis[32], die sieben Sakramente[33], das Vaterunser[34] und die zehn Gebote[35]. Innerhalb dieser Themenkreise werden auch Fragen aufgegriffen, über die die Meinungen der Zeitgenossen auseinandergingen. Die Verbindung der Behandlung kontroverser Lehren mit einer von katechetischen und didaktischen Gesichtspunkten geprägten Darstellungsweise ist bereits von Hubert Jedin als ein wesentliches Charakteristikum von Groppers Buch gewürdigt worden[36]. Stephan Skalweit hat über das Werk des Kölner Theologen geäußert: „Das gedankliche Gerüst seiner Theologie erscheint hier im Gewand eines Kompendiums für die Seelsorge"[37]. Im Hinblick auf das verkündende Element hat Jedin das „Enchiridion" Groppers einer zweiten Phase der Kontroversliteratur zugerechnet, die dem Trienter Konzil für seine lehramtlichen Entscheidungen wegweisende, positive Entwürfe lieferte[38]. Die primäre Quelle der Theologie Groppers ist in den Kölner Reformkonstitutionen ebenso wie im „Enchiridion" die Heilige Schrift, vor allem das Corpus Paulinum. Gropper zitiert aus ihr oft nach dem Gedächtnis, wobei er häufig mehrere Stellen zusammenzieht; manchmal reiht er etwas undifferenziert mehrere Schriftzitate aneinander, ohne doch einen ganz stichhaltigen Schriftbeweis zu erbringen. Souveräner ist sein Umgang mit patristischem Schrifttum; Zitate aus den Kirchenvätern sind durchweg dem eigenen Gedankengang untergeordnet, brechen also dort ab, wo zu diesem ein Konnex nicht mehr herzustellen ist. Eine Statistik der von Gropper im „Enchiridion" rezipierten patristischen Literatur ist von Reinhard Braunisch aufgestellt worden[39]. Ihr Ergebnis zeigt, daß fast die Hälfte aller Zitate aus dem Œuvre Augustins stammt; erst mit großem Abstand

---

praescripseris Decalogum observandum. Porro eundem ordinem ecclesia in catechizando ac baptizando observat." — P. Polman (L'Élément historique, 327, Anm. 1) hat darauf aufmerksam gemacht, daß sich diese Einteilung Groppers in der „Confessio catholicae fidei" (1552) von Stanislaus Hosius und im Katechismus (1554) des Petrus Canisius wiederfindet. Tatsächlich ist sie wohl in mehr oder weniger abgewandelter Form noch häufiger verwendet worden; sie liegt z. B. auch dem ersten Teil von Groppers „Institutio catholica" zugrunde. R. Braunisch, Die Theologie der Rechtfertigung, 46—48.

[32] „In Symbolum Apostolorum"; Enchiridion, f. 49r—75v.

[33] „De sacramentis novi testamenti"; Enchiridion, f. 76r—218r.

[34] „De ratione ac modo orandi Deum"; Enchiridion, f. 218v—250v.

[35] „De natura, distinctione, vi, ac usu legis, cum subiuncta explicatione Decalogi"; Enchiridion, f. 251r—313v.

[36] H. Jedin, Das Autograph Johann Groppers, 288f.

[37] St. Skalweit, Reich und Reformation, 300. Nach G. G. Meersseman (Joh. Groppers Enchiridion und das tridentinische Pfarrerideal, 25) ist das „Enchiridion" keine „abstrakt wissenschaftliche, sondern eine für die Seelsorge zweckmäßig ausgearbeitete theologische Summe".

[38] H. Jedin, Geschichte des Konzils von Trient I 325—328.

[39] R. Braunisch, Die Theologie der Rechtfertigung, 51—54.

folgen Johannes Chrysostomus, Cyprian, Ambrosius, Bernhard von Clairvaux und viele andere. In der nachfolgenden Untersuchung sollen diese vielschichtigen Quellen, die Groppers Gedankenführung reichlich befruchtet haben, jeweils aufgedeckt und konkret nachgewiesen werden[40].

Eingehende Berücksichtigung finden wird sodann der Einfluß, den die Quellen des kanonischen Rechts auf die Statuten und das „Enchiridion" Groppers genommen haben; es scheint so, als habe die bisherige Gropper-Forschung gerade diesen Aspekt an den Arbeiten des Kölner Theologen, der doch ausgebildeter Jurist war, ein wenig vernachlässigt.

Von der scholastischen Schultheologie war Gropper fast unberührt. Durch sein Studium mit dem rechtlichen Denken vertraut und durch mehrjährige Lektüre als Autodidakt zu einer intimen Kenntnis der Bibel und der Kirchenväter gelangt, war er imstande, das überlieferte Lehrgut der katholischen Kirche in einer, wenn auch nicht in jedem Punkt befriedigend präzisen, so doch in einer aus überzogen spitzfindigen Unterscheidungen herausführenden Weise und in verständlicher Sprache auszubreiten[41].

Gegenüber den Reformatoren vermied Gropper jede unsachliche Polemik. Es war vor allem Philipp Melanchthon, mit dem er sich kritisch auseinandersetzte. Robert Stupperich hat als erster die Beobachtung gemacht, daß die Wittenberger Ausgabe der „Loci communes theologici" (1535) eine wichtige Quelle für die Gedankenführung des „Enchiridion" darstellt[42]. Inzwischen sind die Indizien, die Stupperich aufwies, wesentlich vermehrt und vertieft worden[43]. Nicht zu übersehen ist, daß Gropper um eine Ernstnahme der Anliegen Melanchthons aufrichtig bemüht war. „Tritt er auch in grundsätzlichen Fragen kompromißlos für die kirchliche Lehre ein, so ist er doch weitherzig genug, nicht schon einen Gedanken einer Formel wegen zu verurteilen. Und nicht nur, daß er bemüht war, starre Begrifflichkeit und lebendigen Inhalt voneinander

---

[40] Braunisch hat das in seiner nicht nur inhaltlich, sondern auch methodisch mit etwas anderen Zielsetzungen angelegten Untersuchung aus guten Gründen nur in begrenztem Ausmaß getan.

[41] Groppers theologische Arbeitsweise im „Enchiridion" kennzeichnet P. C. Matheson (Cardinal Contarini at Regensburg, 129) vereinfachend, aber im Kern nicht unrichtig so: „... he shows no great interest in the scholastic interpretation, and the stress on preaching the essentials would suit him and Pflug, with his catechetical concerns, very well."

[42] R. Stupperich, Der Humanismus und die Wiedervereinigung der Konfessionen, 18f., Anm. 3.

[43] M. Hillenbrand, Johannes Groppers Meßopferlehre nach dem „Enchiridion Christianae Institutionis" aus dem Jahre 1538, 24—28; R. Braunisch, Die Theologie der Rechtfertigung, 36, Anm. 184, u. passim. Auch in der vorliegenden Untersuchung wird die Richtigkeit der Beobachtung Stupperichs bestätigt.

zu trennen, er hat es auch weitgehend verstanden, zwischen gegensätzlichen Sachverhalten auf der einen Seite und verschiedenen schwerpunktsbedingten Ansichten eines Sachverhaltes auf der anderen zu unterscheiden"[44]. Von Luther grenzte sich Gropper allerding weitaus schärfer ab[45].

Ungeklärt und in der Forschung abweichend beurteilt ist bis heute das Verhältnis Groppers zu Desiderius Erasmus[46]. Während etwa Stupperich meint, die methodischen Eigenarten Groppers seien „im Sinne des Erasmus", spricht Jedin davon, Reformstatuten und „Enchiridion" Groppers seien gerade nicht vom Geist des Erasmus und von humanistischer Verständigungspolitik gekennzeichnet[47]. Nur eingehende Analyse wird hier weiterführen können[48]. In der irenischen Gesinnung und in der auch von Jedin festgestellten katechetisch-seelsorglichen Orientierung Groppers wird man vielleicht doch eine innere Nähe zu den Spätschriften des großen Humanisten konstatieren dürfen, namentlich zu dem im August 1535 erschienenen, vier Bücher umfassenden „Ecclesiastes, sive Concionator evangelicus"; dieser war John Fisher von Rochester gewidmet, jenem Bischof und Theologen, der zehn Jahre früher mit seiner in Köln gedruckten „Sacri sacerdotii defensio" hervorgetreten war, einem Werk, das Gropper möglicherweise gleichfalls gekannt hat. Gewisse Bezüge Groppers zu Desiderius Erasmus, John Fisher und anderen Vertretern der katholischen Reform- und

---

[44] R. Braunisch, Die Theologie der Rechtfertigung, 41. Ähnlich betont C. Augustijn (L' esprit d'Érasme, 382), Gropper sei ein Mann gewesen, „qui pouvait comprendre les intentions des protestants".

[45] Ebenso wie Melanchthon zitiert Gropper auch Luther anonym; wenn Braunisch über Gropper äußert: „Erst in seinen Spätwerken ist die Kenntnis verschiedener Luther-Schriften nachweisbar.", so kann dem nicht zugestimmt werden; den Gegenbeweis gegen die Meinung von Braunisch (Die Theologie der Rechtfertigung, 36) kann die nachfolgende Untersuchung mehrfach erbringen.

[46] Erasmus erwähnt Gropper mit Bernhard von Hagen lobend bereits in einem auf Ende Juni 1531 anzusetzenden Brief an Tielmann vom Graben und kündigt an, ihm schreiben zu wollen (P. S. Allen, Opus Epistolarum Desiderii Erasmi Roterodami IX 284f.; Nr. 2508).

[47] R. Stupperich, Schriftverständnis und Kirchenlehre bei Butzer und Gropper, 116; H. Jedin, Fragen um Hermann von Wied, 691. An anderer Stelle (H. Jedin, Das Konzil von Trient und der Unionsgedanke, 500—502) unterscheidet Jedin von dem erasmischen Unionsprogramm ein altkatholisches (Witzel, Cassander) und ein evangelistisches (Gropper, Contarini).

[48] Das Verdienst, erstmals durch genaue Textproben eine gewisse Beeinflussung Groppers durch Erasmus, speziell durch dessen „Dilucida et pia explanatio Symboli" (1532), nachgewiesen zu haben, kommt Hans Joseph Limburg zu (Das Votivoffizium von der Menschwerdung, 7f. u. 90—94); allerdings dürfte Limburg m. E. seinerseits übertreiben, wenn er formuliert, „daß Gropper in einer starken Abhängigkeit von Erasmus steht. Groppers Hauptwerk, das Enchiridion von 1538, ist durch und durch von einem erasmischen Evangelismus geprägt" (Ebd., 88).

Kontroverstheologie können im nachfolgenden Verlauf der Untersuchung in bescheidenem Ausmaß aufgehellt werden.

Vorab soll nun noch ein Blick auf die Wirkungsgeschichte geworfen werden, welche die Statuten und das „Enchiridion" gefunden haben. Die wohlwollende, manchmal geradezu begeisterte Aufnahme von Groppers Doppelwerk läßt vermuten, daß viele darin zukunftsweisende Antworten auf die brennenden Probleme der Zeit gegeben sahen. Die Lösungen, die man schließlich für diese Probleme fand, sind mit Gewißheit auch von den Anschauungen Groppers beeinflußt worden. Gerade Groppers Sicht des priesterlichen Dienstes antizipiert in vielen Aspekten das später von der Gesetzgebung des Trienter Konzils abgesteckte und dann von der nachtridentinischen Kirchenreform ausgestaltete Priesterbild.

Über die Reaktionen, welche die Reformkonstitutionen und das „Enchiridion" im Episkopat der Kölner Kirchenprovinz auslösten, ist nur weniges zu ermitteln. Das Echo dürfte zunächst einhellig positiv ausgefallen sein[49]. Wie sich Gropper 1546 erinnert, schrieb Bischof Franz von Waldeck nach Empfang der zugeschickten Bücher „in tröstlicher hoffnung, dass durch sollice heilsame christliche und lobliche ordnung gein geringer nutz und ufbauung christlicher lehr wesens und guter werck mit gots gnaden geschafft und erfolgen wurd"[50]. Mit der Durchführung der Reformstatuten des Provinzialkonzils von 1536 und mit der Beschickung des von Papst Paul III. damals nach Vicenza einberufenen Generalkonzils sollte sich eine durch Hermann von Wied auf den 3. Mai 1538 anberaumte Versammlung der Suffraganbischöfe und des Kölner Klerus befassen. Von ihr ist jedoch nur das Berufungsmandat erhalten[51]. Damit verlieren sich die Spuren des ersten, von Johannes Gropper geprägten Reformansatzes des Kölner Kurfürsten. Hermann von Wied setzte das angefangene Werk nicht fort; auch in den Diözesen Lüttich, Minden, Münster, Osnabrück und Utrecht scheint man sich in der Folgezeit nicht weiter um eine Verwirklichung der Beschlußfassung des Provinzialkonzils von 1536 gekümmert zu haben.

[49] So jedenfalls versichert Gropper (Warhafftige Antwort, f. 82r).

[50] ARC II 186; Gropper gibt den Wortlaut des Briefes (ARC IV 205) fast ganz getreu wieder; Franz von Waldeck schrieb aus Petershagen, seiner fürstbischöflichen Residenz im Stift Minden; entsprechend ist die Überschrift in ARC IV 205 zu berichtigen. Für die Reaktion aus Lüttich vgl. ARC II 121 u. IV 204f.

[51] S. o. S. 40, Anm. 20; auch: ARC II 185f. — Ein Jahrzehnt nach dem Provinzialkonzil bemerkt Gropper im Vorwort seiner Schrift „Hauptartikell christlicher underrichtung" (A iij v) über die Reformsynode von 1536: „wölches im namen Gots wol seligklich angefangen / aber darnach durch den fyant alles gůten / und stiffter / seher und anzunder alles bösen / den Teuffel / nitt on unußsprechlichen dises löblichen altenn Ertzstiffts nachteil und schaden / völchs sehr zu beklagen ist / verhindert worden."

Außerhalb der Kölner Kirchenprovinz wußte man Groppers
Arbeit um so nachdrücklicher zu würdigen. Der Theatiner Ber-
nardino Scotti bescheinigte dem „Enchiridion" am 4.
Oktober 1539 größte Wichtigkeit im Kampf gegen die Häresien der Zeit[52]. Am-
brosius Catharinus, welcher damals als einflußreicher Theologe in
Frankreich lebte, äußerte sich in seinem 1540 erschienenen „Specu-
lum Haereticorum" mit überschwenglichen Worten zu Groppers
Schrift[53]. Gregorio Cortese, als Generalvisitator der Benediktiner-
Kongregation von Santa Giustina in Padua ein Vorkämpfer der
Kirchenreform, sprach davon, er sei „molto affezionato a quell'
opera"[54]; sein vorzügliches Urteil über Groppers Werk teilte er am
4. Juli 1540 Kardinal Gasparo Contarini mit[55]. Dieser scheint das
Buch des Kölner Theologen damals bereits seit längerem gekannt
zu haben[56]. Auch Kardinal Reginald Pole hat sich wohl spätestens

[52] Scotti schrieb aus Venedig an Stefano Bertazzoli, den von der hl. Angela
Merici bekehrten Patrizier aus Brescia, der in Salò am Gardasee mit den
Gebrüdern Antonio und Giambattista Scaini eine Compagnia del Divino
Amore gegründet hatte: „È venuto fora uno libro molto bono et de grandissima
importantia contra a questi errori de li nostri tempi, il quale si chiama
‚Concilium Coloniense'." Der Brief ist ediert bei: A. Cistellini, Figure, 309f.,
hier: 310.

[53] Ambrosius Catharinus, Speculum Haereticorum, B iij v: „Coloniense concilium
ab Hermanno rev. Colon. eccl. archiepiscopo, quo profecto nihil his temporibus
vidi orthodoxius, nihil doctius, nihil denique fidelius et omni acceptione
dignius, quod utinam et alii persancte aemularentur." Auch: Warhafftige Antwort, f. 82r.

[54] In einem Brief an Kardinal Gasparo Contarini vom 29. August 1540, nachdem dieser das in Anm. 55 zitierte Urteil Corteses bestätigt hatte. Gregorio
Cortese, Omnia, quae huc usque colligi potuerunt I, p. 135—137, hier: 136.

[55] Ebd., p. 132f.: „A' giorni passati mi è capitato nelle mani un' Opera fatta
per lo Episcopo di Colonia intitolata ‚Concilia Coloniensia', della quale pare
a me non avere visto più sincera, più modesta, pia, e vera Opera, poichè
suscitarono queste Eresie abbominande; e pare a me, che con grande ingegno,
dottrina, e pietà instruisca tutti li Cristiani, ed everta le munizioni delli
Eretici."

[56] Contarini hat Groppers Werk anscheinend schon Ende 1538 gekannt. In einem
Brief, den er an Tullio Crispoldi richtete, heißt es: „... a me, il M[aestr]o
di Sacro Palazzo, alli compositori del Concilio Coloniense, et a molti altri piace
più assai questa via che l' altra..." (Edition des Briefes bei: F. Dittrich,
Gasparo Contarini, 866—871, hier: 871); dieser Brief ist allerdings nicht
datiert; starke Indizien deuten jedoch darauf hin, daß Contarini diesen Brief
zitiert als „lettera antecedente a M. Tullio scritta" in einem auf den 18. Januar
1539 datierten, an Marcantonio Flaminio gerichteten Brief (H. Jedin, Ein
Streit um den Augustinismus, 365f.); dafür tritt G. Alberigo (I vescovi italiani
al Concilio di Trento, 392f., Anm. 1) mit Entschiedenheit ein. — In einem
Brief an Kardinal Alessandro Farnese vom 18. April 1541, in welchem er die
verschiedenen Teilnehmer des Regensburger Religionsgespräches charakteri-
sierte, kennzeichnete Contarini Gropper mit der Bemerkung: „quello che fece
il concilio Coloniense" (L. Pastor, Die Correspondenz des Cardinals Contarini,
365). In einem Brief an denselben Empfänger vom 13. Mai 1541 urteilte

1540 an die Lektüre des „Enchiridion" gemacht; gemeinsam mit Contarini empfahl er es dem Veroneser Bischof Gian Matteo Giberti[57].

Giberti ließ dann durch Adamo Fumano, einen seiner engsten Mitarbeiter, den Contarini 1541 zum Regensburger Religionsgespräch mitnahm, dem Autor des „Enchiridion" seine Bewunderung und seinen Respekt ausdrücken[58]; Gropper nahm das zum Anlaß, Giberti von Regensburg aus zu schreiben; der Bischof antwortete am 21. April 1541; er gestand, von dem in Köln lehrenden Theologen Arnold Luyd de Tongres Näheres über den Verfasser des von ihm so hochgeachteten Werkes erfahren zu haben, und äußerte die Hoffnung, „ut episcopi vel sint tui similes vel saltem istiusmodi hominum copiam habeant, quorum innixi consiliis oves sibi commissas pascere queant ac gubernare"[59]. Giberti empfahl seinem Diözesanklerus Besitz und Lektüre des „Enchiridion", das er in Verona nachdrucken ließ; sogleich herrschte rege Nachfrage nach dem Titel; er wurde in Verona eine Art Bestseller und erschien 1543 ein zweites Mal[60].

Gerade in jenen Kreisen der italienischen Kirche, die um die Probleme der Zeit wußten und für eine zügige und durchgreifende katholische Erneuerung eintraten, fand Groppers Werk eine gün-

---

Contarini etwas ausführlicher: „Il Gropperio si fatica estremamente, è buono Christiano e molto desideroso della concordia, et se qualche volta ha bisogno di freno, subito cede, è humile et veramente gentilissimo, ha benissimo per le mani la scrittura sacra et li dottori antiqui" (Ebd., 386f.).

[57] Das erzählt der Verleger Antonio Putelleto in dem auf den 1. Februar 1541 datierten, Kardinal Ercole Gonzaga gewidmeten Vorwort der von ihm besorgten ersten Veroneser Auflage; J. Meier, Das „Enchiridion christianae institutionis", 317, Nr. 2. Indirekt geht Poles Kenntnis des „Enchiridion" aus zwei Briefen hervor, die er am 17. Mai und am 16. Juli 1541 an Contarini sandte; nicht ganz zuverlässige Edition: A. M. Quirini, Epistolarum Reginaldi Pole... Pars III, 25—30, bes. 25 u. 28. Verbürgt ist sie überdies durch Gropper selbst: Warhafftige Antwort, f. 36r/v u. 81 r/v.

[58] A. Prosperi, Tra evangelismo e controriforma, 254. Prosperis eigenes Urteil über das Werk Groppers (Ebd., 253f.) scheint mir zu negativ ausgefallen, da einseitig bestimmt vom Fehlschlag der Religionsgespräche, dem späteren Abfall Hermanns von Wied von der Kirche und der Indizierung des „Enchiridion" zu Ende des 16. Jahrhunderts, drei Faktoren, von welchen mindestens die beiden ersten nichts über die theologische Qualität des Buches Groppers aussagen.

[59] Warhafftige Antwort, f. 81 r/v; das Zitat: f. 81v.

[60] Im 17. Kapitel zum Titel „De poenitentiis et remissionibus" in den „Constitutiones" spricht Giberti nach Erörterung von Fragen der Bußpastoral, darunter insbesondere der Problematik eines zeitweiligen Ausschlusses aus der Eucharistiegemeinschaft, folgende Empfehlung zur weiterführenden Lektüre aus (Constitutiones, f. 43r): „... qui mediocriter eruditi fuerint, studeant sibi familiaria reddere ea, quae gravissimus author ille congessit in libro, qui Enchiridion Christianae religionis inscribitur, quem etiam pro usu et commodo

stige Aufnahme. In einer Fastenpredigt des Jahres 1541 erklärte der Augustiner Giulio della Rovere von Mailand, der sich später von der Kirche trennte, unter Zuhilfenahme des „Enchiridion" ein Kapitel aus Augustins Schrift „De spiritu et littera"[61]. Kardinal Marcello Cervini, der damals als reformfreudiger Bischof von Reggio Emilia wirkte, später einer der Kopräsidenten des Trienter Konzils war und kurz vor seinem Tod 1555 als Marcellus II. zum Papst gewählt wurde, stieß auf die Arbeiten Groppers nach einer Empfehlung von seiten Albert Pigges[62]. Giovanni Morone, seit 1536 Nuntius in Deutschland und mit Gropper von den Religionsgesprächen in Hagenau, Worms und Regensburg (1540/41) her bekannt, empfahl Papst Paul III. im Herbst 1541 die Einführung eines allgemeinen Katechismus; er regte an, dafür eine durchgesehene Auflage des „Enchiridion" zu verwenden[63]. Endlich verdient ein Brief Erwähnung, den der humanistisch gebildete Kardinal

sacerdotum imprimendum curavimus." Für die beiden Veroneser Drucke von 1541 und 1543 vgl.: J. Meier, Das „Enchiridion christianae institutionis", 317, Nr. 2 u. 318f., Nr. 5.

[61] H. Jedin, Girolamo Seripando II 254 (mit Anm. 2).

[62] Pigge schrieb über Gropper am 12. Mai 1541 an Cervini: „Professione quidem jureconsultus, sed studio satis diligenti ac felici theologus, qui tamen in scholis theologiam non didicit, alioquin satis commodo ad haec ingenio et quem ego mallem quam ex scholis superciliosum aliquem, si duo reliqui essent quales cuperem." Der Brief ist ediert von: W. Friedensburg, Beiträge zum Briefwechsel. VIII: Albert Pigge, 141. Vgl. auch: Warhafftige Antwort, f. 37r.

[63] In Morones Denkschrift heißt es (L. Cardauns, Zur Geschichte der kirchlichen Unions- und Reformbestrebungen, 205—209, hier: 207): „Et perchè ad ogn' uno è licito predicar et insegnar quel che gli piace, sarebbe necessario haver una certa forma de dottrina, qual s' havesse al legere et insegnar et predicare in tutte le parti; et forsi la forma del concilio Coloniense, in alcun luoco ben revista, sarebbe al proposito, quando non vi sia megliore." Eine positive Notiz über das Kölner Reformwerk ist auch in den Aufzeichnungen enthalten, die Morone im Mai 1539 in Rom zusammenstellte, bevor er nach kurzer Unterbrechung seine Arbeit als Nuntius für Deutschland wiederaufnahm (NBD I/4, 402—404, hier: 403). Als Morone unter Papst Paul IV. am 31. Mai 1557 wegen Häresieverdacht inhaftiert und auf die Engelsburg deportiert wurde, lastete man ihm im Verhör u. a. an, daß er die in den vierzig Jahren in Italien weit verbreitete Schrift von Benedetto da Mantova „Il beneficio di Cristo" positiv bewertet habe, während sie von dem strengen Ambrosius Catharinus von Anfang an als kryptolutherisch befehdet wurde (J. Schweizer, Ambrosius Catharinus Politus, 128—132). In seiner Verteidigungsrede am 12. Juni 1557 zog Morone eine Parallele zu seiner Beurteilung eines andern Buches, nämlich Groppers Doppelwerk, und erklärte (C. Cantù, Gli Eretici d'Italia II 180): „Però questo si ha da imputare a mera malavvertenza e trascuraggine, come ancora mi è avvenuto in un altro libro che io sempre ho reputato buono e santo, che è il Concilio Coloniense, il quale da monsignor Giovan Matteo [Giberti] vescovo di Verona fu fatto stampare, e dato alli suoi curati, e poco fa ho inteso che vi son cose mal dette dentro e sospette di eresia, per non dire eresie."

Jacobo Sadoleto am 29. November 1541 aus seinem kleinen provenzalischen Bischofssitz Carpentras an Hermann von Wied schrieb; darin lobte Sadoleto die Initiative des Kölner Metropoliten, in seiner Kirchenprovinz dem Reformgedanken durch ein Provinzialkonzil den Weg zu ebnen und so den Boden für das allgemeine Konzil zu bereiten; das „Enchiridion" fand Sadoletos Billigung namentlich, weil es Polemik gegenüber den Reformatoren vermied und deren Meinungen mit gelassener Entschiedenheit zurechtrückte[64].

Das unumwundene Einverständnis insbesondere der Reformkardinäle[65] mit den Gropperschen Schriften ermunterte den venezianischen Buchdruck, neue Ausgaben der Reformkonstitutionen des Kölner Provinzialkonzils von 1536, der Visitationsformel aus demselben Jahr und des „Enchiridion christianae institutionis" von 1538 vorzubereiten[66]. Zwischen 1541 und 1544 kamen die Arbeiten Groppers in fünf Verlagshäusern der Lagunenstadt in Neuauflagen heraus[67], darunter bei dem berühmten Gabriele Giolito de Ferrari[68],

---

[64] Sadoleto schrieb in seinem langen Brief u. a.: „Nos sane mansuetudinem et Christianam charitatem teneamus, quae a te mirifice in tuo libro retenta est. Itaque mihi non solum admirari et laudare doctrinam tuam, sed etiam morem diligere necesse est. Es enim tu, quod hoc tempore rarum est, non solum scientia, sed etiam vita Christianus, quam nobis imaginem praestantis et virtutis et eruditionis tuae, tua scripta repraesentant." Der Brief ist von Gropper ediert in: Warhafftige Antwort, f. 78v—80v (das Zitat: f. 79v). Auch: Jacobi Sadoleti ... Epistolarum Libri sexdecim, Liber XIIII, p. 676—685 (das Zitat: p. 682). Vgl. W. Rotscheidt, Ein Brief des Bischofs Jacob Sadolet, 129—135.

[65] Ihnen zählt Hubert Jedin (Katholische Reform und Gegenreformation, 479f.) Contarini, Sadoleto, Pole, Cervini, Morone, Cortese und andere zu.

[66] Der Schutz geistigen Eigentums und seiner Verbreitung war vom damals gültigen Recht nicht gewährleistet, ja, als Notwendigkeit wohl kaum erkannt. Nachdrucke galten nicht als unberechtigt, weil sie vom Gesetz nicht verboten waren. Luther beklagte sich des öfteren über sie und die damit einhergehenden Texteingriffe. Viele Verleger behalfen sich mit einem vom Landesherrn erwirkten Privileg, wodurch sie in dessen Territorium ein Monopolrecht erhielten. Gleichwohl bestand im 16. Jahrhundert kein wirksamer gesetzlicher Urheberschutz.

[67] Den Anfang machten 1541 Giovanni de Farri und Brüder, die zwischen 1540 und 1548 im Verlagsgeschäft nachzuweisen sind; F. Ascarelli, La tipografia, 192 u. 197; R. G. Marshall, Short-title Catalog, 478; J. Meier, Das „Enchiridion christianae institutionis", 316f., Nr. 1. Es folgte 1543 eine von Comin da Trino (1540—1574) gedruckte und bei Giovanni Francesi (1534—1543) verlegte Ausgabe; F. Ascarelli, La tipografia, 197f.; R. G. Marshall, Short-title Catalog, 467—469 u. 482; J. Meier, Das „Enchiridion christianae institutionis", 317f., Nr. 3. Ebenfalls 1543 verlegten mehrere Buchhändler gemeinschaftlich und anonym unter dem Signet einer Sirene das Werk des Kölner Theologen; J. Meier, Das „Enchiridion christianae institutionis", 318, Nr. 4. Danach folgten die Verleger Andrea Arrivabene (nachzuweisen 1536—1598; R. G. Marshall, Short-title Catalog, 434f.; J. Meier, Das „Enchiridion christianae institutionis", 319f., Nr. 8) und Gabriele Giolito de Ferrari (s. u. Anm. 68); für den

der einer der bekanntesten italienischen Druckerfamilien entstamm-te[69]. Giolito verband seinen 1544 veröffentlichten Nachdruck der Werke Groppers mit einem Nachdruck der Reformordnung des Regensburger Konventes von 1524[70], der Statuten der Hildesheimer Diözesansynode von 1539[71] und der „Formula vivendi canonicorum sive vicariorum secularium aut etiam aliorum devotorum presby-terorum" von Werner Rolevinck[72]; Giolito folgte darin einem Bei-spiel der Verleger Giovanni Francesi und Andrea Arrivabene, welche dieselben Schriften schon 1543 herausgebracht hatten. Groppers Nachwirkung in Italien ging jedoch noch weiter; Anfang 1544 publizierte der Servitenpater Alessandro Toto in Brescia mit Billigung des örtlichen Ordinariats und der Inquisition eine volks-tümliche Christenlehre in italienischer Sprache, welche auf weite Strecken dem „Enchiridion" entlehnt war[73]. Noch im nämlichen Jahr 1544 gingen die Statuten und das „Enchiridion" auch in Lyon in Druck; eine Ausgabe erschien bei den Gebrüdern Jean und François Frellon, eine andere mit anscheinend kleinerer Auflage bei Antoine Vincent[74].

Der große Erfolg seiner Schriften erfüllte den Kölner Theologen mit berechtigtem Stolz; Gropper schrieb 1545: „Weil ich dannoch

letzteren wie schon für die zuvor genannte Verlegergemeinschaft druckten Bartolomeo Imperadore und Francesco Veneziano (nachweisbar 1543—1558; R. G. Marshall, Short-title Catalog, 513f.). Erst über ein Jahrzehnt später folgte dann noch 1555 ein Nachdruck bei Alessandro de Viano (R. G. Marshall, Short-title Catalog, 600; J. Meier, Das „Enchiridion christianae institutionis", 326f., Nr. 33).

[68] S. Bongi, Annali di Gabriel Giolito de Ferrari da Trino di Monferrato, stampatore in Venezia I 81—84; J. Meier, Das „Enchiridion christianae insti-tutonis", 320, Nr. 9.

[69] Ihr langjähriges Haupt war Giovanni Giolito de Ferrari, der 1508 in Trino, einer am Zusammenfluß von Astura und Po gelegenen, zur Markgrafschaft Monferrato gehörigen Stadt eine Druckerei gründete; P. Ch. E. Deschamps, Dictionnaire de géographie, Sp. 1261.

[70] Die vom Regensburger Konvent verabschiedete „Ordinatio ad vitam cleri reformandam" wurde noch 1524 amtlich in Wien gedruckt; viele Nachdrucke folgten: ARC I 361—363.

[71] Die Hildesheimer Diözesansynode wurde am 17. März 1539 unter Bischof Valentin von Tetleben durchgeführt. Ihre Statuten (Neuherausgabe in: ARC II 570—608) erschienen gemeinsam mit den in Anm. 70 u. 72 erwähnten Titeln im amtlichen Druck 1539 bei Peter Quentel in Köln. Genaue Titel-angabe bei: K. Schottenloher, Bibliographie zur deutschen Geschichte im Zeit-alter der Glaubensspaltung III 30599; ARC II 570.

[72] Über die Druckgeschichte der „Formula vivendi sacerdotum" seit der um 1472 erfolgten Erstauflage s. o. S. 7, Anm. 10.

[73] A. Toto, Dialogo. Dazu: J. Meier, Das „Enchiridion christianae institutionis", 303f., Anm. 74.

[74] H. Baudrier, Bibliographie lyonnaise V 154—171 u. 194—196; J. Meier, Das „Enchiridion christianae institutionis", 319, Nr. 6 u. 7.

bericht wordenn / das solch Buch erst in Italia zu Venedigen mehrmals / und nun auch zu Lyon in Frankreich nachgedruckt sey.
Zu deme das es durch etliche hochwirdigste Cardinäle unnd Bisschoffe / so eyner vorbundiger lehr / fromkeit und gotseligkeyt /
bey gemeyner Christenheyt höchlich berümbt / als sonderlich
durch Weylandt / den frommen gotseligen / darff sagen heyligen / Cardinalem Contarenum / Unnd die noch lebende Cardinales, Sadoletum / unnd Polum, unnd Episcopum Veronensem.
Desgleichen durch vill andere gelerte und Catholische menner /
nit eyner Nation / als under andern F. Ambrosium Catharinum
Italum / D. Arnoldum Tongarum / D. Johannem Cocleum, ja
wylandt Doctor Johan Ecken / und dergleichen vil mehr / ja
auch durch Doctor Jacoben Omphalien (so jetzunder meines gne-
digsten Herrn Cantzley verwaltet) wol etwas über gebür gelobt und
gepriesen worden ist / dere testimonia zum theil hinder myr
seind"[75]. An anderer Stelle[76] reiht Gropper unter die Befürworter
seiner Schrift außer Johannes Cochläus, Johannes Eck, Arnold
Luyd de Tongres und Jakob Omphalius auch Otto Beckmann,
Johannes Haner, Albert Pigge und Friedrich Schenck von Tautenberg ein. Der Naumburger Bischof Julius Pflug maß dem Werk
Groppers ebenfalls große Bedeutung zu; in einem Brief, den er am
11. Juni 1542 an seinen Meißener Kollegen Johannes von Maltitz
richtete, arbeitete Pflug unter Konsultation der Gesetzgebung des
Kölner Provinzialkonzils von 1536 einen Reformplan aus[77].

Beim Pariser Buchhandel war dem Opus Groppers eine fast bei-
spiellose Resonanz beschieden; zwischen 1545 und 1568 erzielte es
in 18 verschiedenen Verlagshäusern insgesamt 27 Auflagen[78]. Auch
in einer anderen Metropole des europäischen Buchdrucks hatte das
Werk Erfolg; der Antwerpener Verleger Jan Steels gab 1552, 1553

[75] Warhafftige Antwort, f. 36r/v.
[76] Ebd., f. 82r. Propst Friedrich von Tautenberg, wie Gropper ursprünglich
  Jurist, 1561 erster Erzbischof von Utrecht, wurde durch ein 1525 in Antwerpen
  erschienenes „Enchiridion veri praesulis sive de officio episcopali" bekannt;
  G. W. Panzer, Annales typographici IX 346, Nr. 67b.
[77] J. V. Pollet, Julius Pflug. Correspondance II 344—360, bes. 351, Anm. 4.
[78] Im einzelnen konnte ich für folgende Pariser Verlagshäuser Ausgaben nach-
  weisen: Barthélémy (J. Meier, Das „Enchiridion christianae institutionis",
  325f., Nr. 28); Bogard (Ebd., 320, Nr. 10); Boucher (Ebd., 321, Nr. 11);
  Cavellat (Ebd., 323, Nr. 20); Des Boys (Ebd., 327, Nr. 34 u. 328, Nr. 40);
  Du Puys (Ebd., 323, Nr. 21); Foucher (Ebd., 321, Nr. 12 u. 324, Nr. 22);
  Gaultherot (Ebd., 322, Nr. 16); Gilles (Ebd., 327, Nr. 35); Guyot (Ebd., 326,
  Nr. 29); La Porte (Ebd., 326, Nr. 30 u. 327f., Nr. 36); Le Preux (Ebd., 321,
  Nr. 13 u. 324, Nr. 23); Macé (Ebd., 326, Nr. 31); Marnef (Ebd., 322, Nr. 17
  u. 328, Nr. 37 u. 39); Nivelle (Ebd., 328, Nr. 38); Petit (Ebd., 322, Nr. 15 u.
  324, Nr. 24); Regnault (Ebd., 326, Nr. 32); Roigny (Ebd., 321, Nr. 14; 322,
  Nr. 18 u. 323, Nr. 19). Informationen über die zitierten Verleger bei: Ph.
  Renouard, Répertoire, passim; ders., Les marques, passim.

und 1554 jeweils eine Auflage heraus[79]. So scheint die Behauptung
nicht übertrieben, daß die Reformstatuten des Kölner Provinzialkonzils (1536) und Johannes Groppers „Enchiridion christianae
institutionis" (1538) in den vierziger, fünfziger und noch in den
sechziger Jahren des 16. Jahrhunderts zu den Standardwerken der
zeitgenössischen Theologie zählten.

Wie besser als durch einen Blick in die Akten der Verhandlungen des Trienter Konzils ließe sich dieses Urteil überprüfen? Nach
der fünften Session der ersten Tagungsperiode (17. Juni 1546) be-
gannen in Trient am 22. Juni — zunächst unter den 34 Konzilstheologen — die Diskussionen über die Rechtfertigung[80]. In Randglossen zu dem Ende Juli vorgelegten ersten Entwurf des Rechtfertigungsdekretes[81] stellte der Augustinergeneral Girolamo Seripando
dem Kanon 20 ein Zitat aus Groppers „Enchiridion" gegenüber, das
— im Gegensatz zur Auffassung des Entwurfs — den Spezialglau-
ben als für die Rechtfertigung notwendig ansieht[82]. Seripandos
Vorentwurf zur zweiten Fassung des Rechtfertigungsdekretes nahm
in das zehnte Kapitel einen Text des Kirchenvaters Augustinus
auf, welchen der Augustinergeneral nach Auskunft seiner Randglossen zum ersten Entwurf dem „Enchiridion" Groppers entnommen hatte[83]. Als dann am 23. September von den Deputierten des
Konzils die zweite Fassung des Rechtfertigungsdekretes vorgelegt
wurde[84], schrieb Seripando auch dazu kritische Notizen nieder[85].
Zum siebten Kapitel, worin die Rechtfertigungsgnade als „gratia
inhaerens" definiert, die Lehre von der „duplex iustitia" verurteilt
und der Glaube den Vorbereitungsakten zugewiesen wurde, merkte
Seripando an, ob man denn so die Lehre von Contarini und Cajetan, Pigge, Pflug und Gropper rundheraus verwerfen und nicht
wenigstens ihre Gründe hören wolle[86]. Tatsächlich wurden von
den Legaten des Konzils für die Zeit vom 15. bis 26. Oktober Theo-
logenkongregationen angesetzt, die sich mit den Fragen der doppelten Gerechtigkeit und der Gnadengewißheit beschäftigen sollten; im Verlauf dieser Debatten gab der Seripando befreundete

---

[79] J. Meier, Das „Enchiridion christianae institutionis", 324f., Nr. 25, 26 u. 27.
[80] CT V 261, 27—262, 3.
[81] CT V 384, 23—391, 50. Er wurde früher irrtümlich dem Franziskaner Andreas
de Vega zugeschrieben, neuerdings mit besseren Gründen dem Bischof von
Bitonto, Cornelio Musso; A. Mobilia, Cornelio Musso e la prima forma del
decreto sulla giustificazione.
[82] CT V 410, Anm. 2. Vgl. R. Braunisch, Die Theologie der Rechtfertigung, 42.
[83] CT V 830, 19f.; vgl. mit: CT V 410, Anm. 2.
[84] CT V 420, 28—427, 49.
[85] CT V 485, 36—490, 26.
[86] CT V 487, 30—34. Auch: CT XII 667, 44—668, 13. Dazu: H. Jedin, Girolamo
Seripando II 260—266; P. Pas, La doctrine de la double justice au Concile
de Trente, 8.

Augustiner Aurelius von Rocca ein der Auffassung Groppers wohl-
gesinntes Votum ab[87]; dieselben beiden Fragen wurden zusammen
mit einem weiteren Entwurf des Rechtfertigungsdekretes[88] in den
Generalkongregationen vom 9. November bis 1. Dezember erörtert;
die Lehre von der doppelten Gerechtigkeit, der Rechtfertigung
durch die Gerechtigkeit Christi und die dem Menschen inhärente
Gnadengerechtigkeit, wurde abgewiesen, jedoch nicht formell verurteilt. Über den ganzen Dezember hin erarbeitete dann ein Aus-
schuß des Konzils die endgültige Fassung des Rechtfertigungsdekretes; darüber fand am 11. Januar 1547 eine letzte Aussprache
statt[89]; zwei Tage darauf wurde das Dekret von der sechsten Session des Konzils einstimmig angenommen[90]

Mit den Lehrmeinungen des Kölner Theologen Johannes Gropper haben sich die Trienter Konzilsteilnehmer nicht allein bei der
Erarbeitung des Rechtfertigungsdekretes befaßt. Überschaut man
die weiteren Debatten des Jahres 1547, die zunächst noch in Trient,
dann in Bologna abgehalten wurden, so fällt zum Beispiel auf, daß
in den Diskussionen der Konzilstheologen über die Lehre von der
Eucharistie während des Monats Februar sowohl von Richard Cenomanus[91] wie von Diego Lainez[92] auf Groppers Schriften verwiesen wurde. Zu den im Juni in Bologna diskutierten Canones
über das Bußsakrament[93] fertigte Bonaventura Costacciario[94] zwischen dem 10. und 15. des Monats ein ausführliches Gutachten[95]
an, worin er u. a. darauf aufmerksam machte, daß bereits Johannes
Gropper eine Palette von Kirchenväter-Zitaten zusammengestellt
habe, um zu belegen, daß die sakramentale Beichte in der Kirche
von Anfang an geübt worden sei[96]. Bis über die Monatsmitte des

---

[87] CT V 561, 47—564, 12; Zitat des „Enchiridion": 563, 25—36. Auch der
Augustiner Stephan von Sestino zitierte in seinem Votum am 25. Oktober 1546
das „Enchiridion" Groppers; CT V 607, 34—611, 43; die Zitate: 609, 22—27
(Enchiridion, f. 132r) u. 611, 17—24 (Enchiridion, f. 168r/v). Zum Ganzen:
P. Pas, La doctrine de la double justice au Concile de Trente, 28.

[88] CT V 510, 1—517, 22.

[89] Der Pariser Franziskaner Richard Cenomanus (über ihn: CT VI/1, 81, Anm. 1)
setzte sich nochmals kurz mit der Auffassung Groppers auseinander (CT V
782,9—11).

[90] Der Text des Dekretes: CT V 791, 37—799, 50.

[91] Am 4. Februar 1547; er berief sich auf die einschlägigen Ausführungen der
Statuten des Kölner Provinzialkonzils; CT V 876, 40.

[92] Lainez zitierte am 17. Februar 1547 aus dem „Enchiridion" (f. 91r/v); CT V
934, 20f.

[93] CT VI/1, 196, 1—26 u. 218, 30—219, 6.   [94] Über ihn: CT VI/2, 52, Anm. 1.

[95] CT VI/2, 52, 33—60, 15.

[96] CT VI/2, 56, 23—27 (mit Anm. 21—35). Die Zitate stammen aus: Ps.
Dionysius, Ps. Clemens, Tertullian, Origenes, Nikephorus Chartophylax, Ba-
silius, Hieronymus, Augustinus, Ambrosius, Sozomenus, Chrysostomus, Leo I.,
Gregor d. Gr. und Bernhard von Clairvaux. Enchiridion, f. 151r—157v.

Juli 1547 beschäftigten sich die Konzilstheologen mit der Lehre vom Fegfeuer und den Ablässen; nach Abschluß der Debatten übergab am 19. 7. Giovanni Antonio Delfino dem Konzilssekretär Angelo Massarelli noch eine schriftlich abgefaßte Stellungnahme[97], in der sich ein wörtliches Zitat aus Groppers „Enchiridion" findet[98]. Im August behandelten die Konzilstheologen die Lehre vom Meßopfer; der Pariser Franziskaner Jean Conseil[99] und der Dominikaner Petro Paolo de Aretio[100] ließen sich in ihren Gutachten von Auffassungen Groppers anregen, ohne mit ihnen ganz übereinzustimmen[101]. In der Generalkongregation des Konzils wurden am 9. September sechs „Canones" über das Ehesakrament[102] vorgelegt, worüber vom 10. bis zum 22. 9. debattiert wurde[103]; Girolamo Seripando plädierte am 22. 9. für eine vertiefte Auffassung von der Ehe; er schloß sich der von Gropper vertretenen Lehre an, daß die unter dem Einfluß der Leidenschaft klandestin geschlossenen Ehen nicht sakramental seien[104].

Groppers Nachwirkung in Trient reicht über die erste Tagungsperiode des Konzils hinaus. Während der zweiten Tagungsperiode nahm der Kölner Theologe im Gefolge seines Erzbischofs Adolf von Schaumburg fünf Monate lang persönlich an den Verhandlungen des Konzils teil (1551/1552). Mehrere Voten und Gutachten Groppers, ferner seine am Dreikönigsfest 1552 im Konzilsgottesdienst vorgetragene Predigt fanden bei den Trienter Vätern ein nachhaltiges Echo[105].

Als sich das Konzil ein volles Jahrzehnt später zu seiner dritten Tagungsperiode in Trient versammelte, konnte Gropper diesem Ereignis nicht mehr beiwohnen. Er war bereits drei Jahre zuvor in Rom verstorben. Dennoch fiel sein Name in der Konzilsaula nicht selten, meist im Zusammenhang mit Zitaten aus seinen jüngeren Werken. Aber auch die Kölner Reformkonstitutionen von 1536 und das „Enchiridion" von 1538 waren noch nicht vergessen. Als zum Beispiel während des Sommers 1562 über den Opfercharakter der Messe debattiert wurde, bezogen bei den Theologen

---

[97] CT VI/2, 424, 18—431, 7.
[98] CT VI/2, 428, 30; vgl. mit: Enchiridion, f. 162r.
[99] Über ihn: CT VI/1, 36, Anm. 18.
[100] Über ihn: CT VI/1, 20, Anm. 4.
[101] Das Votum von Conseil, datiert auf den 9. August: CT VI/2, 507, 1—544, 40; dort: 527, 13—15 (mit Anm. 259). Das Votum von Aretio, datiert auf den 12. August: CT VI/2, 557, 1—565, 41; dort: 561, 24f. (mit Anm. 62).
[102] CT VI/1, 445, 22—447, 5.
[103] CT VI/1, 448, 11—480, 26.
[104] CT VI/1, 479, 8—480, 15. CT VI/2, 148, 1—152, 19; dort: 151, 37—39 (mit Anm. 52). Enchiridion, f. 212r. Vgl. S. 56, Anm. 108.
[105] J. Meier, Johannes Groppers Predigt vor den Trienter Konzilsvätern, 138—144.

Francisco Sanchez aus Salamanca[106] und bei den Vätern Pietro
Antonio de Capua, der Bischof von Otranto in Unteritalien[107], die
Eucharistielehre des „Enchiridion" in ihre Argumentation ein.
Besonders oft tauchten Verweise auf Groppers Erstlingswerk in
den Diskussionen über die Gültigkeit der Klandestinehe auf[108].

Schließlich haben die in Trient zusammengekommenen Bischöfe
und Theologen auf der Suche nach einem erneuerten Leitbild des
priesterlichen Dienstes die Arbeiten des Kölner Theologen kon-
sultiert[109]. Kein Geringerer als Charles Guise, der Cardinal de
Lorraine, erklärte in der Generalkongregation des Konzils am
14. Mai 1563, über die Mißstände bei den niederen Weihen und
bei der Zulassung zum Priestertum hätten „quatuor doctissimi viri"
geschrieben; Guise nannte in dieser Reihenfolge: Pedro de Soto,
den langjährigen Beichtvater des Kaisers und Professor an spanischen, deutschen und englischen Universitäten († 20. 4. 1563), und
Johannes Gropper, den verstorbenen deutschen Theologen und
designierten Kardinal, sodann die derzeitigen Bischöfe von Segovia,
Martin Perez d'Ayala, und von Ermland, Stanislaus Hosius[110].

---

[106] Sanchez erklärte am 31. Juli 1562, die Messe sei ein Opfer nicht nur als
Gedächtnis des Kreuzesopfers, wie im „Enchiridion" dargestellt, sondern auch
in der unblutigen, von Christus durch den Priester vollzogenen Darbringungs-
weise (CT VIII, 743, 25—744, 28; bes. 744, 25 u. Anm. 5). Sanchez vergröbert
hier allerdings den Standpunkt Groppers.

[107] Am 11. August 1562. CT VIII, 755, 39—756, 25; dort: 756, 4.

[108] Groppers Position: Canones, f. 31v (cap. 43; ARC II 269); Enchiridion,
f. 206r u. 212r. Darauf bezogen sich der Spanier Cosmas Damianus Hortulanus am 11. Februar 1563 (CT IX 387, 28—389, 7; dort: 388, 34f. mit
Anm. 8); der General der Dominikaner, Vinzenz Justinianus, am 31. Juli
(CT IX 678, 31—679, 11; dort: 678, 35f. mit Anm. 2); der Erzbischof von
Granada, Pedro Guerrero de Logrono, am 11. August (CT IX 688, 46—690,
9; dort: 689, 23—25); der Bischof von Verdun, Nicolaus Pseaume OPraem,
am 14 August (CT IX 709, 21—710, 2; dort: 709, 24); der Bischof von
Lugo, Francisco de Guado, am 20. August (CT IX 733, 21—734, 3; dort:
733, 40) und der Jesuitengeneral Diego Lainez am 23. August (CT IX 740,
24—741, 28; dort: 741, 17). Guglielmo Sirleto verwies in einer noch unedier-
ten Materialsammlung von 1563 auf die einschlägige Bestimmung des Kölner
Provinzialkonzils; Archivio Segreto Vaticano, Conc. Trid. 7 (Arm. LXII),
f. 174r/v.

[109] Direkte oder indirekte Bezugnahmen auf Gropper finden sich im Reform-
libell Kaiser Ferdinands I. von 1562 mehrfach (CT XIII/1, 661, 1—685, 20;
dort: 672, Anm. 3; 678, Anm. 1; 681, 7 u. Anm. 9; 682, Anm. 1). Zu erwähnen
ist auch die Stellungnahme des Bischofs Antonio Corrionero von Almeria,
die auf die strengen Bestimmungen der Kölner Reformkonstitutionen bezüglich der Zulassung zu den heiligen Weihen (Canones, f. 4v; cap. 21; ARC II
209) verweist (CT IV/2, 739, 31—740, 37; dort: 740, 4—6. CT IX 171,
31—173, 13).

[110] CT IV/2, 854, 10—855, 34; dort: 854, 30—32. CT IX 491, 41—493, 54;
dort: 492, 20—22. Pedro de Soto wird im Protokoll mit Domingo de Soto
verwechselt (CT IX 492, 20).

Beim Abschluß des Trienter Konzils im Dezember 1563 war die Krise der Kirche noch keineswegs überwunden. Erst in dem bis zum Ende des 16. Jahrhunderts folgenden Zeitraum kam es aufgrund der Durchführung der Konzilsbeschlüsse durch das Papsttum zu einer wirklichen Erneuerung der Kirche im Sinn der katholischen Reform. Die Methoden, mittels derer dieses Ziel erreicht wurde, sind durch einen eigenartigen Antagonismus charakterisiert; zwar überwiegt bei weitem die positive Aufbauarbeit; andererseits ist die Anwendung repressiver Maßnahmen nicht zu bestreiten. So ergab sich, daß zu Ende des Jahrhunderts manches nicht mehr geduldet wurde, was sich vor Trient und selbst in Trient unbeschwert hatte entfalten können. Der Index verbotener Bücher ist noch auf dem Konzil ausgearbeitet und durch die Bulle „Dominici gregis" vom 24. März 1564 publiziert worden; unter Sixtus V. wurde er einer ersten, unter Clemens VIII. einer erneuten und verschärften Revision unterzogen. Einer der Titel, die 1596 neu in das Verzeichnis aufgenommen wurden, war das „Enchiridion christianae institutionis".

Ein erster Schatten war auf Groppers Werk gefallen, als im Spätherbst 1558 im Rahmen der vom Kardinalnepoten Carlo Caraffa inszenierten Denunziation Groppers bei der römischen Inquisitionsbehörde der junge Prälat Zaccaria Delfino aus dem „Enchiridion" und andern Schriften Groppers — weitgehend allerdings oberflächliches — Anklagematerial zusammenstellte, das dann auch den alsbald angestellten Untersuchungen nicht lange standhielt, so daß Gropper sich glänzend rechtfertigen konnte und voll rehabilitiert wurde, während der Nepote und sein Bruder Anfang 1559 aus Rom verbannt und auch Delfino aus der famiglia Papst Pauls IV. ausgestoßen wurden[111].

Entscheidender für das Schicksal des „Enchiridion" dürfte die distanziert-skeptische Beurteilung gewesen sein, welche das Werk in den zwischen 1586 und 1593 ausgearbeiteten Kontroversen Roberto Bellarmins, des wohl bedeutendsten Systematikers der nachtridentinischen Theologie, gefunden hat. Bellarmin stieß auf das „Enchiridion" in der Auseinandersetzung mit dem lutherischen

---

[111] R. Ancel, La disgrace et le procès des Carafa (1559—1567) II 285f. In seiner „Apologia" (Parma, Biblioteca Palatina, Manoscritti Palatini, Nr. 983, f. 35r—36r) rechtfertigte Gropper das „Enchiridion" mit den Umständen der Entstehungsgeschichte (Zitat aus dem Vorwort der „Institutio catholica", c iiij v—c v r), mit der von Anfang an versicherten Bereitschaft, es der Autorität von Papst und Konzil zu unterwerfen (Zitat aus dem Vorwort des „Enchiridion", f. 48r) und mit der freundlichen Aufnahme „Enchiridii ... iam totiens a viginti annis in locis insignis, utpote Coloniae, Parisiis, Lugduni, Venetiis, Antverpiae et alibi, absque ullius criminatione et taxatione excusi et evulgati".

Dogmatiker Martin Chemnitz, welcher ein begrenztes, gelegentliches Wohlwollen gegenüber Auffassungen Groppers nicht verhehlte. Chemnitz hatte zum Beispiel behauptet, die scholastische Lehre vom „opus operatum" sei bei Johannes Gropper und Alfons de Castro in einer auch für die protestantische Theologie vertretbaren Weise dahingehend interpretiert worden, daß die Wahrheit der Sakramente „non esse ex ministri operantis dignitate seu merito aestimandam, sed ex Dei autoris institutione, potentia et operatione"[112]. Bellarmin wirft dem Lutheraner vor, Gropper und Castro durch eine zwar richtige, aber unvollständige Wiedergabe für sich vereinnahmen zu wollen; er unterschlage, daß nach Gropper und Castro die Sakramente die in ihnen verheißene und bezeichnete Gnade auch bewirkten[113]. Ähnliche Vorwürfe richtet Bellarmin in der Lehre über das Ehesakrament gegen Martin Chemnitz; dieser hatte erklärt, Johannes Gropper habe im Anschluß an verschiedene Päpste der älteren Kirchengeschichte die ohne Wissen und Willen der Eltern geschlossene Ehe für illegitim gehalten[114]; dagegen argumentiert Bellarmin, der die Zustimmung der Eltern nicht zum Wesen des Ehesakramentes zählt, daß Gropper seine Ansicht in Bezug auf Ehen vertreten habe, die nicht allein ohne Wissen und Willen der Eltern, vielmehr überdies klandestin, also nicht „in facie ecclesiae" geschlossen worden seien, daß Gropper ferner in der Dogmatik allein gegen viele angesehene Theologen wie Thomas von Aquin, Ruard Tapper, Pedro und Domingo de Soto stehe und daß er vornehmlich einen reformerischen Akzent gesetzt und die inzwischen vom Tridentinum verwirklichte Regelung gewünscht habe[115].

Während Bellarmin an den beiden geschilderten Stellen mit Gropper schonend umgeht und ihm den Makel dogmatischer Unzuverlässigkeit zu nehmen sucht, kommt er anderwärts nicht umhin, sich kritisch von dem Kölner Theologen abzusetzen. Die vom Tridentinum zurückgewiesene Lehre von der doppelten Gerechtigkeit ist für Bellarmin ein von Pigge und den Kölnern vertretener Irrtum[116]; dabei hebt Bellarmin die Bereitschaft der irrig lehrenden

---

[112] M. Chemnitz, Examinis Concilii Tridentini ... opus II, p. 26 (linke Kolumne).

[113] R. Bellarmin, Disputationes de controversiis, Octava controversia generalis (de sacramentis in genere) II 1: Opera Omnia III 424: „... habere veram efficaciam, seu efficientiam ad producendam gratiam ex institutione divina."

[114] M. Chemnitz, Examinis Concilii Tridentini ... opus II, p. 290 (rechte Kolumne).

[115] R. Bellarmin, Disputationes de controversiis, Duodecima controversia generalis (de matrimonio) I 20: Opera Omnia V 106f.

[116] R. Bellarmin, Disputationes de controversiis, Decima quarta controversia generalis (de justificatione) II 1: Opera Omnia VI 209.

Theologen hervor, sich dem Urteil der Kirche zu unterwerfen, was sie von den Häretikern unterscheide[117]. Gegen Martin Chemnitz, der die Einteilung des Bußsakramentes in Materie und Form abgelehnt und über die Uneinigkeit der katholischen Theologen in der Bestimmung der Materie und der Form des Sakramentes gespottet hatte[118], wendete Bellarmin ein: „... nulli sunt Catholicorum, qui materiam huius Sacramenti fecerint actionem Sacerdotis, certo ritu pronuntiantis absolutionem, si unum excipias Gropperum, aut quicumque fuit auctor Enchiridii Coloniensis, qui non satis caute interdum locutus videtur"[119]. Es ist bezeichnend, daß Bellarmin seine Kritik an Gropper dadurch abzuschwächen sucht, daß er in Zweifel zieht, ob dieser das „Enchiridion" verfaßt hat. Die heftigste Polemik, die „der hellste Stern der Jesuitenschule"[120] in seinen Kontroversen gegen Groppers Werk richtet, verschweigt den Namen des Kölner Theologen. Sie betrifft Groppers Lehre, daß der Glaube des Christen trotz der aus jeder ehrlichen Selbstbeurteilung hervorgehenden Unsicherheit in einer zuversichtlichen Überzeugung von der eigenen Annahme durch Gott aufgehoben ist, daß er also in die gläubige Heilsgewißheit hinübergeht[121]. Diese Lehre steht nicht in Übereinklang mit der Aussage des Trienter Konzils, daß dem Menschen keine Gewißheit über seine Gerechtigkeit und ihre Geltung im Urteil Gottes beschieden ist. Aus diesem Grunde lehnt Bellarmin die Auffassung des „Enchiridion" auf das schärfste ab und bemerkt, das Buch müsse auch an vielen andern Stellen der kirchlichen Zensur unterzogen werden, verrate es doch schon in seiner Sprache die Rezeption Melanchthons und Bucers[122].

---

[117] R. Bellarmin, Disputationes de controversiis, Decima quarta controversia generalis (de justificatione) II 1: Opera Omnia VI 210: „Pighius autem et Colonienses semper in Ecclesiae Catholicae communione manserunt, parati illius judicio judicium suum sententiamque subjicere; quocirca illorum errorem nulla animositate, sed sola ignoratione defensum tegere potuit charitas unitatis."

[118] M. Chemnitz, Examinis Concilii Tridentini ... opus II, p. 214 (rechte Kolumne) — 217 (rechte Kolumne), bes. 215 (rechte Kolumne).

[119] R. Bellarmin, Disputationes de controversiis, Undecima controversia generalis (de poenitentia) I 16: Opera Omnia IV 481. Bellarmin bringt in seiner Kritik wenig geschichtlichen Sinn für den dogmatisch noch recht großen Spielraum der vortridentinischen Theologie auf. Außerdem wird er Gropper insofern nicht gerecht, als dieser in der Sakramentenlehre auf die Begriffe „materia" und „forma" zugunsten von „elementum" und „verbum" verzichtet (im Falle des Bußsakramentes: Enchiridion, f. 180r/v).

[120] H. Jedin, Katholische Reform und Gegenreformation, 567.

[121] Dazu: R. Braunisch, Die Theologie der Rechtfertigung, 322—339.

[122] R. Bellarmin, Disputationes de controversiis, Decima quarta controversia generalis (de justificatione) III 3: Opera Omnia VI 250f.: „Altera sententia est auctoris Enchiridii Coloniensis in tractatu de Justificatione, qui ex tribus illis haereticorum erroribus solum tertium non recipit. Vult enim necessarium

Damit dürfte Bellarmin der Indexkongregation einen nicht zu übersehenden Fingerzeig gegeben haben. Ohne Angabe des Verfassers, dessen Name ja auch in keinem der rund vierzig Nachdrukke aufgeführt worden war, wurde Groppers „Enchiridion" 1596 in den Appendix der zweiten Klasse indizierter Schriften[123] mit dem Vermerk „nisi expurgetur" aufgenommen[124]. Die Neubearbeitung des Index begründete Papst Clemens VIII. übrigens mit der Sorge um das „sacrosanctum catholicae fidei depositum"[125]. Das Urteil des römischen Index über das „Enchiridion" pflanzte sich in andere Ausgaben des Index fort. So wurde es in den spanischen Index übernommen, welchen der Erzbischof von Toledo, Kardinal Bernard de Sandoval-Rojas, als Primas und Generalinquisitor von Spanien 1612 in der königlichen Druckerei zu Madrid auflegen ließ[126]. Während seit 1596 ein Nachdruck der Schrift

esse ad justificationem, ut certo credat unusquisque sibi remissa esse peccata; sed tamen negat, hominem sola fide justificari. ‚Fatemur', inquit, ‚verum esse ad justificationem hominis omnino requiri, ut homo certo credat, non tantum generaliter, quod propter Christum vere poenitentibus remittantur peccata, sed et quod ipsimet homini credenti remissa sint propter Christum per fidem.' Haec ille. Sed liber ille in multis aliis censura Ecclesiastica dignus esse videtur. Certe in modo loquendi doctrinam Melanchthonis et Buceri valde redolet." Bellarmin zitiert: Enchiridion, f. 168v. Vgl. Ph. Melanchthon, Loci communes theologici (CR 21, 490f.).

[123] Der Index unterscheidet drei Klassen von Büchern: a) „auctores primae classis"; b) „certorum auctorum libri prohibiti"; c) „auctorum incerti nominis libri prohibiti". Zu jeder der drei Klassen gibt es noch einen separaten Appendix.

[124] Clemens VIII., Index librorum prohibitorum, p. 34: „Enchiridion doctrinae Christianae Concilij Coloniensis."

[125] Ebd., p. 4—8 (in einem als Vorwort dienenden, auf den 17. Oktober 1595 datierten Brief).

[126] B. de Sandoval-Rojas, Index librorum prohibitorum, p. 40. Anders als im römischen Index wird das „Enchiridion" hier der dritten Klasse von Büchern „incertorum auctorum, quae prohibentur", beigezählt. Tatsächlich scheint die Verfasserschaft Groppers nicht mehr bekannt gewesen zu sein; denn über die beiden Editionen, die dem Herausgeber vorlagen, jene bei Putelleto in Verona von 1541 und die bei Le Preux in Paris von 1550, heißt es im Anhang (Ebd., p. 298): „Circumfertur tamen uterque cum ipso Concilio Provinciali Coloniensi, cui falso quidem adscribitur." Der Zusatz „nisi expurgetur" wird p. 40 erwähnt und p. 298f. genau spezifiziert. Im einzelnen werden moniert: Eine Stelle in der Lehre über die Firmung; drei Stellen im Abschnitt „de poenitentia"; je eine in „de confessione" und „de satisfactione"; der gesamte Abschnitt „de justificatione hominis"; zwei Stellen in „de poenitentia exteriori" und vier in „de sacramento poenitentiae"; je eine Stelle in der Lehre über das Ehesakrament, in der allgemeinen Gebetslehre und in der Auslegung des Vaterunser; schließlich zwei Stellen im Schlußabschnitt „De natura, distinctione, vi, ac usu legis, cum subiuncta explicatione Decalogi." Dieselben Beanstandungen finden sich noch in dem von A. a Sotomaior bearbeiteten, 1667 in Madrid erschienenen spanischen Index; R. Braunisch, Die Theologie der Rechtfertigung, 178, Anm. 46 u. 183, Anm. 2 u. ö.

Johannes Groppers — wenn auch nur in einer der kirchlichen Zensur genehmen Fassung — noch möglich gewesen wäre, wurde dies in einem am 3. Juli 1623 publizierten und von Kardinal Matteo Barberini unterzeichneten Dekret der Indexkongregation verboten; schon die Lektüre, ja, der bloße Besitz des „Enchiridion christianae institutionis" waren fortan nicht mehr gestattet[127]. Von dem 1538 erstmals erschienenen, über mehrere Jahrzehnte hin so erfolgreichen Doppelwerk Johannes Groppers konnte seit 1623 nur mehr der erste, die Reformkonstitutionen des 1536 abgehaltenen Provinzialkonzils enthaltende Teil nachgedruckt werden[128].

Nach Abschluß des Überblicks über die Wirkungsgeschichte des frühen Hauptwerkes Groppers sollen nun zwei weitere Quellen vorgestellt werden, auf die im folgenden, wenngleich nur gelegentlich, zurückgegriffen wird. Es handelt sich um die „Gegenberichtung" von 1544 und die „Artikell" der „Warhafftigen Antwort" von 1545. Aus verschiedenen, zum Teil methodologischen Überlegungen[129] bleibt das Worms-Regensburger Buch ausgespart, übri-

---

[127] Barberini unterzeichnete das Dekret noch als Kardinal unter Gregor XV. Wenige Wochen später wurde er als Urban VIII. dessen Nachfolger. Das Dekret ist veröffentlicht in einer unter seinem Pontifikat herausgegebenen Sammlung von Dekreten der Indexkongregation. Urban VIII., Librorum post indicem Clementis VIII. prohibitorum Decreta, p. 102—104; dort: p. 103.

[128] Nachdem bereits 1551 Pierre Crabbe im dritten Band der zweiten Auflage seiner Konziliensammlung die Kölner Statuten von 1536 abgedruckt hatte (Tertius tomus conciliorum omnium, p. 765—819) und diese auch in einen 1554 erschienenen Sammelband Kölner Synoden aufgenommen worden waren (Statuta seu decreta, p. 334—408), ist dies in der Tat noch mehrmals geschehen, so in einem 1653 von Bischof Franz-Wilhelm von Wartenberg herausgegebenen Werk, welches Synodalakten des Bistums Osnabrück enthält (Fr. W. v. Wartenberg, Acta Synodalia Osnabrugensis Ecclesiae, p. 120—178); dabei ist bemerkenswert, daß sich viele Osnabrücker Diözesansynoden des 17. Jahrhunderts in den verschiedensten Belangen auf die Kölner Reformkonstitutionen von 1536 bezogen. Zu erwähnen sind noch folgende Editionen: J. Hartzheim, Concilia Germaniae VI 235—310; Mansi 32, 1205—1294; ARC II 194—305.

[129] Zwei wichtige Gründe seien genannt: 1. Das Wormser Buch, dessen Wortlaut bekannt ist, weil der Vertreter des Landgrafen von Hessen keine vollständige Abschrift der vom Kaiser am 9. Juni 1541 den Ständen übergebenen Endfassung des Regensburger Buches anfertigte, sondern in ein mitgebrachtes Manuskript, eben das Wormser Buch, die in Regensburg von Contarini und den Kolloquenten ausgehandelten Varianten eintrug (M. Lenz, Briefwechsel III 31—34; ARC VI 21), stellt für die Frage des Priesterbildes nur ein relativ schmales Quellenmaterial bereit; zu berücksichtigen wären vornehmlich Artikel 6 (CR 4, 201—203; dazu die Korrekturen bei: M. Lenz, Briefwechsel III 61; ARC VI 55f.), Artikel 11 (CR 4, 213f.; M. Lenz, Briefwechsel III 64f.; ARC VI 65f.), Artikel 19 (CR 4, 221—224; M. Lenz, Briefwechsel III 69f.; ARC VI 73—76), Artikel 21 (CR 4, 231—233; M. Lenz, Briefwechsel III 71; ARC VI 82—84) und Artikel 22 (CR 4, 233—237; M. Lenz, Briefwechsel III 72f.; ARC VI 84—87); von diesen Artikeln ist dann in Regensburg nur

gens auch aus der Erwägung, daß die Beurteilung Groppers in der
reformationsgeschichtlichen Forschung häufig allzu einseitig von
der kurzen Phase seiner Beteiligung an den Religionsgesprächen
1540/1541 ausgegangen ist, einer Phase, die den Kölner Theologen
in einem über die Haltung des „Enchiridion" noch hinausgehenden,
spätestens 1543 im Kampf gegen den Reformationsversuch seines
Bischofs von ihm selbst als illusionistisch erkannten Enthusiasmus
des Ausgleichs zwischen den streitenden Religionsparteien zeigt[130].

Die „Gegenberichtung" verrät schon durch ihren Titel, daß sie
ihre Entstehung den Kontroversen um den Reformationsversuch
des Kölner Kurfürsten verdankt. Sie ist die katholische Entgegnung
auf die als „Einfaltigs bedencken"[131] betitelte, unter dem Namen
des Erzbischofs publizierte, überwiegend von Bucer, zu kleineren
Teilen von Melanchthon in der ersten Jahreshälfte 1543 erarbeitete, am 23. Juli 1543 dem Kölner Landtag vorgelegte und von der
Mehrheit der Stände gebilligte Reformationsordnung. Die „Gegenberichtung" entstand, nachdem im Abschied des Landtages am
26. Juli dem Domkapitel eine Frist von zwei bis drei Wochen
eingeräumt worden war, einen Gegenentwurf einzureichen[132].
Gropper schrieb das Werk unter starkem Zeitdruck bis zum 1. Ok-

der Artikel 11 mit Erfolg verglichen worden. 2. Wenn auch der Wortlaut
des Wormser Buches vorliegt, so kann gleichwohl nicht mehr festgestellt
werden, welche der darin vertretenen, vom „Enchiridion" abweichenden Gedanken auf eine Weiterentwicklung Groppers und welche auf eine Einwirkung Bucers bei den Geheimgesprächen in Worms 1540 zurückgehen. Die
Ansicht von R. Stupperich (Der Humanismus und die Wiedervereinigung der
Konfessionen, 92, Anm. 3: „Für uns steht es jetzt fest, daß fast der ganze
Entwurf aus Groppers Feder stammt"; ähnlich in: Der Ursprung des „Regensburger Buches", 90) ist durch C. Augustijn (De gesprekken tussen Bucer en
Gropper, 213, Anm. 1; die zitierte Äußerung in: De godsdienstgesprekken,
61, Anm. 1) erschüttert worden, da Stupperichs Beweisführung auf einer
Basis begründet ist, welche „te smal is om tot zo ver reikende conclusies te
leiden. Het is m. i. niet mogelijk, het aandeel van Bucer exact af te bakenen
tegenover dat van Gropper". Inzwischen hat J. Mehlhausen (Die Abendmahlsformel des Regensburger Buches, 189—211) die von Stupperich auf eine
Untersuchung des Artikels 5 (Rechtfertigungslehre) gestützte Annahme eines
federführenden Einflusses Groppers durch eine Untersuchung des Artikels 14
(Eucharistielehre) erhärtet — allerdings unter der sehr fragwürdigen Voraussetzung, den Gang der Geheimgespräche in Worms und die Entstehungsgeschichte des Wormser Buches geklärt zu haben (zur Kritik S. 64f., Anm. 147).

[130] Die Position Groppers im Jahre 1541 beschreibt zutreffend C. Augustijn
(De godsdienstgesprekken, 132); er sagt, Gropper sei damals überzeugt gewesen, „dat de scheuring niet onherroepelijk was, dat men over de grote gods-
dienstige vragen in de kern nog eens was en dat de verschillen in visie geen
absolute tegenstellingen vormden".

[131] M. Bucer, Einfaltigs bedencken; H. Gerhards u. W. Borth, Hermann von
Wied: Einfältiges Bedenken. Th. Schlüter, Die Publizistik um den Reformationsversuch des Kölner Erzbischofs Hermann von Wied, 161f. (Kat. Nr. 25).

[132] Ebd., 90—92.

tober 1543[133]. Zu diesem Zeitpunkt war das „Einfaltigs bedencken"
bereits gedruckt, jedoch noch nicht ausgeliefert[134]; erst auf dem am
20. Februar 1544 eröffneten Speyerer Reichstag ließ Hermann von
Wied das Werk unterderhand verteilen[135]. Daraufhin verbreiteten
die Vertreter des Kapitels ihre im Januar 1544 gedruckte „Gegenberichtung"[136], die schon bald von Eberhard Billick ins Lateinische
übersetzt wurde[137]. Die in der „Gegenberichtung" bzw. dem „Antididagma" enthaltene Lehre von der doppelten Gerechtigkeit fand
in einem auf den 9. Juli 1544 datierten Schreiben der Theologischen Fakultät der Universität Löwen lebhaften Widerspruch[138];
im Auftrage des Kapitels faßte Johannes Gropper binnen kurzem
eine Verteidigungsschrift ab, worin er das Mißtrauen der Löwener
zurückwies und die Übereinstimmung seiner Lehren mit denen der
Tradition aufzeigte[139]; in Groppers Sinn, freilich in milderem Ton
antwortete am 26. Juli 1544 die Universität Köln den Löwener
Theologen[140]. Daraufhin konnte das „Antididagma" im August
1544 bei Servatius Zassen in Löwen erscheinen[141]. In Paris und Venedig erschienen bis 1549 vier weitere Auflagen[142]. Die Trienter

---

[133] Warhafftige Antwort, f. 34r. Th. Schlüter, Die Publizistik um den Reformationsversuch des Kölner Erzbischofs Hermann von Wied, 92f.

[134] Die von 1543 bis 1550 nachgewiesene Druckerei des Laurenz von der Mülen
in Bonn (J. Benzing, Die Buchdrucker, 53f., Nr. 1) führte im August oder in
der ersten Septemberhälfte 1543 den Druck durch. Th. Schlüter, Die Publizistik um den Reformationsversuch des Kölner Erzbischofs Hermann von
Wied, 88—90.

[135] Im November 1544 kam es zu einer zweiten Auflage (Ebd., 196, Kat. Nr. 56),
im Frühjahr 1545 zu einer von Hardenberg besorgten lateinischen Übersetzung (Ebd., 251f., Kat. Nr. 104).

[136] Ebd., 166f. (Kat. Nr. 29). Die „Gegenberichtung" erschien im Verlagshaus
des Jaspar von Gennep, der von 1530 bis 1564 in Köln druckte; am 15. 1. 1540
hatte er ein kaiserliches Privileg mit der Auflage erhalten, nur katholische
Schriften zu drucken. Gennep druckte seit 1541 „auf der Weyerpforte" in
Köln. J. Benzing, Die Buchdrucker, 225f. (Nr. 31); G. Gattermann, Der
Kölner Buchdrucker Jaspar von Gennep, passim. Vom Druck der „Gegenberichtung" lassen sich bislang 19 Exemplare nachweisen.

[137] Th. Schlüter, Die Publizistik um den Reformationsversuch des Kölner Erzbischofs Hermann von Wied, 169f. (Kat. Nr. 31). Auch das „Antididagma"
erschien bei Jaspar von Gennep; bisher sind ebenfalls 19 Exemplare nachzuweisen.

[138] F. Dittrich, Lovaniensium et Coloniensium Theologorum ... iudicia, 4f. u.
12—14.

[139] Ebd., 6—10; W. v. Gulik, Johannes Gropper, 207—223.

[140] F. Dittrich, Lovaniensium et Coloniensium Theologorum ... iudicia, 14—16.

[141] Servatius Zassen druckte von 1530 bis 1556 (R. A. Wilson, Short-title
Catalogue, 273f.). Exemplare dieses Druckes des „Antididagma" besitzen:
Emmanuel College Library, Cambridge; British Museum, London; Biblioteca
Casanatense, Rom; Stiftsbibliothek Zeitz.

[142] 1545 bei Jacques Kerver in Paris (nachgewiesen 1535—1583; Ph. Renouard,
Répertoire, 225f.; ders., Les marques, 160—164); fünf nachgewiesene Exem-

Konzilstheologen griffen oft zu dem Werk, weil sie nach dem „Antididagma" das „Einfaltigs bedencken" Bucers in ihren „articuli haereticorum" zitierten[143].

Die „Artikell" der „Warhafftigen Antwort" (1545)[144] sind entgegen einer Behauptung von Walter Lipgens[145] nicht jene wohl von Gropper erarbeitete Denkschrift, welche als Grundlage des vom 15. bis zum 31. Dezember 1540 zwischen Johannes Gropper und Gerhard Veltwyk sowie Martin Bucer und Wolfgang Capito geheim geführten Wormser Religionsgespräches diente. Sie sind, wie die eingehende, von Reinhard Braunisch mit Akribie durchgeführte Analyse ergeben hat, „ein referierender und nach bestimmten Gesichtspunkten gestalteter Auszug aus der Regensburger Unionsformel, den Gropper nach dem Reichstag, wahrscheinlich erst 1545 ... unter Zugrundelegung der deutschen Fassung des Regensburger Buches von Butzer[146] erstellte, um den Reformator auf die von ihm in Worms und Regensburg vertretenen Lehrmeinungen hinzuweisen"[147]. Die „Artikell" enthalten ein von Gropper

plare. 1547 „ad signum spei" in Venedig (1546—1587; R. G. Marshall, Shorttitle Catalog, 581f.); zwei nachgewiesene Exemplare. 1549 bei Vivant Gaultherot (nachgewiesen 1534—1553; Ph. Renouard, Répertoire, 164; ders., Les marques, 104) und bei Jean de Roigny in Paris (nachgewiesen 1529—1566; Ph. Renouard, Répertoire, 379f.; ders., Les marques, 328); zwei bzw. fünf nachgewiesene Exemplare.

[143] Th. Freudenberger, Zur Benützung des reformatorischen Schrifttums im Konzil von Trient, 588—593. Freudenberger weist anhand der Quellen eine Benützung des „Antididagma" u. a. durch Lainez, Salmeron und Seripando nach.

[144] Die „Warhafftige Antwort" stellt einen Rechtfertigungsversuch Groppers gegen verschiedene Behauptungen Bucers dar, welche dieser schriftlich den zum Wormser Reichstag 1545 versammelten Ständen übermittelt hatte. Th. Schlüter, Die Publizistik um den Reformationsversuch des Kölner Erzbischofs Hermann von Wied, 124—128 u. 211—213 (Kat. Nr. 70 u. 71). Die „Artikell": Warhafftige Antwort, f. 7r—20r. Bisher sind 16 Exemplare des Bandes festgestellt. — Bucer wehrte sich gegen die „Warhafftige Antwort" mit der Veröffentlichung der Schrift „Von den einigen rechten wegen", worin er private Briefe Groppers aus der Zeit vor dem Bruch ihrer freundschaftlichen Zusammenarbeit veröffentlichte und aus seiner Sicht kommentierte. Th. Schlüter, Die Publizistik um den Reformationsversuch des Kölner Erzbischofs Hermann von Wied, 214f. (Kat. Nr. 72).

[145] W. Lipgens, Kardinal Johannes Gropper, 124 (mit Anm. 15).

[146] M. Bucer, Alle Handlungen und Schrifften, f. 31r—67v.

[147] R. Braunisch, Die „Artikell" der „Warhafftigen Antwort" (1545) des Johannes Gropper, 545. Damit konnte Braunisch noch über C. Augustijn hinausführen, der die These von Lipgens ebenfalls widerlegte, dabei aber die Möglichkeit nicht völlig verwerfen wollte, daß die „Artikell" auf den von Gropper in Worms eingebrachten Entwurf zurückgehen, wenn auch „door hem ,gecorrigeerd' naar de maatstaf van het Regensburgse Boek en van zijn gewijzigde opvattingen" (De godsdienstgesprekken, 61—63, Anm. 6; das Zitat: 63). Dagegen steht die nicht genügend gesicherte Behauptung von

noch in der Perspektive des Jahres 1545 gedecktes Konzentrat des im Geist der Kompromißbereitschaft 1540/1541 entstandenen Worms-Regensburger Buches. Auf dem Höhepunkt der Auseinandersetzung mit dem einstigen Gesprächspartner ist Groppers Blick in der „Warhafftigen Antwort" auf die hinter ihm liegende, vom Versuch und vom Scheitern der Verständigung geprägte Zeit gerichtet. Im folgenden Jahre 1546 beginnt der Kölner Theologe mit der Abfassung von Schriften, die anders als die „Gegenberichtung" und die „Warhafftige Antwort" von einem durchaus neuen, einem im Sinn katholischer Erneuerung positiv aufbauenden Zug charakterisiert sind und die deshalb nicht mehr der ersten Quellengruppe zugeordnet werden.

2. Schrifttum Groppers aus den Jahren von 1546 bis 1552

Auf 1545/1546 läßt sich eine Zäsur in Groppers Entwicklung ansetzen; um diese Zeit gewann seine Partei in dem entscheidenden Kampf um die Rettung des Katholizismus in Köln die Oberhand; die Euphorie der Worms-Regensburger Religionsgespräche war längst in den Auseinandersetzungen seit 1542/1543 geschwunden; nun aber gab es endlich Gelegenheit, in Wort und Tat die eigenen Reformkonzeptionen zu konkretisieren, was in der erregten kirchenpolitischen Auseinandersetzung der Vorjahre kaum möglich gewesen war.

Der Entwicklung in Köln parallel zeichneten sich auf Reichsebene seit dem Frieden von Crépy (1544) zusehends Erfolge der kaiserlichen Politik ab. Freilich ging ihnen auf dem Speyerer Reichstag (1544) ein weites Entgegenkommen des Kaisers auf die kirchenpolitischen Forderungen der Protestanten einschließlich des Zugeständnisses einer künftigen eigenmächtigen Regelung der kirchlichen Verhältnisse in Deutschland ohne Mitwirkung des Papstes voraus. Die Lösung der Religionsfrage im Reich war das Hauptziel der Politik des Kaisers in diesen Jahren. Nach dem Tode Martin Luthers am 18. Februar 1546, des englischen Königs Heinrich VIII. am 28. Januar 1547 und des französischen Königs Franz I. am 31. März 1547 schien Karl V. im Schmalkaldischen Krieg und auf dem Augsburger Reichstag 1547/1548 der Verwirklichung seiner Absichten greifbar nahe gekommen. Durch die in Augsburg

J. Mehlhausen (Die Abendmahlsformel des Regensburger Buches, 202): „Die lateinische Abendmahlsformel des Wormser Buches ist eine erweiterte Fassung des in Groppers Warhafftige Antwort abgedruckten deutschen Abendmahlsartikels."

mit den katholischen Bischöfen getroffenen Vereinbarungen erwirkte er sogar in fast allen Diözesen der Reichskirche beachtliche
Ansätze der katholischen Reform. Diese sollten gefestigt werden
durch das am 1. Mai 1551 wieder zusammengetretene Trienter
Konzil, von dem sich der Kaiser die Union der Glaubensparteien
versprach. Anfang 1552 zerbrachen jedoch mit dem Ausbruch der
Fürstenrevolution alle diese hochgespannten Hoffnungen.

    Johannes Gropper hat an der Entwicklung dieser Jahre in Wort
und Tat regen Anteil genommen. Deshalb werden seine literarischen Zeugnisse aus dieser Zeit, soweit sie für die anschließende
Untersuchung von inhaltlicher Relevanz sind, zunächst in den
größeren historischen Zusammenhang eingeordnet; dabei soll auch
die wirkungsgeschichtliche Perspektive berücksichtigt werden. Es
wird sich zeigen, daß Groppers Schaffen im untersuchten Zeitraum
vorrangig von der Mitarbeit an der Erneuerung der Kölner Kirche
bestimmt wurde. Soweit die bislang vorliegenden Quellen erkennen
lassen, scheint Gropper der kaiserlichen Religionspolitik viel Sympathie und Engagement entgegengebracht zu haben; offenbar
scheute er jedoch davor zurück, sich mit ihr in allen Punkten unvor-
eingenommen zu identifizieren.

    In den Wochen um den Jahreswechsel von 1545 auf 1546 trat im
Streit um den Reformationsversuch des Kölner Erzbischofs Hermann von Wied eine spürbare Wende zugunsten der von Gropper
inspirierten Seite ein. Der junge Jesuit Petrus Canisius wurde
damals auf Wunsch Groppers zweimal am kaiserlichen Hofe vorstellig[1]. Karl V. erließ am 26. Januar 1546 ein Mandat, das Hermann von Wied mit der Reichsacht bedrohte und alle Neuerungen
außer Kraft setzte, die der Erzbischof gegen den Widerstand des
Klerus und der Universität eingeführt hatte[2]. Nach der Hektik
der vorausgegangenen Jahre fand Johannes Gropper jetzt die Zeit,
zwei Publikationen herauszubringen, die nicht unmittelbar den
kirchenpolitischen Auseinandersetzungen um Köln entwuchsen; nur
mittelbar gab es einen Zusammenhang; Martin Bucer hatte nämlich

---

[1] O. Braunsberger, Beati Petri Canisii Epistulae et Acta I 164—168; B. Duhr,
    Der erste Jesuit auf deutschem Boden, insbesondere seine Wirksamkeit in
    Köln, 809 u. 827—829.
[2] Th. Schlüter, Die Publizistik um den Reformationsversuch des Kölner Erz-
    bischofs Hermann von Wied, 264 (Kat. Nr. 114). Im Februar sandte man
    Canisius wieder an das Hoflager Karls V., der jetzt in Nimwegen weilte, mit
    dem Ziel, durch Einwirkung des Kaisers den Anhang des Erzbischofs aus der
    Stadt Köln entfernen und den Stadtrat zu energischer Förderung der katholi-
    schen Sache anspornen zu lassen; am 14. Februar schickte Canisius aus seiner
    Heimatstadt einen Brief an Gropper, worin er über seine Mission berichtete
    (W. Friedensburg, Zwei Briefe des Petrus Canisius 1546 und 1547, 396—398
    u. 400—402).

einmal behauptet, Gropper vernachlässige seine Amtspflichten als Scholaster am Stift St. Gereon[3]. Gropper entgegnete der Kritik seines Gegenspielers konstruktiv mit der Abfassung eines Katechismus und eines Gebetbuches für die Jugend.

Die „Capita institutionis ad pietatem... in usum pueritiae" sollten ein Hilfsmittel zur religiösen Unterweisung der Jugend nicht nur an St. Gereon in Köln bereitstellen. Wohl gab es auf katholischer Seite eine recht reichhaltige katechetische Literatur aus vorreformatorischer Zeit[4]. Jüngere Katechismen, die es an Qualität mit denen der Reformatoren aufnehmen konnten, waren in Deutschland nur spärlich erschienen. Vor Gropper hatten sich auf diesem Gebiet Georg Witzel (1535), Johann Dietenberger (1537), Christian von Honnef (1537), Johann von Maltitz (1542) und Friedrich Nausea (1543) hervorgetan; es folgten Pedro de Soto (1548), Jakob Schöpper (1548), Michael Helding (1549) und Johann Fabri von Heilbronn (1551), ehe durch die Katechismen des Petrus Canisius[5] in den fünfziger Jahren und schließlich durch den offiziellen „Catechismus Romanus"[6] von 1566 der Nachholbedarf der katholischen Seite auf diesem literarischen Spezialgebiet voll gedeckt wurde. Bis dahin jedoch hat Groppers Jugendkatechismus vielerorten solide Dienste geleistet; noch 1569 wurde er auf dem Salzburger Provinzialkonzil unter Erzbischof Johann-Jakob von Kuen[7] gemeinsam mit den Katechismen von Dietenberger, de Soto, Helding und Canisius sowie dem „Catechismus Romanus" empfohlen[8]. Die „Capita institutionis" erlebten nach ihrer Kölner Erstauflage noch elf Nachdrucke in Köln, Nimwegen und Antwerpen[9].

[3] W. Schwarz, Römische Beiträge, 598.
[4] F. Schnabel, Deutschlands geschichtliche Quellen I 180.
[5] Canisius verfaßte drei Katechismen unterschiedlichen Lehrniveaus. Die „Summa doctrinae christianae" (Erstauflage Wien 1554) war für Lehrer und Studenten bestimmt. Der 1556 in Ingolstadt erschienene „Catechismus minimus" war für Kinder gedacht. Der „Parvus catechismus catholicorum" (Köln 1558) richtete sich an Mittelschüler. Eine Zusammenstellung der Auflagen bietet: C. Sommervogel, Bibliothèque des écrivains de la Compagnie de Jésus II 618—658.
[6] Mit dem erstmals 1566 in Rom erschienenen und fortan ungezählte Male nachgedruckten „Catechismus ex decreto Concilii Tridentini ad parochos Pii V. Pont. Max. iussu editus" stand den Hauptkatechismen der Reformatoren ein gleichwertiges Pendant auf katholischer Seite gegenüber; allerdings führten die Erfolge des „Catechismus Romanus" auch dazu, daß die recht lebhafte Entwicklung auf dem Feld der katechetischen Literatur, die auf katholischer Seite für die Jahrzehnte vor Ende des Trienter Konzils zu konstatieren ist, ins Stocken kam.
[7] C. Eubel, Hierarchia catholica III 291.
[8] J. Hartzheim, Concilia Germaniae VII 375f.
[9] Wie die Erstausgabe (bislang sechs ermittelte Exemplare) erschienen auch die Nachdrucke von 1546 (4), 1549 (5), 1550 (5), 1553 (8) und 1557 (5) bei Jaspar

Mit dem „Libellus piarum precum" stellte Gropper im Frühjahr
1546[10] auch ein Gebetbuch für die Jugend von St. Gereon zusammen. Gesammelt sind darin Morgengebete, Gebete beim Verlassen des Hauses und beim Betreten der Kirche, Votivoffizien von
der Menschwerdung und vom Leiden Christi, die Psalmen 51/50,
123/122 und 130/129, die Allerheiligenlitanei, Gebete zur Mitfeier der Messe, Gebete für Kommunikanten, Gebete zu den drei
göttlichen Personen, zur Gottesmutter und zu den Heiligen, Tisch-
gebete und Abendgebete. Vieles ist der Heiligen Schrift oder den
Kirchenvätern entlehnt[11]. So ist der „Libellus piarum precum"
ein spirituelles Zeugnis jener Quellen, die Groppers Theologie
befruchtet haben. Das Jugendgebetbuch ergänzt den Katechismus
um eine Einführung in die kultische Feier der Mysterien des Glaubens; die Jugendlichen sollen diese nicht nur abstrakt erlernen,
wie es in der dem Ludimagister an St. Gereon gewidmeten Vorr-
rede des Buches heißt, „sed et intelligere ac meditari ..., hoc est,

von Gennep in Köln. 1552 und 1554 erschien das Werk bei Peter van Elzen
in Nimwegen, der dort seit 1536 druckte (M. E. Kronenberg, Nederlandsche
Bibliographie III/3, 287); von diesen beiden Ausgaben konnten bisher je
zwei Exemplare festgestellt werden. 1555 folgte ein Nachdruck bei Jan Laet
in Antwerpen, der im dortigen Buchdruck zwischen 1545 und 1567 nachgewiesen ist (R. A. Wilson, Short-title Catalogue, 240); von diesem Druck sind
bislang vier Exemplare ermittelt, ebenso von dem Nachdruck aus dem Jahre
1558 bei Jan Steels in Antwerpen, der sich 1562 zu einer weiteren Auflage
entschloß (2); Jan Steels druckte von 1533 bis 1563 (R. A. Wilson, Short-
title Catalogue, 265f.). Schließlich druckten die Erben von Arnold Birckmann
in Köln das Werk 1563 nach (3); Arnold Birckmann war 1530—1542 Drucker
in Köln; bis 1552 druckte seine Witwe, bis 1585 die Erbengemeinschaft
(J. Benzing, Die Buchdrucker, 225, Nr. 29). Ich zitiere nach der Nimwegener
Ausgabe von 1552 (Exemplar der Stiftsbibliothek Xanten; Signatur: 5140;
Kollation: A-P[8]). Auf der Rückseite des Titelblattes dieser Ausgabe findet
sich eine auf den 19. Januar 1551 datierte Anordnung der Arnheimer Kanzlei,
daß der Drucker Peter van Elzen in der Stadt Nimwegen, im Herzogtum
Geldern und in der Grafschaft Zutphen die „Capita institutionis" vertreiben
solle „ghemaect by den hoechgheleerden ende vuerdighen heeren Johan Gropper, der rechten Doctor ende Scholaster toe sant Gereons binnen Collen".
Geldern und Zutphen gehörten um diese Zeit zu den habsburgischen Niederlanden, denen sie Kaiser Karl V. 1543 im Geldrischen Erbfolgekrieg einver-
leibt hatte; der Kölner Einfluß war in der kirchlichen Zugehörigkeit des
Bistums Utrecht zum Kölner Metropolitanverband begründet; erst 1559 wurde
eine selbständige Kirchenprovinz Utrecht errichtet.

[10] Die Entstehungszeit des Büchleins läßt sich aufgrund einer Bemerkung Grop-
pers in der Denkschrift „Unica ratio reformationis" auf die Monate April und
Mai 1546 eingrenzen (f. 130v—131r; H. Lutz, Reformatio Germaniae, 262;
ARC VI 163).

[11] H. J. Limburg weist außerdem Einflüsse aus der Kölner Breviertradition nach
(Das Votivoffizium von der Menschwerdung, 22—27) und plädiert dafür, den
„Libellus piarum precum" im Zusammenhang mit der Gattung des spätmittel-
alterlichen Andachtsbuches, des „Hortulus animae", zu sehen (Ebd., 13f.).

ut precentur et psallant non ore tantum, sed et mente"[12]. Auch der „Libellus piarum precum" ist nach 1546 mehrfach nachgedruckt worden[13], zum Teil in deutscher Übersetzung[14].

Anfang Mai 1546 erhielt Gropper durch einen eigens abgesandten Kurier einen am 1. Mai in Regensburg ausgefertigten Brief des Kaisers zugestellt, worin er aufgefordert wurde, nach Regensburg zu kommen[15]. Dort hielt sich der Kaiser seit dem 10. April auf, und in der Stadt weilten auch noch die katholischen Kolloquenten des von Januar bis März erfolglos abgehaltenen und durch die Abreise der Protestanten gesprengten Religionsgespräches (Pedro Malvenda, Eberhard Billick, Johannes Hoffmeister und Johannes Cochläus), an dem teilzunehmen Gropper sich von Anfang an unter dem Eindruck der Kölner Situation energisch geweigert hatte[16]. In einem Gutachten für den Kaiser lehnten die katholischen Kolloquenten am 14. April eine Wiederaufnahme des Religionsge-

[12] Libellus piarum precum, A 2v— A 3r. H. J. Limburg (Das Votivoffizium von der Menschwerdung, 1 u. 86) wertet das Büchlein als „Auswirkung einer sehr wohl durchdachten Liturgiepastoral" und als das „praktische Utensil einer pastoralen Konzeption".

[13] Die Erstausgabe erschien bei Martin Gymnich in Köln, der dort von 1542 bis 1551 druckte (J. Benzing, Die Buchdrucker, 226, Nr. 36). Je ein Exemplar besitzen die Universitätsbibliothek Düsseldorf (Signatur: 1 an Bint. 883), die Bibliothek des Theologischen Seminars Herborn (AB 1064) und die Diözesan-Bibliothek Köln (Aa 455). Das Düsseldorfer Exemplar habe ich benutzt; Kollation: A-G⁸H 2—H 7; H 1 und H 8 fehlen; am Schluß scheint eine weitere Lage verlorengegangen zu sein. Nachdrucke erfolgten 1549 bei Martin Gymnich (ein ermitteltes Exemplar) und 1553 (2) bei dessen Bruder Johann Gymnich d. J., der von 1550 bis 1556 in Köln druckte (J. Benzing, Die Buchdrucker, 227, Nr. 39). In gekürzter Fassung (ohne die Votivoffizien, die Psalmen und die Allerheiligenlitanei) und unter dem Titel „Obsecrationes, orationes, interpellationes et gratiarum actiones dicendae, dum audis sacrum" erschien das Werk im Anhang der Ausgabe der „Capita institutionis" von 1552 bei Peter van Elzen in Nimwegen (Exemplarnachweis wie dort). Unter demselben Titel erschien es in einer lateinischen Ausgabe des „Christlichs und sonder schöns betbüchlein" (1551) von dem Mainzer Domprediger Johann Wild, bei der Ort, Verlagshaus und Jahr des Druckes nicht genannt werden, und zwar f. 122r— 160r (München, Bibliothek des Franziskanerklosters St. Anna, 16⁰ Asc. 4); mit eigener Foliierung erscheint im Anhang außerdem ein Gebetbuch von Johann Fabri von Heilbronn in einer Antwerpener Ausgabe (Jan Steels 1562).

[14] Die „Capita institutionis" und der „Libellus piarum precum" erschienen unter dem Titel „Hauptartikell christlicher underrichtung" 1547 und 1557 bei Jaspar von Gennep in Köln (vier bzw. fünf Exemplarnachweise).

[15] H. Lutz, Reformatio Germaniae, 253f.; ARC VI 151f.

[16] Dem eigens bei ihm in Köln vorstellig gewordenen Reichsvizekanzler Johann Naves gab Gropper barsch zu verstehen, er wolle dieser Zusammenkunft auf keinen Fall beiwohnen; angeblich verstieg er sich sogar zu der Bemerkung, „plustost se lasseroit mectre en prison". So heißt es in einem Schreiben des Kaisers an seinen Kanzler bzw. Staatssekretär Nicolas Perrenot de Granvelle vom 30. August 1545 (NBD I/8, 686—690; dort: 689. Auch: ARC III 514f., Anm. 604).

spräches ab und schlugen die Abfassung einer kirchlichen Reformordnung vor, die der Kaiser beiden Religionsparteien im Reich auferlegen sollte — unbeschadet der Beschlüsse des bereits in Trient
tagenden Allgemeinen Konzils[17]. Dieses Projekt, ziemlich geheim
behandelt und vom Nuntius Girolamo Verallo mißtrauisch beobachtet, wurde bei Hof protegiert durch Staatssekretär Granvelle
und die um ihn gruppierte „Friedenspartei". Als Autoren der
geplanten Unionsformel waren Gropper, Billick, Helding und Pflug
vorgesehen. Billick und Pflug weilten bereits in Regensburg; Weihbischof Helding von Mainz nahm die Einladung des Kaisers sofort an[18]; nur Gropper ging nicht auf sie ein. Der Kölner Theologe
entsprach jedoch einem Alternativvorschlag des Kaisers und verfaßte innerhalb weniger Tage ein ausführliches Reformgutachten,
das er Karl V. mit Begleitschreiben vom 14. Mai übermittelte[19]. Ein
zweites Exemplar des Stückes sandte Gropper am folgenden Tag
zusammen mit einem ausführlichen Begleitbrief an den Naumburger Bischof, worin er den provisorischen Charakter der Schrift
einräumte und sie einer geheimen Prüfung durch Billick und Pflug
übergab[20].

Doch schon am 21. Mai ließ der Kaiser das von Granvelle favo-
risierte Unionsprojekt fallen. Pedro de Soto, der Beichtvater des
Kaisers, machte eindringlich seine Bedenken gegen eine kaiserliche
Reformordnung ohne Konsultation von Papst und Konzil geltend.
Im gleichen Sinne beeinflußte der Bischof von Augsburg, Kardinal
Otto Truchseß von Waldburg, den Kaiser[21]. Für Karl V. selbst
stand dieser Regensburger Reichstag vom Frühsommer 1546 offenbar von Beginn an im Zeichen des bevorstehenden Krieges gegen
die Stände des Schmalkaldischen Bundes. Die Reichstagsverhandlungen dienten dem Kaiser als willkommenes Mittel, den Gegner
hinzuhalten und ihn über den vielleicht längst als unvermeidlich
angesehenen Kriegsentschluß noch im Unklaren zu lassen[22]. Unter-

[17] ARC VI 148—150.
[18] CT X 479f., Anm. 9; ARC VI 152—154.
[19] H. Lutz, Reformatio Germaniae, 254 (das Begleitschreiben) u. 255—278 (die
Denkschrift); ARC VI 154 u. 156—175. Auf dieses Gutachten Groppers
(„Unica ratio reformationis") wird im folgenden wiederholt einzugehen sein;
es wird nach den von Lutz und Pfeilschifter aus einer Handschrift der
Biblioteca Ambrosiana in Mailand (Cod. H. 108 inf., f. 122r—149r) besorgten
Editionen zitiert; zur Verdeutlichung werden die Folioangaben aus dem Mailänder Codex beigegeben.
[20] J. V. Pollet, Julius Pflug. Correspondance II 683—686 (Nr. 336); ders..
Johann Gropper und Julius Pflug nach ihrer Korrespondenz, 229f.; ARC VI
155f.
[21] Schreiben des Nuntius Verallo an Kardinal Alessandro Farnese vom 23. Mai
1546 (NBD I/9, 46—49; dort: 47f.).
[22] H. Rabe (Reichsbund und Interim, 118) deutet die Entwicklung in diesem Sinn.

dessen traf die kaiserliche Diplomatie Vorkehrungen für den Feldzug. Am 7. Juni wurden ein Neutralitätsabkommen mit Bayern und ein Hilfsvertrag mit der Kurie unterzeichnet. Als auch der Abschluß eines Dienstvertrages mit Herzog Moritz von Sachsen in sicherer Aussicht stand, ließ Karl V. am 13. Juni 1546 durch Kardinal Otto Truchseß von Waldburg den geistlichen Fürsten klipp und klar seine Absicht mitteilen, gegen Kursachsen und Hessen gewaltsam vorzugehen. Als der Kaiser am 24. Juli den Reichstag förmlich aufhob, war der Krieg bereits im Gange[23].

Groppers Entschluß, nicht nach Regensburg zu reisen, wurde durch diese Wendung der Dinge als richtig bestätigt. Noch war er in Köln unentbehrlich. Kurfürst Hermann von Wied ließ nämlich am 11. Juli 1546 dem Kölner Stadtrat seine „Warhaffte erzelung" zugehen, womit er seinen Reformationsversuch zu rechtfertigen bestrebt war[24]. Für das Domkapitel, an welches Hermanns Schrift am 15. Juli vom Stadtrat weitergeleitet worden war, fertigte Gropper eine — ungedruckt gebliebene — „Warhafftige beantwortung" an; sie wurde am 17. August den in das Kapitelhaus gerufenen Vertretern des Stadtrates in dreistündiger Verlesung eröffnet und anschließend in einer Kopie ausgehändigt[25].

Am Tage zuvor, dem 16. August 1546, war die am 9. Juli in der Apostolischen Kammer ausgefertigte Bulle publiziert worden, mit der Papst Paul III. über Hermann von Wied „propter multa enormia in religione innovata" die Strafen der Suspension und der Exkommunikation verhängte[26]. Noch aber gab sich dieser nicht geschlagen; am 12. November appellierte er gar in einem im ganzen Erzstift ausgehängten Dokument an ein freies und christliches General- oder Nationalkonzil[27]. Jetzt aber griff der Kaiser, der im Schmalkaldischen Krieg wichtige Erfolge erzielt hatte und Süddeutschland bereits kontrollierte, in die Kölner Verhältnisse neuerlich ein. In einem Mandat vom 21. Dezember 1546 forderte er die Kölner Stände auf, am 24. Januar des folgenden Jahres auf einem Landtag in Köln vor seinen Kommissaren zu erscheinen. Koadjutor

---

[23] K. Brandi, Kaiser Karl V., I 466—472; St. Skalweit, Reich und Reformation, 325—327.

[24] Titelangabe und Auszüge aus der Schrift in: ARC II 181—183; ARC IV 205—210.

[25] Titelangabe und Auszüge aus dieser Schrift in: ARC II 183—186; ARC IV 210—213. Gropper bietet in diesem Werk einen Rückblick auf die Kölner Kirchengeschichte unter Hermann von Wied insbesondere seit Beginn der Reformarbeit Mitte der dreißiger Jahre. Weil die Schrift theologisch unergiebig ist, findet sie in dieser Untersuchung keine Berücksichtigung.

[26] Th. Schlüter, Die Publizistik um den Reformationsversuch des Kölner Erzbischofs Hermann von Wied, 274 (Kat. Nr. 122).

[27] Ebd., 296 (Kat. Nr. 143).

Adolf von Schaumburg[28] wurde mitgeteilt, er solle sich auf die
Übernahme der Regierungsgeschäfte vorbereiten[29]. Nachdem der
Papst am 2. Januar die kaiserliche Vollstreckung der von ihm ver-
fügten Amtsenthebung Hermanns gefordert hatte[30], lenkten die
Kölner Stände ein; sie hatten den Erzbischof bis zuletzt gestützt.
Auf dem Landtag vom 24. Januar 1547 wurde Adolf von Schaumburg durch die kaiserlichen Kommissare zum Kurfürsten von Köln
eingesetzt; die kirchliche Inthronisation folgte noch am gleichen
Tage. Einen Monat darauf resignierte Hermann von Wied[31]. Damit war der Kampf um Köln in den ersten Wochen des Jahres 1547
endgültig entschieden. Adolf von Schaumburg aber begann bald
damit, die unter Hermann von Wied eingeführten Neuerungen zu
beseitigen; darin wurde er von Johannes Gropper nach Kräften
unterstützt[32].

Trotz des Abzuges der päpstlichen Truppen Ende Januar 1547,
dem am 11. März die durch den Ausbruch einer Flecktyphusepide-
mie veranlaßte, den Kaiser brüskierende Translation des Konzils
von Trient nach Bologna folgte, setzte Karl V. den Schmalkaldischen Krieg siegreich fort. Die entscheidende Schlacht gegen Kurfürst Johann Friedrich von Sachsen gewann er am 24. April 1547
bei Mühlberg an der Elbe. Der Inhaftierung des sächsischen Kurfürsten folgte die Gefangennahme Philipps von Hessen am 19. Juni
in Halle an der Saale. Die weiteren Pläne des Kaisers sahen vor,
den militärischen Sieg zu bekräftigen durch eine vom bevorstehenden Reichstag zu verabschiedende Neuordnung der Verhältnisse
im Reich, insbesondere der Religionsverhältnisse. Dabei ging der

---

[28] Adolf von Schaumburg war bereits seit dem 17. Dezember 1533 Koadjutor
des Kölner Erzbischofs. Johannes Gropper richtete am 17. Juli 1546 Gutachten über die Person des Koadjutors an Granvelle und Verallo (W. v. Gulik,
Johannes Gropper, 223—225). Mit einem Breve vom 3. Juli 1546 (im Januar
1547 in Köln publiziert) setzte der Papst Adolf von Schaumburg als Nachfolger Hermanns von Wied zum Administrator des Erzstiftes Köln ein. Th.
Schlüter, Die Publizistik um den Reformationsversuch des Kölner Erzbischofs
Hermann von Wied, 290f. (Kat. Nr. 138).

[29] Th. Schlüter, Die Publizistik um den Reformationsversuch des Kölner Erzbischofs Hermann von Wied, 292f. (Kat. Nr. 139 u. 140).

[30] Ebd., 289 (Kat. Nr. 137).

[31] A. Franzen, Bischof und Reformation, 106. Die Weihe Adolfs von Schaumburg wurde am 18. April 1548 zu Augsburg in Gegenwart Kaiser Karls V.
erteilt. C. Eubel, Hierarchia catholica III 172, Anm. 5.

[32] Hierzu der Briefwechsel zwischen Petrus Canisius und Gropper: Canisius an
Gropper am 24. und am 28. Januar 1547; Gropper an Canisius am 20. Februar
1547; mit Bezug auf diese Korrespondenz der Brief Groppers an Adolf von
Schaumburg vom 14. Februar 1547. Hauptstaatsarchiv Düsseldorf, Bestand
Kurköln VIII (Geistliche Sachen), Akte Nr. 535/3, f. 52—57; C. Varrentrap,
Hermann von Wied und sein Reformationsversuch in Köln II 112—119;
O. Braunsberger, Beati Petri Canisii Epistulae et Acta I 234—245.

Kaiser von der Annahme aus, daß die Kuft zwischen den streitenden Glaubensparteien noch überbrückbar sei[33].

Bereits Anfang 1547 — sicher vor Mitte Februar, wahrscheinlich noch in der zweiten Januarhälfte — war in einem großen Gutachten, das im Zuge der frühesten Reichstagspläne von Georg Gienger, Hans Hofmann und Gaudenz Madruzzo, Räten des Königs Ferdinand, aufgestellt worden war, der Religionsfrage der erste Rang unter den Verhandlungsgegenständen eingeräumt worden. Außer einigen Vorschlägen, die das Trienter Konzil betrafen[34], fand sich hierin auch die Empfehlung, eine Religionsordnung für Deutschland ausarbeiten und verabschieden zu lassen, die von der Mehrheit der protestantischen Reichsstände angenommen und von Rom mindestens toleriert werden könnte. Als geeignete Persönlichkeiten für die Beratung und Erarbeitung einer solchen Religionsformel nannte das Gutachten die Bischöfe von Speyer, Eichstätt, Passau, Naumburg und Wien, ferner Michael Helding, Johannes Hoffmeister, Eberhard Billick, Pedro Malvenda, Johannes Cochläus, Johannes Gropper, Georg Witzel sowie die Hofprediger König Ferdinands, Heinrich Muelich und Ambrosius Saltzer[35]. Diese Anregung des Gutachtens griff der Kaiser in den ersten Julitagen auf. Einige Zeit nach den am 3. Juli in Bamberg ausgefertigten Einladungen zum Reichstag, der auf den 1. September nach Augsburg berufen wurde[36], sind anscheinend Briefe[37] an mehrere der in dem Gutachten bezeichneten Personen, auch an andere wie Ludwig Beer, den in Freiburg im Breisgau lebenden Basler Kanoniker und alten Freund des Erasmus, verschickt worden mit der Bitte, baldmöglichst zur Vorbereitung von dogmatischen Vergleichsverhandlungen nach dem Muster der Worms-Regensburger Reli-

---

[33] K. Brandi, Kaiser Karl V., I 487—494; St. Skalweit, Reich und Reformation, 340—342.

[34] Das Gutachten (ARC V 19—28) riet zu einer Zusammenarbeit des Kaisers mit anderen christlichen Herrschern zugunsten eines besseren Besuchs und einer effektiveren Arbeitsweise des Konzils. Der Kaiser sollte nach den Vorstellungen des Gutachtens darauf drängen, daß den Protestanten in Trient ordnungsgemäßes Gehör verschafft würde; auf der andern Seite sollte er die protestantischen Reichsstände zu einer eindeutigen Unterwerfung unter die Konzilsbeschlüsse bewegen.

[35] ARC V 23f.

[36] ARC V 31—33.

[37] Die archivalische Überlieferung ist in diesem Punkt unbefriedigend. Erhalten ist ein Schreiben des Kaisers an den Kölner Erzbischof Adolf von Schaumburg vom 2. August 1547 mit dem Ersuchen, auf die zum Reichstag bereits geladenen Theologen Gropper und Billick zu unverzüglicher Folgeleistung einzuwirken; vgl. Hauptstaatsarchiv Düsseldorf, Bestand Kurköln VIII (Geistliche Sachen), Akte Nr. 535/4, f. 8r/v; zum Teil ediert in: ARC V 33f. Das Schreiben an Ludwig Beer wurde erst am 24. August abgesandt und von diesem am 16. September negativ beantwortet; ARC V 34—36.

gionsgespräche und zur Erarbeitung einer kirchlichen Reformord-nung nach Augsburg zu kommen[38]. Schon vor der Eröffnung des Reichstages nahmen die Gelehrten im August ihre von Nuntius Verallo skeptisch kommentierten Beratungen auf[39]. Trotz schwie-riger Quellenlage ist wohl mit Sicherheit auszumachen, daß Billick, Helding, Malvenda und de Soto beteiligt waren[40]; für einen späte-ren Zeitpunkt steht die Teilnahme des Hildesheimer Weihbischofs Balthasar Wannemann[41] fest; auch Bischof Julius Pflug stieß erst im Herbst zu diesem Gremium[42]. Der Wiener Bischof Friedrich Nausea wurde im August in Augsburg erwartet, ist aber offenbar nicht eingetroffen[43]. Johannes Gropper sagte, angeblich aus ge-sundheitlichen Gründen, seine Teilnahme ab[44].

[38] Die enge Verbindung beider Projekte kennzeichnet nach H. Rabe (Reichs-bund und Interim, 193f.) „die Eigenart und Bedeutung des religionspolitischen Programms Karls V. für den Reichstag. Hier liegt der gemeinsame Ursprung von Interim und Formula reformationis; erst der Verlauf des Reichstags, vor allem der Druck der katholischen Reichsstände, sollte diese Verbindung spren-gen und das Interim wie die Formula reformationis zu jenen Sondergesetzen für Protestanten und Katholiken werden lassen, als die sie — in vollem Gegen-satz zur Absicht des Kaisers — in der Folge die konfessionelle Spaltung Deutschlands unheilvoll vertieften".

[39] Schreiben des Nuntius Verallo an Kardinal Farnese vom 11./12. und vom 19. August 1547 (NBD I/10, 76—79 u. 82f.).

[40] Billick und Helding werden in dem ersten der beiden in Anm. 39 angeführten Schreiben Verallos benannt (NBD I/10, 78). Malvenda und de Soto haben sich ohnehin in der Begleitung des Kaisers aufgehalten (N. Mameranus, Cata-logus familiae, p. 13 u. 16).

[41] Brief des päpstlichen Legaten Kardinal Francesco Sfondrato an Kardinal Farnese vom 25. Oktober 1547 (NBD I/10, 162f.). N. Mameranus, Catalogus familiae, p. 82. Balthasar Wannemann (Fannemann) war seit 26. August 1540 Hildesheimer Weihbischof, ab Sommer 1548 bis Frühjahr 1551 Theologie-professor in Ingolstadt, dann bis zu seinem Tod am 8. Oktober 1561 Weih-bischof von Mainz; er stammte aus Dortmund und gehörte dem Dominikaner-orden an. C. Eubel, Hierarchia catholica III 247; N. Paulus, Die deutschen Dominikaner im Kampfe gegen Luther, 84—86; Th. Rensing, Das Dortmunder Dominikanerkloster, 79—82 u. 141—150.

[42] Julius Pflug wurde durch dringende Angelegenheiten in seiner Diözese auf-gehalten und traf erst im November in Augsburg ein. N. Mameranus, Cata-logus familiae, p. 5; J. V. Pollet, Julius Pflug. Correspondance II 709f., 751—753 (Nr. 356), bes. 753 u. 767—769 (Nr. 366), bes. 767, Anm. 2.

[43] W. Friedensburg, Zur Vorgeschichte des Interim, 213—215. NBD I/10, 78 (mit Anm. 4).

[44] Nuntius Verallo führt in dem ersten der beiden in Anm. 39 erwähnten Schreiben aus (NBD I/10, 78): „... è stato ancora chiamato il Groppero, ma non è potuto venire per esser' amalato." Ich stimme Pfeilschifter (ARC V 33, Anm. 38) zu, daß für Groppers Absage wohl auch das Motiv seiner Enttäuschung über das gescheiterte Regensburger Religionsgespräch von 1541 heranzuziehen ist. Groppers jüngerer Bruder Patroklus, Syndikus und Rat des Kölner Domkapitels, hat am Augsburger Reichstag 1547/1548 teilgenommen. N. Mameranus, Catalogus familiae, p. 66.

Der „geharnischte Reichstag" zu Augsburg wurde am 1. September 1547 eröffnet und am 30. Juni 1548 abgeschlossen; eine Schilderung des Verlaufes der Reichstagsverhandlungen, die sich zu einem hauptsächlichen Teil mit der Religionsfrage beschäftigten, erübrigt sich in diesem Zusammenhang[45]. Klar festzustellen gilt es, daß kein Zeugnis dafür beizubringen ist, welches eine Anwesenheit Johannes Groppers auf dem Reichstag belegt. Ferner muß die inhaltliche Einwirkung Groppers auf das „Interim" und die „Formula Reformationis", die beiden Verhandlungsergebnisse in der Religionsfrage, sehr viel vorsichtiger beurteilt werden als durch Walter Lipgens[46] geschehen. Für das „Interim" ist eine solche ganz auszuschließen; denn der im März 1548 vorgelegte zweite Augsburger Interimsentwurf[47] berücksichtigte zwar in erheblichem Ausmaß Gedankengänge des von Julius Pflug und Michael Helding im Sommer 1546 in Regensburg gemeinsam erarbeiteten Entwurfs einer Vergleichsformel[48], welche wiederum, wie schon Georg Beutel zutreffend ermittelt hat[49], von dem etwa 1544 entstandenen „Scriptum Latinum" der Zeitzer Stiftsbibliothek beträchtlich beeinflußt worden ist. Nur ist die von Beutel und Lipgens angenommene Prämisse, daß es sich bei dem „Scriptum Latinum" um ein Autograph Groppers handelt[50], von der jüngeren Forschung widerlegt worden[51]. Lipgens irrt mit Sicherheit, wenn er schreibt: „Dieses Interim ... beruht also in der Vermittlung Pflugs wesentlich auf dem Gropperschen Entwurf"[52]. Auch die These von Lipgens, es lasse sich „mit hoher Wahrscheinlichkeit beweisen, daß

---

[45] Es kann verwiesen werden auf: H. Rabe, Reichsbund und Interim, passim, bes. 240—272 u. 407—449; dazu die Kritik von Pfeilschifter im Vorwort zu ARC V. Die Redewendung vom „geharnischten Reichstag", die auf den Beibehalt der militärischen Besatzung Augsburgs und auf die Konzentration eines großen Teils der spanischen Truppen des Kaisers um den Tagungsort anspielt, findet sich bereits bei: J. Sleidanus, De statu religionis et rei publicae Carolo Quinto Caesare Commentarii III 42: „Armata fuerunt haec comitia."

[46] W. Lipgens, Kardinal Johannes Gropper, 169f. u. 171—176.

[47] ARC VI 310—345. Zur Verfasserschaft des Entwurfes: ARC V 243f., Anm. 167 u. 253, Anm. 184; ARC VI 309, Anm. 2.

[48] ARC VI 186—255.

[49] G. Beutel, Über den Ursprung des Augsburger Interims, 77—79. Edition des „Scriptum Latinum": ARC VI 89—126.

[50] G. Beutel, Über den Ursprung des Augsburger Interims, 80f.; W. Lipgens, Kardinal Johannes Gropper, 169f. u. 228 (Nr. 26). Auch: W. v. Gulik, Johannes Gropper, 128—130; H. Lutz, Reformatio Germaniae, 247—252.

[51] ARC VI 88f.; R. Braunisch, Die Theologie der Rechtfertigung, 22—24. Pfeilschifter und Braunisch plädieren für eine Zuweisung des „Scriptum Latinum" an Pflug, wofür sie beachtliche Gründe, wenn auch keine durchschlagenden Beweise vorbringen.

[52] W. Lipgens, Kardinal Johannes Gropper, 171.

Johann Gropper der Verfasser der Formula Reformationis war"[53], ist durch Heinrich Lutz und Georg Pfeilschifter bis zur Unhaltbarkeit erschüttert worden[54]. Die Forschungen Pfeilschifters haben zwar keine abschließende Klärung der Verfasserschaft der „Formula Reformationis" erbringen können: sie deuten jedoch darauf hin, daß „etliche gelerte erfarne und gotzförchtige menner teutscher nation" die Autoren dieser für die katholischen Stände rechtsverbindlichen Reformformel gewesen sind und daß die Federführung bei dem Kölner Karmelitenprovinzial und langjährigen Weggefährten Groppers, Eberhard Billick, gelegen hat[55]. Sollte das zutreffen, so wird man eine mittelbare Einwirkung Groppers auf den in der „Formula Reformationis" dokumentierten Geist kirchlicher Erneuerung durchaus annehmen können[56]. Auch die im Erz-

[53] Ebd.

[54] Heinrich Lutz (Reformatio Germaniae, 244—247 u. 252f.) hat die von W. Lipgens (Kardinal Johannes Gropper, 176) als „Vorform" der „Formula Reformationis" bezeichnete Handschrift als eine auf Verlangen des Herzogs von Jülich-Kleve-Berg erstellte deutschsprachige Version der Statuten des Kölner Provinzialkonzils von 1536 identifiziert. Dieses Urteil hat Georg Pfeilschifter bestätigt (ARC II 121, Anm. 9); er hat überdies Teile dieser in Konzept und Reinschrift vorliegenden Zusammenfassung der „Canones" von 1536 ediert (ARC II 305—318). Vgl. S. 40, Anm. 18.

[55] Das Zitat findet sich in einem Schreiben des Straßburger Kanzlers Christoph Welsinger an seinen Bischof Erasmus von Limburg vom 16. Juni 1548 (ARC V 303—305; dort: 304). Schon am 10. Juni hatten die Nürnberger Gesandten berichtet, der Kaiser habe Billick die Abfassung der Reformnotel übertragen (H. Gerber, Politische Correspondenz der Stadt Straßburg IV/2, 1002, Anm. 34); eine ähnliche Mitteilung machte der Regensburger Gesandte am 15. Juni (ARC V 304, Anm. 219). Billicks Beteiligung an der Verfasserschaft bezeugten in späterer Zeit der Kölner Verleger Jaspar von Gennep (A. Postina, Eberhard Billick, 97f., Anm. 3) und Johannes Gropper (auf einem in einen Brief an Erzbischof Adolf von Schaumburg vom 11. Januar 1550 eingelegten Zettel); vgl. Hauptstaatsarchiv Düsseldorf, Bestand Kurköln VIII (Geistliche Sachen), Akte Nr. 535/3, f. 59: „Gnedigster Herr, Der Weibisschoff E. Churf. G. der soelt billich ambts halber diese dinge usrichten. So ist der provincial bei stellung der Keys. Mt. Reformation gewesen...". In die „Formula Reformationis" wurden Auszüge aus dem zweiten und dritten Teil des ersten Augsburger Interimsentwurfs übernommen (ARC VI 260—299); dieser war von den seit August 1547 konferierenden Theologen (Billick, Helding, Malvenda und de Soto; später auch Wannemann und Pflug) erarbeitet und wohl im Dezember vorgelegt worden; zum dritten Teil sind kritische Anmerkungen von Pedro de Soto überliefert (ARC VI 299—301); außerdem liegt ein Gegengutachten vor, welches Pfeilschifter Pflug zuweisen möchte (ARC VI 301—308); Pflug sah sich dazu möglicherweise genötigt, weil er wegen seiner verspäteten Ankunft in Augsburg seine Vorstellungen in der Theologenkommission nicht mehr durchsetzen konnte.

[56] Hier wird man nicht nur an eine Prägung Billicks durch Schriften Groppers zu denken haben (H. Lutz, Reformatio Germaniae, 246f. — ohne Festlegung auf eine Verfasserschaft Billicks), sondern mehr noch an den mit Sicherheit zu postulierenden geistigen Austausch zwischen Billick und Gropper, der keine

stift Köln offenbar besonders engagierte Aufnahme der kaiserlichen Reformnotel wäre dann einleuchtend.

Bereits seit Anfang 1547 und über den gesamten Zeitraum des Augsburger Reichstages hin leistete Gropper im Dienste seines neuen Ordinarius Adolf von Schaumburg eine Fülle eigener Beiträge zur Erneuerung der Kölner Kirche; sein wichtigstes Instrument war dabei das Domkapitel, dessen „spiritus rector" er war, bis er in der Sitzung des Kapitels am 2. Juni 1548 auf seine Pfründe resignierte und für ihre Neubesetzung den Theologieprofessor Arnold Luyd de Tongres vorschlug[57]. Gropper orientierte seine Reformtätigkeit nicht bloß an den eigenen, seit langem entwickelten Vorstellungen, sondern besonders auch an den von der „Formula Reformationis" gesetzten Direktiven[58]. Eine Wirksamkeit ganz im Sinne der kaiserlichen Religionspolitik entfaltete er bei einem Aufenthalt vom Herbst 1548 bis zum Frühjahr 1549 in seiner stark mit Lutheranern durchsetzten westfälischen Heimatstadt Soest, wo er das Amt des Dechanten im Stift am Patroklimünster von seinem Bruder Kaspar übernommen hatte — im Tausch gegen die weniger schwierige Dechantenstelle im niederrheinischen Xanten, die er seit dem 3. Februar 1543 innegehabt hatte. Durch die Ernennung zum Propst des Stiftes St. Cassius und St. Florentius am Bonner Münster Anfang 1549 wurde Gropper Archidiakon der Kölner Kirche; das neue Amt war mit quasibischöflichen Rechten im gesamten Südteil der Erzdiözese verbunden und legte Gropper die Pflicht auf, in dem vom Reformationsversuch Hermanns von Wied besonders betroffenen Raum Bonn eine geordnete katholische Seelsorge wiederaufzubauen[59].

literarische Fixierung gefunden hat und insofern in das Feld des historisch nicht mehr Verifizierbaren gehört. Im folgenden sollen jedenfalls die Zusammenhänge berücksichtigt werden, die sich zwischen Vorstellungen Groppers und dem Inhalt der „Formula Reformationis" zeigen lassen. Zitate aus der „Formula Reformationis" nach der Edition in: ARC VI 349—380.

[57] W. v. Gulik, Johannes Gropper, 143—146 u. 231—235.

[58] Schreiben von Kurfürst Adolf von Schaumburg, Weihbischof Johannes Nopel, Kanzler Bernhard von Hagen, Johannes Gropper, Eberhard Billick, Arnold Luyd de Tongres, Hermann Blankfort und Sebastian von Novimola an den Kaiser vom 7. August 1548 (A. v. Druffel, Briefe und Akten I 136f.); darin wird über erste Erfahrungen berichtet, die man mit der „Formula Reformationis" gemacht hat.

[59] Für Groppers Soester Tätigkeit vgl. zwei Briefe vom 14. Oktober und 24. November 1548 an Erzbischof Adolf von Schaumburg (O. R. Redlich, Jülich-Bergische Kirchenpolitik I 336—338; der erste der beiden Briefe wird fälschlich auf April 1549 angesetzt) und das Material bei: W. Lipgens, Beiträge zur Wirksamkeit Johannes Groppers in Westfalen, passim, bes. 152—162. Für Groppers Arbeit als Propst und Archidiakon zu Bonn vgl.: D. Höroldt, Das Stift St. Cassius zu Bonn von den Anfängen der Kirche bis zum Jahre 1580, passim. Bislang nahm die Forschung an, daß nach dem Tode des Propstes Peter Vorst

Die Arbeit an der kirchlichen Erneuerung des Erzbistums Köln
fand ihre programmatische Verdichtung in mehreren großen Klerusversammlungen. Erzbischof Adolf von Schaumburg hielt sich
hier ganz an die Zusage, die er mit den anderen in Augsburg anwesenden katholischen Bischöfen für seinen Amtsbereich dem Kaiser gegeben hatte, bis Martini 1548 (11. November) eine Diözesansynode und bis zum Frühjahr 1549 ein Provinzialkonzil durchzuführen[60]. Gemeinsam mit einem Dekret gegen den Konkubinat der
Kleriker[61] ließ der Erzbischof am 1. September 1548 von Brühl aus
den Text der kaiserlichen „Formula Reformationis" samt den Einladungen zur bevorstehenden Diözesansynode ausgehen[62], welche
er vom 2. bis zum 4. Oktober abhielt[63]. Vom 11. März 1549, dem

von Lombeck am 9. Dezember 1548 die Bonner Propstei fünf Monate vakant
gewesen und erst Anfang Mai 1549 von Johannes Gropper übernommen worden sei (Ebd., 212); jedoch bezeichnet eine auf den 15. März 1549 zu datierende
Quelle Gropper bereits als „Prepositum Bonnensem" (Paris, Bibliothèque Nationale, Manuscrit du Fonds latin, No. 10160, f. 341v). Eine Hilfe für Groppers
Arbeit stellte es sicher dar, daß die am Kaiserhof weilenden Nuntien Pietro
Bertano, Bischof von Fano, Luigi Lippomani, Bischof von Verona, und Sebastiano Pighino, Bischof von Ferentino, am 26. Mai 1549 in einer Bulle „pro
reductione Germaniae" an ihn verschiedene Vollmachten und Fakultäten subdelegierten, die ihnen von Papst Paul III. am 31. August 1548 übertragen
worden waren; außer Gropper erhielten 30 weitere Persönlichkeiten der deutschen Kirche ein gleichlautendes Schreiben, darunter Eberhard Billick, für den
es im gleichen Arbeitsgang wie für Gropper ausgefertigt wurde, und der
Kölner Erzbischof Adolf von Schaumburg, der in einer anderen Kolumne von
Adressaten genannt wird (J. Le Plat, Monumentorum collectio IV 121—131).
[60] Der entsprechende Erlaß Karls V. stammt vom 9. Juli 1548 (J. Le Plat,
Monumentorum collectio IV 103f.; ARC V 319). Vgl. H. Rabe, Reichsbund
und Interim, 449.
[61] J. Hartzheim, Concilia Germaniae VI 352f.
[62] J. Hartzheim, Concilia Germaniae VI 350—352. F. Gescher (Die kölnischen
Diözesansynoden am Vorabend der Reformation, 190—288) hat nachgewiesen,
daß Diözesansynoden im Erzbistum Köln im 15. und noch im 16. Jahrhundert
ziemlich regelmäßig gehalten worden sind, und zwar jeweils am Tag nach
dem ersten Fastensonntag und nach dem Fest des hl. Remigius (1. Oktober);
dies wird bestätigt durch eine Bemerkung Groppers von 1558; dabei rügt
Gropper, daß die Bischöfe den Synoden fast immer fernblieben (Meditatio,
f. 189v—190r; H. Lutz, Reformatio Germaniae, 299).
[63] Die Verhandlungsprotokolle dieser Kölner Herbstsynode von 1548 sind erhalten in: Paris, Bibliothèque Nationale, Manuscrit du Fonds latin, No. 10160,
f. 195r—210r. Die Akten der Synode wurden noch 1548 in offizieller Ausgabe
bei Gennep in Köln verlegt („Acta Synodi"); Kollation: A-C⁴. Ein Exemplar
ist dem zitierten Handschriftenband der Bibliothèque Nationale (f. 182r—193v)
eingebunden; es hat folgenden Besitzereintrag: „Petrus de Coisfeldia, capituli
maioris ecclesie Coloniensis secretarius, me possidet." Titelangabe (wohl nach
dem Exemplar der Bayerischen Staatsbibliothek München, Signatur: 2⁰ Conc.
160—3) auch bei: K. Schottenloher, Bibliographie zur deutschen Geschichte
im Zeitalter der Glaubensspaltung III 30924. Noch 1548 erfolgte ein Nachdruck bei Servatius Zassen in Löwen, 1554 ein weiterer in einem Sammelband
Kölner Synoden (Statuta seu Decreta, p. 409—419), schließlich ein weiterer

Montag nach dem ersten Fastensonntag, bis zum 6. April, dem
Samstag vor dem Passionssonntag, fand das Provinzialkonzil der
Kölner Kirchenprovinz statt[64]. Weitere Kölner Diözesansynoden

bei: J. Hartzheim, Concilia Germaniae VI 353—358. Ich zitiere nach der
Erstausgabe und der Edition von Hartzheim.

[64] Die Verhandlungsprotokolle des Kölner Provinzialkonzils von 1549 samt zu-
gehörigen Akten befinden sich — in allerdings nicht streng chronologisch
geordneter Abfolge — in: Paris, Bibliothèque Nationale, Manuscrit du Fonds
latin, No. 10160, f. 225r—398r. Entscheidend für den Verhandlungsverlauf
dieser Kirchenversammlung wirkte sich ein in der fünften Session des Konzils
am Freitag, 15. März 1549, vorgelegtes Gutachten aus: „Consilium delectorum
R[everendissi]mi [Domini] n[ostri] Archiep[iscop]i Coloniensis de quinque
medijs pro exemtione reformationis propositis" (Ebd., f. 320r—342r). Über
die Verfasserschaft dieses Gutachtens ist Endgültiges nicht auszumachen; auszuschließen ist aber wohl, sämtliche 23 Deputierten, die die Synodalen des
Erzbistums Köln am Eröffnungstag gewählt hatten (zusammengestellt bei: H.
Foerster, Reformbestrebungen Adolfs III. von Schaumburg, 43, Anm. 93), als
Autoren anzunehmen. Formale und inhaltliche Gesichtspunkte sprechen für
die Annahme, daß dem „Consilium delectorum" eine nicht erhaltene Denkschrift zugrundeliegt, als deren Verfasser neben Eberhard Billick nur Johannes
Gropper in Betracht zu ziehen ist; dieser scheint persönlich dem Provinzialkonzil nicht beigewohnt zu haben, um seine Soester Arbeit nicht abbrechen
zu müssen (Zwei in Soest am 13. März bzw. 5. April 1549 abgefaßte Briefe in
etwa gleichzeitiger Kopie beruhen in: Staatsarchiv Münster, Soest, Patrokli,
Akten 12, f. 11r—12v). Das „Consilium delectorum" schlägt zur Beseitigung
der Mißstände in der Kirche fünf Heilmittel vor: 1. Reform des Schulwesens;
2. Examensverfahren für Weihekandidaten und Bewerber um kirchliche Ämter;
3. „Officij seu muneris suscepti sedula perfunctio"; 4. Visitationen auf allen
Ebenen kirchlicher Oberaufsicht; 5. Regelmäßige und häufige Synoden. Diese
fünf Titel sind in etwa auch in die schließlich verabschiedeten Konzilsdokumente eingegangen. In der zehnten Session des Konzils am Donnerstag,
21. März 1549, wurde ein „Tractatus in Concilio Provinciali super articulis
quibusdam inter Metropolitani et Suffraganeorum legatos" vorgetragen, der
am zweiten und dritten Titel des „Consilium delectorum" Modifikationen an-
brachte (Paris, Bibliothèque Nationale, Manuscrit du Fonds latin, No. 10160,
f. 380r—387v; in zweiter Ausführung mit Notizen über Stellungnahmen der
Lütticher und Utrechter Delegierten: Ebd., f. 388r—398r). In den am 6. April
1549 feierlich proklamierten Konzilsdokumenten (Ebd., f. 310r: „Modus conclu-
dendi Synodum") befand sich außer den fünf Heilmitteln des „Consilium
delectorum" noch ein „medium sextum", das die Ausführung des Reformpro-
grammes behandelte; außerdem wurde eine Fülle von Einzelbestimmungen zur
Beseitigung diverser Mißstände unter die Konzilsdekrete aufgenommen. Die
Beschlüsse des Konzils wurden durch eine am 4. Juli 1549 in Brüssel aus-
gestellte Konstitution des Kaisers bestätigt (J. Le Plat, Monumentorum collectio IV 148—150; J. Hartzheim, Concilia Germaniae VI 562f.). Der offizielle
Druck („Decreta Concilij") erschien 1549 bei Jaspar von Gennep in Köln; Kollation: A-F[4] G[6]; ein Nachdruck erfolgte noch 1549 bei Johannes Waen in
Löwen, der dort bis 1555 nachgewiesen ist (R. A. Wilson, Short-title Catalogue,
270); weitere Nachdrucke folgten gemeinsam mit Nachdrucken der Statuten des
Provinzialkonzils von 1536 und Groppers „Enchiridion" (J. Meier, Das „Enchiridion christianae institutionis", 323f., Nr. 20—24; 325f., Nr. 28—32; 327f.,
Nr. 34 u. 36). Die Dekrete wurden außerdem nachgedruckt in dem

folgten im Herbst 1549[65], im Frühjahr 1550[66], im Herbst 1550[67]
und im Frühjahr 1551[68]. Der bedeutende Anteil, den Johannes
Gropper an diesen Versammlungen genommen hat, ist von der
Untersuchung Hans Foersters über die Reformbestrebungen Adolfs
von Schaumburg in der Kölner Kirchenprovinz herausgestellt worden[69]. Dies dürfte eine teilweise Einbeziehung der Dekrete der
Kölner Synoden unter dem Gesichtspunkt ihrer Relevanz für die
durchzuführende Untersuchung in die Quellen der Arbeit rechtfertigen[70].

Sammelband „Statuta seu Decreta" (p. 420—456) und bei: J. Hartzheim,
Concilia Germaniae VI 532—561; Mansi 32, 1357—1398. Ich zitiere das „Consilium delectorum" nach dem Pariser Manuskript und die Konzilsdokumente
nach dem offiziellen Druck sowie der Edition von Hartzheim.

[65] Der offizielle Druck der „Acta et Decreta" der Herbstsynode von 1549, auf
der sich Erzbischof Adolf von Schaumburg vertreten ließ, wurde wieder durch
Jaspar von Gennep besorgt (Kollation: A-B⁴). Nachdrucke erfolgten in dem
Sammelband „Statuta seu Decreta" (p. 453—463) und bei: J. Hartzheim, Concilia Germaniae VI 608—615. Zitiert wird nach dem offiziellen Druck und
nach Hartzheim.

[66] Offizieller Druck bei Gennep 1550. Nachdrucke in dem Sammelband „Statuta
seu Decreta" (p. 463—468) und bei: J. Hartzheim, Concilia Germaniae VI
616—621. Zitiert wird nach Hartzheim.

[67] Offizieller Druck (vermutlich, da bisher nicht festgestellt) ebenfalls bei Gennep 1550. Nachdrucke in dem Sammelband „Statuta seu Decreta" (p. 505—519)
und bei: J. Hartzheim, Concilia Germaniae VI 767—781. Zitiert wird nach
Hartzheim. Erzbischof Adolf von Schaumburg nahm übrigens nicht persönlich
an dieser Synode teil (J. Hartzheim, Concilia Germaniae VI 767).

[68] Der offizielle Druck (bislang nicht ermittelt, vermutlich bei Gennep 1551)
fand noch 1551 einen Nachdruck bei Martin Rotarius in Löwen; dieser
Drucker ist für 1547—1553 bekannt (R. A. Wilson, Short-title Catalogue,
261). Den Statuten dieser Synode wurde die Bulle Papst Julius III. bezüglich
der Rückführung des Konzils nach Trient beigegeben. Nachdrucke erfolgten
in dem Sammelband „Statuta seu Decreta" (p. 520—540) und bei: J. Hartzheim, Concilia Germaniae VI 781—801. Zitiert wird nach Hartzheim. Auch
an der Frühjahrssynode 1551 nahm der Erzbischof persönlich nicht teil (J.
Hartzheim, Concilia Germaniae VI 781).

[69] H. Foerster, Reformbestrebungen Adolfs III. von Schaumburg, passim. Foerster beendet seine Abhandlung mit folgendem Resümee (Ebd., 116): „Nicht
unbeeinflußt von dem leider ergebnislos gebliebenen Kanones des Provinzialkonzils vom Jahre 1536, fassen die Vorschläge der erzbischöflichen Deputation
auf dem Konzil von 1549 deren Gedanken straffer zusammen und verleihen
ihnen eine praktische Gestaltung; auch so lassen sie immer noch den Geist
Groppers als belebendes Element erkennen, ohne daß dadurch die Verdienste
Adolfs, der diesen Geist walten ließ, herabgesetzt werden." In seiner Besprechung der Arbeit Foersters in der Zeitschrift für Kirchengeschichte 45
(1927) 305f. bemerkt Gustav Wolf, daß der Anteil Adolfs von Schaumburg
am Reformwerk schwerlich überschätzt werden könne, da s. E. auch dort, wo
der Bischof handelnd hervortrete, das „in der Regel auf Antrieb Groppers,
Billicks und ähnlicher energischer Gesinnungsverwandter" geschehe. Ähnlich:
H. Jedin, Das Konzil von Trient und die Reform der liturgischen Bücher. 511.

[70] Die Dekrete sind zwar keine authentischen Gropperiana; jedoch sind sie von

Aus den Jahren 1549 und 1550 liegen überdies literarische Zeugnisse vor, in denen sich Groppers Einsatz für das Reformwerk seines Erzbischofs spiegelt. Auch diese Werke Groppers werden im Fortgang der Untersuchung ausgeschöpft werden. Im einzelnen handelt es sich um eine 1549 bei Gennep in Köln erschienene, 32 Blätter umfassende Schrift in deutscher Sprache, die den Priestern in der Seelsorge als Handreichung für kurze Ansprachen an das Volk vor der Spendung der Sakramente (Taufe, Beichte, Eucharistie, Eheschließung, Krankensalbung) nützlich sein sollte[71]. Es folgte ein Visitationsformular, mit dessen bis zum 11. Januar 1550 beendeter Abfassung Gropper im Auftrag des Erzbischofs eine

Gropper inspiriert und mitverantwortet sowie in Soest und Bonn konkret zur Anwendung gebracht worden; schließlich war es Gropper, der im Frühjahr 1551 den schärfsten Widerstand gegen die Schwierigkeiten leistete, die dem Reformwerk der Kölner Synoden seitens des Jülicher Herzogs bereitet wurden; vgl. Groppers Briefe an Adolf von Schaumburg vom 16. und 18. Februar 1551. Hauptstaatsarchiv Düsseldorf, Bestand Kurköln VIII (Geistliche Sachen), Akte Nr. 535/3, f. 61—65. O. R. Redlich, Jülich-Bergische Kirchenpolitik I 84*, 85* u. 381f.

[71] „Wie bei haltung und reichung . . .“; erschienen im Verlag von Jaspar von Gennep in Köln 1549; Kollation: A-D⁸. Ich benutze das Exemplar der Staatsbibliothek Preußischer Kulturbesitz in Berlin (Signatur: Dr 9310—1554); vier weitere Exemplare ließen sich feststellen; auch von dem 1557 bei Gennep verlegten Nachdruck wurden fünf Exemplare ermittelt. Die Erstausgabe muß vor dem 15. März 1549 erschienen sein; denn in dem an diesem Tag auf dem Kölner Provinzialkonzil verlesenen „Consilium delectorum" heißt es (Paris, Bibliothèque Nationale, Manuscrit du Fonds latin, No. 10160, f. 341r): „Similiter ut extet formula, iuxta quam parochi populum subinde in admissione sacramentorum alloquantur, quo populus de virtute sacramentorum erudiatur et ad eorum desiderium accendatur." In diesem Zusammenhang folgt ein empfehlender Hinweis auf Groppers Schrift mit der Erwägung, sie in vermehrtem Umfang und in lateinischer Sprache herauszubringen. Dazu ist es aber nicht gekommen. — Wie Gropper ließ sich auch Michael Helding durch die „Formula Reformationis" dazu anregen, das Muster einer Ansprache „Vermanung an die umbstehenden bey dem hailigen Ampt der Messe" — allerdings nur für die Feier der Eucharistie, nicht für die der übrigen Sakramente — zu entwerfen; es ist in lateinischer und deutscher Fassung gedruckt in Heldings Schrift: Sacri canonis missae, L v — M II r. Julius Pflug ließ vier Anspracheformulare (Taufe, Eucharistie, Ehe, Krankensalbung) für die Seelsorger des Naumburger Bistums unter dem Titel „Christliche Ermanungen" drucken; diese sind zu erheblichen Teilen wörtlich oder fast wörtlich aus Groppers Büchlein übernommen (O. Müller, Schriften von und gegen Julius Pflug, 46—56). Wie Pflug gab 1550 auch Georg Witzel in seinem umfangreichen Gebet- und Gesangbuch „Psaltes Ecclesiasticus" eine Sammlung von Ansprachen gelegentlich der Sakramentenspendung heraus (Taufe: f. 1r—11v; Kommunion: f. 11v—13r; Trauung: f. 13v—17r; Firmung: f. 17r—18r; Weihe: f. 18r—19r; Buße: f. 19r—20v; Krankensalbung: f. 20v—22r.). Es scheint möglich, daß Gropper und Helding, Pflug und Witzel an die mittelalterliche Kommunionansprache angeknüpft haben und diese auf die Spendung der übrigen Sakramente ausdehnten (B. Fischer, Die Predigt vor der Kommunionspendung, 223—237).

Forderung des Provinzialkonzils erfüllte[72]; darin wurden Anregungen der „Formula Reformationis" und des Provinzialkonzils
berücksichtigt; das Werk wurde im Frühjahr 1550 vom Erzbischof
publiziert[73]. In diese Zeit dürfte auch die Veröffentlichung einer
aus Groppers Feder stammenden Examinationsformel für die Anwärter auf Kirchenämter gefallen sein; nach ihr sollten alle für
ein Pfarramt im Bonner Archidiakonat designierten oder präsentierten Kandidaten geprüft werden[74]. Bald aber zeigte sich, daß die

[72] Paris, Bibliothèque Nationale, Manuscrit du Fonds latin, No. 10160, f. 338v:
Decreta Concilij, f. XVII r (E r); J. Hartzheim, Concilia Germaniae VI 547

[73] Die Kölner Erstauflage erschien im Januar 1550; ein Exemplar besitzt die
Diözesan-Bibliothek Köln (Past. f. 219); Kollation: A-G⁴ H⁵. Die Staats- und
Stadtbibliothek Augsburg und die Trinity College Library zu Cambridge be-
sitzen einen Löwener Druck vom Frühjahr 1550, ausgeführt von Martin
Rotarius und begutachtet durch den Dekan Ruard Tapper: „Forma, iuxta
quam . . ."; Kollation: a-m⁴ n². Weitere Nachdrucke befinden sich in dem
Sammelband „Statuta seu Decreta" (p. 470—505) und bei: J. Hartzheim, Concilia Germaniae VI 622—653. Zitiert wird nach dem Löwener Druck und nach
Hartzheim. Zur Verfasserschaft Groppers, die im Titel des Visitationsformulars nicht erwähnt wird, vgl. sein Begleitschreiben an Erzbischof Adolf von
Schaumburg vom 11. Januar 1550: „Gnedigster Herr, uff E. Churf. G. gnedigs
gesinnen und begeren hab ich gethan (nach meinem vermögen) und was inhalt
der Keys. Mt. Reformation und E. Churf. G. Concilij zur visitation von
nötten, das hab ich (darmit es nicht zu cavilliern) schir von wort zu wort,
wie es darin, wiewol sparsim, stehet, nicht on verdrießliche arbeit zusamen
bracht . . ."; Hauptstaatsarchiv Düsseldorf, Bestand Kurköln VIII (Geistliche
Sachen), Akte Nr. 535/3, f. 58r. Auf Nachwirkungen dieses Visitationsformulars in anderen Bistümern hat bereits Max Lingg (Geschichte des Instituts
der Pfarrvisitation in Deutschland, 47, Anm. 9) aufmerksam gemacht; auf
der Prager Diözesansynode von 1565 wurde es den Visitatoren empfohlen
(J. Hartzheim, Concilia Germaniae VII 47).

[74] „Formula examinandi designatos seu praesentatos ad regendas ecclesias parochiales intra limites Archidiaconatus Bonnensis constitutas, donec melior aliqua detur archiepiscopali vel synodali auctoritate. Per Praepositum Bonnensem
Archidiaconum. Apud Iasparem Gennepaeum. 1550." So lautet der Titel dieser
Schrift nach Angabe von: G. Loschi, Il cardinale Giovanni Gropper, 88
(Nr. 11); W. v. Gulik, Johannes Gropper, 179 (Nr. 12). Trotz intensiver Suche
in Bibliotheken des In- und Auslandes ist bislang kein Exemplar der Schrift
aufzufinden. Daß Gropper die Examinationsformel verfaßt hat, steht außer
Zweifel; im Vorwort zur „Institutio catholica" (d I v) bezeugt er: „Ergo cum
non multo post susceptam archidiaconalem curam pro exoneranda conscientia
mea formulam quandam brevem examinandi designatos seu praesentatos ad
regendas ecclesias parochiales intra mei archidiaconatus limites constitutas
conscripsissem, . . .". Die bisherige Gropper-Forschung identifizierte diese Examinationsformel häufig mit dem etwa gleichzeitig entstandenen Visitationsformular (Zuletzt: G. G. Meersseman, Joh. Groppers Enchiridion und das
tridentinische Pfarrerideal, 21; F. J. Kötter, Die Eucharistielehre in den katholischen Katechismen des 16. Jahrhunderts, 58, Anm. 173; R. Braunisch, Cardinalis designatus, 62, Anm. 20). Daran kann nicht festgehalten werden, weil
bereits das „Consilium delectorum" wie auch die verabschiedeten Dekrete des
Provinzialkonzils von 1549 deutlich zwischen dem Visitationsformular (s. o.

Examinationsformel wenig Ertrag zeitigte, solange kein Handbuch zur Verfügung stand, aus welchem die Seelsorgsgeistlichen das erforderliche Wissen beziehen konnten. Darum überarbeitete Gropper seinen Jugendkatechismus von 1546 und baute ihn „infra dies non ita multos" zu einem Handbuch aus, in welchem Pfarrer und Lehrer eine solide Sammlung theologischen Grundwissens sollten finden können „ad erudiendam pubem ac plebem, pro qua mortuus est Christus"[75]. Das Werk fand reges Interesse auch außerhalb des Erzbistums Köln, was von zahlreichen Nachdrucken belegt wird[76].

Anm. 72 u. 73) und der Examinationsformel unterscheiden; vgl. Paris, Bibliothèque Nationale, Manuscrit du Fonds latin, No. 10160, f. 330r; Decreta Concilij, f. XIv—XIIr (C iij v—C iiij r); J. Hartzheim, Concilia Germaniae VI 541f. Groppers Examinationsformel war nur für das Bonner Archidiakonat bestimmt; auf der Ebene des Gesamtbistums kam sie nicht zur Veröffentlichung, weil das Domkapitel hiergegen Widerstand leistete, obwohl das Provinzialkonzil die Sorge für eine solche Prüfungsvorschrift dem Erzbischof anheimgestellt hatte (H. Foerster, Reformbestrebungen Adolfs III. von Schaumburg, 55). Im selben Jahr wie Johannes Gropper veröffentlichte auch der Mainzer Domprediger Johann Wild ein „Examen ordinandorum". Hierbei handelte es sich um ein nach dem Frage-Antwort-Schema aufgebautes Hilfsmittel für Weihekandidaten, sich den im Weiheexamen gewöhnlich geprüften, auf die grundlegendsten Fragen der Dogmatik beschränkten Stoff anzueignen (für die Subdiakone: A ij r — B vij v; für die Diakone: B viij r — D v r; für die Priester: D v r — E viij r). Ein etwas umfassenderes Ziel steckte sich der Wiener Bischof Friedrich Nausea, als er 1551 eine 62 Blatt umfassende, in fünf Bücher unterteilte Schrift „De clericis in ecclesia ordinandis" publizierte; das sieben Kapitel umfassende erste Buch trägt die Lehre von der Kirche vor; das zweite Buch handelt von der Gliederung der Kirche; das dritte Buch behandelt die einzelnen Weihestufen, den sakramentalen Weihecharakter und die Würde des Priestertums, das vierte den Zeitpunkt der Ordination, die Weiheexamina im allgemeinen sowie deren konkreten Verlauf im einzelnen; zusätzlich wird ein Examensformular des früheren Patriarchen von Venedig, Antonio Contarini (1506—1524), veröffentlicht (f. 40v—43r); das fünfte Buch bietet eine Aufstellung der einzelnen Weiheriten samt Ansprachen, die an die Weihekandidaten zu richten sind.

[75] Von der Erstauflage der „Institutio catholica", die 1550 bei Jaspar von Gennep in Köln erschien, ließen sich 39 Exemplare ermitteln; davon habe ich das der Bibliothek des Priesterseminars Münster benutzt; Signatur: Bibliotheca Vesaliensis 282; Kollation: a-e⁸ A-L⁸ M⁴ — eingebundenes Faltblatt — O⁴ P-Z⁸ a-z⁸ Aa-Ee⁸. Mit Ausnahme der Lagen a-e⁸ ist der Druck — allerdings sehr fehlerhaft — paginiert; Zitate erfolgen deshalb nach der Paginierung und der korrespondierenden Lagennotation. Überblick über die Paginierung: p. 1 (A I r) — 65 (E I r); p. 56 (E I v) — 174 (M IIII v); Faltblatt; p. 170 (O Ir) — 180 (O Iv) — 185 (O IIIr); leere Seite; p. 189 (P Ir) — 209 (Q IIIr); p. 310 (Q IIIv) — 657 (p I r); p. 656 (p I v) — 875 (EeVIIr); zwei nicht paginierte Seiten; leere Seite. Die obigen Zitate stammen aus dem Widmungsbrief zu Beginn des Bandes (d II r u. d II v).

[76] Köln, J. v. Gennep 1554 (13 ermittelte Exemplare); Antwerpen, Jan Laet 1556 (7); Venedig, Giordano Ziletti 1557 (10); Venedig, ad signum spei 1557 (3); Köln, J. v. Gennep 1559 (1); Antwerpen, Jan Steels 1562 (19); Venedig, Giordano Ziletti 1565 (12); Lyon, Michel Jouve 1566 (6). Giordano Ziletti

In dem der „Institutio catholica" vorangestellten Dedikations-
brief[77], der an Adolf von Schaumburg gerichtet ist, beklagt Gropper, daß sich die Irrlehren der Reformatoren durch die Verbreitung von Katechismen, „Loci communes", Postillen und Agenden ungewöhnlich stark fortgepflanzt hätten. In dieser Situation
sei die katholische Seite dringend auf eine Festigung und Vertiefung ihrer Lehren mittels gleichwertiger Literatur angewiesen. Im
Rückblick auf frühere Epochen der Kirchengeschichte beklagt
Gropper den Rückgang des Bibelstudiums; auch verweist er in
einem Rückblick auf die Geschichte der theologischen Literatur
darauf, daß es in der alten Kirche religiöse Übungsbücher für die
Unterweisung der Jugendlichen und der erwachsenen Gläubigen
gegeben habe, die auf der Grundlage der Heiligen Schrift und der
patristischen Theologie die vier katechetischen Hauptstücke (Glaubensbekenntnis; Paternoster und Ave Maria; Dekalog; Sakramente)
und die sogenannten „Loci communes" zur Tugend- und Sündenlehre abgehandelt hätten. Nach dem Niedergang der Theologie
im Gefolge der Völkerwanderung seien die „Loci communes" im
Hochmittelalter zu theologischen Kompendien gestaltet worden;
in diesem Zusammenhang fällt der Name Thomas von Aquin.
Zur Bildung der einfacheren Geistlichen habe später vornehmlich
Johannes Gerson einen wesentlichen Beitrag mit dem „Compendium Theologiae" und dem „Opusculum tripertitum"[78] geleistet;
Gropper äußert sogar, die schlimmen Erscheinungen der jüngsten
Vergangenheit wären vielleicht verhütet worden, wenn Gersons
Schriften nur allenthalben für die Verkündigung herangezogen

ist für 1549—1583 als Drucker in Venedig nachgewiesen (F. Ascarelli, La
tipografia, 200; R. G. Marshall, Short-title Catalog, 609f.). Der anonyme Verleger „ad signum spei" ist für 1546—1587 bezeugt (R. G. Marshall, Short-
title Catalog, 581f.). Michel Jouve ließ den Druck der „Institutio catholica"
durch Ambroise Rhodano anfertigen (H. Baudrier, Bibliographie lyonnaise II
82—90 u. 105). Der von L. Willaert (Bibliotheca Janseniana Belgica I 226,
Nr. 2914 b) verzeichnete Druck von Groppers „Institutio catholica" zu Antwerpen 1656 ist am angegebenen Ort, der Prämonstratenserabtei Averbode,
laut Auskunft von P. Dr. J. B. Valvekens vom 10. 1. 1974 nicht vorhanden;
möglicherweise liegt ein Brandverlust vor (28. 12. 1942); überdies dürfte es
sich aber beim Erscheinungsjahr wahrscheinlich um eine Verwechslung mit
dem Antwerpener Druck von 1556 handeln. Anzumerken ist schließlich, daß
1673 der Generalvikar des Bistums Gent, J. Gillemans, die Abschnitte der
„Institutio catholica", welche das öffentliche Bußverfahren behandeln, gemeinsam mit Texten von Johannes Bona und Auszügen aus dem Pontifikale
Romanum nachdrucken ließ; J. Gillemans, Praxis poenitentialis, p. 12—56.

[77] Institutio catholica, a II r — d VIII v. Dazu auch: R. Braunisch, Die Theologie
der Rechtfertigung, 50f., Anm. 247.

[78] J. Gerson, Compendium Theologiae u. Opusculum tripertitum de praeceptis
decalogi, de confessione et de arte moriendi (in der von L. E. Du Pin besorgten
Gesamtausgabe: I 233—422 u. 425—450).

worden wären; „copiosa concionandi materia" sei den Predigern bereits Jahrhunderte vorher von Paulus Diaconus und dem Angelsachsen Alkuin in einem Lektionar und Homiliar bereitgestellt worden. Über die Sakramente, die Zeremonien und das Brauchtum der Kirche, welche laut Gropper nächst der Lehre den zweiten Teil der Religion bilden, lägen Werke von Augustinus, Isidor von Sevilla, Hrabanus Maurus, Rupert von Deutz und Wilhelm Durandus von Mende vor. Und über die Kirchenzucht, die als der dritte Teil der Religion bezeichnet wird, gebe es die vielen Schriften Cyprians, daneben die „Canones Apostolorum", die zahlreichen Dekrete der ältesten Konzilien und die Pönitentialsummen. Alle Weihekandidaten hätten früher in den drei Sachgebieten „doctrina, caeremoniae, disciplina" ausreichende Kenntnisse nachweisen müssen; in der jüngeren Vergangenheit sei es hierin jedoch durch die fahrlässige Amtswaltung der „Ecclesiarum Praesides et Curatores" zu einer Entwicklung gekommen, die Luther und seinen Anhängern leichtes Spiel gegeben hätte. Gropper ist überzeugt, daß der Ausbreitung der reformatorischen Ideen wirksam nur zu begegnen ist mittels katholischer Katechismen, die das Glaubensgut der alten Kirche den Seelsorgsgeistlichen und den Lehrern in verständlicher Sprache zur Verfügung stellen. Er erwähnt, daß es auf diesem Feld inzwischen manchen achtbaren Versuch gebe, und er will seine „Institutio catholica" als einen ebensolchen verstanden wissen. Für einen zukünftigen Zeitpunkt nimmt er sich die Ausgabe eines Lektionars vor, welches die sonntäglichen Lesungen und Evangelien verläßlich erklären soll; bei seinem Soester Aufenthalt habe er dafür bereits Stoff gesammelt. Ebenso sei eine Agende für die Sakramentenspendung vonnöten. Schließlich müsse ein Martyrologium geschrieben werden; Gropper erwähnt, daß er einen interessanten Fund dafür in der Bibliothek von St. Patrokli zu Soest gemacht habe[79]. Gropper hat diese Pläne in der Folgezeit jedoch nicht verwirklichen können.

Der Situation kirchlicher Aufbauarbeit im Sinne des „Interim" und der „Formula Reformationis" ist auch ein theologisch sehr interessanter Briefwechsel zwischen Julius Pflug und Johannes Gropper zu verdanken. Bei dem allgemeinen Priestermangel hielt es für den Naumburger Bischof schwer, von auswärts für seine Diözese katholisch geweihte Priester zu bekommen. Die Kandidaten für die Pfarrämter seines Sprengels waren oft von lutherischen Superintendenten ordiniert worden. Dabei war sich Pflug über die Problematik der Gültigkeit lutherischer Ordinationen sehr wohl im klaren. Er wußte selbstverständlich, daß nach der Tradition die Weihegewalt den Bischöfen vorbehalten ist. Jedoch verwies er

[79] Institutio catholica, d IIIr—d VIr.

auch darauf, daß der heilige Hieronymus für die alexandrinische Kirche die Erteilung höherer Weihen durch einfache Priester bezeuge[80]. So erbat sich Pflug das Urteil Groppers in dieser Sache. Gropper antwortete am 15. April 1551 mit einem ausführlichen Brief, dessen Inhalt im folgenden berücksichtigt wird[82].

Im selben Brief konnte Gropper Julius Pflug auch mitteilen, daß sich die drei geistlichen Kurfürsten in Wesel am Niederrhein gerade über ihre Teilnahme an dem von Papst Julius III. auf den 1. Mai nach Trient anberaumten Konzil besprachen. Diese zweite Tagungsperiode des Concilium Tridentinum sollte nach den Plänen Karls V. das deutsche Unionskonzil mit reger Teilnahme des deutschen Episkopates und der deutschen Protestanten zum Zweck der Wiederherstellung der religiösen Einheit werden. Tatsächlich trafen am 29. August 1551 der Mainzer Erzbischof Sebastian von Heusenstamm und sein Trierer Kollege Johann von Isenburg mit stattlichem Gefolge in Trient ein[82]. Um diese Zeit bereitete die Kölner Konzilsdelegation gerade ihre Abreise vor; in einem Brief vom 30. August 1551 mahnte Gropper den kurfürstlichen Rat Franz Burckhardt, die nach den Ausführungen des Konzilswerkes von Jacobazzi notwendigen Pontifikalgewänder mitzunehmen auf keinen Fall zu vergessen[83]. Kurfürst Adolf von Schaumburg trat im September mit großem Gefolge die Reise nach Trient an; als Konzilstheologen befanden sich in seiner Begleitung Johannes Gropper und Eberhard Billick. Die Kölner Delegation traf am 10. Oktober in Trient ein; dort stattete der Erzbischof noch am selben Tage dem Legaten Marcello Crescenzio und den beiden Kopräsidenten Sebastiano Pighino und Luigi Lippomani seinen Antrittsbesuch ab[84]; auf Wunsch des Konzilspräsidiums nahmen Erzbischof Adolf von Schaumburg, Eberhard Billick und Johannes Gropper

---

[80] Hieronymus, Epistula 146 (ad Evangelum), 1 (CSEL 56, 310).

[81] Stiftsbibliothek Zeitz, Nachlaß Pflug, Katalog S. 70 (Nr. 7). Herr Dr. Jacques V. Pollet OP (Paris) war so freundlich, mir eine auf der Grundlage des Originals erstellte Korrektur der Edition W. v. Guliks (Johannes Gropper, 242—245) zur Verfügung zu stellen; nach ihr wird zitiert.

[82] CT VII/1, 82, 1—7. In Begleitung des Mainzer Erzbischofs reiste auch Weihbischof Balthasar Wannemann zum Trienter Konzil. Der Legat Marcello Crescenzio und der Kopräsident Luigi Lippomani hatten in Briefen vom 14. Juni 1551 die drei geistlichen Kurfürsten eindringlich zur Teilnahme am Konzil geladen (J. Le Plat, Monumentorum collectio IV 221—224 u. 224—226).

[83] Hauptstaatsarchiv Düsseldorf, Bestand Kurköln VIII (Geistliche Sachen), Akte Nr. 539/4, f. 54. Gropper zitiert hier aus Jacobazzis Werk „De conciliis" I 11 („De vestibus in concilio gerendis"; 15 B, rechte Kolumne). Bereits am 10. August 1551 hatte Gropper in einem Brief an den Rat der Stadt Soest von der Fahrt nach Trient als „vorstehender reiß" gesprochen (L. Schmitz-Kallenberg, Zur Lebensgeschichte und aus dem Briefwechsel des Johann Gropper, 131).

[84] CT VII/1, 265, Anm. 1 u. 294, Anm. 6.

am folgenden Tage an der dritten Session des Konzils teil[85]. Johannes Gropper muß ein so ausgezeichneter Ruf vorangegangen sein, daß an seine Mitarbeit auf dem Konzil sehr hohe Erwartungen geknüpft wurden[86]. Das legen briefliche Äußerungen Eberhard Billicks an den Kölner Karmeliten-Prior Kaspar Doroler vom 15. Oktober[87] und des kaiserlichen Botschafters Francisco de Toledo an Karl V. vom 26. Oktober[88] nahe. Gropper wurde gleich nach seinem Eintreffen mit Billick und acht Theologen der Löwener Universität in das Gremium der Konzilstheologen aufgenommen. Bald begann hier die Arbeit; am 15. Oktober wurden den Theologen Artikel der Häretiker „de poenitentia et extrema unctione" vorgelegt[89]; darüber wurde vom 20. bis zum 30. Oktober debattiert[90]. Johannes Gropper trug am Sonntag, 25. Oktober 1551, sein Votum über die das Bußsakrament betreffenden Artikel in der nachmittäglichen Zusammenkunft der Theologen vor[91]. Er gab damit in Trient ein glänzendes Debüt; der Konzilssekretär Angelo Massarelli vermerkte am Ende der vierstündigen Rede im sonst so spröden Protokoll: „Et cum diserte admodum ipsos articulos examinasset et maxima cum attentione ac plausu auditus fuisset, pulsata iam hora 24 dimittitur congregatio"[92]. Dieses Votum Groppers wird im folgenden im Rahmen der Themenstellung ausgewertet.

Ähnlich wird mit dem Votum Groppers vom 14. Dezember 1551 verfahren; Gropper prüfte an diesem Tag in vier Stunden Redezeit zehn Artikel der Reformatoren über das Meßopfer[93]. Diese waren zusammen mit sechs aus reformatorischen Schriften exzerpierten Artikeln zum Weihesakrament den Theologen am 3. Dezember zur Prüfung vorgelegt worden[94]. Die beiden Kölner Theologen nahmen anscheinend eine Arbeitsteilung vor; denn Eberhard

---

[85] CT VII/1, 212, 26 u. 214, 15 u. 17.
[86] H. Jedin, Die deutschen Teilnehmer am Trienter Konzil, 251f.
[87] A. Postina, Eberhard Billick, 203 (Nr. 126).
[88] CT XI 681, 18—29.
[89] CT VII/1, 233, 9—240, 10.
[90] CT VII/1, 241, 1 — 287, 28.
[91] CT VII/1, 265, 15 — 269, 12.
[92] CT VII/1, 269, 11f.
[93] CT VII/1, 405, 27—408, 20. Dieses Votum Groppers wird im Konzilstagebuch des Naumburger Bischofs Julius Pflug knapp skizziert; Stiftsbibliothek Zeitz, Nachlaß Pflug, Katalog S. 34 (Nr. 14⁰), p. 20—22; H. Jedin, Das Konzilstagebuch des Bischofs Julius Pflug von Naumburg 1551/52, 22—29 (Darstellung) u. 29—43 (Edition); dort: 37f. In der Zeitzer Quelle finden sich im Anschluß an das Konzilstagebuch (p. 1—36) ebenfalls aus Pflugs Feder (p. 36—51): „Gropperi verba, quibus confirmavit, missam esse oblationem pro peccatis." Dazu: H. Jedin, Das Konzilstagebuch des Bischofs Julius Pflug von Naumburg 1551/52, 27f.
[94] CT VII/1, 375, 7—378, 12.

Billick referierte am 16. Dezember über die „de ordine" vorgelegten Thesen, welche Gropper nicht behandelt hatte[95].

Ein Zeugnis der guten Zusammenarbeit Groppers mit Billick dürften auch die Gutachten sein, die der Kölner Erzbischof dem Konzilssekretär Massarelli am 7. Januar schriftlich übergeben ließ[96]; sie wurden von diesem am 14. Januar vormittags in der Generalkongregation verlesen[97]. In diesen Gutachten nahm der Kölner Erzbischof Stellung zu den von den Theologen bereits diskutierten Artikelreihen („Canones") über das Meßopfer und das Weihesakrament sowie zu dem am 3. Januar vorgelegten Entwurf einer Doktrin, worin Weihesakrament und Meßopfer eng miteinander verknüpft wurden, was mit der allen Stufen des Weihesakramentes gemeinsamen Hinordnung auf Verwaltung und Feier der Eucharistie begründet wurde[98]. Obwohl die von Erzbischof

[95] CT VII/1, 409, 5—410,40; Stiftsbibliothek Zeitz, Nachlaß Pflug, Katalog S. 34 (Nr. 14 [0]), p. 23f.; H. Jedin, Das Konzilstagebuch des Bischofs Julius Pflug von Naumburg 1551/52, 38.

[96] CT VII/1, 443, 3 (mit Anm. 1). Die Titel der einzelnen Gutachten lauten: „Sententia R[everendissi]mi D[omi]ni Archiep[iscop]i Colonien[sis] super articulis de sacrificio missae et sacramento ordinis per D[omi]nos Theologos examinatis, an videlicet haeretici sint et per sanctum synodum damnandi"; Archivio Segreto Vaticano, Conc. Trid. 18 (Arm. LXII), f. 8r—13r; bezieht sich auf: CT VII/1, 375, 7—378, 12. „Elect[or] Colonien[sis] super doctrina de missa et ordine die 7. Januarij 1552"; Archivio Segreto Vaticano, Conc. Trid. 18 (Arm. LXII), f. 234r—240r; dieses und das folgende Gutachten beziehen sich auf den in Anm. 98 beschriebenen Entwurf der Lehrvorlage. „Item de doctrina confecta pro sacramento ordinis, quam brevissime dicemus, ut etiam alijs relinquamus locum"; Archivio Segreto Vaticano, Conc. Trid. 18 (Arm. LXII), f. 241r—245v. Eine unzulängliche Edition der drei Gutachten findet sich bei: W. v. Gulik, Johannes Gropper, 245—260; W. v. Gulik ist es mißlungen, die Gutachten in den historischen Ablauf der Konzilsverhandlungen richtig einzuordnen (Ebd., 153—155). Die beiden zuletzt genannten Gutachten liegen auch in einer geringfügig abweichenden Überlieferung vor: „Censura Reverendissimi Domini Coloniensis in doctrinam conceptam pro sessione celebranda in die conversationis sancti Pauli"; C. L. Hugo, Sacrae antiquitatis monumenta, p. 286—292; J. Le Plat, Monumentorum collectio IV 405—412. „Item de doctrina conserta pro sacramento ordinis, quam brevissime dicemus, ut etiam aliis relinquamus locum" C. L. Hugo, Sacrae antiquitatis monumenta, p. 292—296; J. Le Plat, Monumentorum collectio IV 412—417. Vermutlich hat Charles Louis Hugo bei seiner Edition eine handschriftliche Vorlage aus dem Nachlaß des Bischofs Nicolaus Pseaume von Verdun benutzt, die aber nicht erhalten scheint. Die Gutachten werden nach der handschriftlichen Fassung im Vatikanischen Archiv zitiert.

[97] CT VII/1, 459, 4—7.

[98] Dieser Entwurf ist nur in einer Handschrift mit Korrekturen des Wiener Bischofs Friedrich Nausea erhalten; er muß aus dem Apparat der in CT VII/1, 475, 11—483, 14 (Meßopfer) u. 483, 15—489, 24 (Weihesakrament) gedruckten, bereinigten Fassung vom 20./21. Januar 1552 erschlossen werden. Nach einer Notiz des kaiserlichen Botschafters am Konzil, Francisco de Toledo, vom 29. Dezember 1551 ist dieser Entwurf seit dem 26. 12. von

Adolf von Schaumburg überreichten Gutachten wahrscheinlich nicht ausschließlich ein Werk Groppers sind, verraten sie doch auf weite Strecken dessen Federführung; für die Untersuchung können sie, zumal bei dogmatischen Fragen, mit Gewinn eingesehen werden.

Schließlich soll aus Groppers Trienter Wirksamkeit die Predigt beachtet werden, die der Kölner am Dreikönigsfest vor den Konzilsvätern hielt. Erzbischof d'Aragon, der Oberhirte von Oristano auf Sardinien[99], übte an diesem Tage die Pontifikalfunktionen im Konzilsamt aus[100]. Groppers Predigt faszinierte den Kardinal Cristòforo Madruzzo von Trient offenbar so sehr, daß dieser sie auf der Stelle in Druck geben wollte[101]; Gropper aber verweigerte dem seine Zustimmung; er wollte verhüten, daß eine sofortige Veröffentlichung der Predigt, zumal sie scharfe Worte gegenüber den Protestanten enthielt, den laufenden Einigungsbemühungen Schaden zufügte. Erst später, allerdings noch 1552, ließ er sie bei Gennep in Köln verlegen[102].

Die fruchtbare Arbeit des Trienter Konzils geriet ins Stocken, als zwei Tage vor der fünften Session des Konzils die Behandlung der Texte über die Messe und das Weihesakrament durch das Konzilspräsidium suspendiert und statt dessen die Frage der Zulassung der Protestanten auf die Tagesordnung gesetzt wurde[103]. Tatsächlich wurde am 25. Januar 1552 das freie Geleit für die protestantischen Theologen förmlich beschlossen[104]. Faktisch war dieser Beschluß schon am Tage überholt, als er zustande kam. Bereits am 15. Januar 1552 war auf Schloß Chambord jenes Vertragsdokument, das den Ausbruch der deutschen Fürstenrevolution ermöglichte, vom französischen König Heinrich II. unterzeichnet worden; es war zu Lochau in Sachsen zwischen dem französischen Bevollmächtigten Jean de Fresse, Bischof von Bayonne, und den deutschen Fürsten Moritz von Sachsen, Wilhelm von Hessen und

mehreren Theologen ausgearbeitet worden. Toledo nennt Luigi Lippomani, Ruard Tapper, Bartholomé Carranza, M. Olave, M. Cano und „los doctores Colonienses", also Billick und Gropper (CT XI 741, 25—742, 2). An der Richtigkeit dieser Angabe äußert H. Jedin (Geschichte des Konzils von Trient III 524, Anm. 26) begründeten Zweifel.

[99] C. Eubel, Hierarchia catholica III 115.
[100] CT VII/1, 441, 18—21.
[101] Bezeugt durch einen Brief Billicks an Prior Doroler vom 25. Januar 1552. A. Postina, Eberhard Billick, 205 (Nr. 132).
[102] Zusammenstellung der bisher bekannten Drucke: J. Meier, Johannes Groppers Predigt vor den Trienter Konzilsvätern, 145f., Anm. 95; neu ediert in: CT VII/2, 37, 24—48, 37.
[103] CT VII/1, 461, 26—475, 4.
[104] CT VII/1, 494, 32—496, 18. Anwesenheit der Kölner Delegation: Ebd., 497, 2f. u. 499, 9f.

Johann-Albrecht von Mecklenburg bzw. deren Unterhändlern ausgehandelt und durch Albrecht-Alkibiades von Brandenburg-Kulmbach nach Frankreich überbracht worden. Die lange Entwicklung bis zum Vertragsabschluß war gegenüber dem Kaiser fast bis zum letzten Augenblick geheim gehalten worden; wohl war man bei Hof seit dem Herbst 1551 mißtrauisch[105]. Der Kaiser aber „hat damals wie gebannt nach Trient geblickt und alles andere außer acht gelassen. Er sah nicht oder wollte nicht sehen, was sich in Deutschland gegen ihn zusammenzog. In fast unbegreiflicher Lethargie ließ er das Verhängnis auf sich zukommen"[106].

In Trient fanden bereits seit dem 25. Januar 1552 keine konziliaren Akte mehr statt; jedoch erst Ende Februar oder Anfang März scheinen Nachrichten über die Eskalation des Konfliktes durchgesickert zu sein. Dies veranlaßte die Kurfürsten von Köln und Mainz, Adolf von Schaumburg und Sebastian von Heusenstamm, aus Sorge um ihre Bistümer am 11. März 1552 die Rückreise von Trient nach Deutschland anzutreten[107]. Unterwegs scheinen sich die beiden Erzbischöfe von Teilen ihrer Begleitung getrennt zu haben. Sie weilten nämlich am 2. Mai 1552 bei Karl V. in Innsbruck; das geht aus einem Brief Eberhard Billicks hervor; Billick war um dieselbe Zeit — wie wahrscheinlich auch Gropper — schon zurück in Köln[108].

Einige Tage zuvor, am 28. April 1552, war in Trient das Konzil aufgelöst worden. Das Verlangen nach Einigung der streitenden Glaubensparteien, auf dem die seit 1544 so erfolgreich scheinende, auch von Johannes Gropper — unbeschadet einer kritischen Distanz — lebhaft unterstützte Religionspolitik des Kaisers basierte, entpuppte sich als illusionärer Wunsch. Wirklichkeit war die konfessionelle Spaltung der Kirche, deren Besiegelung im Passauer Vertrag (1552) und im Augsburger Religionsfrieden (1555) erfolgte[109].

---

[105] K. E. Born, Moritz von Sachsen und die Fürstenverschwörung gegen Karl V., 47—55.

[106] St. Skalweit, Reich und Reformation, 371.

[107] CT VII/1, 510, 17—21. Bereits im Dezember 1551 beabsichtigten der Mainzer und Trierer Erzbischof die Abreise von Trient. Papst Julius III. schrieb den beiden Kurfürsten am Vorabend des Weihnachtsfestes, sie sollten ihren Entschluß revidieren (J. Le Plat, Monumentorum collectio IV 362f.); ebenfalls am 24. 12. 1551 dankte er dem Kölner Erzbischof brieflich für die Entscheidung, in Trient zu bleiben (Ebd., 363f.). Ohne Erlaubnis des Papstes, aber im Einvernehmen mit dem Kaiser verließ der Trierer Kurfürst am 16. Februar 1551 den Konzilsort (CT VII/1, 507, 17—20, mit Anm. 2).

[108] A. Postina, Eberhard Billick, 206 (Nr. 135).

[109] Die Entwicklung der kaiserlichen Politik in den Jahren zwischen 1552 und 1555 ist ausführlich gewürdigt worden in der auch die andern europäischen Mächte berücksichtigenden Monographie von: H. Lutz, Christianitas afflicta.

3. Zwischen 1553 und 1559 entstandene Arbeiten Groppers

War seit dem gescheiterten Reformationsversuch des Kurfürsten Hermann von Wied ein Abnehmen der Bereitschaft Groppers zu erkennen, Verständnis für Fragestellungen aufzubringen, die von den Theologen der Reformation aufgeworfen worden waren, so bewahrte der Kölner Theologe doch inmitten der in Trient 1551/ 1552 repräsentierten Vielfalt theologischer Strömungen einen zugleich besonnenen und offenen Standpunkt; er versäumte nicht, vor der großen Kirchenversammlung zu betonen, daß neben der Klärung strittiger dogmatischer Probleme dringend eine durchgreifende, von innen kommende „reformatio ecclesiae" erforderlich sei; diesem Ziel hatte Groppers Arbeit in den Vorjahren gegolten. Die in Ansätzen gelungene Verwirklichung seiner Konzeptionen hatte Gropper bis 1552 eine gewisse Zuversicht gewinnen lassen, die ihn trotz einer deutlich negativen Bewertung seiner Zeit vor Schwarzseherei bewahrte.

Das durch die politische Entwicklung erzwungene Scheitern der kaiserlichen Religionspolitik — auch in der Suspension des Trienter Konzils am 28. April 1552 signalisiert — ließ Groppers Optimismus dahinschwinden. In den knapp sieben Lebensjahren, die ihm noch verblieben, erhob der Kölner Theologe rigoroser als früher seine Reformforderungen, so daß diese zunehmend wirklichkeitsfremd wurden. Der folgende Ausblick auf die zwischen 1553 und 1559 entstandenen Arbeiten Groppers wird dies ein wenig verdeutlichen.

Seit der Fürstenrevolution im Frühjahr 1552 war die Lage Deutschlands nach außen von dem schwelenden Konflikt mit Frankreich gekennzeichnet, nach innen von den Forderungen der Protestanten nach Aufhebung des Interims, Einberufung einer Nationalsynode und dauerndem Religionsfrieden sowie von der im Passauer Vertrag seitens des Kaisers zugestandenen Aussicht auf endgültige Regelung der Religionsfrage durch den nächsten Reichstag. Johannes Gropper beurteilte diese Situation sehr pessimistisch. Als Papst Julius III. im Frühjahr 1553 den Kardinallegaten Girolamo Dandino, „der die kuriale Diplomatie noch durchaus im Stadium renaissancehaften, nur politischen Kalküls verkörpert"[1], zum Kaiser nach Brüssel abordnete, unterließ es der inkognito reisende Gesandte nicht, in Köln am Feste Christi Himmelfahrt (11. Mai) seine Fahrt zu unterbrechen; auf Vermittlung von Lodovico Firmani, der als Zeremoniar der Begleitung des Kardinals angehörte und mit Gropper aus Trienter Tagen „familiarissimus" war, kam ein Besuch Dandinos bei Gropper zustande. In einem langen Ge-

[1] H. Lutz, Christianitas afflicta, 255.

spräch gab der Kölner Theologe eine düstere Prognose für die Lage der deuschen Katholiken, wie der Legat noch am selben Tag an Kardinal Innocenzo del Monte, den Leiter des Staatssekretariates[2], schrieb[3]. Gropper beschenkte seinen Gast mit einem friesischen Reitpferd und zeigte ihm den Dom, St. Gereon, St. Ursula, St. Andreas und andere Sehenswürdigkeiten Kölns, „que quidem est altera Roma"[4].

Gelegenheit, sein Urteil über die politischen und religiösen Verhältnisse Deutschlands schriftlich zu fixieren, fand Gropper, als Kurfürst Adolf von Schaumburg ihn — vermutlich in Zusammenhang mit den Beratungen über die Kölner Reichstagsinstruktion — Ende 1553 oder Anfang 1554 um ein Gutachten über die Behandlung der Religionsfrage auf dem künftigen Reichstag bat[5]. Aus grundsätzlichen Erwägungen lehnte es Gropper in seiner Stellungnahme ab, die Einheit der Kirche auf dem Wege eines Religionsgespräches, eines Reichstages oder eines Nationalkonzils wiederherstellen zu wollen. Allein das allgemeine, ökumenische Konzil kann seiner Meinung nach für dieses Ziel etwas tun; deshalb sind alle Anstrengungen auf die Fortsetzung des Konzils zu richten, welche nur unter der Voraussetzung eines Friedens zwischen dem Kaiser und dem König von Frankreich denkbar ist, wofür wiederum die Reichsstände, namentlich die geistlichen Kurfürsten, ihre Vermittlungsdienste einsetzen sollen. In der Zwischenzeit bis zum Konzil soll jeder Bischof in seiner Diözese den Pflichten seines Amtes genügen und den Glauben, die katholische Religion und die kirchlichen Überlieferungen schützen. Als letzten Ausweg gesteht Gropper dem Reichstag eine Nichtangriffsvereinbarung zwischen

[2] Innocenzo del Monte war ein Adoptivsohn von Baldovino del Monte, einem Bruder des Papstes.

[3] NBD I/13, 249—252; dort: 251f.: „Qui in Colonia ho visto il Gropero, il quale certo merita molto da ogni parte. Non potrei dire la reverentia et devotione, che porta a N. S. et alla sede apostolica. Ancora da esso ho ritratto, che le cose di Germania stanno male et che, se l' imperatore seguitarà di stare occupato senza potervi provedere et tener l' occhio e la mano, andaranno di male in peggio, massime per quel che spetti allo stato delli ecclesiastici et alla religione . . ."

[4] G. Kupke, Bericht über die Reise, 89—91; das Zitat: 90.

[5] Das Gutachten ist in einer — offenbar aus der römischen Zeit Groppers stammenden — geringfügigen Überarbeitung nach einer laut H. Lutz ziemlich schlechten Kopie (Archivio Segreto Vaticano, Nunziatura di Germania 84, f. 177r—178v) von W. Schwarz (Römische Beiträge, 408—412) ediert worden; H. Lutz (Reformatio Germaniae, 222) hat in der Biblioteca Ambrosiana zu Mailand (Cod. H 108 inf., f. 154r—159v) eine andere Ausführung entdeckt; Lutz (Ebd., 241, Anm. 69) plädiert gegen Lipgens, der als Entstehungszeitpunkt 1552 annimmt (Kardinal Johannes Gropper, 215 u. 229), für eine Datierung ins Vorfeld des Augsburger Reichstages, wo zu den im Gutachten aufgeworfenen Fragen Stellung zu nehmen war.

katholischen und protestantischen Ständen zu. „Sed permittere, cuique credere pro animi sui libidine aut omnem inquisitionem super haeresim e medio tollere, plane impium et nefarium esse censeo"[6].

Diese Vorstellungen Groppers scheinen nicht ohne Einfluß auf den Kurs des Kölner Kurfürsten in den Auseinandersetzungen zwischen den Reichsständen geblieben zu sein. Köln leistete hier von einem unverbrüchlich kirchlich-konservativen Standpunkt aus den hartnäckigsten Widerstand gegen die protestantischen Forderungen. Die nicht erhaltene Kölner Reichstagsinstruktion hat anscheinend weitgehend die Position Groppers übernommen und vor jeder Beschränkung der geistlichen Jurisdiktion der katholischen Bischöfe über die Untertanen protestantischer Fürsten gewarnt[7]. Gleichwohl zeigte der Verlauf des Augsburger Reichstages (1555) alsbald, daß eine solch konsequente Auffassung nicht mehr in die Wirklichkeit umzusetzen war. Das Ziel des Reichstages war ein kirchenpolitischer Dauerfrieden zwischen den nach Konfessionen geschiedenen Reichsständen; dieses Ziel verlangte von beiden Seiten Zugeständnisse; es konnte nach langwierigen, weit mehr juristisch als theologisch bestimmten Verhandlungen in dem am 25. September 1555 mit dem Abschied des Reichstags veröffentlichten Augsburger Religionsfrieden erreicht werden. Mit ihm wurde für das Reich, freilich nicht für die einzelnen in ihm zusammengeschlossenen Territorialstaaten die Einheit der Religion aufgegeben.

Es kann nicht überraschen, daß Johannes Gropper den Augsburger Religionsfrieden, der seinen Anschauungen fast durchgängig widersprach, außerordentlich negativ bewertete[8]. Seine Haltung wurde in den kirchlichen Kreisen Kölns geteilt, wie eine im Frühjahr 1556 ausgearbeitete Stellungnahme des Kölner Domkapitels zum Entwurf der Instruktion des Kurfürsten für den Regensburger Reichstag andeutet[9]; darin bestand das Kapitel auf einer Revision des Augsburger Religionsfriedens, weil dieser den Weg zur kirchlichen Einheit versperre und in die Zuständigkeit des allgemeinen Konzils eingreife. Natürlich konnte sich diese Auffassung anderen Ortes nicht durchsetzen; immerhin dürfte sie in Köln das Vor-

---

[6] W. Schwarz, Römische Beiträge, 412.

[7] H. Lutz, Christianitas afflicta, 240 (mit Anm. 166).

[8] Gropper schrieb Ende Januar 1556 in einem Brief an Kaspar Hoyer (W. Schwarz, Römische Beiträge, 412—422; dort: 416: „... nostra Germania, quae olim Christianitatis singulare munimentum et velut antemurale quoddam fuit, gravioribus discordiis et horribilioribus dissidiis etiam nunc publico imperii decreto infausto omine confirmatis laboravit foediusque discerpta fuit, ut iam velut regnum contra se ipsum tam varie divisum certissimam et extremam ruinam minitetur."

[9] Näheres bei: H. Lutz, Christianitas afflicta, 440, Anm. 121.

gehen der katholischen Obrigkeit gegen die oppositionellen, lutherischen Kräfte in der Bürgerschaft inspiriert haben; der führende
Kopf der Protestanten, der aus den Niederlanden stammende Universitätslehrer Justus Velsius, wurde 1556 aus der Stadt ausge-
wiesen[10].

Gropper wandte sich um diese Zeit wieder seinem wichtigsten
Metier zu, der theologischen Forschung[11]. Er erarbeitete eine umfangreiche Monographie über das Sakrament der Eucharistie in
deutscher Sprache; darin behandelte er folgende Themenkreise:
Die durch Konsekration von Brot und Wein gegebene permanente,
substantiale Realpräsenz Christi; die Anbetungswürdigkeit Christi in den eucharistischen Gestalten; schließlich die Frage des
Empfangs der Kommunion unter einer Gestalt. Groppers Spätwerk
erschien 1556. Bis heute harrt es einer eingehenden theologiegeschichtlichen Untersuchung[12]. Noch die historische Forschung unseres Jahrhunderts setzte als Erscheinungsjahr des Buches fälsch-

---

[10] Die Schwierigkeiten mit Velsius hatten 1554 begonnen; in diesem Jahr erschien dessen Schrift „Κρίσις sive verae christianaeque philosophiae compro-
batoris atque aemuli et sophistae per comparationem descriptio". Ein auf
Ersuchen Eberhard Billicks ausgefertigtes Urteil der theologischen Fakultät
der Universität Löwen erklärte das Buch für „impius, famosus, seditiosus et
de haeresi violenter suspectus talemque reddens suum authorem" (J. F. Foppens, Bibliotheca Belgica II p. 789). Die Beschwerden der Kölner Universität
gegen das Buch wurden dem Autor bei einem Verhandlungstermin im Hause
Groppers vorgetragen (H. Keussen, Regesten und Auszüge zur Geschichte der
Universität Köln, 485). Mitte Juni des folgenden Jahres 1555 legte Gropper
29 Artikel zur Überprüfung der Rechtgläubigkeit von Velsius vor, nachdem
dieser ein häresieverdächtiges „Scriptum de ratione seu via humanae vitae,
hoc est, de hominis beatitudinibus" herausgegeben hatte (Meuser, Zur Geschichte der Kölnischen Theologen II/2, 83—87). Obwohl mittlerweile in
Haft, gab Velsius seine publizistische Arbeit nicht auf. Am 20. März 1556
fiel im Inquisitionsprozeß das Urteil, welches ihn als Ketzer aus Stadt und
Erzbistum Köln verwies. Es wurde in der Nacht vom 26. zum 27. März 1556
vollzogen. Erst später setzte sich Velsius in seiner „Apologia contra haereticae
pravitatis appellatos inquisitores eorumque captiosa de fide ipsi proposita
interrogatoria" mit Groppers Artikeln beiläufig und ziemlich polemisch auseinander.

[11] In dem in Anm. 8 zitierten Brief (Ebd., 421) schreibt Gropper, nachdem er
kurz den Fall Velsius gestreift hat: „Neque tamen hoc me vel tantillum in
officio faciet cessantem, quin magis exstimulabit, ut praeter alios conatus,
quem adversus hunc pestilentissimum errorem de veritate corporis Christi in
eucharistia deque eius adoratione et reservatione sacramenti sumptioneque
eius sub altera specie bene longum librum lingua germanica, ut laicis (quorum
seductio iam latissime se porrigit) consulerem, iam dudum scribere coepi, quam
primum potero absolvam et in publicum utinam aliquibus profuturum edam."

[12] Die knappen Beschreibungen bei W. v. Gulik (Johannes Gropper, 133f.) und
W. Lipgens (Kardinal Johannes Gropper, 182—184) sind auf keinen Fall
ausreichend; zwar kann über sie hier hinausgegangen werden; doch verdient
das Werk noch eingehendere Analysen durch die künftige Gropper-Forschung.

lich das Jahr 1547 an[13]; Lipgens hat das Verdienst, diesen Irrtum korrigiert zu haben[14].

Unter vielen Aspekten fallen beim Vergleich dieses Spätwerkes Groppers mit seinen beiden früheren Hauptwerken, dem „Enchiridion" von 1538 und der „Institutio catholica" von 1550, Unterschiede und Wandlungen auf. An erster Stelle ist hier die deutschsprachige Abfassung zu erwähnen[15]. Allerdings scheint Gropper selbst die Absicht gehabt zu haben, auch eine lateinische Übersetzung vorzulegen[16]; als er wegen dringlicher anderer Aufgaben nicht dazu kam, besorgten dies Christoph Kassian (1559) und Laurentius Surius (1560)[17] für ihn. Das Spätwerk des Kölners scheint in der

---

[13] W. v. Gulik, Johannes Gropper, 133 u. 179 (Nr. 10). Auch: H. Hurter, Nomenclator II 1419—1423; dort: 1422f. Vgl. schon: J. Hartzheim, Bibliotheca Coloniensis, 177. W. v. Gulik hat übersehen, daß Gropper in seiner Antwort auf die gegen ihn vor der Inquisition erhobene Anklage selbst davon spricht, „postremo librum magnum de ‚sacramento altaris'" geschrieben zu haben (W. Schwarz, Römische Beiträge, 598—606; dort: 598).

[14] W. Lipgens, Kardinal Johannes Gropper, 183, Anm. 12. Über die von Lipgens genannten Gründe hinaus spricht eine Fülle inhaltlicher Kriterien für die Datierung auf 1556.

[15] Das Werk trägt den Titel „Vonn warer, wesenlicher und pleibender gegenwertigkeit...". Es erschien bei Jaspar von Gennep in Köln; bisher wurden 46 Exemplare festgestellt; das von mir benutzte Exemplar der Bayerischen Staatsbibliothek München (Signatur: 2⁰ Polem. 94) hat einen Besitzeintrag des Münchner Jesuitenkollegs von 1578 mit einem Approbationsvermerk von Petrus Canisius.

[16] Diese Information stammt aus dem Vorwort von Laurentius Surius zu der in Anm. 17 vorgestellten zweiten lateinischen Übersetzung des Werkes Groppers (a 2 v). Das auf den 19. August 1560 datierte Vorwort ist Johannes Gropper jun. gewidmet, dem ältesten Sohn von Johannes Groppers jüngerem Bruder Gottfried (1507—1571). Johannes Gropper jun. hatte 1559 anstelle des in Rom weilenden Kaspar Gropper das Amt des Scholasters an St. Gereon übernommen und auch die Bibliothek seines Onkels Johannes Gropper geerbt (Ebd., a 4 r).

[17] Die Übersetzung von Christoph Kassian erschien unter dem Titel „De praestantissimo altaris sacramento..." in zwei Bänden 1559 bei Gennep in Köln (20 festgestellte Exemplare) und bei Jean Bellère in Antwerpen (15); Jean Bellère druckte von 1553 bis 1559 (R. A. Wilson, Short-title Catalogue, 220). Aus Unzufriedenheit mit der Übersetzung Kassians (Vorwort, a 2v — a 3v) fertigte Laurentius Surius bis zum folgenden Jahr eine zweite Übersetzung unter dem Titel „De veritate corporis et sanguinis Christi..." an; sie erschien im Verlagshaus Quentel, wo mehr als zwei Jahrzehnte zuvor Groppers Erstlingswerk, das „Enchiridion", herausgekommen war. Nach dem Tode Peter Quentels (1546) hatte zunächst dessen Sohn Johann die Druckerei geführt; er starb bereits 1551; bis 1557 führte die Witwe Johann Quentels das Geschäft; 1557 heiratete diese erneut; ihr zweiter Gatte Gerwin Calenius brachte Verlag und Offizin zu einer neuen Blüte; 1579 wurde er Ratsherr der Stadt Köln (J. Benzing, Die Buchdrucker, 226, Nr. 37 u. 229, Nr. 51). Von der Übersetzung der Eucharistie-Monographie durch L. Surius wurden bisher 39 Exemplare festgestellt.

zeitgenössischen katholischen Theologie keine unfreundliche Aufnahme gefunden zu haben; als im Sommer 1562 das Trienter Konzil über die Eucharistielehre debattierte, wurde mehrfach auf die Monographie Groppers Bezug genommen[18]. Auszüge der Schrift wurden 1566 ins Französische übersetzt und in Paris veröffentlicht[19]. Noch 1578 erschien ein Nachdruck der von Christoph Kassian besorgten lateinischen Übersetzung im Antwerpener Verlagshaus von Jean Bellère[20]. Größere Nachwirkungen über diesen Zeitpunkt hinaus scheint das Werk allerdings nicht ausgeübt zu haben[21].

Über die Absichten, die Gropper mit der Herausgabe der Schrift verbunden hat, gibt das Vorwort[22] hinreichend Aufschluß. Grop-

---

[18] In seiner am 15. Juni 1562 abgegebenen Stellungnahme zu den Artikeln über die Eucharistie scheint Petrus Canisius einige sonst nicht überlieferte Verse des Abtes Rodulf von St. Trond (in Lüttich) zitiert zu haben (CT VIII 557, 8—558, 26, bes. 558, Anm. 2), die er der Eucharistiestudie Groppers entnahm (CT VIII 616, Anm. 1; Vonn warer, wesenlicher und pleibender gegenwertigkeit, f. 411v—412r; De veritate corporis et sanguinis Christi, p. 661); Gropper beruft sich dabei auf Johannes Trithemius. Am 8. Juli 1562 verwies Bischof Pietro Camaiani von Fiesole in der Generalkongregation bei Behandlung derselben Artikel und der Lehrvorlage über die Eucharistie auf Groppers Werk, speziell auf eine darin vorgebrachte Widerlegung Melanchthons (CT VIII 666, 32—34 mit Anm. 4). Am 11. August 1562 äußerte sich Erzbischof Giovanni Battista Castagna von Rossano mit einer Empfehlung von Groppers Werk (CT VIII 758, 27—760, 36; dort: 759, 35). Der aus Spanien gebürtige Bischof von Alife in Süditalien, Diego de Nogueras, schenkte während seines Konzilsaufenthaltes dem Trienter Franziskaner Giovanni Lobera ein Exemplar von Groppers Werk in der Übersetzung Kassians (J. Meseguer Fernandez, Biblioteca del Conde de Luna, 672f., Anm. 1).

[19] N. Chesneau, Recueil des Passages. Das Werk erschien 1566 bei Claude Frémy in Paris, der dort von 1552 bis 1579 druckte und sich dabei auf kontrovers-theologische Schriften spezialisierte (Ph. Renouard, Répertoire, 158f.; ders., Les marques, 100). Der Übersetzer Nicolas Chesneau (1521—1581), Kanoniker und Doyen an St. Symphorien in Reims, verfaßte humanistische Essays und historische Abhandlungen. Gleichzeitig mit der Übersetzung von Teilen der Schrift Groppers veröffentlichte er eine Übersetzung des deutschsprachigen Werkes über die Messe (1555) von Johann Fabri von Heilbronn.

[20] Der Titel lautete unverändert „De praestantissimo altaris sacramento"; drei Exemplare des zweibändigen Werkes ließen sich bislang ermitteln.

[21] Immerhin urteilte noch Louis Ellies Du Pin (1657—1719), der dem Jansenismus zuneigende Pariser Theologe, sehr vorteilhaft über Groppers Werk. Nach einem ausführlichen Referat des Inhalts der Eucharistiestudie äußerte er (Nouvelle bibliothèque XVI p. 19f.; dort: p. 20): „Gropper traite ces matieres avec beaucoup de methode et de solidité: les seuls principes, sur les quels il s' appuïe, sont l' Ecriture sainte, la tradition des saints Peres et les decisions des Conciles. Il n' incidente point sur des contestations personelles et particulieres, et s' arrête uniquement à prouver le dogme. C' est un des bons ouvrages de controverse, que nous aïons."

[22] Vonn warer, wesenlicher und pleibender gegenwertigkeit, a ijr—a iiij v (Vorwort; nicht foliiert).

per erklärt darin, daß unter allen Irrlehren, die die Reformatoren verbreitet hätten, keine so verführerisch sei wie die über die heilige Eucharistie. Wohl sei es so, daß die Häretiker am wichtigsten Punkt, nämlich in der Frage der wahren Gegenwart Christi im Sakrament, untereinander zerstritten seien; während nämlich die Lutheraner immerhin für den Zeitpunkt des Empfangs des Abendmahls die Gegenwart Christi in den Gestalten von Brot und Wein annähmen, leugneten die Zwinglianer sie vollständig. Im übrigen aber seien sich Lutheraner und Zwinglianer in ihren bösen Zielen einig. Sie lehnten die auf der Konsekrationshandlung beruhende Transsubstantiation von Brot und Wein in den Leib und das Blut Christi, folglich auch die Aufbewahrung des Sakramentes, seine Austragung an die Kranken und die Anbetung Christi im Sakrament samt und sonders ab; auch behaupteten sie, die von den Katholiken geübte Weise des Kommunionempfanges unter einer Gestalt stehe in offenkundigem Gegensatz zum Willen des Herrn. All dies bedeutet für Gropper eine vehemente Herausforderung der katholischen Kirche und ihrer Theologie.

Das Geheimnis der Eucharistie ist, so fährt Gropper fort, auch schon von früheren Ketzern mißachtet worden; er nennt Berengar von Tours, die Waldenser und John Wiclif. Gegen diese und gegen ihre zeitgenössischen Nachfahren habe schon mancher angesehene und sachkundige Theologe zur Feder gegriffen. Indessen hätten die zur Zeit greifbaren einschlägigen Abhandlungen den Nachteil, daß sie von den Laien nicht verstanden würden, weil sie in lateinischer Sprache geschrieben seien; gerade aber auf die Laien hätten es die Häretiker abgesehen. Ein Nachteil der bisher zur Frage erschienenen katholischen Literatur sei auch, daß sie zu wenig mit der Heiligen Schrift argumentiere, während die Gegner sich nicht scheuten, die Bibel für sich zu beanspruchen; so werde dem fatalen Eindruck vorgearbeitet, daß die Lehre der Kirche im Gegensatz zum Neuen Testament stehe. Außerdem habe sich das Interesse bislang zu einseitig dem Problem der Realpräsenz zugewendet; auch Gropper will sich gebührend ausführlich damit befassen[23]; daneben aber will er sich auch mit der Aufbewahrung der Eucharistie[24], mit der Anbetung Christi im Altarsakrament[25] und mit der Rechtmäßigkeit des Kommunionempfangs unter einer Gestalt[26] beschäftigen — zum Nutzen aller, die in ihrem Glauben unsicher geworden sind.

---

[23] Vonn warer, wesenlicher und pleibender gegenwertigkeit, f. 3r—257r.

[24] Vonn warer, wesenlicher und pleibender gegenwertigkeit, f. 259r—290v.

[25] Vonn warer, wesenlicher und pleibender gegenwertigkeit, f. 291v—330v.

[26] Vonn warer, wesenlicher und pleibender gegenwertigkeit, f. 331r—448r. Polmans Bemerkung (L'Élément historique, 441f.), daß bei Gropper die Real-

Über die Methoden, nach denen sein Werk angelegt ist, bemerkt Gropper, daß er sich „befleissigen will, erstlich die heilige Schrifft / darnach aber den gemeinen verstant derselbigen / on zweiffel uß einsprechen des H. Geists herflossen / das ist die wunderbarliche eynhellige zusammen stymmung der heiliger Våtter / und die Tradition Algemeyner Christlicher Kirchen / wie die von den H. Apostolen her durch die stetige und unzerstreute Succession und afftfolgung der ordenlicher Vorweser / als von hånden zu hånden uff uns kommen ist / so vil mir Got gnad verleihen wirdt / zum verstendtligsten eynzufüren"[27]. Tatsächlich geht Gropper regelmäßig so vor, daß er die einzelnen zur Erörterung anstehenden Punkte der kirchlichen Lehre über das Sakrament der Eucharistie zunächst aus der Bibel und dann aus dem Schrifttum der Kirchenväter zu stützen trachtet. Sein Ziel ist es, einen allgemeinen Konsens der Väter mit den Lehren der Kirche aufzuweisen und so die Auffassung der Reformatoren als irrig zu kennzeichnen. Dabei zeigt Gropper ein erstaunliches Gespür für die Unterschiedlichkeit der philosophischen Voraussetzungen bei den von ihm angerufenen Zeugen; er weiß sehr wohl um die inhaltlichen Wandlungen, denen bestimmte theologische Begriffe im Laufe der Dogmengeschichte unterworfen waren. Gerade aus diesem Vorverständnis heraus gelingt ihm eine plausible Begründung seiner Ansicht, daß die Aussagen der Kirchenväter über das Sakrament der Eucharistie am besten einzusehen sind in der Richtung der geschichtlichen Entwicklung dieser Lehre in der katholischen Kirche. Hervorzuheben ist auch, daß Gropper aus der Patristik keineswegs wahllos und unkritisch zitiert[28] sowie jeweils den Kontext der wiedergegebenen Stellen berücksichtigt[29].

präsenz das hauptsächliche Thema bildet, ist durchaus zuzustimmen; allerdings hätte Polman ergänzen sollen, daß die Frage der Kommunion unter einer Gestalt durch Gropper eine in ihrer Dichte unter der zeitgenössischen katholischen Kontroverstheologie geradezu einmalige Behandlung erfährt.

[27] Vonn warer, wesenlicher und pleibender gegenwertigkeit, a iiij r (Vorwort; nicht foliiert). Ebd. (f. 33v—35v) verweist Gropper auf das „Commonitorium" des Vinzenz von Lérins (ML 50, 637—686) als ein Werk, in welchem die Merkmale des wahren, in der Tradition der katholischen Kirche ausgebildeten Glaubens aufgezeigt und von der Häresie abgegrenzt werden.

[28] So bemerkt Gropper, andere katholische Theologen hätten gegen die Leugnung der Realpräsenz durch die Häretiker so unzuverlässige Quellen wie die apokryphe Clemens-Liturgie (MG 2, 603—616), den zweiten Brief des Papstes Clemens an den Herrenbruder Jakobus (Hinschius, 46—52) und die Passion des Andreas gemäß dem Bericht der Presbyter und Diakone Achaias (MG 2, 1187—1218) als Zeugnisse der Urkirche herangezogen. Darauf wolle er verzichten, andererseits aber nicht so „gar unverschampt" sein, an Dionysius und Ignatius zu zweifeln, wie das die Gegner täten (Vonn warer, wesenlicher und pleibender gegenwertigkeit, f. 41v—43r).

[29] P. Polman, L' Élément historique, 458—464.

Gegenüber den früheren Hauptwerken scheint die patristische Erudition des Kölner Theologen in der Monographie über die Eucharistie außerordentlich gewachsen. Geblieben ist die Bevorzugung Augustins, dessen unverdienter Benützung durch die Häretiker Gropper entgegenwirken will[30]. Schon Pontien Polman hat beobachtet, daß im Vergleich mit anderen Vertretern der katholischen Kontroverstheologie vor allem Johannes Gropper „montra pour l' évêque d' Hippone une prédilection spéciale"[31]. Tatsächlich ist Augustinus[32] gleichsam der Kronzeuge Groppers; er zitiert ihn mehr als doppelt so oft wie den in der Statistik folgenden Chrysostomus und etwa viermal so oft wie Ambrosius. Mit nochmals deutlichem Abstand folgen Cyrill von Alexandrien, Hieronymus, Cyprian, Gregor d. Gr. und Tertullian. Noch recht ansehnlich ist sodann die Verarbeitung von Basilius d. Gr., Irenäus von Lyon, Pseudo-Dionysius und Johannes Damascenus. Mit zwischen zehn und zwanzig Zitaten sind vertreten Theodoret von Cyrus, Theophylakt, Origenes, Eusebius von Cäsarea, Hilarius von Poitiers, Gregor von Nazianz, Hesychius von Jerusalem, Petrus Chrysologus, Eusebius von Emesa, Gregor von Nyssa, Euthymius von Zigabene und Epiphanius von Salamis. Mittelalterliche lateinische Autoren zitiert Gropper viel seltener als die Theologen der Antike; eine Ausnahme bildet allein Bernhard von Clairvaux; immerhin hat er auch bei Beda Venerabilis, Rupert von Deutz, Thomas von Aquin und Bonaventura einige Anleihen gemacht. Insgesamt werden von Gropper etwa 150 Autoren berücksichtigt. Außerdem beruft er sich auf vierzig verschiedene Konzilien und Synoden, darunter häufig auf die allgemeinen Kirchenversammlungen zu Nicäa (325) und Ephesus (431), auf das vierte Laterankonzil (1215) und auf die Konzilien zu Konstanz (1414—1418) und Basel-Ferrara-Florenz (1431—1442)[33]. Kanonistische Quellen zieht Gropper hingegen nur selten heran.

[30] Vonn warer, wesenlicher und pleibender gegenwertigkeit, f. 190v.

[31] P. Polman, L' Élément historique, 454.

[32] Von Augustinus zitiert Gropper bevorzugt die exegetischen Schriften „Enarrationes in psalmos", „In Johannis evangelium tractatus" und „De doctrina christiana", sodann „Contra Adimantum Manichaei discipulum", „Contra Faustum Manichaeum", „De civitate Dei", „De peccatorum meritis et remissione"; häufig verweist er auch auf Predigten und Briefe von Augustinus.

[33] Im Zusammenhang der Frage über die Rechtmäßigkeit der Kommunion unter einer Gestalt verwendet Gropper viel Mühe darauf, die historischen Hintergründe der Forderung der Böhmen nach dem Laienkelch aufzuhellen und so die Entscheidungen der Konzilien von Konstanz und Basel in dieser Sache zu erklären (Vonn warer, wesenlicher und pleibender gegenwertigkeit, f. 402r—406v).

Im Bewußtsein der vollzogenen konfessionellen Spaltung gibt Gropper in seinem Spätwerk die für seine früheren Schriften so charakteristische Scheu auf, die Reformatoren namentlich anzugreifen. Scharf grenzt er die katholische Lehre von den Positionen der Protestanten ab, wobei er die Polarisation nicht selten durch unmittelbare Gegenüberstellung des Dogmas und der abweichenden Auffassung der „Widersacher" fördert. Anders als das „Enchiridion" und die „Institutio catholica" ist die Schrift über die Eucharistie offen kontroversistisch geprägt. Dabei unterscheidet der Kölner sehr wohl innerhalb der Reformatoren; nicht ohne Spott spielt er zuweilen auf deren Zerrissenheit an. Luther bezeichnet er als „aller unser Widersacher obersten Hauptmann"[34]; allein, ihm kommt in der Auseinandersetzung nicht die wichtigste Rolle zu. Diese weist Gropper an Melanchthon, vielleicht weil ihm dessen mildere Färbung der reformatorischen Lehren besonders verführerisch erscheint; die alte, schon im „Enchiridion" bekundete Sympathie Groppers für Melanchthon ist nicht völlig erloschen; so würdigt er positiv Melanchthons Wertschätzung der Kirchenväter, insbesondere sein Zugeständnis, daß die Väter Zeugen des Glaubens sind, den die Christenheit durch alle Zeiten seit den Aposteln gehabt und bewahrt hat, und daß deshalb keine im Gegensatz zum Glauben der alten Kirche stehende Lehre eingeführt werden darf[35]; andererseits mißfällt Gropper, daß sich Melanchthon arrogant über den einhelligen, von Gestalten wie Laurentius und Tarzisius mit dem Blut besiegelten Glauben an die andauernde Gegenwart Christi in der konsekrierten Hostie hinwegsetzt und seine Meinung auf eine unzulängliche Definition des Sakraments gründet[36]. Wo der Name von Martin Bucer fällt, verlebendigt sich Groppers trübe Erinnerung an dessen „onn und wider meiner unnd aller frommen wissen und willen" erfolgte Berufung ins Erzbistum Köln und an „leydt unnd jammer / so daruß folgendts entstanden"; Bucer war, „als er noch lebt / under den Widersachern der scharpffest / spitzfündigst und

---

[34] Vonn warer, wesenlicher und pleibender gegenwertigkeit, f. 309v.
[35] Ebd., f. 241r/v. Gropper spielt hier an auf Melanchthons Büchlein „De ecclesia et de autoritate verbi Dei" (CR 23, 595—642; vgl. bes. 595f. u. 610). Vgl. auch „Responsio Philippi Melanthonis ad scriptum quorundam delectorum a clero secundario Coloniae Agrippinae" (nicht in CR; MW VI 381—421; vgl. bes. 393—395).
[36] Vonn warer, wesenlicher und pleibender gegenwertigkeit, f. 262r, 269v, 270r u. 274r. Dazu vgl. Melanchthon in „De usu integri sacramenti corporis et sanguinis Christi" (CR 23, 695—708; vgl. bes. 696f.) und in der „Responsio" von 1543 (MW VI 401f.). Gropper (Ebd., f. 311v—314v u. 325v—330v) rügt auch, daß Melanchthon die Sakramentsprozessionen ablehnt (MW VI 399—401), und ferner (Ebd., f. 353r u. ö.), daß Melanchthon die Kommunion unter beiden Gestalten fordert (CR 23, 697. 699. 706 u. ö.).

arglistigst"[37]. Recht genau kennt Gropper die Lehren von Huldrych Zwingli und Johannes Oekolampad; gegen die beiden Schweizer Reformatoren wendet er sich in polemischem Tonfall[38]. Nicht viel besser verfährt er mit Johannes Sleidanus, der sich in seinem „Lügenbuch" als „untrewer Verspeher diß H. Reichs sachen" erweise[39]. Auch gegen Johannes Brenz[40], Jean Calvin[41], Andreas Frycz Modrzewski[42] und Justus Velsius[43] setzt sich Gropper engagiert in Szene.

Mehrfach gibt Gropper zu erkennen, daß ihm das Urteil des Erasmus von Rotterdam sehr viel gilt, so etwa in Fragen der Authentizität patristischer Schriften[44]. Er ist Erasmus dafür dankbar, an der Realpräsenz und Anbetungswürdigkeit Christi im Altarsakrament nicht gerüttelt zu haben[45]. Obwohl Erasmus mit einigen der Reformatoren anfangs freundschaftlich verbunden gewesen sei und die ihn „wunder gern... uff ihre seytten gezogen" hätten, habe er sich doch nie dazu bringen lassen, in der Eucharistie nur ein „panem symbolicum" zu erblicken; Erasmus habe vielmehr am Glauben der Märtyrer, an den Lehren der Kirchenväter, an den Entscheidungen der Konzilien und an den Auffassungen der katholischen Universitäten in Treue festgehalten; die Reformatoren habe er als zänkische Menschen verachtet, die anders als er mit der christlichen Gemeinschaft gebrochen hätten[46]. Neben Erasmus

---

[37] Vonn warer, wesenlicher und pleibender gegenwertigkeit, f. 353v.
[38] Ebd., f. 140r; Oekolampad wird von Gropper hier als „der verplender Hausenschein" bezeichnet, wozu die Marginale erklärt: „Oecolampadij nam ist Hausenschein in teuscher sprach."
[39] Ebd., f. 353v.
[40] Ebd., f. 436r.
[41] Ebd., f. 442v.
[42] Ebd., f. 353r.
[43] Ebd., f. 445r.
[44] Ebd., f. 152r u. 209r.
[45] Gropper führt den Brief des Erasmus an Konrad Pellikan vom 15. Oktober 1525 an, der in einigen frühen Drucken unter dem Titel „Erasmi Roterodami de sacrosancta synaxi et unionis sacramento corporis et sanguinis Christi ad amicum expostulatio" erschien (H. M. Allen, Opus Epistolarum Desiderii Erasmi Roterodami VI 206—212; Nr. 1637); Vonn warer, wesenlicher und pleibender gegenwertigkeit, f. 310r. Außerdem zitiert Gropper (Ebd., f. 366v) den 1533 bei Froben in Basel erschienenen „Libellus de sarcienda ecclesiae concordia" von Erasmus (G. W. Panzer, Annales typographici VI 293, Nr. 913).
[46] Gropper erwähnt das ohne Wissen des Erasmus veröffentlichte Buch „Erasmi et Lutheri opiniones de coena Domini", von welchem sich Erasmus 1526 distanzierte, und zwar in der bei Froben publizierten „Detectio praestigiarum cuiusdam libelli germanici scripti ficto authoris titulo cum hac inscriptione: Erasmi et Lutheri opiniones de coena Domini" (G. W. Panzer, Annales typographici VI 254, Nr. 613). Außerdem nimmt Gropper Bezug auf das im selben Jahr erschienene Buch „Hyperaspistes Diatribae adversus servum arbitrium

schätzt Gropper auch andere Humanisten, so Johannes Reuchlin[47] und Johannes Trithemius[48]. Auffällig ist schließlich, daß der Kölner Theologe Verweise auf die Schriften katholischer Zeitgenossen fast vollständig vermeidet[49].

Gropper steckte noch mitten in den Arbeiten an der skizzierten Monographie, als er durch den Augsburger Bischof, Kardinal Otto Truchseß von Waldburg, und durch den damals in Rom lebenden Lübecker Stiftspropst Kaspar Hoyer von einem Ereignis erfuhr, das seine letzten Lebensjahre — man wird so urteilen dürfen, obwohl der Quellenbefund immer noch recht schmal ist — wesentlich geprägt hat. Am 20. Dezember 1555 berief Papst Paul IV., einer Ankündigung im zwei Tage zuvor abgehaltenen Konsistorium entsprechend, sieben Prälaten in das Kardinalskollegium, darunter als einzigen Deutschen den Bonner Archidiakon Johannes Gropper[50]. Ende Januar 1556 schrieb Gropper an seinen Freund Kaspar Hoyer einen ausführlichen persönlichen Brief[51]; darin schilderte er, daß ihn die Nachricht seiner Erhebung zum Kardinal tief verunsichert habe; so sehr er auch in Zukunft zum Einsatz für die Anliegen der Kirche bereit sei, für die übergroßen Anforderungen des neuen Amtes bringe er viel zu schlechte Voraussetzungen; mit Rücksicht auf sein Alter, seine geschwächte Gesundheit, seine kleinbürgerliche Herkunft, insbesondere aber seine mangelhafte Kenntnis fremder Sprachen und sein geringes diplomatisches Geschick könne er die ihm unverdient angetragene hohe Würde nicht annehmen[52]; auch sei es eine alte Rechtsregel, ohne Not niemanden gegen seinen Willen zu befördern; Gropper bittet am Schluß seines Briefes Kaspar Hoyer darum, die vorgetragenen Argumente ernst zu nehmen und von ihnen auch die ihm gewogenen Kardinäle O. Truchseß von

---

Martini Lutheri" (G. W. Panzer, Annales typographici VI 254, Nr. 622). Vgl. Vonn warer, wesenlicher und pleibender gegenwertigkeit, f. 310r—311v.

[47] Vonn warer, wesenlicher und pleibender gegenwertigkeit, f. 310r u. 315v.

[48] Ebd., f. 411v u. 412r.

[49] Ebd., f. 394r, weist er hin auf die „Philippica" des kanarischen Bischofs Alfonso Ruiz de Viruez (C. Eubel, Hierarchia catholica III 149) und an anderer Stelle (Ebd., f. 446v) auf die Homilien des langjährigen Kölner Dompredigers Heinrich Helmesius.

[50] J. Sleidanus, De statu religionis et rei publicae Carolo Quinto Caesare Commentarii III 531f.; C. Eubel, Hierarchia catholica III 35; W. Schwarz, Römische Beiträge, 398; L. v. Pastor, Geschichte der Päpste VI 448—450; R. Braunisch, Cardinalis designatus, 58—60.

[51] W. Schwarz, Römische Beiträge, 397—399 u. 412—422; A. Schröer, Vaticanische Quellen zur Gropperforschung, 502 (mit Anm. 20) u. 513f. Den bislang bekannten drei Abschriften kann R. Braunisch (Die Theologie der Rechtfertigung, 6, Anm. 38a) vier weitere aus dem Archiv und der Bibliothek des Vatikans hinzufügen.

[52] W. Schwarz, Römische Beiträge, 417.

Waldburg, G. A. de Medici, G. Morone, G. Dandino und andere zu überzeugen, damit diese den Papst zu einer Überprüfung seiner Entscheidung bewegten[53].

Dieses private Schreiben Groppers wurde in Rom durchaus ernst genommen, doch erreichte es keine Wendung der Dinge im Sinne des Absenders; im Februar 1556 wurde der päpstliche Kämmerer Theophil Hernheim nach Köln geschickt, um Johannes Gropper von seiner Berufung ins Kardinalat durch ein persönliches Breve des Papstes und durch „istius muneris insigne, rubrum scilicet biretum" zu verständigen und ihn auf die Reise nach Rom zu begleiten. Hernheim nahm außerdem Schreiben des Papstes an den Erzbischof Adolf von Schaumburg und an den Rat der Stadt Köln sowie zwei Kredentialformulare mit[54]. Das Breve Pauls IV. würdigte Groppers Festigkeit im Glauben, seine Treue zur katholischen Kirche und seine vielfach unter Beweis gestellte Gelehrsamkeit; es gab der Hoffnung Ausdruck, daß der neue Kardinal in die Ewige Stadt übersiedeln und dort im Dienste des Heiligen Stuhles noch ertragreicher als bisher für die Erneuerung der Kirche wirken werde[55]. Der Papst betonte ebenso gegenüber dem Kölner Erzbischof die Verdienste des Bonner Archidiakons und erwähnte, daß er sich von einer Zusammenarbeit mit Gropper viel für die Reform der Gesamtkirche verspreche[56]. In seinem Schreiben an den Stadtrat rühmte Paul IV. die unerschütterliche Treue Kölns zum katholischen Glauben; er beteuerte, daß der zum Kardinal ernannte Johannes Gropper demnächst in Rom eine für Köln und die ganze deutsche Nation höchst ergiebige Tätigkeit werde aufnehmen können[57].

Etwa Mitte März dürfte Theophil Hernheim in Köln eingetroffen sein. Hier mußte er bald Groppers ablehnende Haltung zur Kenntnis nehmen. Der päpstliche Kämmerer scheint verschiedene Initiativen ergriffen zu haben, um den Geehrten umzustimmen. Laut Ratsprotokoll vom 27. März animierte er den Stadtrat zu dem Beschluß, fünf Honoratioren zu Gropper zu entsenden, welche ihn zur Annahme des Kardinalates bewegen sollten[58]. Hernheim hielt sich am 1. April beim Herzog von Jülich in dieser Sache auf[59]. All dies fruchtete nichts. Gropper beharrte darauf, die ihm verliehene

---

[53] W. Schwarz, Römische Beiträge, 422.
[54] Sämtliche fünf Schriftstücke sind auf den 18. Februar 1556 datiert. Zum Ganzen: A. Schröer, Vaticanische Quellen zur Gropperforschung, 503 u 514—517; das Zitat: 515.
[55] A. Schröer, Vaticanische Quellen zur Gropperforschung, 514f.
[56] A. Schröer, Vaticanische Quellen zur Gropperforschung, 515f.
[57] A. Schröer, Vaticanische Quellen zur Gropperforschung, 516f.
[58] Das Ratsprotokoll ist ediert bei: W. v. Gulik, Johannes Gropper, 203. Vgl. R. Braunisch, Cardinalis designatus, 61, Anm. 10 u. 13.
[59] W. v. Gulik, Johannes Gropper, 159f.; R. Braunisch, Cardinalis designatus, 72.

Würde nicht annehmen zu können. So blieb dem päpstlichen Gesandten nichts anderes übrig, als unverrichteter Dinge nach Brüssel weiterzureisen; von hier berichtete er brieflich am 20. Mai dem
im Staatssekretariat tätigen Bischof Giovanni Francesco Commendone über die Erfolglosigkeit seiner Kölner Mission und bat unter
diesen Umständen um Abänderung der auf Kardinal Gropper lau-
tenden, wohl für dessen Übersiedlung nach Rom bestimmten Geld-
anweisung[60]. Roms Reaktion auf die anscheinend unerwartete Entscheidung Groppers bestand in einem auf den 3. Juli datierten
Breve des Papstes an den Kölner Erzbischof, worin dieser seiner
Verwunderung Ausdruck verlieh, sich dabei aber durchaus bereit
zeigte, Groppers Haltung als Bescheidenheit zu deuten; doch müsse
dieser, so fuhr der Papst fort, an das Heil aller Christen denken;
darum dürfe er sich nicht scheuen, im Dienste Gottes und des Heiligen Stuhles eine schwerere Aufgabe zu übernehmen und ihm, dem
Papst, der sein Pontifikat trotz mancher persönlichen Hemmnisse
angetreten habe, im Kreise des Kardinalskollegiums ein tüchtiger
Mitarbeiter zu werden[61]. Obwohl der Papst eindringlich an Adolf
von Schaumburg appellierte, den Bonner Archidiakon unverzüglich
nach Rom zu schicken, blieb dieser bei seiner Weigerung[62].

Am 20. September 1556 verstarb zu Brühl Erzbischof Adolf von
Schaumburg im Alter von erst 45 Jahren. Zum Nachfolger des
Kölner Metropoliten wurde Anton von Schaumburg gewählt, der
sich redlich bemühte, das Reformwerk seines älteren Bruders fort-
zuführen. Noch vor Weihnachten berief er den Karmeliten Eberhard Billick, Groppers langjährigen Freund, zum Weihbischof und
Generalvikar; doch schon am 12. Januar 1557 schied auch Billick
aus dem Leben; er hatte die Bischofsweihe nicht mehr empfangen
können[63].

---

[60] NBD I/14, 408—410; dort: 408f.

[61] W. v. Gulik, Johannes Gropper, 160 u. 204f.; A. Schröer, Vaticanische
Quellen zur Gropperforschung, 517f.

[62] In einem Brief vom 23. Juli 1556 rechtfertigte er ausführlich sein Verhalten
gegenüber dem Papst; R. Braunisch, Cardinalis designatus, 74f. und 78—82.

[63] A. Postina, Eberhard Billick, 141f. — Ein Zeugnis der bis zuletzt guten
Zusammenarbeit von Billick und Gropper sei erwähnt: Am 5. Oktober 1556
schrieb der Kölner Provinzial an den Ordensgeneral, er möge bei der Kurie
die Approbation der Vereinigung des Beginenhofes in Pothia mit dem dortigen
Kloster der Karmelitinnen erwirken; alle Beginen seien mit der Inkorporation
einverstanden; um der Angelegenheit Nachdruck zu verleihen, habe Johannes
Gropper in dieser Sache ein Schreiben an Kardinal Giovanni Morone gerichtet; Billick bemerkt bei dieser Gelegenheit, daß Morone Groppers „ingenium
ac studia amat" (Stadtarchiv Frankfurt a. M., Archiv der Niederdeutschen
Karmeliterprovinz, Karmeliterbuch 47b, f. 630r—631v; das Zitat: f. 631r). Zum
Verhältnis von Gropper und Morone s. o. S. 49, Anm. 63.

Gropper unterstützte den neuen Erzbischof, soweit es in seinen Kräften stand. Sein besonderer Einsatz galt um diese Zeit der Festigung der jungen Kölner Jesuitenniederlassung. In einem am 16. November 1556 abgefaßten Brief bat er den Kölner Stadtrat, das angesehene „Gymnasium Tricoronatum" der Gesellschaft Jesu zu übertragen[64]. Am 27. November kam es zu einem entsprechenden Beschluß des Stadtrates; nach einem Vierteljahr konnten die Jesuiten endlich den Lehrbetrieb aufnehmen. Sofort setzte Zulauf von Studenten aus vielen Gegenden Deutschlands ein. Gropper, der auch um eine Studienrefom an der Theologischen Fakultät bemüht war[65], hatte weitsichtig erkannt, von welchem Gewinn die Arbeit der Jesuiten in der Priesterausbildung war. Wie Canisius, der vom 29. Oktober bis 8. November 1557 in Köln weilte, am 18. 11 aus Worms an Diego Lainez schrieb, protegierte Gropper die Tätigkeit der Jesuiten außerordentlich; dabei war er von dem Wunsch beseelt, „meam Coloniae operam semper paratam ac praesentem esse"[66]. Ein Dokument der gerade in den letzten Lebensjahren freundschaftlich engen Beziehung Groppers zu Petrus Canisius ist ein vertraulicher Brief vom 2. September 1557[67]; darin gab der Kölner Theologe Aufschluß über seine auf alten Erfahrungen und grundsätzlichen Erwägungen beruhende Weigerung, sich an dem bevorstehenden Wormser Religionsgespräch zu beteiligen, obwohl er durch einen Agenten Kaiser Ferdinands I. persönlich dazu eingeladen worden war[68].

[64] J. Hansen, Rheinische Akten zur Geschichte des Jesuitenordens 1542—1582, 278f. Zum Ganzen vgl. die Darstellung von W. Lipgens (Kardinal Johannes Gropper, 184—186) und die von Lipgens benützten Quellen.

[65] H. Keussen, Regesten und Auszüge zur Geschichte der Universität Köln, 514f.

[66] Über die Arbeit des Kölner Kollegs berichtet Canisius in diesem Brief (O. Braunsberger, Beati Petri Canisii Epistulae et Acta II 153—160; dort: 154): „Vincit Coloniense Collegium, ut mihi videtur, reliqua Germaniae nostrae, sive felicem studiorum tractationem spectes, sive professorum numerum et industriam consideres, sive fructum, qui tum ad nostros, tum ad exteros inde redit, animadvertas. Intra biennium, si ita Deo duce procedant, facile nobis suppeditaturi videntur professores et studiosos, qui multis etiam Collegiis sufficere queant. Cuiusmodi uberem Collegii fructum plerique tandem sentiunt et praedicant, ac res ipsa testatur, non solum in artium, sed etiam in theologiae facultate studia per nostros instaurari pulchreque reflorescere. ... Benedictus Deus, qui Coloniae nobis hoc ostium aperit, unde multos quidem operarios in Collegia nostra non multo post introduci atque in totam Germaniae messem extrudi posse confido." Vgl. 1 Kor 16, 9.

[67] O. Braunsberger, Beati Petri Canisii Epistulae et Acta II 122—124.

[68] Ebd., 123: „... habeo causas longe gravissimas, humanis rationibus longe superiores et ad conscientiam usque meam ... pertingentes, que velut adamantina quadam necessitate me sic obstrictum tenent, ne istuc ad hoc novum post alios ad minimum quinque superioribus temporibus frusta habitos congressus ... colloquium ... accedere liceat."

Am 18. Juni 1558 raffte ein plötzlicher Tod den Kurfürsten Anton von Schaumburg nach einer weniger als zweijährigen Amtszeit dahin. Auch aus Rom kamen keine guten Nachrichten; mit Blick auf die Entwicklung in den Bistümern Hildesheim und Münster schrieb Propst Kaspar Hoyer an Gropper, daß die Angelegenheiten der deutschen Kirche schlecht bestellt seien und nur schleppend behandelt würden, „quod natio nostra non habeat protectorem hic pesentem, qui est illustrissimus cardinalis Augustanus, cuius muneri incumbit talia in pontificio consistorio proponere"[69]. Unter diesen Umständen scheint für Gropper der Gedanke, die Bitte des Papstes zu erfüllen und nach Rom zu übersiedeln, naheliegender und anziehender als zwei Jahre zuvor geworden zu sein. Als die Mehrheit des Kölner Domkapitels am 26. Juli 1558 den völlig ungeeigneten Grafen Johann-Gebhard von Mansfeld zum Erzbischof wählte, mußte Gropper das Aufbauwerk des zurückliegenden Jahrzehnts elementar bedroht sehen. „Per urgente e relevante cause"[70], wohl auch nicht ohne die Absicht, eine Bestätigung der Kölner Wahl zu hintertreiben, machte sich Gropper mit seinem jüngeren Bruder Kaspar auf den Weg nach Rom. Unterwegs besuchte er den Augsburger Bischof, Kardinal Otto Truchseß von Waldburg, in dessen Dillinger Residenz[71]. Ende August klopfte er bei Kardinal Madruzzo in Trient an[72]. Am 26. September 1558 erreichte Johannes Gropper die Ewige Stadt. Hier wurde er vom Bischof von Terracina in Empfang genommen. Der deutsche Theologe, der schon nicht mehr bei bester gesundheitlicher Verfassung war, bekam eine Wohnung im Vatikanischen Palast angewiesen[73].

[69] L. Schmitz-Kallenberg, Zur Lebensgeschichte und aus dem Briefwechsel des Johann Gropper, 139. Der Brief ist auf den 7. Juni 1558 datiert. Kardinal Otto Truchseß von Waldburg war Protektor der deutschen Nation, hielt sich aber nicht in Rom, sondern in Deutschland auf.

[70] Schreiben des Kardinals Otto Truchseß von Waldburg an Papst Paul IV. vom 12. August 1558; ediert bei: W. v. Gulik, Johannes Gropper, 270.

[71] Dieser verfaßte daraufhin das in Anm. 70 genannte Empfehlungsschreiben an den Papst und ein weiteres an Kardinal Carlo Caraffa (ediert bei: Th. Brieger, Aus italienischen Archiven, 613f.). In beiden Briefen wird eine fruchtbare Zusammenarbeit Groppers mit der Kirchenleitung in Rom vorausgesagt. Der Augsburger Aufenthalt wird durch eine Meldung des Georg Tisch an Johann-Gebhard von Mansfeld vom 15. August 1558 bestätigt (W. v. Gulik, Johannes Gropper, 203f.).

[72] Der Trienter Kardinal schrieb am 31. 8. 1558 aus Castel Valero an Kardinal Carlo Caraffa (Th. Brieger, Aus italienischen Archiven, 614f.): „Groperio... è stato sempre saldo scuto et ferma colonna ne le parti di Germania contro heretici ... per haverlo io et nel Concilio di Trento et altrove per esperienza conosciuto, persona integerrima et di esquisita dottrina, accompagnata di santa et religiosa vita..."

[73] W. v. Gulik, Johannes Gropper, 166f. u. 270.

Bald nach seiner Ankunft in Rom ist Gropper offenbar um eine Stellungnahme in Sachen der Zession der Kaiserwürde von Karl V. an Ferdinand I. gebeten worden. Kaiser Karl V. hatte am 12. September 1556 auf die Krone verzichtet; sein Bruder Ferdinand hatte sich daraufhin in Frankfurt zum Kaiser krönen lassen, ohne zuvor die päpstliche Zustimmung eingeholt zu haben; Papst Paul IV., der ohnehin eine heftige Abneigung gegen die Habsburger hegte, betrachtete die Resignation Karls V. sowie die Wahl und Krönung des Nachfolgers als ungültig, und zwar aus kanonistischen Gründen (Unterlassung einer Prüfung der Angelegenheit durch den Papst)[74]. Gropper pflichtete in seinem auf den 21. Oktober 1558 datierten Gutachten der Rechtsauffassung des Papstes bei; jedoch empfahl er der kurialen Diplomatie, eine offene Konfrontation zu vermeiden und lieber einen Mittelweg zu suchen; nachträglich solle in Rom das Zessionsmandat vorgelegt und die päpstliche Bestätigung eingeholt werden; wenn Ferdinand die erforderlichen Garantien bezüglich der Lage der Kirche in Deutschland gebe, könne der Papst ihn als Nachfolger Kaiser Karls V. anerkennen[75].

Im Laufe der ersten beiden Monate von Groppers Aufenthalt in Rom entstand eine weitere Denkschrift des Kölner Theologen, die „Meditatio de religione catholica in Germania restituenda et retinenda"[76]; von Heinrich Lutz ist sie vollauf zu Recht als Groppers „letztes Wort zu den sein ganzes Leben bewegenden Fragen, als sein geistiges Testament" bezeichnet worden[77]. In rücksichtsloser Offenheit vermittelt die „Meditatio" dem Papst umfassenden Einblick in die verhängnisvolle Lage der deutschen Kirche; mit beschwörendem Vokabular trägt sie Gedanken vor, die einen Weg aus der tiefgreifenden Krise aufweisen wollen. Dabei wird zwischen der Rückgewinnung des protestantischen Deutschlands für die katholische Kirche und der inneren Stabilisierung der noch katholischen Gebiete des Reiches unterschieden.

---

[74] J. I. Tellechea Idigoras, La renuncia de Carlos V y la elección de Fernando de Austria, 7—78 u. 207—283.

[75] Das Gutachten ist nach drei geringfügig unterschiedlichen Ausführungen in einem im Vatikanischen Archiv beruhenden Codex ediert worden von: W. v. Gulik, Johannes Gropper, 262—267; H. Lutz (Reformatio Germaniae, 223) hat eine weitere Abschrift in der Biblioteca Ambrosiana zu Mailand (Cod. H. 108 inf., f. 207r—217v) entdeckt.

[76] Die „Meditatio" ist auf der Grundlage einer Abschrift in der Biblioteca Ambrosiana zu Mailand (Cod. H. 108 inf., f. 162r—196r) unter Beiziehung zweier weiterer Abschriften in der Biblioteca Ambrosiana bzw. im Archivio Segreto Vaticano von H. Lutz ediert worden (Reformatio Germaniae, 278—304). Sie wird zitiert nach der Edition von Lutz unter Beigabe der Folioangaben aus dem Mailänder Codex.

[77] H. Lutz, Reformatio Germaniae, 237.

Das erste dieser beiden Ziele kann nach Groppers Urteil nur
noch in enger Kooperation von Papst und Kaiser erreicht werden.
Eine Chance auf Annullierung der zum Schaden der Kirche und
des Glaubens gefaßten Beschlüsse des Augsburger Reichstages
(1555) besteht allein, wenn die Gründe ausgeräumt werden, die der
Reformation soviel Auftrieb gegeben haben[78]; Gropper erwähnt
die in Deutschland verbreitete, von den Lutheranern gezielt for-
cierte antirömische Stimmung[79]. Sie kann abgebaut werden, wenn
Ferdinand I. als Oberhaupt des Reiches auf dem bevorstehenden
Augsburger Reichstag (1559) ein großes, werbend-versöhnliches
Schreiben des Papstes an die Deutschen vorträgt; dafür entwickelt
Gropper konkrete inhaltliche Vorstellungen; ein geschichtlicher
Rückblick soll die Geschenke Roms an die Deutschen aufzählen,
nämlich Christentum, Kaiserkrone und Kurfürstenkolleg[80], auf
diesem Hintergrund soll die Abkehr Deutschlands von Rom als
Bruch der einander gehaltenen Treue[81] und als Verlust der Glau-
bensgemeinschaft[82] dargestellt werden; einzuflechten sind Hinweise darauf, daß Rom eine Reform der Kirche bejaht[83], was am
Beispiel des Ablaßwesens, von dem Luthers Reformation ihren
Ausgang nahm[84], und des kanonischen Rechtes[85] illustriert werden
kann. Dieses Schreiben des Papstes wird um so größere Wirkung
erzielen, wenn auch Ferdinand sich bei den Ständen des Reiches
für eine Aussöhnung mit Papst und Kurie einsetzen wird[86]. Auf
alle Fälle darf der Reichstag die Lösung der deutschen Kirchen-
frage nicht durch ein Nationalkonzil oder ein Religionsgespräch
anstreben; er muß die ausschließliche Zuständigkeit des allgemeinen Konzils in dieser Frage anerkennen[87].

In leidenschaftlicher Sprache stellt die „Meditatio" anschließend
Vorschläge zusammen, die dem zweiten Ziel, der Festigung des
noch katholischen Deutschland, dienen wollen. Statt der nutzlosen
und unfruchtbaren Religionsgespräche, die die Autorität der Kirchenleitung untergraben haben, sollen in den deutschen Kirchen-
provinzen Theologenkonvente durchgeführt werden, wo über die
Sicherung der katholischen Glaubenslehre und die Beseitigung von

[78] Meditatio, f. 162r (H. Lutz, Reformatio Germaniae, 278).
[79] Ebd., f. 163r—164r (H. Lutz, Reformatio Germaniae, 279).
[80] Ebd., f. 168r—169v (H. Lutz, Reformatio Germaniae, 283f.).
[81] Ebd., f. 169v—170r (H. Lutz, Reformatio Germaniae, 284).
[82] Ebd., f. 174r (H. Lutz, Reformatio Germaniae, 287).
[83] Ebd., f. 170v (H. Lutz, Reformatio Germaniae, 285).
[84] Ebd., f. 171r—173r (H. Lutz, Reformatio Germaniae, 285—287).
[85] Ebd., f. 175v—176v (H. Lutz, Reformatio Germaniae, 288f.).
[86] Ebd., f. 178r/v (H. Lutz, Reformatio Germaniae, 290f.).
[37] Ebd., f. 178v—182v (H. Lutz, Reformatio Germaniae, 291—294).

Mißständen beraten werden soll[88]. Die deutschen Bischöfe sind wegen ihrer Zustimmung zum Augsburger Religionsfrieden scharf zu rügen[89]. Der Kern des Übels aber liegt darin, daß die Bischöfe ihre Hirtenpflichten gewissenlos vernachlässigen[90]. Die Domkapitel, die die Bischöfe der Zukunft wählen werden, sind hoffnungslos mit den politischen Herrscherhäusern verfilzt; oft neigen sie zum Luthertum; allein weltliche Interessen sind bestimmend; die geistliche Berufung wird allenthalben mißachtet; und ein fataler Kreislauf will, daß diese Domkapitel bei der Bischofswahl die Leitung der Diözesen an ihresgleichen überantworten[91]. Um dem Einhalt zu gebieten, fordert Gropper, daß demnächst niemand ein Domkanonikat erhalten kann, der nicht katholisch getauft und erzogen worden ist und von einem katholischen Bischof die Firmung und die Tonsur empfangen hat; eidesstattlich ist von den jungen Kanonikern zu versichern, daß sie bei Strafe der Suspension von ihrem Amt am katholischen Glauben festhalten werden; genauestens sind ihre Studien bei fremden Lehrern und an auswärtigen Hochschulen zu überwachen; vor Vollendung des 18. Lebensjahres darf niemand von ihnen als Domkapitular angenommen werden; außerdem muß er beschwören, sich um einen Lebenswandel zu bemühen, der seiner Berufung würdig und seinem Stande angemessen ist[92].

Bissige Kritik übt Gropper an der Amtsführung der deutschen Bischöfe. Sie paktieren mit den lutherischen Fürsten und treiben Politik; um das bischöfliche Amt aber kümmern sie sich nicht; im besten Fall ernennen sie dafür einen Weihbischof. So können ungestört lutherische Prediger an katholischen Pfarrkirchen zum Schaden des Glaubens tätig sein[93]. Eine Ursache der desolaten Situation der Seelsorge besteht darin, daß die katholischen Bischöfe nichts für die Errichtung von Theologenschulen und Seminaren tun und nicht auf Abhilfe des gefährlichen Mangels an Priesternachwuchs sinnen[94]. Visitation der Diözesen, Abhaltung von Synoden und

---

[88] Ebd., f. 184v—185v (H. Lutz, Reformatio Germaniae, 295f.).

[89] Ebd., f. 185v—186r (H. Lutz, Reformatio Germaniae, 296).

[90] Ebd., f. 186r (H. Lutz, Reformatio Germaniae, 296). Zur Verweltlichung des deutschen Episkopats äußerte sich bereits 1543 sehr kritisch der Wiener Bischof Friedrich Nausea in seinen „Miscellanea" (CT XII 397, 28—400, 19).

[91] Meditatio, f. 186r—187r (H. Lutz, Reformatio Germaniae, 296f.).

[92] Ebd., f. 187v—188v (H. Lutz, Reformatio Germaniae, 297f.).

[93] Ebd., f. 188v—189r (H. Lutz, Reformatio Germaniae, 298f.).

[94] Ebd., f. 189r/v (H. Lutz, Reformatio Germaniae, 299). Zugleich werden die großen Anstrengungen der Gegenseite auf diesem Gebiet betont. Überdies (Ebd., f. 176r; H. Lutz, Reformatio Germaniae, 289) wird ein theologisches Handbuch verlangt, welches den Sentenzenkommentar des Petrus Lombardus ablösen soll und Aussicht hat, Melanchthons „Loci communes theologici" auszustechen, „qui omnem corruptelam in Germanicas ecclesias invehunt".

persönliche Residenz an den Kathedralkirchen vernachlässigen sie; die geistliche Jurisdiktionsgewalt ist ihnen gleichgültig; an Verfolgung der Häresie denken sie nicht; sie sorgen nicht einmal dafür, daß Missalbücher und Breviere in ausreichender Menge vorhanden sind. Oft ist es dahin gekommen, daß sich die weltlichen Fürsten in die Aufgaben der Bischöfe eingemischt haben und nun das kirchliche Leben kontrollieren. Es besteht die Perversion, „ut saeculares principes etiam episcopi videri velint, episcopi vero tantum principes saeculares"[95]. Dringend ist deshalb geboten, daß der Papst den deutschen Episkopat streng zurechtweist und ihn an seine vornehmsten Amtspflichten, die Sorge für die Ausbildung der Weihekandidaten und die Förderung der Seelsorge durch Visitationen und Synoden, unnachsichtig erinnert; zumindest sollen die Bischöfe tüchtige Weihbischöfe berufen, die das Amt der Verkündigung ausüben, die Pfarrgemeinden besuchen, das Firmsakrament ausspenden und die heiligen Weihen erteilen[96]; dabei müssen die Kandidaten für das Priesteramt sorgfältig ausgewählt werden; ungeeignete Bewerber sind abzuweisen getreu der alten Richtschnur, daß es für die Kirche besser ist, wenige gute als viele untaugliche Priester zu haben[97]. Im übrigen rät Gropper dem Papst, bei der Konfirmation der Bischöfe äußerste Vorsicht walten zu lassen und diese niemals auszusprechen ohne die Auflage, baldmöglichst die Bischofsweihe zu empfangen[98]. Den Abschluß der „Meditatio" bilden pessimistische Betrachtungen über den geistigen und religiösen Niedergang der Orden und Erwägungen über das künftige Schicksal der vom Protestantismus bedrohten Stadt Köln, welche laut Gropper eine Schlüsselposition im gesamten Nordwesten Deutschlands einnimmt[99].

Offenbar bald nach Abfassung und Übergabe der „Meditatio"[100] wurde Gropper um ein Gutachten über den Augsburger Religionsfrieden ersucht[101]. Die Kurie scheint während des Konflikts mit Ferdinand an einen förmlichen Protest und rechtlichen Einspruch gegen den Augsburger Religionsfrieden gedacht zu haben. Jedoch

[95] Ebd., f. 189v—191r; das Zitat: f. 191r (H. Lutz, Reformatio Germaniae, 299f.).
[96] Ebd., f. 191r—192r (H. Lutz, Reformatio Germaniae, 300f.).
[97] Ps. Clemens, Epistula 2 (ad Iacobum fratrem domini), (Hinschius, 49); D. 23 c. 4 (Friedberg I 81); Concilium Lateranense IV (1215), c. 27 (Mansi 22, 1015).
[98] Meditatio, f. 192r—193r (H. Lutz, Reformatio Germaniae, 301f.).
[99] Ebd., f. 193v—196r (H. Lutz, Reformatio Germaniae, 302—304).
[100] H. Lutz (Reformatio Germaniae, 226) macht dies durch Aufweis mehrerer Indizien plausibel.
[101] „Decreti Augustani de religione articuli plane impii ob rationes infrascriptas"; ediert nach einer Abschrift in der Biblioteca Ambrosiana zu Mailand (Cod. H. 108 inf., f. 198r—206r) von Heinrich Lutz (Reformatio Germaniae, 304—310). Ich zitiere nach der Edition von Lutz unter Hinzufügung der Folioangaben aus dem Mailänder Codex.

mangelte es in Rom an kompetenten Fachleuten, die die schwierige juristische Materie souverän überblickten. So war Groppers Urteil sehr willkommen. Man legte dem Kölner lediglich ein lateinisches Exzerpt des Reichstagsabschiedes vor, so daß sich dieser zusätzlich auf sein Gedächtnis stützen mußte[102]. Auf dieser Grundlage faßte Gropper seine Stellungnahme ab. Sie erhob gegen die einzelnen Bestimmungen des Religionsfriedens schwerwiegende Bedenken. Harte Worte der Prophetie wie das von den blinden Wächtern und den stummen Hunden, die nicht bellen können (Jes 56,10f.), schleuderte Gropper darin gegen Bischöfe und Pfarrer, die zum Schweigen vor der Häresie bereit sind[103]. Nach seiner Argumentation steht das Augsburger Papier in allen Punkten in einem so offenkundigen Widerspruch zum „ius divinum", daß Ferdinand dazu bewegt werden muß, „ut eas impietates aboleat, et ecclesiam adversus eas in integrum restituat"[104]. Mit diesem Urteil steht Gropper in unverkennbarer Kontinuität zu seiner Position vor und nach dem Augsburger Reichstag; freilich ist seine Sprache schroffer und sein Denken wirklichkeitsfremder geworden.

Wie eine Bemerkung am Schluß der „Meditatio"[105] erkennen läßt, glaubte sich Gropper erst am Anfang seiner Zusammenarbeit mit dem Papst zum Besten der Kirche Deutschlands. In seinen verschiedenen Schreiben anläßlich der Erhebung Groppers zum Kardinal hatte Paul IV. ja wiederholt bekundet, wie große Erwartungen er an die Berufung Groppers nach Rom knüpfte. Die Erfüllung dieser Hoffnungen wurde letztlich verhindert durch die Schattenseiten des Caraffa-Pontifikates, den blinden Nepotismus des Papstes und die Trübung der Reformbewegung durch die maßlose Verschärfung der römischen Inquisition. Vor ihr wurde Johannes Gropper am 11. Dezember 1558 erstmals verhört[106]. Der junge Zaccaria Delfino, in den Jahren zwischen 1553 und 1556 (mit einer Unterbrechung 1555) Nuntius am Hofe König Ferdinands, gab sich dafür her, den ahnungslosen deutschen Theologen zu denunzieren und gegen ihn den Verdacht der Häresie zu erheben[107]. Delfino

---

[102] Decreti Augustani, f. 198r (H. Lutz, Reformatio Germaniae, 304).

[103] Ebd., f. 198v (H. Lutz, Reformatio Germaniae, 304f.).

[104] Ebd., f. 206r (H. Lutz, Reformatio Germaniae, 310).

[105] Meditatio, f. 196r (H. Lutz, Reformatio Germaniae, 304): „Haec primum de religione catholica in Germania restituenda et retinenda tenuitati meae impraesentiarum occurrunt; reliqua quando super his tractabitur, quantum mea parvitas assequi potest, exponentur."

[106] Dieses Datum nennt Gropper in seiner Verteidigungsschrift (W. Schwarz, Römische Beiträge, 598—606; dort: 598).

[107] Delfinos Skripten, die kein hohes theologisches Niveau bekunden, zumal sie ihre Verdächtigungen gegen einzelne Formulierungen der verschiedensten Schriften Groppers ohne Rücksicht auf den Zusammenhang aussprechen, sind

war dabei das Werkzeug des Kardinalnepoten Carlo Caraffa, der die Intrige gegen Gropper einfädelte, um bei der vor Weihnachten 1558 erwarteten Kardinalspromotion den Deutschen auszubooten und Platz für einen eigenen Kandidaten zu schaffen[108]. Die Rechnung des Nepoten ging jedoch nicht auf; eine Kardinalspromotion fand 1558 nicht mehr statt; und bald nach der Jahreswende verschaffte der Theatiner Isachino dem Papst schonungslose Aufklärung über das skandalöse Treiben Carlo Caraffas und seines Bruders, woraufhin Paul IV. die Nepoten aus Rom verbannte[109]. Groppers Prozeß vor der Inquisition zog sich noch bis Februar 1559 hin und endete mit einer vollkommenen Rehabilitierung des Beschuldigten[110].

Gleichwohl ist zu vermuten, daß das Inquisitionsverfahren Gropper innerlich sehr belastet hat. Hinzu kam eine gesundheitliche Schwächung durch das Quartanafieber, an dem Gropper seit der strapaziösen Reise von Köln nach Rom im Sommer 1558 litt[111]. Am 13. März 1559 starb der designierte Kardinal im Alter von 56 Jahren[112]. Am folgenden Tag wurde unter reger Beteiligung der deutschen Gemeinde in Rom der Leichnam des Verstorbenen, auf eine Bahre gebettet und in einfache Priesterkleidung gehüllt, den Kelch in den Händen, nach Santa Maria dell' Anima überführt und in unmittelbarer Nähe des Grabes von Papst Hadrian VI. beigesetzt[113]. Paul IV., selber schon dem Tode nahe, hielt persönlich die Grabrede und erwies so dem Verstorbenen „eine Ehre, die

erhalten im: Archivio Segreto Vaticano, Nunziatura di Germania 84, f. 201r—257r. Eine kurze Beschreibung gibt: R. Braunisch, Die Theologie der Rechtfertigung, 42—44.

[108] W. v. Gulik, Johannes Gropper, 166—170; R. Ancel, La disgrace et le procès des Carafa (1559—1567) II 285f.; H. Lutz, Reformatio Germaniae, 236f.

[109] R. Ancel, La disgrace et le procès des Carafa (1559—1567) I—IV passim.

[110] R. Braunisch (Die Theologie der Rechtfertigung, 29, Anm. 165a) kündigt an, die der Forschung seit langem bekannte, bisher jedoch kaum benützte zweite Verteidigungsschrift Groppers, die „Apologia" (Parma, Biblioteca Palatina, Manoscritti Palatini, Nr. 983), demnächst auszuwerten.

[111] J. Schmidlin, Geschichte der deutschen Nationalkirche in Rom, 294—298, bes. 297, Anm. 1.

[112] Die Unklarheit über das Todesdatum Groppers, die lange Zeit in der Forschung bestand, wurde ausgeräumt durch: W. v. Gulik, Johannes Gropper, 172—175.

[113] Darüber liegt ein kurzer Bericht des Giovanni Andrea Caligari an Giovanni Francesco Commendone vor (W. Schwarz, Römische Beiträge, 597). Groppers Grab wurde später in das rechte Seitenschiff verlegt, wo sich das Epitaph im Fußboden unter dem ersten Gewölbejoch vor der Benno-Kapelle befindet; die Inschrift, bei W. v. Gulik (Johannes Gropper, 172f., Anm. 2) fehlerhaft wiedergegeben, ist zuverlässig ediert von: H. Schwartz, Die Grabsteininschrift des design. Kardinals Johannes Gropper, 287f.

in der Papstgeschichte einzig dasteht"[114]. Tags darauf betrauerte der Papst im Konsistorium den Tod Groppers; während einer langen Rede tadelte er das hinterlistige Spiel von Carlo Caraffa und Zaccaria Delfino, dessen Opfer der Kölner geworden war; er beklagte, daß er nun auf einen verdienten und wertvollen Mitarbeiter werde verzichten müssen. Die Benefizien, die der Verstorbene innegehabt hatte, verlieh er dessen Bruder Kaspar[115]. Von diesem wurde der Name Gropper in die nachtridentinische Kirchengeschichte Deutschlands eingebracht[116].

[114] L. v. Pastor, Geschichte der Päpste VI 451.
[115] W. v. Gulik, Johannes Gropper, 174f., Anm. 6 (mit Auswertung verschiedener Quellen). S. a. o. S. 95, Anm. 16.
[116] Eine den Erfordernissen der modernen Forschung genügende Biographie Kaspar Groppers (1519—1594) steht bislang aus. Verschiedene Vorarbeiten sind jedoch bereits geleistet: W. Schwarz, Die Nuntiatur-Korrespondenz Kaspar Groppers nebst verwandten Aktenstücken (1573—1576); ders., Der päpstliche Nuntius Kaspar Gropper und die katholische Reform im Bistum Münster, 1—96; A. Schröer, Das Tridentinum und Münster, 328—336; W. Stüwer, Das Bistum Paderborn in der Reformbewegung des 16. und 17. Jahrhunderts, 407—414.

Dritter Teil:

ABHANDLUNG

I. Dogmatische Aussagen über das Priestertum

Als einflußreichste Triebfeder der kirchenreformerischen Vorstellungen und theologischen Bemühungen Johannes Groppers ist der Wille zu erkennen, den seelsorglichen Auftrag der Kirche aus einer für untragbar gehaltenen Verfallenheit an Zeitliches und Welthaftes freizusetzen, ihn nach dem Vorbild der „ecclesia vetus" neu zu formulieren und ihn so wieder sichtbar zu machen als tätigen Heilsdienst an der Welt. Von einem voller pastoraler Impulse steckenden Entwurf all der Aufgaben und Dienste, welche der Kirche obliegen, sind auch die dogmatischen Überlegungen inspiriert, die Gropper etwa im „Enchiridion" anhand des Glaubensbekenntnisses, des Herrengebetes und des Dekalogs sowie über die sieben Sakramente anstellt. In diese Reflexionen mischt sich ein behutsames, dabei nicht verschlossenes und im eigenen, auf die Vätertheologie gegründeten Ansatz sehr sicheres Eingehen auf Fragen und Probleme, welche in der zeitgenössischen Kontroverse von den Reformatoren aufgeworfen waren.

Wo immer sich Gropper über das Priestertum äußert, spiegelt sich dieser Verhalt. Letzten Endes ringt er stets um ein ins Geistliche vertieftes Priesterbild, das er dem Klerus seiner Zeit und seines Landes guten Gewissens vor Augen halten kann; dennoch nötigt ihn die Situation, seinen Ansichten zuvörderst ein dogmatisches Fundament zu legen. Angesichts gravierender Differenzen in der Lehre bleiben Gropper dabei Auseinandersetzungen mit den Reformatoren nicht erspart.

Diese werden seit etwa 1546 merklich kompromißloser geführt. Schon das im Mai 1546 für Kaiser Karl V. abgefaßte Gutachten („Unica ratio reformationis") äußert erste Züge konfessionell-katholischen Selbstbewußtseins und verzichtet auch in weniger wesentlichen Dingen wie Zeremonien und religiösem Brauchtum auf Zugeständnisse. Während die Katechismen von 1546 und 1550 vordringlich bemüht sind, das überlieferte Lehrgut der katholischen Kirche den Gläubigen in zeitgemäßer Form zu vermitteln, und Auseinandersetzungen mit protestantischen Auffassungen — offenbar schon aus didaktischen Gründen — vermeiden, wobei Gropper laut Widmungsbrief der „Institutio catholica" jetzt ganz auf ein landesherrliches Verbot der gegnerischen, ohne alle Umschweife als „häretisch" gewerteten Publikationen und auf gleichzeitige Ausbreitung solider katholischer Schriften setzte, konnte der Kölner Theologe in Trient aufgrund der Arbeitsmethode des Konzils nicht umhin, sich zu reformatorischen Lehren zu äußern; er ließ sich hierbei von dem Bemühen leiten, die attackierten Lehren der Kirche zu begründen und ihre gläubige Bewahrung zu verlangen, nicht ohne sich vor allzu konfessionalistisch-überzogenen Positionen zu hüten. Das erleichterte ihm die Verankerung seiner Theologie in der Heiligen Schrift und im literarischen Erbe der großen Kirchenväter.

Diese geschilderten Eigenarten Groppers zeigen sich deutlich in der Weise, wie er sich zu Fragen äußert, die die Lehre über das Priestertum betreffen. Gropper hält an den bewährten Fundamenten fest, auch wenn die Neuerer sich in Gegensatz zu ihnen begeben haben. Dabei versucht er die durch Luthers Schriften ins öffentliche Bewußtsein eingedrungene Vorstellung der Bibel von einem allgemeinen Priestertum der Christen in katholisch-tragbarer Weise aufzugreifen, sie also in ihrer absolutgesetzten Fassung zu korrigieren und sie in ein angemessenes Verhältnis zu setzen zu dem besonderen, auf der Weihe begründeten geistlichen Amt.

1. Das allgemeine und das besondere Priestertum in der Kirche

Martin Luther war der Gedanke des allgemeinen Priestertums der Gläubigen schon vor 1517 vertraut[1]. Er entwickelte ihn in den Schriften der folgenden Jahre sehr eindringlich und verband ihn mit heftiger Polemik gegen den priesterlichen Stand in der Kirche. Gestützt vornehmlich auf 1 Petr 2,5.9 und Offb 1,5f.; 5,10 und 20,6 betonte er die allen Christgläubigen zukommende priesterliche Würde; alle Gläubigen erklärte er ohne Unterschied zu Priestern, ausgestattet mit der gleichen Gewalt im Wort und an den Sakramenten, welche freilich nur mit Zustimmung der Gemeinschaft

---

[1] WA 4, 179, 29f.; „Ergo quilibet sanctus potest esse fons, qui spiritum habet et docet alios." WA 4, 260, 9—11: „Et nos esse regnum et sacerdocium eius, ut Ex 19[5.6]: ‚Eritis mihi in peculium, regnum sacerdotale.' Et 1 Petr 2[9]: ‚Vos estis genus electum, regale sacerdocium.' " Auch: WA 3, 259, 3—9. WA 4, 224, 20—22. Der Begriff „allgemeines Priestertum" wird von Luther in dieser abstrakten Weise nicht verwendet; er hat sich jedoch in der Forschung durchgesetzt.

gebraucht werden darf[2]. Auf jeden Fall wurden bei seiner Konzeption eine „legitima ministrorum potestas", mithin aber auch das
Weihesakrament insgesamt und überhaupt alle Obliegenheiten
eines besonderen, aus dem allgemeinen ausgegrenzten Priestertums
hinfällig. Und eben darum, um den Wiedergewinn der die Freiheit
ermöglichenden Gleichheit aller Christen war es Luther auch zu
tun[3]. Übrig blieb ein funktionales Verständnis des Priestertums
als Dienst, und zwar als Dienst am Wort des Evangeliums und —
anfangs weniger prononciert — als Dienst an den Sakramenten.
Die Berufung zu diesem Dienst erfolgt durch die Ordination; sie
kann jeden Christen erreichen; auch kann ein Christ, der einmal
Priester geworden ist, wieder Laie werden; in diesem Sinn läßt
sich Luthers Verständnis des geistlichen Amtes mit dem modell-
haften Begriff eines Reihendienstes charakterisieren[4].

[2] WA 6, 408, 11—13: „Dan was auß der tauff krochen ist, das mag sich rumen,
das es schon priester, Bischoff und Bapst geweyhet sey, ob wol nit einem
yglichen zympt, solch ampt zu uben." Auch: WA 6, 407, 10—28; 412, 20—23;
564, 6—14. WA 7, 57, 28—36. WA 8, 415, 15—23; ebd., 23f.: „Omnes enim
eodem, quo Christus, sacerdotio sacerdotes sumus, qui Christiani, id est, filii
Christi, summi sacerdotis, sumus." WA 8, 415, 24—416, 26; 420, 8—38; ebd.,
32—34: „Omnes offerre has hostias iubemur, quaecunque tandem sint, quare
omnibus officium sacerdotale hoc impositum et omnes sacerdotes esse eviden-
tissimum est." WA 11, 411, 31f.: „Denn das kan niemant leucken, das eyn
iglicher Christen gottis wort hatt und von gott gelert und gesalbet ist tzum
priester."

[3] WA 6, 408, 13—17: „Dan weyl wir alle gleich priester sein, muß sich niemant
selb erfur thun und sich unterwinden, an unßer bewilligen und erwelen das
zuthun, des wir alle gleyhen gewalt haben. Den was gemeyne ist, mag niemandt on der gemeyne willen und befehle an sich nehmen." Bezeichnend ist,
daß die Einschränkung in Hinsicht auf die Ausübung der allen Christen
gemeinsamen Vollmachten unter Berufung auf die Gleichheit aller erfolgt.
Auch: WA 6, 566, 26—28. WA 12, 189, 17—27. Luthers Gedanke der aus
dem allgemeinen Priestertum abgeleiteten grundsätzlichen Gleichheit aller
Christen wird ausführlich dokumentiert von Friedrich Lezius (Gleichheit und
Ungleichheit. Aphorismen zur Theologie und Staatsanschauung Luthers,
285—326).

[4] WA 6, 407, 29—31: „Drumb ist des Bischoffs weyhen nit anders, den als
wen er an stat und person der gantzen samlung eynen auß dem hauffen
nehme, die alle gleiche gewalt haben und yhm befilh, die selben gewalt fur
die anderen außzurichten..." WA 6, 408, 18—21: „Drumb solt ein priester
stand nit anders sein in der Christenheit, dan als ein amptman: weil er am
ampt ist, geht er vohr, wo ehr abgesetzt, ist ehr ein bawr odder burger wie
die andern." WA 6, 566, 29f.: „Quod enim omnium est communiter, nullus
singulariter potest sibi arrogare, donec vocetur." WA 7, 58, 19—21. WA/Br 7,
339, 29—31: „Denn es ist ein gar anders umb ein offentlich Ampt in der
Kirchen und umb ein Hausvater uber sein Gesind, darumb sie nicht zu mengen
sind noch zu trennen." Der uneinheitliche Quellenbefund hat verschiedene
Systematisierungen erfahren. Vertreter der „Übertragungstheorie" sind u. a.
G. Rietschel, R. Sohm, R. Seeberg und K. Holl (W. Brunotte, Das geistliche

Zwar mäßigte im Laufe der fortgehenden Reformationszeit der reifer werdende Luther die Leidenschaftlichkeit, mit der er in seinen frühen Jahren diese Anschauung entworfen und vorgetragen hatte[5]; auch erfuhr sie durch die übrigen Repräsentanten der neuen Lehre verschiedentliche Abwandlungen sowie differenzierende Ausfaltungen[6]; gleichwohl wurde sie im Kern ein Gemeingut der entstehenden protestantischen Theologie. Wenigstens in der Theorie hatte sie für das Erscheinungsbild und die Struktur all jener Kirchen und religiösen Gemeinschaften der Neuzeit, die im Gefolge der Reformation entstanden, zur Folge, daß innerkirchliche Standesunterschiede in beträchtlichem Ausmaß eingeebnet wurden[7] und daß sich das geistliche Amt zum Predigtdienst entwickelte, daß aus Priestern nunmehr Prediger wurden.

Natürlich fanden Luthers Vorstellungen, die eine fundamentale Kritik des Weihepriestertums darstellten, heftigen Widerspruch. Eine energische Zurückweisung der Thesen des Reformators, wie

Amt bei Luther, 21). Brunottes Deutung besteht dagegen auf der göttlichen Anordnung des geistlichen Amtes und verwirft dessen funktionale Ableitung aus dem Priestertum aller Gläubigen, obwohl die Mitverantwortung der Gemeinschaft für den Dienst des Amtes Berücksichtigung findet (Ebd., 133—154). Auch: R. Prenter, Die göttliche Einsetzung des Predigtamtes und das allgemeine Priestertum bei Luther, 321—332; P. Manns, Amt und Eucharistie in der Theologie Martin Luthers, 82f.

[5] WA 28, 466, 22—471, 4 (passim); WA 30/III 525, 10—12.

[6] Die relativ abgeschwächte Lehre Philipp Melanchthons ist bereits in der Einleitung (s. o. S. 16, Anm. 69—74) knapp skizziert worden. Ergänzend mögen sodann die Ansichten von Groppers Gegenspieler im Kölner Kirchenkampf der vierziger Jahre herangezogen werden. Bei Martin Bucer (BW I 1, 326f.) haben die Priester keinerlei Vorrang an Würde oder geistlicher Qualität, da alle Gläubigen in gleicher Weise sacerdotes sind, „das ist opferer, geistlich und geweyhet...; sy sind geistlich, dan haben sy den geist Christi nit, so sind sy auch nit sein". Die von der Bibel vorgenommene Unterscheidung der Christen beruht darauf, daß einige „andere im wort zu weysen und zu leren ein ampt und befelch haben ... Dise macht aber die schrifft nicht besser noch gewyhter oder geistlicher dan die andern, nennet sy auch nit sacerdotes, das ist opferer, sonder priester, das ist eltere, vorgenger und lerer, sy nennet sy auch bischöff, das ist wechter und sorgtreger uber die seelen, item apostelen alss gesandte von gott und der gleichen...".

[7] Einschränkend ist festzuhalten, daß die nach Luther der Gemeinde zufallenden Rechte in den lutherischen Landeskirchen faktisch meist von den Fürsten und Konsistorien, bei den Reformierten von den Synoden wahrgenommen wurden. Langfristig verhalfen erst der Pietismus im späten 17. Jahrhundert und vor allem die seit dem frühen 19. Jahrhundert auch in der Theologie einflußreichen politisch-gesellschaftlichen Reformvorstellungen der Idee des allgemeinen Priestertums zu erneutem Aufschwung. Gleichwohl gilt: „Die reformatorische Auffassung des allgemeinen Priestertums ist in der evangelischen Kirche auch heute noch nicht voll verwirklicht." B. Lohse, Priestertum in der christlichen Kirche, 580.

sie speziell im Buch von der Abschaffung der Privatmesse (1521)[8] formuliert waren, legte 1525 John Fisher vor; er bemühte sich, die Grundlagen des Apostolates und des auf ihm beruhenden Amtspriestertums in der Heiligen Schrift nachzuweisen, wobei er eine ausgiebige Konsultation der patristischen Literatur vorausschickte[9]. Aus England hatte sich schon vier Jahre zuvor in der von König Heinrich VIII. selbst — wahrscheinlich unter Mithilfe von Thomas More — verfaßten „Assertio septem sacramentorum"[10] ein profunder Widerspruch speziell auch gegen Luthers Negation des Amtspriestertums vernehmen lassen. Der Pariser Humanist Josse Clichtove scheute sich nicht, mit antiken und mittelalterlichen Vorgängern — dabei Luther ignorierend — das „genus electum" und „sacerdotium regale" von 1 Petr 2,9 zu verstehen als Aussage über das Amtspriestertum, insofern es jenen Teil des gläubigen

---

[8] „De abroganda missa privata Martini Lutheri sententia": WA 8, 411, 1—476, 37.

[9] Im ersten Teil von Fishers Schrift wird die Argumentation für das besondere Priestertum durch Belege aus der patristischen Literatur gestützt. Im „primum axioma" des anschließenden Teiles heißt es: „Rationi consentaneum est, ut pro negotiis, que salutem animarum concernunt, quidam deputentur, qui totius multitudinis curam gerant." J. Fisher, Sacri sacerdotii defensio, 22. Dies kommentiert W. J. O' Rourke (St. John Fisher's defence of the holy priesthood, 272): „Thus, Fisher begins by pointing out the necessity of the priesthood, the need for visible, external pastors and teachers. ‚This necessity becomes clear‘, he writes, ‚when one considers six troubles, among others, to which most Christians are certainly exposed‘." Als Folgen des Wegfalls des besonderen Priestertums prognostiziert Fisher Glaubensschwund, geistige Abstumpfung, Neigung zum Bösen, Trägheit im Tun des Guten, Listen des Satans und Ausbreitung von Irrlehren. Der Absicherung dieser Voraussage dienen zahlreiche Zitate aus dem Neuen Testament (20 aus dem Corpus Paulinum, sieben aus den Evangelien, zwei aus Offb, je eines aus Apg und 1 Petr); J. Fisher, Sacri sacerdotii defensio, 22—24. Fisher bemüht sich noch unter weiteren Aspekten um eine biblische Verankerung der Lehre vom besonderen Priestertum (W. J. O'Rourke, St. John Fisher's defence of the holy priesthood, 273—279).

[10] Zu dem frühen Zeitpunkt ihres Erscheinens (1521) stellte die „Assertio" eine der qualifiziertesten katholischen Kontroversschriften dar. 1522 fand sie durch Hieronymus Emser und Thomas Murner zwei deutsche Übersetzungen. Die Schrift bevorzugt die Argumentation von der Bibel her; der These Luthers vom allgemeinen Priestertum wird entgegnet, sie lasse in Wirklichkeit gar kein Priestertum bestehen: „ . . . laicos ideo tollit in sacerdotium, ut sacerdotes redigat in classem laicorum." Vom Priestertum bleibe auf diese Weise nur der Name übrig. Kern der verfehlten Lehre Luthers sei, daß sie die Berufung zum Priestertum in die Zuständigkeit des Volkes verweise. Damit widerstreite sie dem klaren Zeugnis des Apostels Paulus in den Timotheusbriefen, der lehre, „non nisi a sacerdote fieri sacerdotem, nec sine consecratione fieri, in qua et signum adhibeatur corporeum, et tantum spiritalis infundatur gratiae, ut is, qui consecratur, non solum accipiat ipse spiritum sanctum, sed etiam potestatem conferendi aliis". Die Zitate: Heinrich VIII., Assertio, H ij v u. H iij v.

Volkes bildet, der für den Herrn ausgesondert ist und darum besondere Würde und Heiligkeit besitzt[11]. Mit gediegenem Denkvermögen entfaltete in einem am 15. Januar 1524 abgeschlossenen „Ientaculum" der Kardinal Cajetan die kirchliche Lehre über das besondere Priestertum[12]. Unter den deutschen Kontroverstheologen, die sich vor Gropper zu dieser Frage äußerten, verdienen Kaspar Schatzgeyer[13], Bartholomäus Arnoldi von Usingen[14], Johannes

---

[11] J. Clichtove, Sermones, f. 377r. Vgl. Gregor d. Gr., Regula pastoralis II 3 (ML 77, 29); Hugo von St. Viktor, De sacramentis II/3, 1 (ML 176, 421).

[12] Cajetan unterscheidet ein Priestertum im eigentlichen Sinn („proprie") von einem Priestertum „secundum similitudinem seu participationem". Wer das erstere besitzt, ist „ex hominibus assumptus, pro hominibus constitutus, quod offerat sacrificia". Dies ist das hierarchische Priestertum, das nur einigen zukommt, nicht allen Gläubigen wie das Priestertum aufgrund von Ähnlichkeit bzw. Teilhabe. Letzteres beruht auf der Teilhabe aller Gläubigen am Opferakt und an der Opfergabe, welche in einer geistigen Weise besteht, insofern die Gläubigen nicht wie die geweihten Priester öffentlich „in persona Ecclesiae" das Opfer darbringen können. Th. Cajetan, Summula. Ientaculum III q. 3, p. 683. Dennoch ist bei Cajetan vom allgemeinen Priestertum in einem mehr als bloß übertragenen, moralischen oder metaphorischen Sinn die Rede; das verdeutlichen Bemerkungen Cajetans zu 1 Petr 2,5.9 u. Offb 5,10 (A. Bodem, Das Wesen der Kirche nach Kardinal Cajetan, 62—64; gegen Y. Congar, Der Laie, 283f.).

[13] Sein in irenischem Geist „pro conciliatione dissidentium dogmatum" geschriebenes „Scrutinium divinae scripturae" (1522) behandelt unter den religiösen Streitfragen der Zeit an siebter Stelle das Priestertum. Schatzgeyer war offen für das Anliegen der Reformatoren, wenn er auch deren hartes Urteil über das Priester- und Ordensleben klar zurückwies (N. Paulus, Kaspar Schatzgeyer, 62—80). Im „Scrutinium" stellte er die Schriftstellen, die für das allgemeine Priestertum sprechen, jenen gegenüber, die ein besonderes Priestertum bezeugen. Auf dieser Basis urteilte er, daß beide Arten einander nicht ausschließen, sondern sich gegenseitig stützen. Zugang zum besonderen Priestertum haben alle Glieder des Leibes Christi, sofern sie berufen sind; dieses Priestertum ist von Christus eingesetzt „ad divini cultus exterioris administrationem et ecclesiae aedificationem"; es besitzt eine besondere Würde, da es nach dem Vorbild des Moses (Num 12,8) eine Mittlerstellung zwischen Gott und seinem Volk wahrnimmt (K. Schatzgeyer, Scrutinium divinae scripturae, 96—105).

[14] Arnoldi akzeptierte schon 1523 in einer Predigt „De sacerdotio regali et ecclesiastico" die Vorstellung eines allgemeinen, königlichen Priestertums aller Gläubigen, das sich gründe auf die Mitgliedschaft aller Christen im Königreich Christi und allein durch den Geist Christi, den Geist der Liebe und Freiheit, gefestigt werde (Liber secundus, E 3r/v). Doch schließt diese Vorstellung laut Arnoldi ein besonderes, sakramentales Priestertum keinesfalls aus. In seinem „Libellus de septem sacramentis ecclesiae catholicae" von 1530 (Universitätsbibliothek Würzburg, Handschriftenabteilung, M. ch. o. 33) befaßte sich Arnoldi mit der Leugnung der Sakramentalität des Ordo durch die Lutheraner, „qui a doctrina et obedientia ecclesie catholice recesserunt" (f. 59v), und suchte die Lehre zu stützen, daß es im Neuen Bund nach dem Vorbild des Alten Bundes ein besonderes, auf der unter Handauflegung und Salbung gespendeten Weihe begründetes Priestertum gebe (f. 58r—62v).

Eck[15], Johannes Mensing[16], Berthold Pürstinger von Chiemsee[17]
und Nikolaus Herborn[18] stellvertretend für andere[19] Beachtung.
Auch Thomas Illyricus[20], Gasparo Contarini[21] und andere Ita-

[15] Eck war es im „Enchiridion" (f. 55v—57v) wie in anderen Schriften (Homiliarius IV: De sacramentis, Hom. 62, f. 80v u. 81r) sehr um die Sicherung eines
tragfähigen dogmatischen Fundamentes für das besondere Priestertum zu tun.
In der ihm eigenen Schärfe stellte er dabei den Gegensatz zu Luther heraus.
Aus Lk 4,16—30 leitete er ab, „Christum fuisse unctum ad evangelizandum, in
ea unctione adhuc praelati praedicant, et qui praepositi sunt caeteris, ut parochi magis sunt illius participes, quam laici" (Homiliarius IV: De sacramentis, Hom. 62, f. 81r). Nach Eck profiliert sich das Priestertum vornehmlich in
einer engen Beziehung zum Meßopfer, welches vom Priester „in persona
ecclesiae" bzw. durch den Priester von der Kirche, der Braut Christi, dargebracht wird. E. Iserloh, Die Eucharistie in der Darstellung des Johannes Eck,
156—168.

[16] Zwei Reden, die Mensing im Frühjahr 1527 zur Verteidigung des katholischen
Priestertums vor dem Magdeburger Klerus gehalten hatte („De Sacerdotio
Ecclesiae Christi catholicae / oratio latina / habita ad clerum Parthenopoli-
tanum / adversus Marti. Lutheri dogmata, praesertim libello suo infando, de
abroganda missa, malesuado demone prodita" u. „Examen scripturarum atque
argumentorum / quae adversus Sacerdotium Ecclesiae / libello de abroganda
Missa, per M. Lutherum sunt adducta"), schenkte er in überarbeiteter Fassung
seinem Kölner Ordensbruder Johannes Host. Dieser gab sie 1532 neu heraus.
Er fügte ihnen einen eigenen Traktat über die Pflichten, die Vorrechte und
Würden des katholischen Priestertums bei (J. Host von Romberg, De ecclesiae
Christi sacerdotio). N. Paulus, Die deutschen Dominikaner im Kampfe gegen
Luther, 23f. u. 141.

[17] Die „Tewtsche Theologey" Bertholds interpretierte die Stelle 1 Petr 2,5.9
unter Rückgriff auf Ex 19,5f.; wenn Israel dort ein priesterliches Volk genannt werde, so sei damit keinesfalls widerlegt, daß es im Alten Testament
einen tiefgreifenden Unterschied zwischen Priestern und Laien gegeben habe.
Ein ähnlicher Unterschied bestehe auch im Neuen Testament; hier bildeten
alle Gläubigen ein geistliches Reich, so daß sie sich Priester und Könige nennen könnten; gleichwohl nehme in dem einen, viele unterschiedliche Glieder
umfassenden Leib der Kirche das besondere Priestertum eine vorzügliche
Stelle ein. Berthold, Tewtsche Theologey, cap. 94,5 u. 96 (651 u. 662—666).

[18] Herborn zeigte in dem „Handbuch gemeindienlicher Belange wider die Irrlehren dieser Zeit" (1528), daß ein auf der Taufe beruhendes allgemeines
Priestertum der Gläubigen vereinbar ist mit dem besonderen Priestertum der
„ministri ecclesiae", „qui verbi divini sacrarumque rerum dispensatores sunt".
Das besondere Priestertum ist exklusiv: „... non omnes mittimur, nec omnes
dati sunt pastores, sed quidam, sed paucissimi, nempe apostoli et horum successores legitimi, quique seipsos non intrudunt, nec mittunt, ut prophetae illi
fecerunt mendaciorum." N. Herborn, Locorum communium Enchiridion,
52 u. 64.

[19] Zu nennen wäre Johannes Cochläus, der nach eigenem Zeugnis schon 1520 ein
deutschsprachiges Libell über die beiden Arten des Priestertums verfaßte; dies
Libell ist nicht erhalten. Das gleiche Thema behandelte Cochläus 1534 in der
Schrift „Von der heyligen Mess und Priesterweyhe"; er versuchte darin,
Luthers Position von den Vätern her zu schwächen; Cochläus verwies auch
auf die Arbeiten von J. Fisher, J. Clichtove, J. Eck und J. Mensing. K. Kastner, Cochläus und das Priestertum, 86—90.

liener[22] hatten sich schon vor Johannes Gropper einer Auseinandersetzung mit Luthers Theorie des allgemeinen Priestertums gestellt.

So war es für Gropper geradezu eine Pflichtübung, sich in diesem Punkt mit dem Reformator auseinanderzusetzen. Luthers ans Agitatorische grenzende Schrift über die babylonische Gefangenschaft der Kirche von 1520[23] hat ihm mit Sicherheit bei der Abfassung des „Enchiridion" vorgelegen. Im Bewußtsein der gefährlichen Brisanz der Theorie Luthers tituliert er diesen und seine Gesinnungsgenossen als „ecclesiae hostes", deren eifrigste Absicht es sei, den Ordo aus der Kirche zu verdrängen, aus Priestern Laien zu machen und priesterliche Aufgaben an Laien zu übertragen. Mit der Abschaffung der besonderen priesterlichen Vollmacht und der damit verbundenen eigenen Gnade liquidierten sie das Weihesakrament selbst. Wie die Kirchenväter versicherten, gebe es keine gefährlichere Lehre als diese[24].

Die Berufung auf die Kirchenväter erfolgt nicht zufällig; vorher bereits, nämlich bei der Bemerkung, die Reformatoren verwischten die Grenzen zwischen Priestern und Laien, spielt Gropper auf einen ähnlichen Vorwurf Tertullians gegen die Häretiker an[25]. Doch nicht der Kirchenväter bedienen sich die Neuerer vorrangig, um ihr „pernitiosum dogma" zu beweisen; vielmehr stützen sie sich

[20] In seinem „Clipeus catholicae Ecclesiae" (1524) gab Thomas Illyricus im Abschnitt „De sacramento ordinis" (f. 20v—41r) eine ausführliche Begründung des besonderen Priestertums ab. Im Anschluß an ein Plädoyer für die Verschiedenheit der Stände in der Kirche versuchte er darin mit Zitaten der Bibel den Beweis dafür zu erbringen, daß es immer einen besonderen, dem Gottesdienst geweihten Priesterstand gab. Christus hat ihn nicht aufgehoben, sondern „secundum ordinem Melchisedech" vervollkommnet. Aufgaben und Würde, Bedeutung und Sinn des besonderen Priestertums illustriert Thomas Illyricus mit Belegen aus patristischen Schriften.

[21] In seinem Werk über die Sakramente bediente sich Conarini des Arguments, daß die Stelle 1 Petr 2,9 dem Alten Testament entstammt, wo sie dem ganzen Volk gilt, ohne etwa das aaronitische und levitische Priestertum in Frage zu stellen. Contarini folgert, daß dann auch im Neuen Bund das allgemeine Priestertum der Gläubigen das besondere Weihepriestertum nicht aufhebe. Er schreibt (De sacramentis: Opera, p. 376): „... aliud esse sacerdotium, quod omnibus Christianis convenit, qui in baptismate uncti sunt, et aliud hoc, quod nos sacrum ordinem appellamus."

[22] Hier wären die Stellungnahmen von Alberto Pio in der „Responsio" (1529) und von Girolamo Perbuono im „Opus Oviliarum" (1533) zu erwähnen. Dazu: F. Lauchert, Die italienischen literarischen Gegner Luthers, 290f. u. 337.

[23] WA 6, 497, 1—573,22. Von besonderer Relevanz ist der Abschnitt „De ordine" (Ebd., 560, 19—567,31).

[24] Enchiridion, f. 189r.

[25] Tertullian, De praescriptione haereticorum 41,8 (CChrlat 1,222): „Itaque alius hodie episcopus, cras alius; hodie diaconus, qui cras lector; hodie presbyter, qui cras laicus; nam et laicis sacerdotalia munera iniungunt."

hauptsächlich auf die Heilige Schrift, welche sie für Groppers Begreifen aber ganz und gar verdrehen, wenn sie lehren, daß es keine
Aussonderung („discrimen") des Priestertums gebe[26], daß vielmehr alle in gleicher Weise Priester seien und dieselbe Vollmacht
hätten[27], daß der Ordo nichts sei als ein gewisser Ritus, den Prediger in der Kirche auszuwählen[28] und daß der Dienst am Wort und
an den Sakramenten nur mit Zustimmung der Laien verwaltet
werden könne[29]. Für diese Behauptungen werden folgende Worte
der Bibel angeführt: „Ihr seid ein auserwähltes Geschlecht, eine
königliche Priesterschaft" (1 Petr 2,9)[30]; „Er hat uns geliebt und
uns in seinem Blut gewaschen und uns zu einem Reich gemacht, zu
Priestern für seinen Gott und Vater" (Offb 1,5f.)[31]; „Denn wir alle
sind in einem Geiste zu einem Leib getauft, Juden wie Heiden,
Sklaven wie Freie, und wir alle sind mit einem Geist getränkt worden" (1 Kor 12,12f.)[32]. Gropper kommentiert diesen Schrift-
gebrauch mit einer scharfen Wertung, indem er ihn als äußerst
ungebildet bezeichnet.

[26] Luther (WA 6,563, 28—30): „... quod hac arte quesitum est, ut seminarium
discordiae implacabilis haberetur, quo clerici et laici plus discernerentur quam
coelum et terra." Luther spricht sogar von einer „tyrannis detestabilis" der
Kleriker über die Laien (Ebd., 32). Gropper (Enchiridion, f. 189r): „... nullum
esse sacerdotij discrimen."

[27] Luther (WA 6, 566, 27f.): „... omnes nos aequaliter esse sacerdotes, hoc est,
eandem in verbo et sacramento quocunque habere potestatem." Gropper
(Enchiridion, f. 189r): „... omnes ex aequo presbyteros esse, omnes eandem
habere potestatem."

[28] Luther (WA 6,564,16f.): „... sacramentum ordinis aliud esse non possit quam
ritus quidam eligendi Concionatoris in Ecclesia." Gropper (Enchiridion,
f. 189r): „ordinem nihil esse quam ritum quendam eligendi concionatoris in
ecclesia."

[29] Luther (WA 6,566,28f.): „... non licere quenquam hac ipsa [sc. potestate in
verbo et sacramentis] uti nisi consensu communitatis." Gropper (Enchiridion,
f. 189r): „... verbi quoque et sacramentorum ministerium non nisi laicorum
consensu committi."

[30] Luther (WA 6,564, 9—11); „Sic enim 1. Pet. II. dicitur: ‚Vos estis genus electum, regale sacerdotium et sacerdotale regnum.' Quare omnes sumus sacerdotes, quotquot Christiani sumus." 1 Petr 2,9 kann man Luthers Kardinalzeugnis
für das allgemeine Priestertum nennen; vgl. etwa: WA 8,487, 25—28; 495,
19—21. WA 11,412, 2—4. WA 12,180, 17—32; 317, 6—8; 322,1f.

[31] Auch diese Stelle und die nur geringfügig anders formulierte Stelle Offb 5,10
benutzt Luther häufig als biblische Zeugnisse des allgemeinen Priestertums;
vgl. etwa: WA 6,407,24f. WA 8,253,17f.; 416,18f.; 487,29f.

[32] Hier ist offenbar eindeutig auszumachen, auf welche Quelle sich Gropper
stützt. Laut einer von W. Brunotte (Das geistliche Amt bei Luther, 136,
Anm. 9) erstellten Statistik verwendet Luther 1 Kor 12,12f. nur einmal, und
zwar in der Schrift „An den christlichen Adel deutscher Nation", für den Gedanken des allgemeinen Priestertums (WA 6,407,13—22; 408,32). Nicht voll
überzeugt die Auslegung dieser Stelle durch E. W. Kohls (Die Deutungen des
Verhaltens Luthers in Worms innerhalb der neueren Historiographie, 55—60).

Gegenüber den radikalen Schlußfolgerungen der Reformatoren nimmt der Kölner Theologe seine Zuflucht zu der traditionellen Lehre eines doppelten Priester- und Königtums, worin zwischen einem inneren, allgemeinen und einem äußeren, besonderen Priestertum unterschieden wird. Das „sacerdotium internum" bzw. „regnum internum" ist allen Christen, „saltem piis", gemeinsam, und zwar auf Grund ihrer Gliedschaft am Leibe Christi, des Hohenpriesters und Königs, welche durch den Empfang des Taufsakramentes erwirkt wird[33]. Darauf nehme laut Augustinus das Wort des Johannes in der Apokalypse Bezug: „Sie werden Priester Gottes und Christi sein und mit ihm herrschen tausend Jahre" (Offb 20,6). Dies Wort, so lehrt Gropper unter Berufung auf den Kirchenlehrer, meint nicht allein Bischöfe und Priester, welche „proprie" in der Kirche den Namen Priester tragen, sondern es gilt allen Gläubigen, denen der Name Christ wegen einer geistlichen Salbung eigen ist, die man aber ebenso auch Priester nennen kann, da sie ja Glieder des einen Priesters Christus sind[34]. Hieronymus[35] habe die Taufe als Priestertum des Laien bezeichnen können, weil wir durch die Taufe in einem Leib, dessen Haupt Christus ist, innig verbunden sind. In einer der priesterlichen und herrscherlichen Funktion Christi analogen Weise opfert sich jeder Christ selber auf, bringt „geistliche Opfer" dar und beherrscht wie Christus alle Versuchungen des Fleisches, alle Lockungen der Welt und alle

---

[33] Gropper geht hier (Enchiridion, f. 189v) auf diesen Punkt nur flüchtig ein, weil er seine Ausführungen in der Tauflehre (Ebd., f. 78v—83v) voraussetzen kann. Wörtlich spricht er dort allerdings nicht von der Teilhabe am allgemeinen Priestertum als einer Wirkung der Taufe; in einem weiteren Sinn versteht er jedoch die Taufe als Berufung, Christus anzugehören. Den Zusammenhang von Taufe und allgemeinem Priestertum erörtert Gropper in der „Gegenberichtung" (f. 55v), und zwar bei der Beschreibung der Salbung mit Chrisam: „Hiernach bist du kommen zum priester / merk was gefolget sey ... / Dan wyr alle werden am Thauff gesalbet in das reich Gottes / und in eyn Priesterthumm werden wyr gesalbet mit götlicher gnad." Dabei verweist Gropper auf: Ambrosius, De mysteriis 6,29—30 (CSEL 73,101). Diese Quelle stand ihm in einer 1533 bei Johannes Gymnich in Köln verlegten Edition zur Verfügung. Eine ähnliche Erläuterung der Chrisamsalbung gibt Gropper auch in der Institutio catholica, p. 657 (p II r) — 658 (p II v): „ut unctus norit, se capiti suo Christo iam insitum et in eo sprirtualem sacerdotem et regem effectum esse, sicut Petrus ait: Vos autem genus electum et regale sacerdotium."

[34] Augustinus, De civitate Dei XX 10 (CChrlat 48,719f.).

[35] Enchiridion, f. 189v: „Proinde divus Hieronymus ... ipsum baptisma sacerdotium laici appellat, quod per baptismum in unum corpus, cuius Christus est caput, conglutinati simus." Gropper bezieht sich auf eine Bemerkung des Hieronymus in dem für die Gültigkeit der arianischen Taufe votierenden „Dialogus contra Luciferianos" (ML 23,158): „... sacerdotium laici, id est, baptisma ..."

Nachstellungen des Teufels. Unter diesem Aspekt kann für Gropper sehr wohl die Rede sein von einem allgemeinen Priestertum der Gläubigen. Daneben aber hegt er keinen Zweifel, daß das Evangelium überdies ein äußeres König- und Priestertum bestätigt, welches nicht nur — wie das „spirituale sacerdotium" aller Gläubigen — „in sola mente consistit et unctionem tantum spiritualem habet"[36]. Um seine Leser für diesen Gang der Argumentation zu disponieren, lenkt Gropper an dieser Stelle den Blick auf den Kult Israels, dessen Verhältnisse von ihm anscheinend als typologisches Modell aufgefaßt werden.

a) Das Vorbild im Alten Bund

Auch im Alten Bund gab es ein allgemeines Priestertum. Die von Martin Luther als geradezu klassisches Schriftzitat für das allgemeine Priestertum benutzte Stelle 1 Petr 2,9 ist ja sogar dem Alten Testament entnommen, und zwar Ex 19,5f. „Universis Judaeis" wird dort in der Gottesoffenbarung am Sinai kundgetan, daß sie das auerwählte Volk des Herrn sind, ein Königreich von Priestern. So kann man laut Gropper in Übereinstimmung mit der Bibel die Zugehörigkeit zu Gottes Volk im Alten Bunde als ein „sacerdotium internum" verstehen[37].

Daneben aber ist in der Schrift ausdrücklich zu lesen, daß Gott dem Moses Anweisungen über ein „sacerdotium externum" erteilt; schaut man schon auf das Alte Testament, so ist es erforderlich, auch dies zur Kenntnis zu nehmen. Die über das aaronitische Priestertum handelnden Kapitel Ex 28 und 29 bezeugen die Institution eines besonderen Priesteramtes im alten Gottesvolk. Wohl bewußt zitiert Gropper die Vokabeln „salben" (ungere) und „weihen" (sanctificare) aus Ex 28,41; sie machen die dem aaronitischen Priestertum eigene Exklusivität lebhaft bewußt und signalisieren für ihn damit, daß die alttestamentlichen Positionen in der kontrovers-theologischen Problematik der reformationsgeschichtlichen Gegenwart seinen Standpunkt stützen, gegen die reformatorische Negation des besonderen Priestertums aber dauerhaft zur Kritik anregen. Wenn Gropper wiederholt auf diese Verhältnisse, die der Alte Bund spiegelt, pocht, so wird man das vielleicht dahin deuten können, daß er von den Reformatoren, gerade da sie sich in ihrer Lehre über das allgemeine Priestertum auf eine vom ersten Petrusbrief dem Alten Testament entlehnte Stelle stützen, die Bereitschaft erwartet, ihre dogmatisch verhärtete Bastion der Verwerfung des

---

[36] Enchiridion, f. 189v.
[37] Enchiridion, f. 189v.

besonderen Priestertums angesichts des alttestamentlichen Stellenbefundes zu räumen[38].

Um diesem seinem Versuch noch mehr Nachdruck zu verleihen, schafft Gropper weitere Zitate heran. Er erinnert an das in Num 16 erzählte Geschick von Korach, Datan und Abiram, die sich mit der Losung, die ganze Gemeinde sei heilig, gegen Moses und Aaron erhoben und „propria authoritate" das Priestertum beanspruchten, dafür aber vom Herrn bitter bestraft und hinweggerafft wurden. Dies stellt für Gropper eine Erläuterung der Maxime des Hebräerbriefes (5,4) dar, daß man sich die priesterliche Würde nicht selbst verschaffen kann, sondern daß sie abhängig ist von Gottes Berufung. Zwei andere dramatische Fälle, die das Alte Testament berichtet, illustrieren das noch: Der plötzliche Tod Usas, der unerlaubt seine Hand nach der Bundeslade ausstreckte (2 Sam 6,6—8), und die lepröse Erkrankung des Königs Usija, der sich durch ein unstatthaftes Räucheropfer — „functionem sacerdotalem usurpans" — gegen den Herrn versündigte (2 Chr 26,16—21). Gropper schließt die Bemerkung an, daß längst vor ihm die Kirchenväter diese alttestamentlichen Stellen sehr wirksam gegen jene Häretiker ins Feld geführt hätten, die den Ordo aus der Kirche zu entfernen beabsichtigten[39]. Für ihn läßt dies alles nur den Schluß zu, daß es wie im alten Gottesvolk so auch in der Kirche außer dem allgemeinen und inneren auch das besondere, äußere Priestertum geben muß[40].

Diese das aaronitische Priestertum des Alten Bundes als Typus des besonderen Priestertums des Neuen Bundes wertende Beweisführung Groppers wirft die Frage auf, welche Beachtung der Kölner Theologe an anderen Stellen den Verhältnissen im Alten Bund schenkt, insbesondere dem alttestamentlichen Priestertum im Rahmen seines Bemühens um ein erneuertes Gesamtverständnis

---

[38] Ebd. Luther pflegt sich einer solchen Argumentation dadurch zu verschließen, daß er im altbundlichen Priestertum ausschließlich ein Opferpriestertum erblickt; dieses ist seit dem einen Opfer Christi für die Kirche und den Neuen Bund nach Luther entbehrlich.

[39] Er weist in einer Marginalie auf Cyprian hin, spezifiziert diese Angabe jedoch nicht. Wahrscheinlich besteht ein Bezug auf: Cyprian, Epistula 69,8 u. 9 (CSEL 3/2,756—758). Dort beruft sich Cyprian im Rahmen der Bestreitung der Gültigkeit der Sakramentenspendung von Häretikern auf Num 16. Ähnlich auch: Epistula 67,3 (CSEL 3/2,737). De catholicae ecclesiae unitate, 18 (CSEL 3/1,226). An sämtlichen genannten Stellen operiert Cyprian mit Num 16. Übrigens benutzt auch Johannes Eck diese Schriftstelle für die Begründung des besonderen Priestertums (J. Eck, Enchiridion, f. 54r).

[40] Enchiridion, f. 190r: „Ergo et in ecclesia eadem omnino ratione, praeter internum illud sacerdotium, aliud quoque externum necesse est, quod legitima ordinatione ac cum signo quodam visibili non sine spirituali gratia in ecclesia dei conferatur."

des Priestertums in der Kirche. Offensichtlich scheint Gropper der Auffassung anzuhängen, es gebe eine bestimmte Form von Kontinuität zwischen dem Priestertum der Söhne Aarons und dem Priestertum in der Kirche[41]. Ja, er meint, die hierarchische Stufung, welche zwischen Aaron als dem von Moses eingesetzten Hohenpriester und den Söhnen Aarons als „minores sacerdotes" besteht, „ad eundem modum" wiederzufinden in der Kirche, worin es nebeneinander die Bischöfe und die Priester gibt, welche ihrerseits hervorgegangen sind aus den von Christus berufenen Gemeinschaften der zwölf Apostel und der 72 Jünger[42]. Allerdings verzichtet Gropper darauf, diesen Gedanken systematisch zu reflektieren; wohl wird er in ihm bestärkt durch einen Vergleich zwischen dem Priestertum des Alten und des Neuen Testamentes, den er von Chrysostomus übernehmen kann: Gegenüber den Priestern des Neuen Bundes, welche aufgrund der Absolutionsgewalt die Menschen vom Schmutz der Seele reinigen können, bleiben die jüdischen Priester mit ihrer Befugnis, die Reinheitsgesetze zu überwachen, weit zurück[43]. Doch nähere Spezifikationen dieses Vergleiches, die ja durchaus naheliegen, unterläßt Gropper.

Sporadisch finden sich noch weitere Spuren dieses Denkmodells. So vergleicht Gropper den Auftrag des Priesters, die Gläubigen zu belehren, wofür die eingehende Erläuterung des Dekalogs im „Enchiridion" hinreichend Material bereitstellt[44], mit der Rolle des Moses, der vom Herrn auf dem Berg Sinai die Gesetzestafeln erhalten hat und mit diesen dem Volk gegenübertritt[45]. Auch in

---

[41] Enchiridion, f. 196r (mit Verweis auf Ex 29): „Hunc ordinem surrogatum esse constat in locum minorum sacerdotum veteris legis."

[42] Enchiridion, f. 196r: „Quum enim Moyses Aaron in summum pontificem constituisset, filios eius unxit in minores sacerdotes. Ad eundem modum Christus primum duodecim elegit discipulos, quos et apostolos vocavit (quorum locum in ecclesia obtinent Episcopi), deinde alios septuagintaduos discipulos designavit, quorum locum in ecclesia tenent presbyteri." Bereits Isidor von Sevilla, von dem Gropper hier anscheinend beeinflußt ist, zeichnet die Parallelen Aaron—Bischof und Söhne Aarons—Priester. Isidor, De ecclesiasticis officiis II 5, 5 u. 6 (ML 83,781f.). Vgl. Ps. Anaclet, Epistula 2,23 (Hinschius, 78f.). Zur Interpretation: Y. Congar, Zwei Faktoren der Sakralisierung, 520 (mit Anm. 5).

[43] Unter Berufung auf: Chrysostomus, De sacerdotio III 6 (MG 48,644) formuliert Gropper (Enchiridion, f. 155v): „... nostros Iudaeorum sacerdotibus longe praefert, quod his corporis lepram purgare seu (ut verius dicamus) haud purgare, sed purgatos probare. At nostris non corporis lepram, verum animae sordes, non tantum purgatas probare, sed purgare prorsus (ut ait) concessum sit."

[44] Enchiridion, f. 251r—313v.

[45] Enchiridion, f. 313r/v. Zu erkennen ist das Moses-Bild auch an einer Stelle im zweiten Abschnitt der „Canones" (f. 7v; cap. 4; ARC II 215f.).

die Statuten des Kölner Provinzialkonzils hat ein ähnliches Denken in Bezug auf das Priestertum gelegentlich Eingang genommen"[46].

Eine nicht zu unterschätzende Quelle für Groppers Neigung zur Typologie bildet der Hebräerbrief. Dessen Vorstellung einer Überbietung der vielen im Alten Bund dargebrachten Opfer durch das einzige Opfer Christi, das ein für allemal die Sünden hinweggenommen hat, ist etwa in Groppers Eucharistielehre wiederholt gegenwärtig[47]. Gegen die Reformatoren gewendet, warnt Gropper jedoch zugleich davor, daraus nun schon auf das Ende aller Opfer, aller Zeremonien, auf das Ende insbesondere des sichtbaren Priestertums zu schließen[48], diese haben vielmehr auch im Neuen Bund, in der Zeit der Kirche, ihren Platz, da sie „uns erinneren sollen, was in Christo schon volnbracht ist"[49]; ihre Funktion

[46] Als Beispiel mag eine Bestimmung aus dem Kapitel über die Weihbischöfe dienen (Canones, f. 3v; cap. 16; ARC II 207): „Nobis quidem uti caeteris omnibus pontificibus, in Aaronis persona loquutus est deus: ‚Homo per familias, qui habuerit maculam...‘ [Lev 21,17—21]." Ähnlich: Canones, f. 7r (cap. 2; ARC II 214f.).

[47] Vgl. etwa Enchiridion, f. 102r: „Breviter, hoc fere tota epistola illa ad Hebraeos Paulus agit, ut ostendat, etsi pleraque fuerint propitiatoria sacrificia apud Iudaeos, veluti pro peccato, pro delicto holocaustum, idque significative et figuraliter. Unum tamen revera propitiatorium sacrificium esse pro peccato, per tot et tam varia veteris legis sacrificia tantum obumbrata, non exhibita. Quodque haec veteris legis sacrificia unica Christi oblatione facta, penitus sunt evacuata..." Gropper geht es in diesem Zusammenhang darum, die Behauptung Luthers (s. o. Anm. 38) zurückzuweisen, daß das Meßopfer die im Hebräerbrief verbürgte Einmaligkeit des Opfers Christi beeinträchtigt. Er pocht darauf, daß die Kirche immer um die dem Kreuzesopfer allein innewohnende, durch kein menschliches Werk und auch nicht durch das Meßopfer geminderte Sühnekraft gewußt habe. Dazu: M. Hillenbrand, Johannes Groppers Meßopferlehre nach dem „Enchiridion Christianae Institutionis" aus dem Jahre 1538, 70—78. F. J. Kötter, Die Eucharistielehre in den katholischen Katechismen des 16. Jahrhunderts, 151.

[48] Melanchthon (Apologia Confessionis Augustanae, Art. 13,7—13; CR 27,570f.) lehrte, daß das Opfer Christi am Kreuz alle Sünde der Welt getilgt hat; deshalb sind alle weiteren Opfer überflüssig, und auch ein Priestertum, welches nicht der Predigt und Sakramentenreichung dient, sondern Opfer darzubringen besteht, ist entbehrlich. Melanchthon widerspricht dabei ausdrücklich der Auffassung, daß das Neue Testament in Analogie zum levitischen Priestertum des Alten Testaments ein Opferpriestertum erfordert; auch er beruft sich auf den Hebräerbrief (7,11—28).

[49] Gegenberichtung, f. 12r: „Uß disem weyter folgt / das das Neüwe Testament / vomm Alten / der wegen nit underscheiden wirt / noch underscheiden werden sol / das das Alte eussere gebreuch und ordnung gefordert hab / und aber das Neüwe sôlche gar nicht fôrderen sôll. Dan war ists / das wie das Alte Testament seine Ceremonien / die uff den kunfftigen Christum weysen / und seyne gebreuch gehabt / (wôlche nun mehe unnütz / dweil sie in Christo eyn mal und zu mal erfüllt / und als eyn schattenn durch zukunffst des liechtes hyngenommen seyndt) also hat auch das Neüwe Testament seyne Ceremonien / die uns erinneren sôllen, was in Christo schon volnbracht ist.

besteht also in der Aussage der Erinnerung, des Gedächtnisses, der
„memoria" an das, was in Christus als Heil bereits erwirkt ist,
dessen Vollendung aber noch aussteht. Dem Alten Testament ähnlich fordert so auch das Neue Testament äußere Ordnungen, und
diesen zählt Johannes Gropper das besondere Priestertum zu. Als
Ergebnis wird man festhalten können, daß sich Groppers Argumentation für das besondere, sichtbare Priestertum in der Kirche
in beträchtlichem Ausmaß auf die vom Alten Testament bezeugten
religiösen Ordnungen stützt[50].

b) Das besondere Priestertum als „nexus unitatis ecclesiae"

Im Laufe der vorausgehenden Ausführungen wurde bemerkt,
daß sich Luthers Anschauungen über das geistliche Amt sowohl
in ihrer kritischen Position dem vorhandenen Priesterstand der
Kirche gegenüber wie auch in ihrem positiven, funktional gerichteten Neuentwurf als „ministerium" im Bewußtsein eines allgemeinen Priestertums ausbilden, worin alle Gläubigen, und in ihnen
die gesamte Kirche, umfaßt sind. Damit hebt Luther die Relation
zwischen Priestertum und Kirche in Identität auf; es legt sich nahe
nachzuprüfen, in welcher Weise sich diese Beziehung bei Johannes
Gropper darstellt. Das verlangt dann aber einen kursorischen, auf
das Wesentliche beschränkten Blick auf seine Ekklesiologie, die im
„Enchiridion" innerhalb der Auslegung des Glaubensbekenntnisses
entfaltet wird.

Gropper trägt dort nach einer etymologischen Erklärung des
Wortes „ecclesia"[51] die der Tradition geläufige Unterscheidung

Darneben hat das Neüw seyne eusserliche ordnungen / die wyr zu halten
(auch gewissens halben) schuldig / Es werde dan mit uns / durch die Lieb /
die alle eusserliche gesätz übertrifft / dispensiert."

[50] Möglich scheint hier ein Einfluß Josse Clichtoves auf Gropper. In „De vita et
moribus sacerdotum" weist Clichtove Parallelen zwischen dem levitischen Priestertum des Alten Bundes und dem evangelischen Priestertum des Neuen
Gesetzes auf. Letzteres überbietet das erstere. Es ist von Christus gestiftet, der
„idea sacerdotum". Christus ist zugleich Priester und Opfer „in aeternum";
in der bis ans Ende der Welt reichenden neuen Heilszeit stehen an seiner
Stelle die Priester der Kirche. Sie bringen „ad illius unicae oblationis memoriam atque repraesentationem" das Opfer dar, und zwar Brot und Wein
nach dem Vorbild des Melchisedech; Brot und Wein werden in den Leib und
das Blut Christi verwandelt. J. Clichtove, De vita et moribus sacerdotum, f. 16r.
Ähnlich: U. Rieger, Opusculum, e IIv—e IIIv.

[51] Enchiridion, f. 65r: „Ecclesia graeca vox est, ab ἐκκαλεῖν, quod est evocare.
Unde ecclesia quasi evocata concio." Erasmus, Dilucida et pia explanatio
Symboli, 1170: „Ecclesia dicitur ab ἐκκαλεῖν, quod est evocare." Erasmus
macht sich für seine Erklärung des Kirchenbegriffes außerdem die Etymologie
von „Synagoge" zunutze.

von „ecclesia militans" und „ecclesia triumphans" vor. Der letzteren schenkt er nur kurze Aufmerksamkeit, um anschließend
ausführlich über die streitende Kirche zu handeln, bei der es
erneut zwei Betrachtungsweisen zu unterscheiden gilt; denn darunter kann man zum einen all jene fassen, „qui ita sunt in domo dei,
ut et ipsi sint domus dei, seu templum spiritus sancti"[52]; betrachtet
man die „ecclesia militans" unter diesem Aspekt, so ist sie die
„ecclesia stricte accepta"[53], die unsichtbare, allein Gott bekannte
Kirche. Daneben gibt es einen zweiten Aspekt der „ecclesia militans"; dieser findet ein größeres Interesse Groppers; unter ihm
nämlich vereinigt die Kirche all jene, „qui habent communionem
professionis fidei, doctrinae, et sacramentorum secundum Catholicam et Apostolicam traditionem"[54]. Damit aber stellt sich sogleich
das Problem, daß zur Kirche in diesem Sinn „tam boni quam
mali"[55] gehören.

Die Zugehörigkeit der Sünder zur Kirche illustriert Gropper mit
dem Bild der Spreu im Getreide[56] und mit dem Bild des menschlichen Körpers, der auch kranke und träge Glieder hat, „quae
nonnumquam resecanda veniunt, ne caetera membra horum contagione inficiantur, interdum toleranda, ne forte, si abscindantur,
totum corpus in periculum veniat, quae etsi membris vivis in vitali
spiritu non communicent, colligantia tamen quadam vivis adhae-
rent"[57]. Auch diese Glieder seien Teile des Körpers. Übertragen
auf die Kirche heißt das dann, daß es in ihr ein Miteinander von
Guten und Bösen gibt, deren Verbundenheit zwar nicht auf einer
Einheit des Geistes und auf dem Band der Liebe beruht, wohl aber
auf der Einheit des Bekenntnisses und „secundum... visibilem
quandam Christianae fidei formam"[58]. Diese Konzeption des Kirchenbegriffes bedeutet jedoch einen Ausschluß der Exkommunizierten, die durch öffentliches Urteil der Kirche, „donec resipiscant"[59], von ihr getrennt sind, einen Ausschluß auch der Häretiker
und Schismatiker, die aus eigener Absicht die Kirche verlassen
haben und sie nicht selten sogar schmähen und verfolgen, einen
Ausschluß schließlich der Heiden, die die Kirche nicht kennen und
in keiner Weise ihr zugehörig sind. Zwischen diesen Gruppen und

---

[52] Enchiridion, f. 65r.
[53] Enchiridion, f. 70v. Gropper setzt an dieser Stelle die oben (f. 65r) unterbrochenen Bemerkungen über die Kirche unter diesem Aspekt fort.
[54] Enchiridion, f. 65r.
[55] Enchiridion, f. 65v. Vgl. Erasmus, Dilucida et pia explanatio Symboli, 1170f.
[56] Eine Marginalie verweist auf Mt 15; angespielt wird aber vermutlich auf das
Gleichnis vom Unkraut unter dem Weizen (Mt 13,24—26).
[57] Enchiridion, f. 65v.
[58] Ebd.
[59] Ebd. Vgl. Erasmus, Dilucida et pia explanatio Symboli, 1175.

den Sündern in der Kirche besteht ein großer Unterschied; denn
die einen unterhalten keinerlei Gemeinschaft mit der Kirche, die
anderen aber gehören zu ihr, mögen sie auch „membra inutilia"
sein. Als Beispiel für die einen, die nicht zur Kirche gehören, führt
Gropper den von Paulus aus der korinthischen Gemeinde ausgeschlossenen Blutschänder (1 Kor 5,1—5) an; ihn und alle, die
draußen sind, wird Gott richten (1 Kor 5,13); und mit dem ersten
Johannesbrief bemerkt er über alle Häretiker und Schismatiker,
daß sie „von uns ausgegangen sind, aber nicht aus uns waren, denn
wären sie aus uns gewesen, dann wären sie auch bei uns geblieben"
(1 Joh 2,19); „so aber ist es uns nicht gestattet, sie zu begrüßen
oder als Gäste aufzunehmen" (2 Joh 1,10)[60]. Für das Heimatrecht
der Sünder in der Kirche aber beruft sich Gropper auf verschiedene
Bilder in den Evangelien, darunter erneut auf das Bild von Spreu
und Weizen (Mt 3,12; Lk 3,17), auf das Gleichnis vom Fischnetz,
worin sich gute und schlechte Fische finden (Mt 13,47f.) und
auf das Gleichnis von den fünf klugen und den fünf törichten Jungfrauen (Mt 25,1—13); schließlich weist er noch auf die Arche Noahs
hin, in der reine und unreine Tiere beisammen waren: „Ita et in
ecclesia, quamdiu in hoc mundi pelago iactatur, bonos habebimus
et malos"[61].

Gropper warnt die Christen davor, aufgrund der Zugehörigkeit
der Sünder zur Kirche an dieser irre zu werden. Mit Augustinus[62]
weist er auf „die liebevolle, fromme Meinung" Cyprians[63] hin, daß
man darob doch nicht der Kirche den Rücken kehren solle, werde
uns doch jener Glaubensartikel stärken, der uns wissen läßt, daß die
Kirche bestehen bleiben wird (Mt 16,18) als ein zwar schwankendes,
aber nicht untergehendes Schifflein (Mt 14,22—33)[64].

Sodann wehrt Gropper den Gedanken daran ab, die Kirche etwa
deshalb zu verlassen oder ihre Autorität für geschwächt zu halten,
weil die Päpste sich keines reinen Lebenswandels befleißigten oder
weil die Kirchenleitungen Anstoß erregten; Gropper plädiert dafür,
das Prinzip der Zugehörigkeit der Sünder zur Kirche auch für die
führenden und verantwortlichen Männer der Hierarchie gelten zu
lassen; für diese bestehe als einziges Kriterium, daß sie aufgrund
legitimer Ordination Recht und Vollmacht ihres Dienstes empfangen hätten und in Gemeinschaft mit der Kirche verharrten[65].

---

[60] Enchiridion, f. 66r.   [61] Ebd.
[62] Augustinus, Contra Cresconium III 31 (CSEL 52,442f.).
[63] Cyprian, Epistula 54,3 (CSEL 3/2,622): „Nam etsi videntur in ecclesia esse
zizania, non tamen inpediri debet aut fides aut caritas nostra, ut quoniam
zizania esse in ecclesia cernimus, ipsi de ecclesia recedamus."
[64] Enchiridion, f. 66r/v.
[65] Enchiridion, f. 66v. Diese Frage wird im Fortgang der Untersuchung noch intensiver zu erörtern sein.

Gropper warnt schließlich davor, krisenhafte Zustände in den Kirchenleitungen so überzubewerten, daß man daraus Zweifel nähren könnte, wo denn nun die Kirche Christi sei. Bei vielen sei das „hac tempestate" üblich geworden; sie würden von jedem Wind der Lehre umhergetrieben (Eph 4,14), und nun, „a nobis recedentes et in angulum aliquem se recipientes"[66], fingen sie an zu reden: „Siehe, hier ist Christus, oder dort" (Mt 24,23; Mk 13,21; Lk 17,23). Zeitkritisch entgegnet Gropper dem: „Notas et signa habemus longe certissima, quae nos de ecclesia, ubinam sit, dubitare non sinunt"[67]. Er weist zunächst auf die reine, evangelische und apostolische Lehre hin, die eine „nota praecipua" der Kirche sei; das werde in den beiden Worten bezeugt: „Meine Schafe hören auf meine Stimme" (Joh 10,3); und: „Wenn jemand euch ein anderes Evangelium predigen sollte, so sei er verflucht!" (Gal 1,9). Doch reicht dieses Kennzeichen der Kirche nach Groppers Befund noch nicht aus, die Kirche von den Häretikern abzugrenzen; auch diese nämlich berufen sich auf Christus und beanspruchen, bei ihnen allein seien Christi Glaube, die Sakramente und die Schriften. Ihnen hält Gropper entgegen, daß sie entweder die Schriften verdrehen und lügen oder aber einer schwerwiegenden Täuschung erliegen. Schon für Cyprian[68] sei es klar, daß eine genaue Achtgabe auf die heiligen Schriften jeden befähige, die eine Kirche Christi zu erkennen und dann auch in ihr zu bleiben. Nach dem einhelligen Zeugnis der biblischen Schriften sei die Kirche von Jerusalem aus gewachsen, habe sich von dort durch die Apostel unter alle Völker verbreitet und dauere in der Reihe der Sukzession fort bis in die Gegenwart. Wer immer von dieser katholischen Kirche getrennt sei, der werde — möge er von sich auch noch so sehr glauben, er führe ein löbliches Leben — keine Teilhabe am ewigen Leben haben, sondern er würde Gottes Zorn verfallen „hoc solo scelere (quod a Christi unitate seiunctus est)"[69]. Über den aber, der in dieser

---

[66] Enchiridion, f. 67r.   [67] Ebd.

[68] Unter den lateinischen Kirchenvätern schätzt Gropper nach Augustinus und neben Ambrosius besonders Cyprian. Er stützt sich gerade in der Ekklesiologie auf Cyprian, wo auch dessen hauptsächlicher Beitrag zur patristischen Theologiegeschichte liegt. Vgl. in diesem Zusammenhang: De catholicae ecclesiae unitate, 4 u. 5 (CSEL 3/1,212—214). Epistula 33,1 (CSEL 3/2,566f.). Epistula 43,5 (CSEL 3/2,593—595). Epistula 55,24 (CSEL 3/2,642f.). Epistula 59,14 (CSEL 3/2,683f.). Epistula 68,5 (CSEL 3/2,748f.). Epistula 69,3 (CSEL 3/2,752). Epistula 73,21 (CSEL 3/2,794f.). In der Verehrung Cyprians trifft sich Gropper mit Erasmus, der den Bischof von Karthago wegen seiner gelehrten Kenntnisse in Rhetorik und Philosophie, aber auch wegen seiner profunden kirchenrechtlichen Klärungen schätzte. Gropper scheint die von Erasmus besorgte, zuerst 1520 bei Froben in Basel erschienene Cyprian-Ausgabe benutzt zu haben.

[69] Enchiridion, f. 67r.

Kirche ein gutes Leben geführt hat, werden fremde Vergehen nichts vorentscheiden; denn eine als Schuld zu verantwortende Gemeinsamkeit mit den Bösen und Sündern, die eben auch in der Kirche ihren Platz haben, kommt ja nicht zustande aufgrund der Sakramentengemeinschaft, sondern sie beruht auf einer Übereinstimmung in den Taten. Gropper schließt diese Überlegungen mit folgender Bemerkung ab: „Haec est ergo sola religionis Christianae machina, quae cunctas haereses semel abolet"[70]. Die Preisgabe der Einheit, namentlich in der Lehre, welche der Kirche durch alle Jahrhunderte ihrer Geschichte seit Christus in Kontinuität überliefert ist, gilt Gropper mithin als jenes Zeichen, durch welches sich die Häretiker den Ausschluß aus der kirchlichen Gemeinschaft zuziehen[71].

Daneben bezeichnet Gropper das gemeinsame Glaubensbekenntnis, die gemeinsamen Sakramente und das Festhalten an denselben kanonischen Schriften[72] mit weit größerer Selbstverständlichkeit als „signa ecclesiae". Diesen nun fügt der Kölner Theologe in einer nachhaltigen Erwägung das besondere Priestertum bei; er bemerkt, daß der Ordo gleichsam das Band der Einheit in der Kirche ist[73] und daß es deshalb gilt, ihn zu bewahren; ihn hat nicht menschliche Anmaßung erfunden, sondern Christus hat ihn eingesetzt, der in seiner Kirche alles auf das beste geordnet wissen wollte und dessen Wille es war, daß die einzelnen Glieder ihre Aufgaben vollbringen, indem er einem jeden nach seinem Willen eine Gnadengabe zu-

---

[70] Ebd. Beim Gebrauch des Wortes „machina" scheint eine ironische Anspielung auf die Verwendung desselben Wortes durch Luther (WA 6,564,2) vorzuliegen.

[71] Im Gedankengang des „Enchiridion" liegt hier eine deutliche Nahtstelle vor; nach einem kurzen Zwischenspiel geht Gropper nämlich dazu über, das Weihepriestertum ebenso wie die Lehrkontinuität unter die „signa ecclesiae" zu rechnen. Undeutlich bleibt, ob diese beiden „signa" miteinander zu tun haben. Einen solchen Zusammenhang bestätigt Gropper in den „Artikelln" von 1545: „Das Got das sacrament der Ordination oder Weihung eingesetzt habe. Erstlich das nit (wenn eyn jeder des Ampts in der Kirchen sich seyns gefallens wült underziehen) die lehr ungewiß wurde / und wir als die kynder wanckende / wurden umbgefürt von allen winden falscher lehr / durch der menschen schalckheit und listigkeit / in betriegung des jrthumbs". Warhafftige Antwort, f. 15r.

[72] Enchiridion, f. 67v.

[73] Gropper bemerkt über die Einheit der Kirche (Enchiridion, f. 197v): „...huius unitatis veluti quidam nexus est ordo." Auch hier ist eine Inspiration durch Cyprian zu bemerken. Dieser macht die Bischöfe dafür verantwortlich, über die Einheit der Kirche zu wachen; er schreibt (De catholicae ecclesiae unitate, 5; CSEL 3/1,213): „Quam unitatem tenere firmiter et vindicare debemus, maxime episcopi qui in ecclesia praesidemus, ut episcopatum quoque ipsum unum atque indivisum probemus." Ähnlich: Epistula 45,3 (CSEL 3/2,602f.). Epistula 68,4 (CSEL 3/2,746—748). Epistula 69,5 (CSEL 3/2,753f.). Epistula 70,3 (CSEL 3/2,769f.).

teilte[74]. Er hat ja, wie die Charismenkataloge in 1 Kor 12,28 und
Eph 4,11 zeigen, die einen in der Kirche zu Aposteln bestimmt,
andere zu Propheten, wieder andere zu Evangelisten, andere aber
zu Hirten und Lehrern — zur Vollendung der Heiligen, zum Werk
des Dienstes und zum Aufbau des Leibes Christi, bis wir alle zur
Einheit des Glaubens und zur Erkenntnis des Sohnes Gottes gelangen, bis zur vollen Mannesreife, bis zum Maß der Fülle Christi
(Eph 4,12f.). Christus hat also die Ämter in der Kirche unterschieden. Er hat nicht allen Gliedern die gleiche Vollmacht zugeteilt.
Nur einigen von ihnen hat er den Ordo, den ordnenden, den priesterlichen Dienst übertragen. So deutet Gropper mit treffsicherem
Fingerzeig auf eine ekklesiologische und letztlich wohl auch anthro-
pologische Schwäche der reformatorischen Lehre hin: Für die
Ekklesiologie der paulinischen Briefe sind alle Christen gerade
nicht ohne Unterschied gleich, sondern einem jeden ist eine andere
Gnadengabe zugewiesen. Das Priestertum ist eine unter vielen
Gnadengaben, ein Dienst neben anderen, ein kirchliches Amt inmitten anderer Ämter.

Freilich ist es dann auch ein ganz besonderes, ein außergewöhn-
liches Amt, mit welchem Christus verbunden hat „non humanam,
sed plane divinam potestatem, nempe praedicandi Evangelij, remittendi et retinendi peccata, dandi spiritum sanctum, claudendi et
aperiendi regnum coelorum, conficiendi corpus et sanguinem dominicum ac cetera sacramenta ecclesiae ministrandi"[75]. Als Einset-
zungsbefehl Jesu für dieses Amt wertet Gropper das nachösterliche
Wort Joh 20,21—23[76], welches er mit den Kirchenvätern als Übertragung einer „peculiaris gratia et potestas" gedeutet wissen will,
die im Ordinationsritus der Handauflegung solchen Menschen
zuteil wird, in denen die Taufgnade bereits wirksam ist. Dieses
Amt des besonderen Priestertums, das durch Christus eingesetzt
und über die Apostel in der andauernden Reihe der Sukzession bis
auf uns überkommen ist, gilt es um des Erhalts der Einheit der
Kirche willen unbedingt zu bewahren[77]. Auch vom Gedanken

---

[74] Enchiridion, f. 67v: „... sed praeter haec, ordo in ecclesia retinendus est,
veluti quidam ecclesiae nexus, non quem humana praesumptio adinvenit, sed
quem Christus instituit, qui in ecclesia sua omnia ordinatissima esse voluit,
singulaque membra suis officiis defungi, dividens unicuique gratiam, prout
vult."

[75] Enchiridion, f. 67v. Zitiert wird: Mk 16,15. Lk 22,19.

[76] Am Rand wird auf Mt 18,18 verwiesen. Gropper pflegt für die Einsetzung
des Weihesakramentes durch Christus häufig auf den Bericht von der Geisthauchung (Joh 20,21—23) zu verweisen.

[77] Enchiridion, f. 67v: „Visibili ergo ordinatione per Christum instituta, per
Apostolos dein facta, et in nos continua successionis serie deducta, ad retinen-
dam ecclesiae unitatem quam maxime opus erat." Marginalverweise auf:
Mt 10,1—16. Mk 3,13—19 u. 6,7—13. Lk 9,1—6 u. 10,1—12. Apg 13,3. Tit 1,5.

der Sichtbarkeit der Kirche her begründet Gropper die Notwendigkeit des besonderen Priestertums. Seinen Anfang nehmend „ab
unius authoritate", gießt sich der Ordo aus in eine reichhaltige Vielfalt von Gottesdiensten und verbreitet sich gleichsam in vielen
Zweigen über den ganzen Erdkreis, inwendig aus dem einen
Christus wachsend[78]. Und wieder auf Paulus gestützt, erblickt
Gropper in der Kirche einen nach Orten und Personen hochdiffe-
renzierten Organismus, der im Bekenntnis des Glaubens und in
der Gemeinschaft der Sakramente seine Zukunft findet, „huius
unitatis veluti quidam nexus est ordo"[79]. Mit der Abschaffung des
Ordo, so argumentiert Gropper, ist die Eintracht in der Kirche
dahin. Das aber ist eine Eigentümlichkeit der Häretiker — wie
schon Cyprian[80] feststellt —, diese Einheit zu zerreißen; danach
können sie auch den Glauben verdrehen und die Wahrheit entstellen[81].

Diese Gedankenführung Groppers, die das besondere Priestertum, den Ordo, als ein in der Kirche Einheit stiftendes Moment
wertet, stellt eine respektable Antithese zu Luthers Meinungen auf,
der gerade die auf dem sakramentalen Ordo begründete seins-
mäßige Trennung von Klerikern und Laien als Zerreißung der
christlichen Einheit empfand. „Die auch solche secten ym christlichen volck eyngefurt unnd das geteyllt haben ynn clericken unnd
leyhen . . : die selbigen, die solchs erfunden, haben die eynickeytt
des christlichen volcks tzur teyllt unnd tzuschnytten"[82]. Auch an-

---

[78] Enchiridion, f. 197v u. 198r: „Ut autem contendant quidam, ecclesiam invisibi-
lem esse, quod de ecclesia praedestinatorum non negamus, nihilosecius (ut
opinamur) nobis concedent Ecclesiam etiam visibilem, quae bonis habet ad-
mixtos malos, visibile fidei professione, et sacramentorum communione socia-
tos. In hac certe Ordinem esse oportebat, qui exordium ab unius authoritate
recipiens in numerosam ministeriorum dei multitudinem diffunderetur, ac
veluti in plurimos ramos per universum orbem extenderetur, intrinsecus in-
crementum sumens ab uno Christo." Das Bild im letzten Satz ist von Cyprian
beeinflußt. Cyprian, De catholicae ecclesiae unitate, 5 (CSEL 3/1,213f.).
Gropper zitiert dieses Werk hier unter dem weniger gebräuchlichen Titel
„Tractatus de simplicitate praelatorum" (CSEL 3/1, 209, App.).

[79] Enchiridion, f. 197v: „Ecclesiae multae sunt distinctione locorum et personarum, quemadmodum Paulus ait: ‚Sicut in omnibus ecclesijs doceo' [1 Kor 4,17],
sed unica est professione fidei et sacramentorum communione, huius unitatis
veluti quidam nexus est ordo, quo soluto necesse est, ut amabilis illa ecclesiae
concordia dispereat."

[80] Bezugnahme auf: Cyprian, De catholicae ecclesiae unitate, 3 (CSEL 3/1,211):
„. . . haereses invenit et schismata, quibus subverteret fidem, veritatem cor-
rumperet, scinderet unitatem."

[81] Enchiridion, f. 198r. Erasmus, Modus orandi Deum, 1131: „Ubi enim non est
ordo, ibi confusio est. Ubi confusio, ibi tranquillitas esse, qui potest? At pax in
primis decet ecclesiam Dei."

[82] WA 8, 503, 32—36.

derorts läßt sich diese Ansicht Luthers feststellen[83]. Selbst wenn
man von der polemischen Schärfe absieht, die sich Luthers
Äußerungen beizumischen pflegt, scheinen in diesem Punkt doch
Groppers Auffassungen über das allgemeine und das besondere
Priestertum in der Kirche eher als die Luthers einer am Neuen
Testament orientierten Prüfung standzuhalten; jedenfalls gelingt
es Gropper, von der paulinischen Charismenlehre her eine Kritik
gegen die Lehre eines alle Christen in unterschiedsloser Weise
verbindenden allgemeinen Priestertums zu stimulieren, die bis
heute fortgilt[84].

Diesen eben geschilderten Erwägungen räumt Gropper selber in
seinen jüngeren Schriften nur noch wenig Raum ein[85]. Wohl heißt

[83] WA 6,408,33—35: „Christus hat nit zwey noch zweyerley art corper, einen
weltlich, den andern geistlich. Ein heubt ist und einen corper hat er." Luther
beruft sich hier (WA 6,407,13—22; 408,26—35) auf 1 Kor 12,12f. bzw. Röm
12,4f. Dabei scheint er zeigen zu wollen, daß die in der gemeinsamen Gliedschaft aller am einen Leib Christi begründete Gleichheit der Christen das
„eygen werck" jeden Gliedes nicht ausschließt. Luther sperrt sich jedoch leidenschaftlich dagegen, diesen Gedanken für die amtierenden Priester der
Kirche gelten zu lassen und argumentiert insofern paradox.

[84] Diese Schwäche der reformatorischen Ekklesiologie analysiert auch Erasmus
(Dilucida et pia explanatio Symboli, 1176): „Decet enim, ut in Republica
Christiana non quibuslibet delegentur Ecclesiastica munia, sed ad haec seli-
gantur idonei; nec ibi potest esse concordia, ubi nullus alteri paret, sed quisque
sibi vindicat auctoritatem agendi quae velit. Nam Paulus inter dona Spiritus
commemorat et gubernationis donum" [1 Kor 12,28]. Unlängst wies Heribert
Mühlen (Die Besonderheit des kirchlichen Leitungsamtes, 309) auf denselben
Sachverhalt hin. Er meint, die Gleichheit aller Christen, von denen die Reformatoren sprechen, sei unbiblisch; ihr stünden die paulinischen Charismenkataloge entgegen, die besagen, daß alle ausgestattet sind „mit Gaben, die
je nach der uns verliehenen Gnade verschieden sind (Röm 12,6). Die Kataloge
der Gnadengaben schließen positiv aus, daß irgendeine von ihnen in gleicher
Weise allen Gliedern der Gemeinde zukomme." Eine grundsätzliche Gleichheit
aller im bezug auf das eine kirchliche Amt ist für Mühlen ein neutestament-
lich nicht zu haltender Ansatz für die Begründung des Leitungsdienstes. Ein
solcher Ansatz, so meint Mühlen, liegt im reformatorischen Modell des Reihendienstes vor; er schließt sich zur Deutung von Luthers Amtsverständnis
der „Übertragungstheorie" an (s. o. S. 116f., Anm. 4).

[85] Dies ist um so auffälliger, als andere Theologen auch um diese Zeit eine
sorgsame Befassung mit der reformatorischen Theorie des allgemeinen Priestertums für notwendig halten. In bezug auf 1 Petr 2,9 u. Offb 1,6; 5,10 u.
20,6 äußert Michael Helding (Von der Hailigisten Messe, f. 12v): „Solchs ist
zwar von uns allen Christen geredt / aber gaistlicher weiß miessen wir Christen diß kônigreich unnd priesterampt in uns selbs verrichten. Wir müssen
den gewalt unnsers kônigsreichs gegen niemand anders / dann uber uns
selbs / und in uns selbs gebrauchen / und müssen unsere opffer nit ausser-
halb unser / sonder in uns selbs sůchen / unnd ein jeder sein selbs priester
sein." Neben diesem allgemeinen und geistlichen Priestertum gibt es aber ein
besonderes, äußeres Priestertum, woran Helding unbeirrt festhält; er argumentiert von der Schrift aus und scheut sich nicht vor antireformatorischer Po-

es in den „Artikelln" von 1545[86]: „Das der band der lieb und friedens das dritte warzeichen der Kirchen sey. / Das sôlicher band der lieb unn friedens das aller fürnembst under den gaben des heyligen Geists sey. / Das sôlicher band durch das heylich ordenlich regiment der Kirchen erhalten werde. / Das der herr Christus zu erhaltung sôlicher eynigkeyt etliche zu Apostelen / etliche zů Propheten / andere zu Evangelisten / andere zu Pastoren und Lehrern gegeben hab / damit die heyligen zusamengefügt würden."

In der „Institutio catholica" von 1550 jedoch setzt sich der Kölner Theologe mit der reformatorischen Lehre, alle Christen seien in gleicher Weise Priester und ihr allgemeines Priestertum schließe das besondere, auf der Weihe gründende, sakramentale Priestertum aus, nicht mehr auseinander. Als diese Lehren auf dem Trienter Konzil im dritten und vierten der auf ihre Orthodoxie zu prüfenden „Artikel über das Weihesakrament" vom 3. Dezember 1551 Berücksichtigung fanden[87], entgegnete Gropper in seinem für den Kölner Erzbischof Adolf von Schaumburg bestimmten Gutachten nur lakonisch knapp: „... est damnanda ut haeretica, quia sacramentum ordinis e medio tollit"[88] bzw. „Dicere, nullum esse in novo testamento sacerdotium visibile et externum, est tollere sacramentum ordinis, quod est visibile signum invisibilis gr[ati]ae Dei, unde haec pars articuli est ut haeretica damnanda"[89]. Für Gropper steht mithin unerschütterlich fest, daß es im Neuen Bund neben dem allgemeinen Priestertum aller Christen ein besonderes Priestertum gibt, das von Jesus Christus eingesetzt worden ist und das durch die Spendung des Sakramentes der Priesterweihe übertragen wird.

2. Das Weihesakrament

Im Fortgang der Entfaltung des Themas wird es jetzt erforderlich, die hauptsächlichen Elemente von Groppers Lehre über das

---

lemik (Ebd., f. 14v): „Das aber nit jemandt fürgeben möchte (wie man dann onverschampte leüt findt) das dise priester ordnung nur ain eusserlicher bevelch sey. Wie man sonst ainen haißt ain schulhaissen oder sawhierten in aim dorff sein. Sihe, so haben wir hålle und gewaltige zeügknuß der schrifften, das dise ordination oder ordnung der priester / warlich ain sacrament sey / dadurch die aufflegung der hend ain innerliche unnd himelische krafft und gnad / ain gewalt zůr verrichtung des ampts gegeben würt."

[86] Warhafftige Antwort, f. 17r.   [87] CT VII/1,377,22—378,2.

[88] Archivio Segreto Vaticano, Conc. Trid. 18 (Arm. LXII), f. 12r.

[89] Archivio Segreto Vaticano, Conc. Trid. 18 (Arm. LXII), f. 12r/v. Auch Eberhard Billick scheint in seinem Votum vom 16. Dezember 1551 gegenüber diesen Artikeln ähnlich knapp „argumentiert" zu haben. CT VII/1,410,18 u. 37f.

Weihesakrament zu skizzieren[1]. Hier stellt sich zunächst die Frage
der Sakramentalität der Weihe, für deren Erweis Gropper die
von den Reformatoren bestrittene Einsetzung durch Jesus Christus
im Neuen Testament belegen muß. Eine Darstellung der Lehre
Groppers über die Spendung des Weihesakramentes wird anzuschließen sein; an diesem Punkt, an dem Gropper den traditionellen
kirchlichen Standpunkt vertritt, die Spendung des Weihesakramentes sei dem Bischof vorbehalten, bietet sich die Gelegenheit zu
einem Ausblick auf jene Direktiven, welche der Kölner Theologe
den Bischöfen für die Berufung und Weihe des Priesternachwuchses erteilt. Solche pastoral geleiteten Gedanken mischen sich auch,
freilich spärlicher, in Groppers Lehre über die einzelnen Weihestufen; bei deren Beschreibung wird Groppers Unabhängigkeit von
der scholastischen Schultheologie, seine Orientierung an den Kirchenvätern und sein Reformkonzept einer strikten Rückkehr der
Kirche „ad antiquos canones" in besonders deutlicher Weise zu
erhellen sein; aber auch in den voraufgehenden Kapiteln soll versucht werden, Bezugnahmen auf die Bibel, die patristische Literatur
und die Quellen des kanonischen Rechts zu belegen. Zugleich sind
Groppers Anschauungen auf eine kritische Absetzung von den
Positionen Luthers und Melanchthons hin zu durchleuchten; bei
der Frage nach der Einsetzung des Weihesakramentes durch
Christus erfordert dies gleich zu Beginn ein knappes Referat der
sehr eindeutigen, thetischen Stellungnahme des frühen Luther.

a) Der Ordo als von Jesus Christus eingesetztes Sakrament

In seiner Schrift „De captivitate Babylonica Ecclesiae" (1520)[2]
hatte Martin Luther die Einsetzung des Weihesakramentes durch
Jesus Christus pauschal abgestritten, da nach seinem Befund im
Neuen Testament kein Nachweis dafür zu erbringen ist. Rigoros
lehnte der Reformator einen sakramentalen Charakter der Priesterweihe ab; den Ritus der Priesterweihe, den die Kirche seit Jahrhunderten feierte, wollte Luther durchaus nicht verurteilen; aber
mit Leidenschaft setzte er sich der Auffassung zur Wehr, daß

---

[1] Neben vielen sporadischen Äußerungen Groppers sind besonders folgende
Ausführungen zu berücksichtigen: Enchiridion f. 189r—199v; Institutio catholica, p. 151 (L Ir)—153 (L IIr) u. 318 (Q VIIv)—325 (R IIIr).

[2] WA 6,497,1—573,22.

[3] WA 6,565,6—9: „... ordinem, qui velut sacramentum hoc hominum genus in
clericum ordinat, esse vere, mere omninoque figmentum ex hominibus natum,
nihil de re Ecclesiastica, de sacerdotio, de ministerio verbi, de sacramentis
intelligentibus..."; 561,26—28: „Quare permitto, ordinem esse quendam ritum
Ecclesiasticum, quales multi alii quoque per Ecclesiasticos patres sunt intro-
ducti..." Auch: WA 8,273,8f.; 416,27—32; 419,21—34.

dieser Ritus mehr als eine Einrichtung der römischen Kirche sei³.
Luther konnte sich eine göttliche Anordnung für das Weihesakrament in dieser Gestalt, welche sich in der Kirche seiner Zeit als
Ergebnis einer von ihm als mißlich gewerteten geschichtlichen Entwicklung⁴ vorfand, schlechterdings nicht vorstellen. Aus dem Protest gegen die Fehlgestalt des Amtes in der päpstlichen Kirche hat
sich Luther auch in seinen positiven Aussagen über das Amt nie
lösen können; jedoch trieben ihn innerlich weit mehr wohl tiefer
liegende, theologisch-religiöse Motive, die seinem Grundanliegen
entflossen, welches thematisch unter den Gesichtspunkten „sola
gratia" und „sola fide" sowie formal mit dem Schriftprinzip („sola
scriptura") markiert werden kann. Das Mysterium des Kreuzes
Christi, des einmaligen, allein sühnenden und allein Gnade und
Heil vermittelnden Opfers des Herrn, wurde für Luther verdüstert
durch die in der Darbringung des Meßopfers begründete Mittlerstellung des Priesters zwischen Gott und den Menschen, welche
von Theologie und Kirche gelehrt wurde⁵; darum seine scharfe,
ja, maßlose Polemik gegen das kirchliche Priestertum, dessen Angehörige nur „ad horas Canonicas legendas et Missas offerendas"⁶
ordiniert wurden; er urteilte über die „papistischen" Priester:
„Idola quaedam viva"⁷, „monstra sacerdotalia"⁸, „pestis Ecclesiae"⁹ und „populus perditionis aeternae" (Jes 5,13f.)¹⁰.

Hier ist nicht der Ort, Luthers Widerspruch gegen das katholische Priestertum darzulegen und seine eigene Lehre vom geist-

---

⁴ WA 6,564,1—3: „Summa, sacramentum ordinis pulcherrima machina fuit et
est ad stabilienda universa portenta, quae hactenus facta sunt et adhuc fiunt in
Ecclesia."
⁵ Nach Luther hat Christus am Kreuz allein das Opfer dargebracht und das
Heil vermittelt; deshalb ist er allein Priester. „Tegenover de priester, die in
zjin celebratie meende Christus opnieuw ten offer te brengen, legden de hervormers een zodanige nadruk op het enige definitieve priesterschap van Christus, dat voor een vertegenwoordiging hiervan in de kerk op aarde bijkans
geen plaats meer restte. Het is begrijpelijk en gerechtvaardigd, dat de hervormers een diepe afkeer koesterden jegens een priesterheerschappij, waarin
de dienaren niet meer handelen overeenkomstig een gevolmachtigd vertegenwoordiger, die geheel schuilgaat achter zijn Heer, die hij vertegenwoordigen
mag. Terecht hebben de hervormers een dergelijke verwording van het priesterschap afgewezen." R. Boon, Offer, priesterschap en reformatie, 148. Skizzierungen des Problems auch bei: J. Moltmann, Der gekreuzigte Gott, 44—47.
P. Manns, Amt und Eucharistie in der Theologie Martin Luthers, 94—98.
⁶ WA 6,563,20f.; 564,24f.; 565,1—4; 566,10—13. J. Ratzinger (Opfer, Sakrament
und Priestertum in der Entwicklung der Kirche, 120) kommentiert: „. . . ungewollt ein vielleicht doch gar nicht so negativer Kommentar zum zeitgenössichen Priestertum, jedenfalls eine Korrektur der Vorstellung, als sei es ausschließlich oder primär Meßpriestertum, sacrifikal gedeutetes Amt gewesen."
⁷ WA 6,564,28f.   ⁹ WA 6,567,3.
⁸ WA 6,565,34.   ¹⁰ WA 6,567,10.

lichen Amt zu entfalten[11]. Erforderlich ist lediglich, den Horizont aufzureißen, in welchem die Infragestellung des Priestertums durch ihn erfolgte, um die dagegen gerichtete spezifische Argumentationsweise eines an den Lehren der Kirche festhaltenden Theologen, nämlich Groppers, sinnvoll einordnen zu können. Zu diesem Bewenden reicht der knappe, oben anhand einer exemplarischen, da in der Tendenz überaus eindeutigen reformatorischen Schrift vermittelte Einblick aus.

Immer wieder wird im Fortgang der Entfaltung von Groppers Priesterbild auffallen, daß Gropper um eine Integration der positiven Akzentsetzungen Luthers in seine eigenen Anschauungen bemüht ist, ohne dabei der altkirchlichen Lehre Abbruch tun zu müssen. So greift Gropper die bei Luther dominierende funktionale Prägung des Amtes[12] kritisch auf; im Ringen um Erneuerung seiner Kirche liegt auch ihm an einer Auffassung des Amtes als „ministerium"; aber er setzt sie nicht absolut, sondern läßt sie ergänzend hinzutreten zu dem Verständnis des Amtes als eines geistlichen Standes, welcher auf der in der Weihe geschenkten Gnade begründet ist. Ferner spürt Gropper wohl genau die Einseitigkeiten, die eine Definition des Priestertums mit sich bringt, welche primär oder gar ausschließlich von der Vollmacht zur Darbringung des Meßopfers her erfolgt; folglich mißt er daneben der Verkündigung des Evangeliums und der Ausspendung der Sakramente, insbesondere des Bußsakramentes, eine durchaus gleichwertige Relation in der Bestimmung des Priesterbildes zu. Dem entspricht auch sein Bemühen, den Nachweis für die Einsetzung des Priestertums durch Christus nicht allein ausgehend von der Stelle Lk 22,19 bzw. 1 Kor 11,24 („Tut dies zu meinem Gedächtnis!") zu führen — wie die Mehrheit der traditionellen scholasti-

---

[11] Verwiesen sei auf folgende Untersuchungen: W. Brunotte, Das geistliche Amt bei Luther. H. Lieberg, Amt und Ordination. J. Aarts, Die Lehre Martin Luthers über das Amt in der Kirche. P. Manns, Amt und Eucharistie in der Theologie Martin Luthers. Die von P. Manns (Ebd., 105f., Anm. 1) benutzte, unter Leitung von J. Lortz im Institut für Europäische Geschichte (Mainz) erarbeitete und vom Institute Catholique de Paris als theologische Dissertation angenommene Untersuchung von W. Stein „Das kirchliche Amt bei Luther" (s. Literaturverzeichnis S. 358) hat mir bis zum Abschluß des Manuskriptes nicht vorgelegen.

[12] Das geistliche Amt beinhaltet für Luther keine Vollmachten. Vielmehr ist es Dienst, vornehmlich Dienst der Verkündigung. Durch seinen Dienst unterscheidet sich der Amtsträger, der mehr Prediger als Priester ist, von den übrigen Christen; zu seinem Dienst wird er durch die Ordination berufen und mit ihm von der Gemeinde beauftragt. WA 2,452,14—24; 454,8—27; 462,18—25. WA 6,507,12—18; 535,27—33; 543,28—30; 564,11—14. WA 12, 196,22—25.

schen Theologie —[13], sondern ihn durch die Bezeugung verschiedener Dienst- und Vollmachtsübertragungen Christi an die Jünger zu erbringen. Um so unbefangener kann Gropper auf dieser Basis daran festhalten, die Priesterweihe als Sakrament anzusehen, zumal selbst Melanchthon, in dem man mehr noch als in Luther Groppers Gesprächspartner zu sehen hat, keine Bedenken hat, den Ordo als Sakrament anzuerkennen — freilich unter Voraussetzung seines Verständnisses vom geistlichen Amt als Dienst des Wortes und der Sakramentenspendung[14].

Aus der Theologie der alten Kirche schöpfend, stellt Johannes Gropper in dieser Frage denn auch ohne Umschweife fest, daß der Ordo ein Sakrament ist und daß er bislang der Kirche ständig als Sakrament gegolten hat[15]. Er definiert den Ordo als eine bestimmte Gnade und Vollmacht, die durch Übertragung mit einem sichtbaren Zeichen getauften Christen verliehen wird, nämlich wenn sie durch Handauflegung zur öffentlichen Verwaltung eines Amtes in der Kirche feierlich ordiniert werden[16]. Der Ordo ist keine

---

[13] Diese gewöhnlich auf die Einsetzung des Weihesakramentes gedeutete Stelle beweist nach Luther gar nichts; sie enthält keine Verheißung, sondern ist nur ein Gebot, ein Dienstauftrag (WA 6,563,10—17).

[14] Melanchthon (Apologia Confessionis Augustanae, Art. 13,7—13; CR 27,570f.) bejahte, daß das geistliche Amt als Dienst des Wortes und der Sakramentenspendung Gottes Gebot und herrliche Verheißungen hat (Röm 1,16; Jes 55,11). Die Kirche hat den Auftrag, Diener des Wortes zu bestellen; Gott bestätigt diesen Dienst und verleiht ihm seinen Beistand. Zum Ganzen: H. Lieberg, Amt und Ordination, 348—352.

[15] Für die Definition des Weihesakramentes läßt sich Gropper nicht von Petrus Lombardus, Thomas von Aquin und der scholastischen Schultheologie leiten. Überhaupt zitiert er im „Enchiridion" nur mit betonter Zurückhaltung den Aquinaten — an drei Stellen, die sämtlich zum Traktat über das Sakrament der Eucharistie gehören (f. 95r, 97r u. 104r). Auch wenn sich Gropper bisweilen ohne konkreten Hinweis auf Thomas gestützt haben mag, ist davon abzuraten, seine Theologie als „thomistisch" zu bezeichnen, wie es H. Rückert (Die theologische Entwicklung Gasparo Contarinis, 98, Anm. 3) und R. Stupperich (Der Humanismus und die Wiedervereinigung der Konfessionen, 15; Der Ursprung des „Regensburger Buches", 94f.) tun. Dazu: R. Braunisch, Die Theologie der Rechtfertigung, 53, Anm. 268. Als thomistisch läßt sich hingegen Peter Blommeveens Bestimmung des Weihesakramentes charakterisieren (Enchiridion, f. 25r): „Ordo datur spirituali vita viventibus, ut habeant ministros in eadem vita. Unde secundum sanctum Thomam, ordo est sacramentum, quia in eius susceptione quaedam consecratio adhibetur homini per visibilia signa, per quam ordinatur ad dispensationem divinorum sacramentorum. Et ideo in eo confertur gratia, quia est necessaria non solum ad digne suscipiendum sacramentum, sed etiam ad digne ministrandum. Et imprimitur character (sicut etiam in baptismo et chrismate) tribus his, sed non in aliis quatuor sacramentis." Vgl. Thomas Aquinas, Comment. in quartum librum sententiarum, D. 24 q. 1 a. 1 qc. 1 u. sol. 3 (887f. u. 889) sowie a. 2 qc. 2 u. sol. 2 (890f.)

[16] Enchiridion, f. 67v u. 190r; Gegenberichtung, f. 127r: „Das die heilige Ordination eyn Sacrament der heiliger Kirchen sey / in wölchem durch das eusser-

menschliche Erfindung, so ist Gropper gegen Luther überzeugt, er ist vielmehr ein vom Herrn eingesetzes Sakrament[17]. In der überlieferten kirchlichen Lehre, der Gropper folgt[18], gilt ein Sakrament als sichtbares Zeichen einer unsichtbaren Gnade; das äußere Heilszeichen besteht aus dem „elementum" — beim Weihesakrament der „impositio manuum" — und dem „verbum", in welchem die „promissio ministerio assistentis gratiae Dei" verbürgt ist. Der Kölner Theologe nimmt es besonders wichtig, einen stichhaltigen Schriftnachweis für das „verbum sacramenti" zu führen, um seinen reformatorischen Gesprächspartnern die Einsetzung des Weihesakramentes durch Jesus Christus zu belegen. Er ist fest der Auffassung, daß das „verbum huius sacramenti, quo episcopus in ordinandi presbyteris utitur", im Neuen Testament klar bezeugt ist[19]. Gropper weist vorrangig hin auf Joh 20,21—23[20], den Bericht von der nachösterlichen Sendung der Jünger durch den Herrn über den ganzen Erdkreis („Wie mich der Vater gesandt hat, so sende ich euch") und von der „cerimonia quadam visibili" erfolgenden Übertragung der Sündenvergebungsgewalt[21]. Auch an anderer Stelle[22] erwähnt Gropper zunächst die Geisthauchung Jesu inmitten der

lich zeichen / denen, so ordiniert werden / zum öffentligen und gemeynem Ambt der Kirchen / eyn gnad gegeben werde / dadurch jr verdienst gewiß und bewert gemacht wirdt / und die zurichtung und reichung der sacrament / so inen befolhen / krefftig ist / das bezeugt das heilig evangelium..." Warhafftige Antwort, f. 15r; Institutio catholica, p. 153 (L IIr); vgl. Capita institutionis, H 1r. Im „Enchiridion" und in den „Artikelln" der „Warhafftigen Antwort" verweist Gropper auf Augustinus, De baptismo contra Donatistas I 1,2 (CSEL 51,146), in der „Institutio catholica" auf den Kommentar des Ambrosiaster zu 1 Kor 12,11 u. 31 (CSEL 81/2,135 u. 143f.).

[17] Enchiridion, f. 190r.

[18] Einschränkend ist hierzu zu sagen, daß Gropper im „Enchiridion" (f. 77r/v) bei der Definition eines Sakramentes Anregungen von Erasmus (Dilucida et pia explanatio Symboli, 1175) und Melanchthon (Loci communes theologici; CR 21,467—469) aufgreift und dadurch die sprachliche Präzision der Schultheologie ein wenig aufweicht; diese Tendenz ist in späteren Schriften des Kölners rückläufig; vgl. Institutio catholica, p. 107 (H IIIr) u. 153 (L IIr).

[19] Enchiridion, f. 198r.

[20] Beachtlich ist, daß sich Gropper primär auf diese Stelle beruft, wie überhaupt für Groppers Priesterbild eine ausgeprägte Hinordnung auf das Bußsakrament bezeichnend ist. Gropper verzichtet hier darauf, Lk 22,19 bzw. 1 Kor 11,24 zu zitieren, wogegen Luther ja scharf protestiert hatte (s. o. Anm. 13).

[21] Enchiridion, f. 190r: „Hic vides, Christum apostolos cerimonia quadam visibili in opus suum ordinasse, et in eam rem gratiam spiritus signo quodam visibili contulisse, potestatem quoque eiuscemodi ordinatione collatam, apertissime confirmasse ac sic stabilisse, ut quod ipsi eorumque successores suo nomine in ecclesia rite peragerent, deus perinde ratum haberet ac si per ipsum Christum factum esset, idque non ipsorum, sed Christi merito et virtute spiritus operibus eorum assistente."

[22] Enchiridion, f. 198r/v.

Jünger (Joh 20,22f.), dann den Aussendungsbefehl bei den Synop-
tikern Matthäus (28,19f.) und Markus (16,15f.) und erst danach
den im Abendmahlssaal hinterlassenen Auftrag: „Tut dies zu
meinem Gedächtnis!" (Lk 22,19 bzw. 1 Kor 11,24). Für Gropper
beweist das zur Genüge, daß die Amtsvollmacht der Apostel göttlicher Herkunft ist; nicht nur die der Apostel, sondern auch die
der Nachfolger der Apostel, der Bischöfe und Priester, welche
diesen bei der Ordination übertragen wird als Vollmacht, das Evangelium zu predigen, zu taufen, Sünden nachzulassen, den Leib des
Herrn zu konsekrieren und die übrigen Sakramente zu verwalten
„non suapte virtute, sed divina"[23].

Groppers Repertoire für den Nachweis der Einsetzung des Weihesakramentes durch Christus ist damit längst noch nicht erschöpft.
In ausführlicher Nacherzählung führt der Kölner Theologe nämlich die „non sine gravi emphasi" niedergeschriebenen synoptischen
Berichte von der Berufung der zwölf Apostel und 72 Jünger an
(Mt 10,1—4.5—42; Mk 6,7—13; Lk 10,1—20); auch hier läßt es
sich Gropper nicht nehmen, die Mitteilung von Vollmachten seitens
des Herrn an die Jünger als Kernpunkte dieser Schilderungen zu
werten; Vollmachten nämlich zu predigen, unreine Geister auszu-
treiben, Kranke zu heilen und Frieden auszuspenden; Vollmachten
freilich, die sich die Jünger nicht „ex merito suo" zuschreiben
sollen, wie die Versicherungen zeigen: „Nicht ihr seid es, die da
sprechen, sondern der Geist eures Vaters ist es, der in euch spricht"
(Mt 10,20) und: „Wer euch hört, der hört mich; und wer euch verwirft, verwirft mich" (Lk 10,16). Mit diesen Worten hat Christus
den autoritativen Anspruch, den der apostolische und in seiner
Nachfolge[24] der kirchliche Dienst erhebt, ausdrücklich sich selbst

---

[23] Enchiridion, f. 198v.
[24] Die Lehre von der Sukzession des apostolischen Amtes in den kirchlichen Lei-
tungsämtern ist Gropper geläufig. Er beruft sich für sie auf Irenäus, Tertullian, Cyprian, Hieronymus und Augustinus (Enchiridion, f. 68r/v). Dieselben
Autoren nennt er auch an anderer Stelle (Ebd., f. 190v); Dort zeigt er die
Einsetzung des Apostelamtes durch Christus und den Fortbestand dieses Amtes in der Kirche auf, um damit einen Beleg für die Sakramentalität des Ordo
zu erbringen. Gropper verweist an dieser Stelle auch auf Ps. Dionysius. Luther
hatte in „De captivitate Babylonica Ecclesiae" diesen Theologen in der Weise
eines rhetorischen Einwandes gegen seine eigene Lehre angeführt (WA 6,561,
34f.): „Quid ad Dionysium dices, qui sex enumerat sacramenta, inter quae et
ordinem ponit in ‚Ecclesiastica Hierarchia'?" Luther verheimlichte jedoch nicht
seine Geringschätzung von Ps. Dionysius. Gropper hingegen zitiert diesen
Theologen wiederholt, wenngleich er sich nicht gegen eine literarkritische
Wertung seiner Schriften sträubt (Enchiridion, f. 151v u. 192v); P. Polman
(L' Élément historique, 388) bemerkt: „Gropper a conscience du problème et
il prend à coeur de justifier son attitude...; pour Denis l' Aréopagite, la
difficulté n' est, à ses yeux, que d' ordre purement doctrinal et les ouvrages en
question remontent en tout cas aux premiers siècles de l' Église." In der „Ge-

vorbehalten[25]; die Diener Christi können ihn gar nicht für sich verlangen; sie stehen vielmehr in einem werkzeuglichen Dienst für Christus und müssen — das ist Groppers feste Überzeugung — Christus auch persönlich nacheifern. Es erscheint dem Kölner Theologen daher ganz unangemessen, das öffentliche Amt der Stellvertretung Christi in der Kirche vor allem als äußere Würde und Ehrung aufzufassen. Alle, die nur mit solchen oder ähnlich defekten Motiven die Weihen empfangen, karikiert er mit der Schrift als Wölfe (Mt 7,15), Diebe und Räuber (Joh 10,1)[26]. Die Priester sollen vielmehr ihre Ordination verstehen als eine Sendung durch Christus selbst in seinem und der Kirche Auftrag.

Um die Verankerung des Weihesakramentes in der Heiligen Schrift zu demonstrieren, zitiert Gropper an anderer Stelle[27] die Apg 13,2f. geschilderte Aussendung von Barnabas und Saulus durch die antiochenische Gemeinde und die Apg 14,23 erwähnte Einsetzung von Ältesten durch Barnabas und Saulus in jeder der von ihnen besuchten Gemeinden; zur Geltung kommen auch die Pastoralbriefe durch Verweis auf 1 Tim 4,14 („Vernachlässige nicht deine Gnadengabe, die dir gegeben wurde durch prophetisches Wort unter Handauflegung des Presbyteriums.") und 2 Tim 1,6 („Ich ermahne dich, du mögest die Gnadengabe Gottes neu beleben, die in dir ist durch die Auflegung meiner Hände."). Mit Raffinesse eine Theorie Melanchthons[28] aufgreifend und zu einer katholisch akzeptablen Aussage variierend, erläutert der Kölner Theologe, nicht ohne Grund habe der Apostel die Ordinationsgewalt dem Volk entzogen und den Bischöfen vorbehalten; das könne man an folgenden Schriftstellen lesen: 1 Tim 5,21f.; Tit 1,5; Apg 1,15—26

genberichtung" (f. 2r) greift Gropper den von Ps. Dionysius vertretenen Gedanken der von den Aposteln an die Kirche unverfälscht schriftlich und mündlich überlieferten Lehre im Rahmen seiner Argumentation für die Sukzession auf: „... so habenu unsere erste vorgenger des priesterlichen ampts (meynet die heiligen Apostell) die hõchste und uberwesenliche lehrenn / zum theill in schrifften / zum theil aber durch unbeschreben Berichtung en uns uberantwort." Ps. Dionysius, De ecclesiastica hierarchia I 5 (MG 3,375—378).

[25] Enchiridion, f. 190r/v.

[26] Enchiridion, f. 199v.

[27] Capita institutionis, G 6v—H 1r; Institutio catholica, p. 151 (L Ir)—153 (L IIr).

[28] Wie Gropper stellt Melanchthon (CR 21,503) aufgrund von Tit 1,5 fest, daß Paulus den Amtsträgern befiehlt, Presbyter einzusetzen: „Extat igitur testimonium scripturae, quod Pastores sint ordinati a vicinis Pastoribus, hoc est, praefecti aliis Ecclesiis." Daraus folgert Melanchthon, alle Diener im Amt seien durch die Schrift beauftragt, neue Pastoren zu berufen, wo immer sich das Erfordernis dazu stelle. Von diesem Vorgang der Berufung kann laut Melanchthon allerdings das Volk nicht ausgeschlossen werden, ist doch die ganze Kirche dafür verantwortlich, daß Pseudopropheten nicht zugelassen werden. „Ideo ad electionem ministrorum accessit veteri more autoritas Ecclesiae, hoc est, eorum, quibus Ecclesia eam rem commisisset."

und 6,1—6. Dort halte das Neue Testament an der sichtbaren Ordination fest, schreibe deren Wirkung aber nicht den Aposteln und Bischöfen zu, sondern dem Heiligen Geist[29]. Eine Verflüchtigung des besonderen Ordinationsaktes zugunsten der bloßen Anstellung durch die Gemeinde ebenso wie zugunsten einer rein privaten Berufung läuft für Gropper dem Postulat der Schrift zuwider, kann man doch nicht jedermann Glauben schenken, der von sich behauptet, er sei unsichtbar gesandt oder von Gott gesalbt[30].

Über die Schriften des Neuen Testamentes hinaus macht sich Gropper die Literatur der patristischen Theologie zunutze, um die alte Lehrauffassung der Kirche zu erhärten, daß ihre Leitungsämter in apostolischer Sukzession stehen, sie mithin auf eine Einsetzung Christi zurückgehen und folglich dem Ordo in der Kirche sakramentale Qualität eigen ist. So hat sich Irenäus von Lyon in seiner Schrift „Adversus haereses"[31] nach dem Urteil Groppers glänzend verteidigt durch den Anspruch auf die kirchliche Lehrautorität und Tradition, die von den Aposteln bis auf die Gegenwart überkommen ist unter der Kontrolle der Sukzession des geistlichen Amtes; Gropper glaubt mit Irenäus, daß in der Kirche ein und derselbe, Leben spendende Glaube von den Aposteln bis in die Gegenwart bewahrt und überliefert worden ist. Dieser Ansicht, so versichert er, pflichten auch die übrigen Kirchenväter bei, so als nächst ältester Tertullian in seinem Buch „De praescriptione haereticorum"[32]. Mit Cyprian beruft sich Gropper auf einen weiteren

---

[29] Enchiridion, f. 190v: „Alibi quoque reperias, quomodo ab apostolis instituti sint episcopi et diaconi, nullibi vero quod a sola plebe; ... quin scriptura ordinationem non apostolis aut episcopis proprie, sed magis ipsi Spiritui sancto tribuit. Nam Actorum XX [28] in hunc modum legis: Attendite vobis et universo gregi, in quo vos Spiritus sanctus posuit episcopos regere ecclesiam dei, quam acquisivit sanguine suo." Gropper beruft sich ferner auf Apg 13,2f. u. Eph 4,11f.

[30] Enchiridion, f. 67v u. 68r: „Nam nunquam schismatum fuisset finis, nisi Christus non tantum invisibili, sed et visibili iussione ac sacramento apostolos suos misisset; ... non enim tuto ulli hominum creditur, se invisibiliter missum aut a Deo unctum esse, dicenti. ... Quaerenda est ergo ecclesia apud eos, apud quos est concors doctrina et legitima episcoporum successio ab apostolorum temporibus ad haec usque tempora deducta." Vgl. Erasmus, Dilucida et pia explanatio Symboli, 1131: „Nec interim tamen confundendus est ordo in Ecclesia laudabiliter institutus et a maioribus nobis per manus traditus. ... Ubi enim non est ordo, ibi confusio est."

[31] Gropper verweist pauschal auf verschiedene Passagen dieser Schrift, insbesondere auf III 1—5 (MG 7,844—860).

[32] Auch bei seiner Bezugnahme auf Tertullians „Liber de praescriptione haereticorum" (CChrlat 1,185—224) scheint Gropper eine bestimmte Stelle nicht im Auge zu haben. Die gesamte Schrift Tertullians dient ja dem Nachweis, daß Christus die Apostel zu Verkündern seiner Lehre bestellt hat und daß die Apostel diese Lehre den von ihnen begründeten Gemeinden anvertraut haben;

afrikanischen Kirchenvater[33]; im Brief an Antonian, so schreibt Gropper, erkläre dieser alle, die ohne rechtmäßige Ordination das Bischofsamt beanspruchen, für Schismatiker[34]. Schließlich gibt es laut Gropper auch für Hieronymus und Augustinus keinen Zweifel daran, daß die gültige Ausübung eines kirchlichen Vorsteheramtes ohne die Ordination, also ohne den Eintritt in die von den Aposteln ausgegangene Kette der Handauflegungen, nicht möglich ist.

Während er so ein reiches Arsenal an historischen Zeugnissen für die Einsetzung des Weihesakramentes beibringt, ist Gropper an anderer Stelle bestrebt, den Zusammenhang der Stiftung des Priestertums mit dem universalen Heilsplan Gottes aufzuzeigen.

Zu Beginn der „Isagoge ad pleniorem cognitionem universae religionis Catholicae", die den zweiten Teil der „Institutio catholica" bildet, stellt der Kölner Theologe in einem knappen Konzentrat die wesentlichen Lehren der Heiligen Schriften beider Testamente vor („Summa sacrae scripturae"). Er bietet sie in durchaus heilsgeschichtlicher Perspektive dar, indem er unter den Geschehnissen und Gestalten des Alten Bundes die vorausweisenden, in der Erwartung des Heiles verharrenden Züge hervortreten läßt, während er das Neue Testament ganz unter dem Aspekt des in Christus Wirklichkeit gewordenen Heiles darstellt. Christus, Gottes Sohn, der „Logos" des ewigen Vaters, der von Anfang an beim Vater war und eines Wesens mit ihm ist, hat den Samen Abrahams angenommen und ist Fleisch geworden (Joh 1,1—14; Hebr 2,5—18); vom Heiligen Geist wurde er — der Menschheit nach — empfangen und von der Jungfrau Maria geboren, die aus dem Haus und der Familie Davids stammte (Mt 1,16; Lk 1,26—38); mit seiner göttlichen Natur war er als Mensch in der Einheit einer Person verbunden, ohne Teilung oder Vermischung der beiden Naturen (Joh 3,13)[35]. Einst so viele Male verheißen und im Alten Testament in so vielen Vorbildern und Gestalten angedeutet, ist Christus endlich am Ende der Zeiten vom himmlischen Vater in diese Welt gesandt worden. Gott Vater, der ehedem der Gott Abrahams, der Gott Isaaks und der Gott Jakobs wegen seiner Verheißungen an die Väter (Ex 3,6.15.16) genannt werden wollte, wollte von nun an, nach der Erfüllung seines Versprechens, der Vater unseres Herrn Jesus Christus heißen (Eph 1,3). Jesus Christus wurde zu einer Zeit

dort haben die Bischöfe die vorrangige Autorität inne, da sie von den Aposteln „ius et potestatem sacerdotij" (Enchiridion, f. 68v) empfangen haben.

[33] Enchiridion, f. 68v (Hinweise auf Cyprian, Hieronymus und Augustinus).

[34] Cyprian, Epistula 55,8 (CSEL 3/2,630): „... quo occupato et de Dei voluntate atque omnium nostrum consensione firmato, quisque iam episcopus fieri voluerit, foris fiat necesse est, nec habeat ecclesiasticam ordinationem, qui ecclesiae non tenet unitatem."

[35] Institutio catholica, p. 318 (Q VIIv)—319 (Q VIIIr).

gesandt, die Gott bei sich festgesetzt hatte (Eph 1,9), zu einer Zeit, in der Unrecht aller Art überreich vorhanden war, in der alle sündigten und von der Herrlichkeit Gottes fern waren (Röm 3,23); in der Sendung seines Sohnes zeigte Gott den Reichtum seiner Gnade und schenkte Rettung nach seiner Barmherzigkeit denen, die an ihn glauben (Tit 3,5)[36].

Jesus Christus also kam und ward das wahre, für die Sünden der Menschen dahingegebene Lamm; alle, die an ihn glaubten, wurden aus der Knechtschaft des Teufels erlöst und mit dem himmlischen Vater versöhnt; so setzte Christus uns als Erben des Reiches Gottes und als seine Miterben ein (Röm 8,17); dadurch ward der dem Abraham erteilte Segensspruch erfüllt und unter allen Völkern jenes ewige Reich Gottes errichtet, an das David so oft in den Psalmen gedacht hat (Ps 2; Ps 47/46; Ps 87/86). Durch seine Verkündigung bereitete Jesus Christus die Menschen auf dieses Reich vor; in seinen Predigten rief er sie auf, von ihren Sünden abzulassen, umzukehren und Buße zu tun[37]. Er wollte die Menschen aber auch durch ihre Rechtfertigung befähigen, sich seinem göttlichen Willen anzugleichen und zu jedem guten Werk bereit zu sein, alle Gottlosigkeit und weltlichen Begierden abzulegen und ehrbar, gerecht und fromm in dieser Weltzeit zu leben (Tit 2,12)[38]. Schließlich wollte er ein einzigartiger Lehrer aller Menschen sein, nicht einer, der nur äußerlich seinen Dienst erfüllt, sondern einer, der wie durch eine geheime Inspiration von innen her, in Wort und Tat lehrend, die Menschen gewinnt und sie dabei nicht bloß zu Zuhörern, sondern auch zu Befolgern seines Wortes macht (Lk 11,28). Er wollte unser Heiland sein und uns in allem ein vollkommenes Beispiel vermitteln, das wir immer betrachten und nachahmen können. Er selbst hat ja in seiner Güte alle Menschen zu sich eingeladen — mit den Worten: „Kommt her zu mir alle, die ihr mühselig und beladen seid; ich will euch Ruhe geben. Nehmet mein Joch auf euch und lernt von mir, denn ich bin sanftmütig und demütig von Herzen; so werdet ihr Ruhe finden für eure Seelen. Denn mein Joch ist sanft und meine Last ist leicht" (Mt 11, 28—30)[39].

So sind wir nach Beseitigung jenes überharten Joches, von dem wir zuvor niedergedrückt wurden, unter das milde Joch Jesu gekommen. Gott aber hat uns durch das Verdienst seines Sohnes und durch die Kraft des Heiligen Geistes als seine Gaben Glauben, Hoffnung und Liebe eingegossen (1 Kor 13,13); Glauben, durch

---

[36] Institutio catholica, p. 319 (Q VIIIr).
[37] Institutio catholica, p. 320 (Q VIIIv)—321 (R Ir).
[38] Institutio catholica, p. 321 (R Ir)—322 (R Iv).
[39] Institutio catholica, p. 322 (R Iv)—323 (R IIr).

welchen wir vom Vater zum Sohn gezogen werden und von diesem wieder zum Vater gelangen — im festen Vertrauen auf alles, was er selbst in seinen heiligen Schriften und Reden uns überliefert hat (Joh 6,22—59); Hoffnung, die den Glaubenden in guten wie in schlechten Tagen immer Freude schenkt und sie die Wiederkunft Christi und das ewige Leben erwarten läßt (Tit 2,13); Liebe, in der wir Gott über alles und unseren Nächsten wie uns selbst lieben, in der wir durch gute Werke an unserer von Christus erwirkten Rechtfertigung mitwirken. Glauben, Hoffnung und Liebe aber sind uns nur zum Heile nütze, wenn wir sie gemeinsam empfangen und besitzen; so werden wir gerechtfertigt „per fidem charitate informatam"[40].

Damit nun aber das heilbringende Wort des Evangeliums nach Jesu Himmelfahrt rein überliefert werde und damit wir nicht durch Diener des Satans, die sich wie ihr Stammvater oft als Engel des Lichtes verkleiden (2 Kor 11,14), getäuscht und von jeder beliebigen Lehrmeinung hin und her getrieben werden, darum hat Christus den Dienst des Wortes, das „ministerium verbi", eingesetzt[41]. Christus, der selbst „regno simul et sacerdotio, sed non vulgari aut temporario, verum singulari et sempiterno potiretur"[42], bestellte die einen zu Aposteln, andere zu Propheten, andere zu Evangelisten und wieder andere zu Hirten und Lehrern (Eph 4,11); durch ihre Gesandtschaft an Gottes Statt sammelte und erbaute er sich die Kirche, der er selbst Haupt, Gemahl und Heiland ist[43].

Gropper schildert im folgenden die Einsetzung der anderen Sakramente durch Christus, „per quae ut canales quasdam gratiam suam in credentes derivaret"[44]. Ihre Verwaltung ist nach der Rückkehr Christi zum Vater den von Christus eingesetzten Aposteln und Jüngern und deren Nachfolgern, den Bischöfen und Priestern, anvertraut. In ihren Händen ruht mithin die Verantwortung für das Heil aller Gläubigen. Das Werk Christi in der Welt wirkt nach der Rückkehr Christi zum Vater in der Kirche fort; und in der Kirche vertreten Bischöfe und Priester die Stelle Christi, von dem sie — bei aller Unähnlichkeit — in ähnlicher Weise gesandt sind wie er selbst zuvor vom Vater gesandt ward.

Fazit: Die Einsetzung des Weihesakramentes durch Christus ist für Gropper eine unumstößliche Gewißheit. Als auf der Trienter

---

[40] Institutio catholica, p. 323 (R IIr)—324 (R IIv).
[41] In der Marginalie heißt es: „Sacramentum ordinis". Es folgt ein Verweis auf 2 Kor 5,19 u. Joh 20,21.
[42] Institutio catholica, p. 302 [312] (Q IIIIv).
[43] Institutio catholica, p. 324 (R IIv)—325 (R IIIr).
[44] Institutio catholica, p. 325 (R IIIr).

Kirchenversammlung unter Bezugnahme auf Luther[45], Bucer[46] Calvin[47] und Melanchthon[48] die Leugnung der Sakramentalität des Ordo durch die Theologen der Reformation zur Sprache kam, begnügte sich Gropper mit einer entschiedenen Zurückweisung dieser Thesen unter Verweis auf: Lk 22,19; Joh 20,21; Röm 10, 15—17; Eph 4,11; 1 Tim 4,14 und 2 Tim 1,6. Er erklärte weiter, es gebe im übrigen eine Vielzahl von Zeugnissen der Kirchenväter, die die Auffassung von der Sakramentalität des Ordo stützten[49].

Fällt Groppers Stellungnahme zu den aus reformatorischem Schrifttum exzerpierten Artikeln der Häretiker „de sacramento ordinis" also recht kurz und bündig aus, so setzt sich der Kölner Theologe mit der am 3. Januar 1552 zur gleichen Materie eingereichten dogmatischen Lehrvorlage bis ins Detail auseinander. Diese Vorlage enthält eine Formulierung folgenden Inhaltes: „ordinem inter ecclesiastica sacramenta iure optimo annumerari"[50].

Gegen diesen Satz meldet die am 7. Januar 1552 dem Konzilssekretär Angelo Massarelli vom Kölner Erzbischof Adolf von Schaumburg überreichte Stellungnahme beträchtliche Vorbehalte an; unter dem Ordo, so heißt es dort, habe man eine bestimmte kirchliche Vollmacht zu verstehen, die übertragen wird durch das Sakrament des Ordo, also durch die Ordination; um Zweideutigkeiten in den Lehraussagen des Konzils auf jeden Fall zu vermeiden, wird zur Verbesserung des oben zitierten Satzes folgende dogmatisch saubere Definition vorgeschlagen: „ordinationem seu ordinis sacramentum inter ecclesiae sacramenta iure optimo annumerari"; der Ordo ist nämlich streng genommen bereits die Wirkung des Sakramentes, nicht mehr das Sakrament; er ist auch nicht Zeichen einer Gnade, sondern er selbst ist diese im Sakrament umsonst gegebene Gnade, nämlich eine geistliche Vollmacht[51].

[45] WA 6,560,20f.: „Hoc sacramentum Ecclesia Christi ignorat, inventumque est ab Ecclesia Papae."
[46] M. Bucer, Einfaltiges bedencken, f. 117v—118r.
[47] J. Calvin, Institutio religionis christianae IV 19, n. 22 (CR 29,1081f.).
[48] Für Melanchthon s. o. S. 16, Anm. 69—74.
[49] Archivio Segreto Vaticano, Conc. Trid. 18 (Arm. LXII), f. 10v. Billick hatte in seinem Votum vom 16. Dezember 1551 die Sakramentalität des Ordo mit Verweisen auf folgende Väter zu stützen gesucht (CT VII/1,409,20—30): Origenes, Homilia 9 super Leviticum, 10 (MG 12,523); Augustinus, Contra epistulam Parmeniani II 13,28 (CSEL 51,79f.). Außerdem zitierte er aus der vierten Homilie des Johannes Chrysostomus zum zweiten Korintherbrief; Massarellis Protokoll erlaubt allerdings nicht, die von Billick konkret angeführte Stelle aus der Homilie (MG 61,417—428) zu ermitteln.
[50] CT VII/1,484, App. Anm. q.
[51] Archivio Segreto Vaticano, Conc. Trid. 18 (Arm. LXII), f. 242v. Eine ganz ähnliche Argumentationsführung findet sich im „Libellus de septem sacramentis ecclesiae catholicae" (1530) des Bartholomäus Arnoldi von Usingen (Uni-

Das Interesse an möglichst korrekter Darstellung der katholischen Lehre treibt Gropper zu einem Einspruch gegen noch eine Formulierung der Lehrvorlage vom 3. Januar; und zwar beanstandet der Kölner Theologe die Einleitung des ersten Kapitels; darin wird als Lehre des Konzils vorgeschlagen, daß das Weihesakrament im Christentum von einer solchen Notwendigkeit sei, daß man nicht nur aus der Offenbarung, sondern beinahe aus der Natur selbst die Notwendigkeit seiner Einsetzung erschließen könne[52]. Gropper stören an diesem Satz die umständliche Formulierung und die ungenaue inhaltliche Darbietung; er vermißt den Hinweis auf entsprechende Zeugnisse der Heiligen Schrift und schlägt vor, dem Satz eine kürzere Fassung zu geben; für ihn steht fest, daß die Sakramente durch göttliche Einsetzung begründet sind[53]. Konkrete Schriftzeugnisse für die göttliche Einsetzung des Weihesakramentes beizubringen, unterläßt Gropper freilich im Rahmen der Trienter Gutachten; seine Auffassung hierüber ist oben bereits wiedergegeben worden.

b) Der Akt der Ordination

Bewegt sich Gropper bereits in der Frage der Einsetzung des Weihesakramentes durch Christus sublim im Feld einer Auseinandersetzung mit den Thesen der Reformatoren, so tritt der Konflikt mit diesen bei der Abhandlung des Ordinationsaktes offen zu Tage. Scharf polemisiert Gropper gegen alle, welche behaupten, beim gemeinen Volk liege das Recht, sich Amtsträger einzusetzen, sobald jene, welche die ordentliche Vollmacht dazu haben, nämlich die Bischöfe, das verweigern[54]. Die Adresse, an welche sich diese Polemik richtet, ist leicht erkennbar: In konsequenter Fortführung

versitätsbibliothek Würzburg, Handschriftenabteilung, M. ch. o. 33, f. 58v) und in der 59. Homilie über die Sakramente von Johannes Eck; vgl. J. Eck, Homiliarius IV: De sacramentis, f. 76v: „Ordo proprie est potestas collata in hoc sacramento [sc. sacramento ordinationis]."

[52] CT VII/1,483,16f. (mit App. Anm. w u. x).

[53] Archivio Segreto Vaticano, Conc. Trid. 18 (Arm. LXII), f. 241r: „... sacramenta enim non innituntur quibuslibet revelationibus aut instinctui naturae, cuius captum excedunt, sed institutioni divinae."

[54] Enchridion, f. 68v: „Ubi in primis eos perstringit, qui etsi ecclesiae ordinariam potestatem verbis ornent, tamen re ipsa confundunt, asserentes apud ecclesiam, hoc est promiscuum populum ius esse constituendi ministros, modo hi, qui titulum habent ordinariae potestatis, dare nolint. Interpretanturque ecclesiam eam, quae habet purum verbum Dei absque omni alia nota. Ordinarios autem tum nolle dare dicunt, quum non statim dant, quos ipsi petunt homines reprobos circa fidem, quo hoc contendunt, ut plebs aliqua male persuasa, se tantum purum Dei verbum habere, contemnat ecclesiasticam ordinationem et ministros legitime constitutos pro suo arbitratu reiiciat et sibimetipsi constituat magistros prurientes auribus ..."

seines Ansatzes, das besondere Priestertum als Ausgliederung aus dem allgemeinen Priestertum aller Gläubigen zu begreifen, war Martin Luther schon bald zu der Überzeugung gekommen, in einem Notfall, wie er bei Weigerung der rechtmäßigen katholischen Bischöfe eintreten konnte und dann verschiedentlich recht schnell eingetreten ist, gehe — in Analogie zum Notrecht der Nottaufe — auf die Gemeinde das Recht über, sich aus ihrer Mitte geeignete „ministri" auszuwählen und diese in einer Weihehandlung unter Gebet und Handauflegung zu ordinieren[55]. Mit leichten Differenzierungen versehen, vertrat auch Philipp Melanchthon diese Auffassung Luthers; es läßt sich zeigen, daß Gropper im „Enchiridion" konkret Melanchthons Ausführungen vor Augen hat; mit Erregung kommentiert er die Beanspruchung bestimmter Schriftstellen für die reformatorische Auffassung durch die „Loci" Melanchthons von 1535[56]. Neben der Schrift ist für Melanchthons Urteilsbildung in dieser Frage vornehmlich die Praxis der alten Kirche die Richtschnur; bei ihrer Betrachtung kommt er zu der Ansicht, daß die Bestellung von Presbytern im Miteinander von Volk und Bischöfen, im Zusammenwirken von Amt und Gemeinde erfolgte. Der Gemeinde kam dabei die Vokation im engeren Sinne zu; sie erteilte ihr „suffragium"[57]. So doziert Melanchthon in den „Loci" (1535) aufgrund eines Briefes von Cyprian, worin dieser es für notwendig hält, daß eine gehorsame und gottesfürchtige Gemeinde sich von einem sündigen Vorgesetzten trennen muß, sich also nicht zu den

---

[55] Die bekannteste Quelle dieser Lehre ist die 1523 an die Böhmen gerichtete Schrift „De instituendis ministris Ecclesiae" (WA 12,169,1—196,32). Über die in der Wahl- und Weihehandlung Berufenen heißt es (WA 12,193,39—194,2): „... confirmetis et commendetis eos populo et Ecclesiae seu universitati, sintque hoc ipso vestri Episcopi, ministri seu pastores." Luther legte Wert darauf, daß die Gemeinden die Wirkung ihrer Wahlhandlung Gott zuschrieben. Für die Zukunft sah er als Regelfall die Handauflegung durch die ordinierten Gemeindevorsteher vor, es sei denn, es ergäben sich erneut Ausnahmefälle (WA 12,191,16—27). Eine breite Dokumentation — auch aus Luthers Korrespondenz — zu diesem Problem findet sich bei: P. Manns, Amt und Eucharistie in der Theologie Martin Luthers, 83—86,92,99f.,111—113 (Anm. 68—76), 133—136 (Anm. 129 u. 130), 156—163 (Anm. 157—168) u. 165f. (Anm. 170).

[56] Enchiridion, f. 68v: „... et huc torquent scripturas afferentes illud: Cavete a pseudoprophetis. Et illud: Oves meae vocem meam audiunt. Et hoc: Si quis aliud Evangelium praedicaverit, praeterquam quod praedicatum est vobis, anathema sit." Melanchthon, Loci communes theologici (CR 21,503 u. 505): „Ecclesia mandatum habet, ne admittat impios doctores, sed quaerat bonos; iuxta illud: Cavete a pseudoprophetis. Ideo ad electionem ministrorum accessit veteri more autoritas Ecclesiae, hoc est eorum, quibus Ecclesia eam rem commisisset. ... Ubi igitur est vera Ecclesia, ibi necesse est ius esse eligendi ministros. Vera autem Ecclesia est, quae habet purum verbum Dei; iuxta illud: Oves meae vocem meam audiunt." Melanchthon führt in diesem Zusammenhang außer Mt 7,15 u. Joh 10,27 auch Gal 1,9 an.

[57] Melanchthon, Loci communes theologici (CR 21,504).

Opferfeiern eines solchen Priesters begeben darf, da ihr selbst ja die Vollmacht zukommt, würdige Priester auszuwählen und unwürdige zurückzuweisen[58]. Melanchthon stützt nun unter anderem auf dieses Zitat Cyprians seine Auffassung, daß bei der Kirche als der Gemeinschaft aller Gläubigen und dem königlichen Priestertum im Sinne von 1 Petr 2,9 das „mandatum reiiciendi impios doctores" ebenso wie das „mandatum eligendi bonos doctores" liegt[59].

Gropper setzt sich mit Leidenschaft von dieser Ansicht ab; dabei protestiert er insbesondere gegen den für sein Empfinden unstatthaften Mißbrauch Cyprians im Sinne einer reformatorischen Argumentation[60]. Es werde ganz übersehen, daß Cyprian in diesem Brief mit Martialis und Basilides zwei Führer der Häretiker befehde[61]. Ziel des Briefes sei es zu sichern, daß nur solche Kandidaten, deren Annahme durch Gott feststünde, bei umfassender Sorgfalt und nach aufrichtiger Prüfung zum Priestertum ausgewählt werden sollten. Gropper bestreitet nicht, daß laut Cyprian Prüfung und Wahl der Kandidaten unter Hinzuziehung des Volkes erfolgte, stellt aber gleichzeitig um so nachdrücklicher fest, daß diesem Vorgang die legitime, rechtmäßige „sacerdotali authoritate"

---

[58] Ebd.: „Et epistola 4. Propter quod plebs obsequens praeceptis dominicis et Deum metuens a peccatore praeposito separare se debet nec se ad sacrilegi sacerdotis sacrificia miscere, quando ipsa maxime habet potestatem vel eligendi dignos sacerdotes vel indignos recusandi."

[59] Melanchthon, Loci communes theologici (CR 21,505): „Haec collegi, non ut ordinaria potestas contemnatur, sed ut intelligamus ius Ecclesiae, cum opus est. Nam hoc ius etiam scriptura tribuit Ecclesiae, cum praecipit de vitandis impiis doctoribus: Cavete a pseudoprophetis. ... Cum igitur habeat Ecclesia mandatum reiiciendi impios doctores, habet etiam mandatum eligendi bonos doctores; quia claves pertinent ad Ecclesiam iuxta hunc ipsum locum: Dic Ecclesiae. Et ubicunque est Ecclesia, ibi ius est administrandi Evangelii. Impossibile est enim Ecclesiam esse sine Evangelio, item sine remissione peccatorum. Ideo hoc ius proprium est Ecclesiae; iuxta illud: Vos estis regale sacerdotium; quae verba ad veram Ecclesiam pertinent. Est autem sacerdotium ius administrandi Evangelii." Zitiert werden: Mt 7,15 u. 18,17; 1 Petr 2,9.

[60] Enchiridion, f. 68v: „Imo non tantum scripturas torquent, sed et patres citant, in primis Cyprianum, quasi is plebi potestatem fecerit interpretandi scripturas, destituendi ac constituendi pro suo arbitratu ministros, quum tamen Cyprianus in eo, quem citavimus, loco diversam sententiam acerrime tueatur. Adferunt ergo, quod Cyprianus habet epist. IIII., ubi ait: Propter quod plebs obsequens praeceptis dominicis et Deum metuens a peccatore praeposito separare se debet, nec se ad sacrilegi sacerdotis sacrificia miscere, quum ipsa maxime habeat potestatem vel eligendi dignos sacerdotes vel indignos recusandi."

[61] Es handelt sich um einen Brief, in welchem Cyprian an der Spitze von 37 Bischöfen einer karthagischen Synode gegen die Wiedereinsetzung der gefallenen spanischen Bischöfe Martialis und Basilides votiert (Epistula 67; CSEL 3/2,735—743; das in Anm. 58 u. 60 wiedergegebene Zitat: c. 3; CSEL 3/2, 737f.). Die von Melanchthon und Gropper benutzte Zählung (I 4) entstammt der Erasmus-Ausgabe (CSEL 3/3, CXXXI).

vorgenommene Ordination folgte. Sonst würde auf das Volk das
Wort des Herrn (Hos 8,4) zutreffen: „Sie haben sich einen König
gemacht, aber ohne meinen Willen"[62]. Laut Cyprian muß „de
traditione divina et apostolica observatione" daran festgehalten
werden, so fährt Gropper fort, daß zu den feierlich vorzunehmen-
den Ordinationen zu jener Gemeinde, in der ein Vorsteher ordiniert
wird, alle Nachbarbischöfe derselben Provinz zusammenkommen
sollen und daß der Bischof in Gegenwart des Volkes gewählt werden soll[63]. Auch Melanchthon beruft sich in den „Loci" (1535)
auf diese Stelle, jedoch wohl — aufgrund des Kontextes — mit
anderer Absicht[64]. Gropper kommt auf der Basis des analysierten
Cyprian-Briefes zu dem Resultat, daß ein Unterschied besteht zwischen der Wahl und Nominierung eines Mannes, „qui incipiat esse
pastor aut episcopus", einerseits — diese ist dem Volk erlaubt —
sowie der Einsetzung in das Amt andrerseits — die nämlich ist den
Aposteln und ihren Nachfolgern, also den Bischöfen, gemäß
Apg 14,23 und Tit 1,5 vorbehalten. Schließlich, so ergänzt Gropper,
muß man davon nochmals die Einsetzung des Priestertums und der

---

[62] Enchiridion, f. 68v u. 69r: „Sed ipsi videre non volunt, hanc epistolam de
haeresiarchis Martiale et Basilide scriptam esse. Et in hoc scriptam esse, ut
doceat, plena diligentia et exploratione syncera oportere ad sacerdotium deligi
eos, quos Deo constet fore acceptos, non tantum suffragio plebis (quamvis et
plebem adhiberi convenerit, ut praesente plebe vel detegantur malorum crimina vel bonorum merita), sed legitima et iusta ordinatione accedente,
nimirum sacerdotali authoritate..."

[63] Enchiridion, f. 69r: „Propterea (ut ibi subdit Cyprianus) de traditione divina et
apostolica observatione servandum est et tenendum, ut ad ordinationes rite
celebrandas ad eam plebem, cui praepositus ordinatur, episcopi eiusdem pro-
vinciae proximi quique conveniant et episcopus eligatur plebe praesente."

[64] Bei Melanchthon (CR 21,504) liegt eine geringfügige Variante vor: „... deli-
gatur plebe praesente." In der Sache hält auch Melanchthon entschieden an
einer Ordination durch die Bischöfe fest; er wertet Tit 1,5 als Schriftzeugnis
dafür, „quod Pastores sint ordinati a vicinis Pastoribus" (CR 21,503). Unter
Berufung auf Augustinus erklärt er, „Episcopos in Africa a vicinis ordinatos
esse et Romanum ab Ostiensi" (CR 21,504). Jedoch gelingt selbst bei sorgfäl-
tigster Analyse der „Loci communes theologici" keine eindeutige begriffliche
Scheidung von Ordination und Vokation; entsprechend bleiben die Kompeten-
zen von Bischöfen und Volk nur unklar gegeneinander abgegrenzt. Offenbar
um eine Vereindeutigung in diesem Punkte bemüht, fügte Melanchthon der
Ausgabe der „Loci" von 1538 die Bemerkung bei, daß das „mandatum vocandi
ministros" ein Stück der „potestas ecclesiastica" des Amtes ist (CR 21,501,
Anm. 50). An anderer Stelle verlangt Melanchthon (Disputationes 2,4—16;
das Zitat: 13; CR 12,490), „de iure divino" und aufgrund des Beispiels der
Alten Kirche könne und dürfe die Ordination nur von den Amtsträgern, den
Pastoren, erteilt werden: „Necesse est igitur, Pastores a Pastoribus ordinari."
Der Gefahr vorschneller Harmonisierung der Position Melanchthons in dieser
Frage entgeht nicht ganz die im übrigen sehr gründliche Untersuchung von
H. Lieberg (Amt und Ordination, 322—329 u. 373—378).

bischöflichen „potestas" überhaupt unterscheiden, die Christus allein eigentümlich ist[65].

In Übereinstimmung mit der „sententia universalis ecclesiae" lehrt Gropper, daß der Bischof der Spender des Weihesakramentes ist[66]. Im „Enchiridion" findet sich an dieser Stelle ein Hinweis auf das in den Reformkonstitutionen des Provinzialkonzils von 1536 vorgelegte Programm zur pastoralen Erneuerung der Kölner Kirche. Tatsächlich steht an dessen Beginn unter dem Titel „De munere episcopali" ein Satz, der im Hinblick auf den Episkopat dieser Zeit eine kaum zu übersehende, im faktischen Gang der Kirchengeschichte freilich noch lange ausgebliebene Signalwirkung haben mußte: „Episcopi munus in duobus potissimum consistit. Primum, in impositione manuum, quae est ordinum ecclesiasticorum collatio, ac institutio ministrorum; deinde in visitatione dioeceseos"[67]. Diese Umschreibung des Bischofsamtes von den fundamentalen Belangen der Diözesanseelsorge her, nämlich der Einsetzung und Weihe von Priestern sowie der Aufsicht über das Bistum durch Visitationen, erfährt eine Begründung durch die als vorbildlich hingestellte Praxis der Apostel Petrus und Paulus[68]. Diese haben, wie die Konzilsstatuten versichern, sorgfältig darauf Obacht gegeben, daß die Handauflegung das Tor ist, durch welches all jene eintreten, „qui ecclesiarum gubernaculis admoventur"[69]; darum hat Paulus seine Schüler Timotheus und Titus immer wieder zu Vorsicht und Achtsamkeit bei der Bestellung von Bischöfen und Presbytern ermahnt; die gleiche Umsicht bezeugen — so hebt das Kölner Provinzialkonzil hervor — die Nachwahl des Matthias in das Zwölfer-Kollegium (Apg 1,15—26), die Wahl der sieben Diakone (Apg 6,1—6) und die Entsendung des Barnabas nach Antiochien (Apg 11,22). Da man jedoch von dieser Regel in der Gegenwart weit und breit abgewichen ist und private Absichten maßgeblich geworden sind, ist eine übergroße Krankheit entstanden und schon so verwurzelt, daß kaum mehr Hoffnung auf Heilung geblieben ist. Auch wenn der Zustand der Krankheit bereits sehr verschlimmert ist — so

---

[65] Enchiridion, f. 69r: „Aperte ergo Cyprianus diffinit, aliud esse eligere ac nominare hominem, qui incipiat esse pastor aut episcopus, quod permissum est plebi, aliud constituere pastorem, quod proprium est apostolorum et eorum, qui ipsis succedunt. Ut enim scriptura habet, apostoli constituerunt diaconos, presbyteros ac episcopos per loca et civitates. Denique aliud esse, instituere sacerdotium seu episcopalem potestatem, quod proprium est Christi."

[66] Enchiridion, f. 199v.

[67] Canones, f. 1r (ARC II 201).

[68] Neben dem Verweis auf Tit 1,5 steht hier ein solcher auf die Abschiedsrede in Milet (Apg 20,28—31), auf die Missionstätigkeit des Petrus (Apg 9,32) und des Paulus (Apg 15,41).

[69] Canones, f. 1r (cap. 1; ARC II 202).

schließt das erste Kapitel der Statuten des Provinzialkonzils[70] —, darf man doch nicht verzweifeln; es gilt vielmehr, sich um ein geeignetes Heilmittel zu bekümmern.

Als solches sind die Richtlinien zu verstehen, die das Konzil für die Auswahl und Ordination der Weihekandidaten aufstellt. Es sollen nämlich nur würdige und qualifizierte Kandidaten angenommen werden, die in der Lage und willens sind, das übernommene Amt auch tatkräftig auszuüben[71]. Niemandem sollen voreilig die Hände aufgelegt werden[72]. Rücksichtnahmen auf Verwandtschaft und Schwägerschaft werden scharf verurteilt, ebenso alle Ambitionen, „qui sua, non quae Iesu Christi sunt, quaerunt (Phil 2,21)"[73]. Mit aus der Bibel geschöpften Bildern werden die Bischöfe auf schwerwiegende Gefahren aufmerksam gemacht, die durch eine Berufung Ungeeigneter der Seelsorge zu erwachsen pflegen[74]. Ähnlich wird den Inhabern eines Kirchenpatronates, ob sie nun Geistliche oder Laien sind, die Auflage gemacht, Mißstände bei der Präsentation abzustellen und nur taugliche Kandidaten zu berücksichtigen[75]. Die Archidiakone werden auf ihre Pflicht hingewiesen, „vitam, mores et eruditionem" der präsentierten Kandidaten genau zu überprüfen[76]. Eine noch größere Verantwortung liegt bei den Weihbischöfen; sie haben Obacht zu geben „de ordinandorum aetate, vita, scientia et affectu"[77]. Bezüglich des Weihealters wiederholt das Kölner Provinzialkonzil die Bestimmungen des Konzils von Vienne[78], gibt jedoch zu bedenken, ob nicht ein zukünftiges Konzil „ad antiquos canones regredi referat"; einst

---

[70] Canones, f. 1v (cap. 1; ARC II 202).

[71] Canones, f. 1v (cap. 2; ARC II 203): „... repulsis ac submotis indignis digni tantum et idonei admittantur, qui et velint et possint officium (propter quod beneficium datur) gerere et explere." Es folgt ein Zitat von 2 Thess 3,10.

[72] Canones, f. 2r (cap. 3; ARC II 203). Vgl. Leo I., Epistula 12,4 (ML 54, 651 u. 660); D. 61 c. 5 (Friedberg I 228f.). Anschließend wird erwähnt, daß das vierte Konzil zu Toledo alle mit der Exkommunikation bedroht habe, die kirchliche Benefizien an Unwürdige übertragen hätten; vgl. Concilium Toletanum IV (633), c. 18 (Mansi 10, 624f.; Hinschius, 367f.); vgl. D 51 c. 5 (Friedberg I 204f.).

[73] Canones, f. 2r (cap. 4; ARC II 203f.) u. 4v (cap. 21; ARC II 209).

[74] Canones, f. 2v (cap. 6; ARC II 204). Nach einer Anspielung auf Mt 15,14 folgt hier ein Auszug aus der Drohrede des Propheten Malachias (Mal 1,8) gegen die unwürdigen Priester; die Auslegung dieses Textes erfolgt in Anlehnung an: Hieronymus, Comment. in Malachiam 1,8 (CChrlat 76 A, 909).

[75] Canones, f. 3r (cap. 11; ARC II 206); vgl. X. 3,7,3 (Friedberg II 483f.). Die zwischen der Kölner und der Neußer Konferenz anzusetzende Korrekturschicht (Juli—Dezember 1535) ergänzt, daß die Kirchenpatrone hierüber zu belehren sind.

[76] Canones, f. 3r (cap. 12; ARC II 206); vgl. X. 1,23,1 u. 7 (Friedberg II 149f. u. 151f.).

[77] Canones, f. 4r (cap. 17; ARC II 208).

[78] Canones, f. 4r (cap. 18; ARC II 208); vgl. Clem. 1,6,3 (Friedberg II 1140).

wurden nämlich die Diakone nicht vor dem 25., Priester nicht vor dem 30. Lebensjahr ordiniert[79]. Auch bezüglich der Nachforschung über den Lebenswandel, den Bildungsstand und die Sittenstrenge der Weihekandidaten wird an die vorbildlich strenge Praxis der alten Kirche erinnert[80]. Als besonders wichtig gilt schließlich die Lauterkeit der Motive, welche die Weihekandidaten bewegen; wer Gott nicht um Gottes willen sucht, wer nach Vorteil, Gewinn und Ehre vor den Menschen verlangt, der ist ein Mietling, „non dei filius, nec ovili Christi idoneus pastor"[81]. Alle Ordinanden müssen sich deshalb frühzeitig den Weihbischöfen vorstellen, um diesen Einblick in ihre persönlichen Verhältnisse zu verschaffen und ihnen ein Urteil über ihre Qualifikation zu ermöglichen[82]. Letztmalig erfolgt an den beiden Tagen unmittelbar vor der Priesterweihe eine Prüfung durch die Weihbischöfe und die damit beauftragten Theologen[83]; hiervon darf niemand ausgenommen werden[84]. Am Vorabend des Weihetages[85] ermahnt der Weihbischof nochmals die Kandidaten, sich nicht an ein Amt zu binden, dem sie nicht genügen können; nur in bußfertiger Gesinnung, demütig und nach Empfang der Eucharistie sollen sie — ganz Gott hingegeben — an den Weihealtar treten[86]. Denn es ist für den Bischof besser, wenige

---

[79] Concilium Arelatense III (524), c. 1 (CChrlat 148 A, 43; Hinschius, 323).

[80] Canones, f. 4r (cap. 19; ARC II 208): „Dum enim priscam ecclesiam respicimus, summo desiderio tangimur, priscos illos sanctissimos mores non tantum verbis, sed et re ipsa in ecclesiam, quod in nobis est, reducendi. Illa certe vetuit, ne episcopus sine testimonio clericorum et plebis clericos ullos instituat. Hinc illae interrogationes solennes praeambulae: Sunt iusti? Sunt casti? atque aliae similes." Vgl. Concilium Carthaginense IV (398), c. 22 (Mansi 3,953; Ch. Munier, Les Statuta Ecclesiae antiqua, 75). Zur Zählung des Konzils s. u. S. 166, Anm. 7.

[81] Canones, f. 4v (cap. 21; ARC II 209); vgl. Augustinus, In Johannis evangelium tractat. 46,5 (CChrlat 36,400); C. 8 q. 1 c. 19 (Friedberg I 596).

[82] Canones, f. 4v (cap. 22; ARC II 209f.). Diese Bestimmung findet sich erst in der ersten Korrekturschicht; auf dem Provinzialkonzil wurde sie an zwei Stellen geringfügig verändert (dritte Korrekturschicht).

[83] Canones, f. 5r (cap. 24; ARC II 210). Geht ebenfalls auf die erste Korrektur zurück.

[84] Canones, f. 5r (cap. 25; ARC II 210). Gehört zur ersten Korrekturschicht. Vgl. Canones, f. 17v (cap. 5; ARC II 238).

[85] Die Priesterweihe und die Zeit der Vorbereitung darauf fällt nach alter Gewohnheit in die Quatembertage; diese Tage charakterisiert Gropper in den Katechismen von 1546 und 1550 als Tage des Fastens und des Gebetes; er weist auf das Beispiel der Apostel hin, die fasteten und darum beteten, daß der Herr gute Arbeiter in seinen Weinberg schicken möge, ehe sie den zum kirchlichen Dienst bestimmten Männern die Hände auflegten (Apg 1,24 u. 14,23). Capita institutionis, M 5v; Institutio catholica, p. 634f. (n Vv—n VIr). Gropper beruft sich auf: Rupert von Deutz, De divinis officiis III 5 u. 8 (CChr Continuatio Mediaevalis 7,70f. u. 73).

[86] Canones, f. 5r (cap. 26; ARC II 210f.).

gute Priester zu haben, die würdig das „opus dei" ausüben können, als viele unnütze, die den Bischof in den Zustand einer schweren Belastung bringen[87]; damit insistiert das Konzil auf einer alten, Papst Clemens I. zugeschriebenen kirchenrechtlichen Bestimmung[88]. Seine Absicht liegt also offen zutage: In das Priestertum sollen künftig nur solche Männer berufen werden, die den hohen Anforderungen des geistlichen Amtes auch standhalten. Erst nach reiflicher Vorbereitung und gründlicher Prüfung der Kandidaten, wofür detaillierte Vorschriften erteilt werden, soll der Bischof fortan die Priesterweihe spenden bzw. die Hände auflegen, wie das Konzil, einer Vorliebe Groppers folgend, formuliert.

Der Vorliebe Groppers für diese Formulierung entspricht, daß er der Handauflegung in seinen Überlegungen über den Weiheritus eine besondere Hochschätzung zollt. Gropper lehrt nämlich, daß die Handauflegung das „elementum", also das sichtbare Zeichen des Weihesakramentes (in Bezug auf die höheren Weihen) ist[89]. Damit befindet er sich in einem auffallenden Gegensatz zu vielen Theologen der Spätscholastik[90] und auch zu seinem Zeitgenossen Johannes Eck, der aus zwei mittelalterlichen päpstlichen Dekretalen[91] folgerte, daß die Handauflegung nicht zur Substanz,

---

[87] Canones, f. 6v (cap. 35; ARC II 214). Zu Beginn der Reformationszeit scheint der Priesterüberschuß in vielen Gebieten ein Problem dargestellt zu haben; darauf deutet u. a. der Artikel 14 der Regensburger Reformordnung von 1524 (ARC I 340) hin; vgl. Concilium Lugdunense (1527), c. 6 (Mansi 32,1128): „Melius est donum sacerdotii paucos habere ministros, qui possint digne opus Dei exercere, quam multos inutiles." Auch Erasmus kritisiert die Überzahl untauglicher Priester (Ecclesiastae, p. 67): „Quid autem refert, utrum ecclesia paucissimos habeat sacerdotes ad ecclesiasticam functionem idoneos aut infinitam inutilium turbam, qui citius onerent ecclesiam quam sublevent? Omnes ecclesiae census desiderant, opus ecclesiasticum pauci aut nulli desiderant; pasci desiderant, non pascere; subtrahe pabulum et videbis perpaucos ambire gradus ecclesiasticos. Quid quod ecclesia paucioribus haberet opus, si singuli necessariis ac propriis tantum fungerentur officiis. Diaconi recitarent sacram lectionem, presbyteri docerent evangelium et administrandis sacramentis adessent episcopis."

[88] Ps. Clemens, Epistula 2 (ad Iacobum fratrem domini), (Hinschius, 49): „Melius est enim domini sacerdotes paucos habere ministros, qui possint digne opus dei exercere, quam multos inutiles, qui onus grave ordinatori adducunt." Vgl. D. 23 c. 4 (Friedberg I 81); Concilium Lateranense IV (1215), c. 27 (Mansi 22,1015).

[89] Enchiridion, f. 198v.

[90] L. Ott, Das Weihesakrament, 92—96.

[91] Es handelt sich um die Dekretale „Pastoralis" von Papst Innozenz III. Demnach ist, wenn bei der Erteilung der Diakonatsweihe die Handauflegung vergessen wurde, vorsichtig zu ergänzen, was unvorsichtig unterlassen wurde; vgl. X. 1,16,1 (Friedberg II 134). Die andere Dekretale „Presbyter" von Gregor IX. lautet ähnlich; X. 1,16,3 (Friedberg II 135).

sondern nur zur Solemnität des Weiheritus gehöre[92]. Gropper hingegen preist die Handauflegung mit den überschwenglichen Worten der apokryphen, Ambrosius zugeschriebenen Schrift „De dignitate sacerdotali" als jenes Geschehen, worin zur sichtbaren menschlichen Handlung die Gnade Gottes hinzugeschenkt wird, worin der Ordinand die Vollmacht empfängt, Gott anstelle des Herrn Jesus Christus das Opfer darzubringen[93] und worin er die Versicherung erfährt über das Geschenk Gottes, das ihm zur Auferbauung der Kirche zugeteilt wird[94].

Neben der Handauflegung bildet auch die Salbung ein äußeres Zeichen der Priesterweihe[95]; Gropper verteidigt Alter und Ansehen dieses Weiheritus gegen die maßlose Polemik, die Luther

---

[92] J. Eck, Homiliarius IV: De sacramentis, Hom. 64,3, f. 84v.

[93] Die Übertragung dieser Vollmacht ist für Thomas von Aquin und die überwältigende Mehrheit der scholastischen Theologen an die Übergabe der Geräte (Kelch mit Wein und Patene mit Brot) gebunden; darum ist dieser Ritus für Thomas das äußere Zeichen, die Materie der Priesterweihe. Handauflegung, Salbung und Segnung sind nach Thomas lediglich vorbereitende Akte. Thomas Aquinas, Comment. in quartum librum sententiarum, D. 24 q. 2 a. 3 (898f.).

[94] Enchiridion, f. 198v: „[Impositionis manuum] mysterium divus Ambrosius libro de dignitate sacerdotali capite quinto in hunc modum explicat. ‚Homo', inquit, ‚imponit manus, Deus largitur gratiam, sacerdos imponit supplicem dexteram et Deus benedicit potenti dextera, episcopus initiat ordinem et Deus tribuit dignitatem.' Et alibi: ‚Manus impositionis verba sunt mystica, quibus confirmatur ad opus electus, accipiens potestatem teste conscientia sua, ut audeat, vice Domini sacrificium Deo offerre.' Est itaque manus impositio congruum signum, quo ordinati conscientia certa efficitur de dono Dei sibi ad aedificationem ecclesiae collato." Die erste der beiden Stellen stammt aus dem von Gropper, Clichtove und Claude d'Espence (H. Jedin, Das Bischofsideal, 101, Anm. 51) geschätzten „Sermo de informatione episcoporum", einer als „Liber de dignitate sacerdotali" fälschlich Ambrosius zugeschriebenen Schrift, als deren Verfasser man seit den Maurinern Gerbert, den späteren Papst Silvester II. (999—1003), annimmt. Das Werk (ML 139,169—178; das Zitat: 175) erschien 1535 bei J. Gymnich in Köln. Das zweite Zitat hat Gropper einer anderen Quelle entnommen: Ambrosiaster, Comment. ad Timotheum I 4,14 (CSEL 81/3,277). Die Bedeutung der Handauflegung betont unter Verweis auf Apg 13,3 u. 1 Tim 4,14 auch Erasmus (Dilucida et pia explanatio Symboli, 1176): „Qui vero deliguntur ad mysticas functiones, iis per sacramentum ordinis augetur donum Spiritus ad digne administrandum munus delegatum. Quemadmodum legimus, Paulo et Barnabae manus fuisse impositas, ut ad evangelii propagationem proficiscerentur. Et Timotheo a presbyteris fuisse manus impositas, testatur Paulus illa scribens."

[95] Enchiridion, f. 198v: „. . . unctio, quae adhibetur sacerdotio initiandis, elementum est ordinis, quae ab unctione legis originem habet, non recens commentum, sed in omni ecclesia tam graeca quam latina a tempore apostolorum celebrata, quod ex antiquissimis ac receptissimis quibusque scriptoribus facile comprobari poterit." Alter und Unaufgebbarkeit der Salbung werden von Gropper auch in der „Gegenberichtung" (f. 128r/v) hervorgehoben.

gerade gegen ihn geschleudert hatte[96]. Die Übergabe der Geräte nennt Gropper als äußeres Zeichen nicht für die höheren, sondern nur für die niederen Weihen; er weist dabei auf die einschlägigen kirchenrechtlichen Bestimmungen hin, die er auch in seine Lehre über die einzelnen Weihestufen an anderer Stelle übernimmt[97]. Gemeinsam ist allen Weihehandlungen, daß der Bischof den einzelnen Kandidaten ihre jeweiligen Pflichten zuweist, für sie betet und an ihnen bestimmte sinnfällige und zeichenhafte Handlungen vornimmt, welche durch das sie begleitende Wort in ihrem Sinn vereindeutigt werden; Gropper läßt sich die Bemerkung nicht entgehen, daß die Bildhaftigkeit dieser Riten dem Einsichtigen ohne Umschweife offenkundig ist; einen Verzicht auf ihre eingehendere Erklärung hält er daher für gerechtfertigt[98].

Eine etwas differenziertere Behandlung dieser Frage wird ihm dann erst in den für den Kölner Erzbischof Adolf von Schaumburg bestimmten Konzilsgutachten (1552) abverlangt. In Trient kam selbstverständlich zur Sprache, daß die Reformatoren die Riten verwerfen, unter denen in der katholischen Kirche die Priesterweihe erteilt wird[99]. Gropper erklärt dazu, die reformatorische Ansicht stelle sich gegen die kirchliche Tradition, wie sie seit der Zeit der Apostel überkommen sei[100]. Außer auf die „Statuta Eccle-

---

[96] Die Salbung mit Chrisam gilt Luther als ein Symbol für die verfehlte, auf das Opferpriestertum hinzielende Intention, die bei der Ordination in der römisch-katholischen Kirche vorherrscht (WA 6,407,19—22; 563,31—35. WA 8,488, 30—32; 489,26—30; 493,10—13; 504,7—13. WA 12,174,10—13). Sie bedeutet für ihn einen skandalösen Vorgang, der unter Mißachtung der Taufe den Wandel eines Christen zum Priester simuliert (WA 38,228,6—14): „Das sind die rechten, prechtigen wort und krefftige wirckunge des teuffels, da mit der heiligen tauffe jr herligkeit und krafft geschwecht ist, das jr geistlicher Gottes Cresem, welchs der Heilige Geist selber ist, gar nichts hat müssen sein gegen den leiblichen und zeitlichen Cresem der Papisten, durch menschen andacht erfunden. Die tauffe hat mit dem blut Christi und salbung des Heiligen Geists keinen pfaffen können weihen oder machen. Aber ein Bepstlicher Bischoff hat können pfaffen weyhen und machen mit seinem stinckendem, garstigen Cresem. Ir heilosen verdampten narren und blinden leiter, wie gar schendlich lestert jr hie mit unser heilige tauffe."

[97] Enchiridion, f. 198v.

[98] Enchiridion, f. 199 r.

[99] Das Konzil legte folgenden Artikel zur Beurteilung durch die Theologenkongregation und dann durch die Generalkongregation vor (CT VII/1, 378,3—6): „Unctionem non solum non requiri in ordinum traditione, sed esse perniciosam et contemnendam; similiter et omnes alias ceremonias; et per ordinationem non conferri Spiritum sanctum; proinde impertinenter episcopos, cum ordinant, dicere: Accipite Spiritum sanctum." Quelle dieses Artikels ist: J. Calvin, Institutio religionis christianae IV 19, n. 32 (CR 29,1093f.).

[100] Archivio Segreto Vaticano, Conc. Trid. 18 (Arm. LXII), f. 12v—13r. Der letzte Satz dieses Artikels stelle sich sogar, so wird bemerkt, gegen das ausdrückliche Wort Christi in Joh 20, 22.

siae antiqua", hinter denen für ihn die Autorität einer karthagischen Kirchenversammlung und vor allem die des heiligen Augustinus steht, beruft sich Gropper auch auf den heiligen Cyprian[101]. Cyprians Äußerungen über die Bedeutung der an den Priestern vollzogenen Salbung zitiert Gropper sodann auch in dem Gutachten[102], welches sich mit der Lehrvorlage vom 3. Januar 1552 auseinandersetzt; an dieser bemängelt er die überzogene Ausrichtung der Argumentation auf die alttestamentliche Salbung Aarons und des aaronitischen Priestertums (Ps 133/132,2)[103]. Es geht Gropper darum, den Sinn der bei der Priesterweihe angewendeten Riten durch das Konzil möglichst plausibel darstellen zu lassen, um auf diese Weise der reformatorischen Kritik ihre Stoßkraft zu nehmen. Dabei sieht sich Gropper allerdings genötigt, die noch in der „Institutio catholica" vertretene Auffassung abzuändern[104], die Handauflegung sei das äußere Zeichen des Weihesakramentes. Die Handauflegung ist nämlich nur bei der Erteilung der höheren Weihen vorgesehen; allen Weihestufen gemeinsam ist aber die äußerlich sichtbare Sendung[105]; neben diesem gemeinsamen äußeren Zeichen gibt es bei jeder Weihestufe noch spezifische; dazu gehören bei der Priesterweihe einmal die Handauflegung mit der Verleihung des Heiligen Geistes gemäß Joh 20,22, dann aber auch die Salbung der Hände und die Übergabe von Kelch und Patene[106]. Gropper verweist auf das Pontifikale, worin der Ritus der Priesterweihe genau beschrieben ist; entsprechend den dort festgelegten Bestimmungen soll die Priesterweihe — ungeachtet aller kurzsichtigen Kritik der Reformatoren — auch weiterhin in der katholischen Kirche gespendet werden.

Spender der Priesterweihe ist der Bischof; ausschließlich dieser kann den Ordinationsakt rechtskräftig ausführen. Das Exzerpt reformatorischer Grundauffassungen „de sacramento ordinis", welches in Trient am 3. Dezember 1551 zur Beratung in der Theologenkongregation freigegeben wurde und das später auch der Generalkongregation vorlag, ordnete die reformatorische Ablehnung dieser Lehre im dritten und sechsten Artikel ein[107]. Unter

---

[101] Zitiert wird die noch Cyprian zugewiesene Quelle: Ernaldus Bonaevallensis, Liber de cardinalibus operibus Christi, 8 (De unctione chrismatis); ML 189, 1653—1656; das Zitat: 1655.

[102] Archivio Segreto Vaticano, Conc. Trid 18 (Arm. LXII), f. 244r.

[103] CT VII/1,486,2—8 (mit App. Anm. b—e).

[104] Institutio catholica, p. 153 (L IIr); ähnlich: Capita institutionis, H 1r.

[105] S. u. S. 171, Anm. 29.

[106] Archivio Segreto Vaticano, Conc. Trid. 18 (Arm. LXII), f. 241v.

[107] CT VII/1,377,22—24 u. 378,8—10.

Berufung auf Luther[108], Bucer[109] und Calvin[110] wurde als reformatorisches Lehrgut referiert, die Bischöfe besäßen nicht ausschließlich das Recht zu ordinieren; die von ihnen erteilten Ordinationen seien ohne die Zustimmung des Volkes ungültig; zur Ausübung des Priestertums bedürfe es „vocatione magistratus et consensu populi".

Das Kölner Gutachten entgegnet darauf, die Reformatoren brächten sich mit dieser Theorie in Gegensatz zum Apostel Paulus;
durch ihn sei klar das Recht der Bischöfe verbürgt, Priester zu
ordinieren; Gropper zitiert Tit 1,5: „Dazu ließ ich dich auf Kreta
zurück, daß du das Fehlende noch ordnen und von Stadt zu Stadt
Presbyter einsetzen mögest." Für Gropper ist damit ganz klar,
„ordinationem non ab authoritate plebis, sed ep[iscop]ali pendere"[111]. Besonnen fügt er allerdings hinzu, daß nach einem Briefzeugnis des Kirchenvaters Cyprian[112] eine Anwesenheit des Volkes
bei der Ordination von Priestern belegt sei; diese habe dem Zweck
gedient, eventuelle Vergehen der Kandidaten aufzudecken und
sicherzustellen, daß nur untadelige und gut beleumundete Personen
zur Priesterweihe zugelassen würden; eine ähnliche Regelung
bestehe im geltenden Kirchenrecht fort[113]. An anderer Stelle
warnte Gropper deshalb in Trient davor, sich durch die reformatorischen Auffassungen zu einseitigen Erklärungen[114] provozieren
zu lassen, die über die bewährten Bestimmungen des gelten Rechtes[115] hinausgingen. Die Konsultation der Gläubigen vor der
Weihe von Priestern, ebenso jene der Kleriker vor der Weihe eines
Bischofs habe durchaus ihren Sinn. Sie diene der Auswahl würdiger
und geeigneter Kandidaten, sei jedoch gleichwohl ohne Einfluß
auf die Rechtsgültigkeit der Ordinationshandlung[116].

Unter einem besonderen Aspekt hatte sich Johannes Gropper
mit dem Problem der gültigen Spendung der Priesterweihe in
einem Brief an Julius Pflug vom 15. April 1551 zu befassen. Bei

---

[108] WA 6,564,11f.: „Sacerdotes vero, quos vocamus, ministri sunt ex nobis electi,
qui nostro nomine omnia faciant." Ähnlich: WA 6,440,30—32 u. ö.

[109] M. Bucer, Einfaltigs bedencken, f. 117v—118r.

[110] J. Calvin, Institutio religionis christiane III 8, n. 44—52 (CR 29,568—573).

[111] Archivio Segreto Vaticano, Conc. Trid. 18 (Arm. LXII), f. 12r.

[112] Es handelt sich um jenen Brief, mit dem sich Gropper bereits im „Enchiridion" (f. 68v—69r) auseinandergesetzt hatte (Epistula 67; CSEL 3/2,
735—743); s. o. S. 151, Anm. 61. Mit diesem Brief Cyprians beschäftigt sich
auch: P. de Soto, Tractatus de institutione sacerdotum, f. 352v—353v.

[113] Archivio Segreto Vaticano, Conc. Trid. 18 (Arm. LXII), f. 13r.

[114] Vgl die Vorlage: CT VII/1,489,9—18 (mit App. Anm. e—h).

[115] D. 63 c. 12 (Friedberg I 238): „... ut convocato clero et populo talis ibi eligatur per Dei misericordiam, cui sacri non obvient canones. Sacerdotum quippe
est electio et fidelis populi consensus adhibendus est."

[116] Archivio Segreto Vaticano, Conc. Trid. 18 (Arm. LXII), f. 245 r/v.

dem großen Priestermangel in seiner schwierigen Diözese stand der Naumburger Bischof vor der Frage, ob er Geistliche in der Pfarrseelsorge einsetzen könnte, die zwar von lutherischen Superintendenten ordiniert, inzwischen jedoch zur katholischen Kirche zurückgekehrt waren und die Bereitschaft mitbrachten, ihre Tätigkeit in Verkündigung und Sakramentenspendung, Liturgie und Pastoral an den in der katholischen Kirche üblichen Maßstäben auszurichten. Pflug stellte sich also die Frage nach der Gültigkeit von Ordinationen, die von lutherischen Superintendenten vorgenommen worden waren; dabei stand er unter einem erheblichen, durch die prekäre Personalsituation seiner Diözese verursachten Druck. Pflug übersah zwar nicht, daß nach der Lehre der Tradition den Bischöfen die Gewalt vorbehalten ist, Priester zu weihen; aber in seiner Situation übersah er auch nicht den Ausnahmefall der alexandrinischen Kirche, wo nach dem Zeugnis des heiligen Hieronymus einfache Priester die Weihe von Klerikern vornahmen[117]. So holte er in dieser Angelegenheit die Meinung des Kölner Theologen ein[118].

Diese nun fiel als kategorische Ablehnung der Gültigkeit besagter Ordinationshandlungen aus; Gropper erklärt sie gleich zu Beginn seines Briefes für nichtig; von ihnen aus kann keinerlei Berechtigung geltend gemacht werden, ein Amt in der Kirche zu übernehmen; entsprechende Kandidaten müssen erst, so Gropper, von katholischen Bischöfen „rite et canonice" ordiniert werden, ehe ihnen eine seelsorgliche Tätigkeit im Dienst der Kirche anvertraut werden kann[119].

Gropper beteuert, bei dieser Auffassung befinde er sich in Übereinstimmung mit der gesamten Tradition der Kirche; nur einen Teil der einschlägigen Zeugnisse wolle er herausgreifen. Erster Zeuge Groppers ist der Papst Damasus, zu dessen Zeit der von Pflug zitierte heilige Hieronymus lebte. In seinem vierten Brief[120] befaßte sich der Papst mit Vorfällen in der Kirche von Alexandrien, wo die Chorbischöfe — obwohl der Ordination nach nur Priester — bestimmte Dienste beanspruchten, die allein dem bischöflichen Amt zukommen. Gropper erklärt, der Papst habe mit vielen Schriftzeugnissen nachgewiesen, daß bischöfliche Amtshand-

---

[117] Hieronymus, Epistula 146 (ad Evangelum), 1 (CSEL 56,310). Zum Problem der Weihevollmacht bietet Yves Congar (Tatsachen, Probleme und Betrachtungen hinsichtlich der Weihevollmacht, 285—316) eine profunde dogmengeschichtliche Dokumentation.

[118] J. V. Pollet, Johann Gropper und Julius Pflug nach ihrer Korrespondenz, 232.

[119] W. v. Gulik, Johannes Gropper, 242.

[120] Gropper zitiert auf weite Strecken wörtlich aus: Damasus, Epistula (ad episcopos Numidiae) de vana superstitione corepiscoporum vitanda (Ph. Jaffé Regesta Pontificum Romanorum I 39, Nr. 244; Hinschius, 509—515).

lungen ungültig seien, wenn sie von Personen ausgeführt würden, die in Wahrheit gar keine Bischöfe seien, dies um so mehr, weil sie nicht geben könnten, was sie selbst nicht besäßen. Nirgends sei in den Schriften der Evangelisten und Apostel zu lesen, daß einer von den siebzig Jüngern Jesu, deren Stand in der Kirche die Priester repräsentierten, etwas beansprucht habe, was den Aposteln und mithin den Bischöfen als deren Nachfolgern zustand. Auch im Alten Bund hätten die Söhne Aarons, die Priester, nichts für sich in Anspruch genommen, was den Hohepriestern Aaron und Moses vorbehalten war. Denn unbezweifelbar vollzogen allein Aaron und Moses die heilige Salbung an den Priestern und setzten diese dadurch in ihr Amt ein, wie auch sie allein die restlichen hohepriesterlichen Funktionen wahrnahmen. Auch nachdem der Schatten des Gesetzes vorübergegangen ist, in der Zeit des Neuen Bundes und im Lichte des Evangeliums, gilt die Regelung fort, daß den Priestern nicht zukommt, was den Bischöfen, „quorum figuram Moyses et Aaron tenuerunt"[121], eigen ist. Deswegen soll es ihnen nicht erlaubt sein, Priester, Diakone, Subdiakone oder Jungfrauen zu weihen, Altäre zu errichten und Kirchen zu konsekrieren, in der „missa chrismatis" das Chrisam zu weihen und mit Chrisam in der hl. Firmung die Stirn der Getauften zu bezeichnen oder sonstige, den Bischöfen reservierte Amtshandlungen vorzunehmen. Die alleinige Berechtigung der Apostel und ihrer Nachfolger, das Firmsakrament zu spenden, so gibt Gropper eine Schlußfolgerung des Damasus wieder, ist dem Befund zu entnehmen, daß nach Auskunft der Apostelgeschichte keiner der siebzig Jünger Jesu dazu bestimmt wurde, die Gabe des Heiligen Geistes durch die vorgeschriebene Handauflegung zu überbringen. Fortan darf kein Priester dies beanspruchen, will er sich nicht selbst aus dem priesterlichen Kollegium ausschließen. Gropper trägt dann eine heftige Polemik des Papstes vor, die sich gegen Erscheinungen und Tendenzen richtet, die an der überkommenen Regelung rütteln. Der Grundgedanke in der Argumentation des Papstes ist dabei erneut, daß niemand etwas geben kann, was er selber nicht besitzt. Eine Handauflegung durch einen Unbefugten kommt einer Verletzung gleich, sie kann keinen Segen bringen. Sie ist ungültig und fügt demjenigen, dem sie erteilt wird, Schaden zu. Nach Ansicht des Papstes bedarf es zur Heilung der zugefügten Wunde eines angemessenen Heilmittels. Dies kann konkret nur in einer rechtmäßigen Wiederholung der Ordinationshandlung bestehen; denn nur so können die Rechte und Pflichten des Priestertums aufgrund einer legitimen Weihehandlung übertragen werden — von jemandem, der auch rechtlich befugt ist, die Priesterweihe zu spenden. Gropper

[121] W. v. Gulik, Johannes Gropper, 242.

übernimmt schließlich in seinen Brief an Pflug auch die mehrfachen und eindringlichen Erklärungen des Papstes, für die Verwirklichung dieser Regelung Sorge zu tragen und so unbeirrt an der Praxis seiner Vorgänger festzuhalten[122].

Der zweite Zeuge, den Gropper für seine Auffassung anführt, ist Papst Leo I.[123]; dieser habe den Bischöfen Galliens und Germaniens zu verstehen gegeben, daß die Heiligen Schriften des Alten Bundes klar bekundeten, daß allein dem Moses das Recht zustand, den Altar im Zelt Gottes zu errichten, zu salben und die übrigen hohepriesterlichen Dienste wahrzunehmen. Die im Alten Bund bestehende Scheidung zwischen den Hohepriestern Moses und Aaron einerseits und dem einfachen Priestertum andererseits soll im Neuen Bund in der Weise fortgelten, daß die Chorbischöfe und Presbyter, „qui filiorum Aaron gestant figuram"[124], keine bischöflichen Amtshandlungen an sich reißen dürfen.

Des weiteren beruft sich Gropper auf Isidor von Sevilla. Dieser habe in einer Predigt vor einer Synode[125] die Priester als Gehilfen der Bischöfe bezeichnet, die das ungebildete Volk auf die Taufe vorbereiteten, es in der Taufe der Einheit der Kirche eingliederten und fortan in allen Sakramenten, bis auf die Handauflegung, den Dienst am Volk Gottes ausübten[126].

Ein wichtiger Zeuge, den Gropper sodann ins Feld führt, ist der Kirchenlehrer Hieronymus, auf den sich ja Pflug in seiner Anfrage gestützt hatte. Gropper gibt zu bedenken, daß Hieronymus in einem Schreiben an Rusticus erklärt habe, „summo sacerdoti clericorum ordinationem et virginum consecrationem reservatam esse"[127]. Außerdem habe Hieronymus an anderer Stelle[128] die Ansicht vertreten, daß das Heil der Kirche „in summi sacerdotis dignitate" hänge; gebe es diese außergewöhnliche, alles überragende Gewalt

---

[122] W. v. Gulik, Johannes Gropper, 243.

[123] Gropper zitiert aus: „Leonis Papae de privilegio chorepiscoporum sive presbiterorum ad universos Germaniae atque Galliae ecclesiarum episcopos" (Ph. Jaffé, Regesta Pontificum Romanorum I 75, Nr. 551; Hinschius, 628).

[124] W. v. Gulik, Johannes Gropper, 243.

[125] Gropper schreibt (Ebd.): „Et Isidorus in quodam sermone, quem in synodo habuit, presbyteri, inquit, quia adiutores sunt episcoporum, rudes populos initiant baptizandos, unitati ecclesiae incorporant; in omnibus sacramentis usque ad manus impositionem populo Dei ministrant."

[126] Dieses Zitat konnte ich nicht verifizieren; eine Durchsicht (auch von MG 84, 583—587 u. MG 152,1283—1302) blieb ergebnislos.

[127] Gropper beruft sich auf den unechten Brief des Hieronymus an Rusticus „de septem ecclesiae gradibus" (ML 30,158), aus dem auch das Dekret Gratians an zwei Stellen, die vom Diakonenamt und vom Priesteramt handeln, zitiert (D. 93 c. 23 u. D. 95 c. 6; Friedberg I 326 f. u. 333f.):

[128] Hieronymus, Dialogus contra Luciferianos, 9 (ML 23,165): „Ecclesiae salus in summi sacerdotis dignitate pendet, cui si non exsors quaedam et ab omni-

in der Kirche nicht, so entstünden so viele Schismen, wie es Priester gebe; so aber habe ohne Geheiß seines Bischofs weder ein Priester noch ein Diakon das Recht, das Taufsakrament zu spenden usw.[129].

Der Kölner Theologe weist Bischof Pflug ferner auf eine Bemerkung von Epiphanius[130] hin, daß Arius unter anderm wegen der von ihm vertretenen Häresie verurteilt worden sei, daß es zwischen Bischof und Presbyter keinen Unterschied gebe und dieser ebenso wie jener zur Handauflegung befugt sei. Diesen Irrtum des Arius hätten später — so Gropper — Richard Fitzralph, der Erzbischof von Armagh, und der auf dem Konstanzer Konzil verurteilte John Wiclif von neuem mit der Lehre aufgebracht, daß Presbyter die heiligen Weihen erteilen könnten[131].

Gropper zitiert weiterhin ausgiebig aus einer Entscheidung des Zweiten Konzils von Sevilla (619)[132]. Diese Kirchenversammlung hatte sich mit einem Vorkommnis in der Diözese Egara zu befassen, wo eine Priesterweihe und zwei Diakonenweihen irregulär erteilt worden waren; zwar hatte der Bischof den Kandidaten die Hand aufgelegt, doch war er wegen eines Augenleidens nicht in der Lage gewesen, die Weihegebete abzulesen; diese hatte entgegen der kirchlichen Ordnung ein Presbyter gesprochen. Das Konzil nun verwarf das Handeln des Presbyters und versicherte, es hätte ihn verurteilt, wäre nicht durch einen vorzeitigen Tod des Schuldigen Gott selber seinem Urteil zuvorgekommen. Um aber eindeutig die Ungültigkeit der erteilten Ordinationen zu dokumentieren und

---

bus eminens detur potestas, tot in ecclesiis efficientur schismata quot sacerdotes. Inde venit, ut sine chrismate et episcopi iussione neque presbyter neque diaconus ius habeant baptizandi."

[129] W. v. Gulik, Johannes Gropper, 243.

[130] Epiphanius, Adversus Haereses III 1, haer. 75,3 (MG 42,505; F. Oehler, Corporis Haeresiologici t. II/3,180).

[131] Die Auffassung von Richard Fitzralph in dieser Frage sei belegt durch folgende Zitate aus der „Summa in Quaestionibus Armenorum" XI 5 u. 6 (f. 84r/v u. 85r): „... episcopi ipsis Christi apostolis in potestate ordinis successerunt, nec in scripturis euvangelicis aut apostolis invenitur aliqua distinctio inter episcopos et sacerdotes simplices, qui presbyteri appellantur, unde consequitur, quod in omnibus est una potestas et equalis ex ordine..."; „illa potestas ex institutione una fuit et indivisa et hoc, sive erat data communiter apostolis et discipulis alijs sive solis apostolis, igitur quicunque successor eorum, quibus data est, eam totam accepit... Videtur rationabiliter posse concludi, quod hae potestates sacramentales in omnibus sacerdotibus sunt equales." Für Wiclif vgl. Sermo 6 über Tit 3,4 (J. Loserth, Johannis Wyclif Sermones III 43): „Item, si episcopus in confirmacione et ceteris suis sacramentis, que sine fundacione scripture sibi propriat, confert graciam, quare non simplex sacerdos, qui in merito maior fuerit apud Deum, scilicet ex maiori merito, sacramenta conferens digniora?"

[132] Concilium Hispalense II (619), c. 5 (Mansi 10,558; Hinschius, 438). Vgl. D. 23 c. 13 (Friedberg I 83f.).

künftigen Wiederholungen einer solchen Usurpation bischöflicher Rechte durch Presbyter vorzubeugen, erklärte das Konzil die erteilten Weihen für ungültig; wer ohne Recht in ein Amt eingesetzt worden sei, der werde mit Recht von ihm abgesetzt[133].

Damit erreicht Groppers Beweisführung ihren Höhepunkt; das Zeugnis der alten Kirche erkläre einhellig bereits jede Ordination für ungültig, die von katholischen Priestern unter Wahrung der von der Kirche vorgeschriebenen Form erteilt werde; um so unzweifelhafter sei aber jede Ordination ungültig, die von Häretikern oder Schismatikern vorgenommen werde[134]. Schon Tertullian[135] habe scharfsichtig auf die Unbeständigkeit dieser Ordinationen aufmerksam gemacht; selbst wer erst kurz im Kreise der Häretiker und Schismatiker sei, werde schon ordiniert; so werde er durch den Ruhm, ein Amt zu bekleiden, an die Bewegung gebunden, während ja eine Bindung durch die Wahrheit unmöglich sei; das Vorankommen in solchen Kreisen sei leicht; heute sei dieser Bischof, morgen ein anderer; wer heute Diakon sei, könne morgen Lektor sein; wer heute Presbyter sei, könne morgen nur mehr Laie sein; man scheue sich bei ihnen auch nicht, priesterliche Aufgaben an Laien zu übertragen.

Dies alles demonstriert für Gropper die Wertlosigkeit von Ordinationen, welche Häretiker erteilen; die Frage, die Julius Pflug ihm stellt, gilt ihm als von der alten Kirche längst entschieden und erledigt; er will im Grunde gar keine Diskussion darüber zulassen, ob man von der bewährten Praxis abgehen und den von lutherischen Superintendenten erteilten Ordinationen ausnahmsweise Gültigkeit zuschreiben solle. Das macht ein abschließender, pauschaler Hinweis auf die Gesetzgebung der christlichen Kaiser Theodosius (379—395), Valentinian (375—392) und Gratian (375—383) deutlich[136].

Es kann auch nicht bezweifelt werden, daß Gropper in der Kölner Erzdiözese für eine Praxis Sorge getragen hat, die der von ihm vertretenen Auffassung Rechnung trug; für ihre Verbreitung sorgte er selbst, indem er eine entsprechende Frage, die allen häresieverdächtigen Personen zu stellen war, in die Visitationsformel von 1550 aufnahm[137].

---

[133] W. v. Gulik, Johannes Gropper, 244.
[134] Ebd.
[135] Tertullian, De praescriptione haereticorum 41,6—8 (CChrlat 1,221f.).
[136] W. v. Gulik, Johannes Gropper, 244.
[137] Forma, iuxta quam ..., n r/v; J. Hartzheim, Concilia Germaniae VI 652: „... ita quod ille, qui non est ordinatus secundum ritum catholicae ecclesiae per suum proprium vel alium catholicum episcopum de proprij episcopi consensu, non possit efficaciter in ecclesia sacramenta ecclesiastica ministrare nec alia ecclesiae ministeria salubriter obire."

3. Die einzelnen Weihestufen

Im vierten Band seiner Homilien, der 1535 zu Ingolstadt[1] veröffentlicht und 1538, also im selben Jahr wie Groppers „Enchiridion", auch in Köln verlegt wurde, trat Johannes Eck, der wohl bekannteste Vertreter der deutschen katholischen Kontroverstheologen des 16. Jahrhunderts, für die Theorie ein, das Weihesakrament umfasse neun verschiedene Grade; Eck rechnete dabei die erste Tonsur[2] und den Episkopat[3] zu den sakramentalen „ordines". Er machte sich damit einen Standpunkt zu eigen, den erstmals am Ende der Frühscholastik Guido von Orchelles und Wilhelm von Auxerre eingenommen hatten[4]. Mit der Zählung von neun Weihestufen blieben diese beiden unter den Theologen des Mittelalters Außenseiter. Ganz anders verhielt es sich aber bei den Kanonisten. Hier war es allgemeine Ansicht, daß es neun „ordines" gebe; verursacht war dies wohl dadurch, daß Gratian in sein Dekret[5] ein Zitat Isidors von Sevilla[6] aufgenommen hatte, worin dieser unter Anlehnung an die „Statuta Ecclesiae antiqua"[7] neun Grade von Klerikern aufzählt: Ostiarier, Psalmist, Lektor, Exorzist, Akolyth,

---

[1] G. W. Panzer, Annales typographici VII 130 (Nr. 34).

[2] J. Eck, Homiliarius IV: De sacramentis, Hom. 66,4, f. 87r.

[3] J. Eck, Homiliarus IV: De sacramentis, Hom. 67,1, f. 87v; ebd., Hom. 68,3, f. 90r. Im Vorhergehenden (Hom. 63,3—66,3, f. 83r—87r) lehrt Eck zunächst über die sieben klassischen Weihestufen, ehe er zu den beiden umstrittenen Weihestufen Tonsur und Episkopat übergeht.

[4] Diese beiden zählten allerdings neben dem Episkopat nicht die Tonsur, sondern den Archepiskopat als neunte Weihestufe. L. Ott, Das Weihesakrament, 44f.

[5] D. 21 c. 1 (Friedberg I 67).

[6] Isidor, Etymologiae VII 12,3 (ML 82,290).

[7] Die „Statuta Ecclesiae antiqua", ein für die Rechts- und Liturgiegeschichte hoch bedeutsames Dokument, umfassen 102 Canones und sind gegen Ende des 5. Jahrhunderts in Südgallien entstanden; nach den Forschungen von Charles Munier (Les Statuta Ecclesiae antiqua, 95—99) ist ihr Verfasser höchstwahrscheinlich der Presbyter Gennadius von Marseille; den Zeitpunkt der Abfassung vermutet Munier zwischen 476 und 485. Gegen Schluß dieser Sammlung wird in neun Canones (90—98) der Ordinationsritus für die einzelnen Weihestufen der Reihe nach vom Bischof bis zum Psalmisten beschrieben. In einer geringfügig abweichenden Textfassung wurden die „Statuta Ecclesiae antiqua" durch viele Jahrhunderte als Canones einer angeblich im Jahre 398 unter Beisein des hl. Augustinus von 214 Bischöfen zu Karthago veranstalteten Synode überliefert (Concilium Carthaginense IV; Mansi 3, 944—960). Als solche erscheinen sie u. a. in den Konziliensammlungen von Jacques Merlin (Paris 1524) und Pierre Crabbe (Köln 1538); zu diesen Editionen vgl. Ch. Munier, Les Statuta Ecclesiae antiqua, 14—16; Zitate erfolgen nach dieser Edition von Munier sowie nach Mansi und nach dem Dekret Gratians, in das die Ordinationsbestimmungen der „Statuta Ecclesiae antiqua" aufgenommen worden sind: D. 23 cc. 7—8,11 u. 15—20 (Friedberg I 82—85); nicht zitiert wird die ebenfalls von Munier besorgte Edition in CChrlat 148,162—188.

Subdiakon, Diakon, Priester und Bischof. Bei den Kanonisten pflegte man freilich den Psalmistat dem Ostiariat voranzustellen; im Psalmisten sah man nämlich den durch die erste Tonsur in den Klerus aufgenommenen Weihekandidaten. Unter den Kanonisten des Hoch- und Spätmittelalters lehrte etwa der angesehene Huguccio neben manchen andern „expressis verbis" die Neunzahl der „ordines"[8]. War diese Lehre auch nahezu Gemeingut der Kanonistik, unter den Theologen fand sie nur eine kaum nennenswerte Zahl von Anhängern; von diesen verdient vornehmlich neben Eck noch John Maior[9] eine Erwähnung; er reihte die Tonsur[10] und das Bischofsamt[11] unter Beifügung von ihm offenbar ausreichend scheinenden Begründungen unter die „ordines" ein.

Mit bemerkenswerter Ausführlichkeit und großer Akribie widmet sich auch Johannes Gropper einer Darstellung der Vielfalt der „ordines", ihrer Rangfolge und ihrer jeweiligen Bedeutung. Dabei leitet ihn das Interesse, daß die Jugendlichen, die sich auf den Eintritt in den kirchlichen Dienst vorbereiten, genaue Kenntnisse über die Bedeutung der Weihestufen, die Art ihrer Spendung und die Gestalt der mit ihnen ursprünglich verbundenen Pflichten erhalten; er äußert den Wunsch, daß verlorene Amtsfunktionen der verschiedenen Weihestufen in der Kirche wiederbelebt werden sollten; bei manchen sei bisher bloß noch der Name geblieben, um ihre Ausübung aber kümmere man sich nicht[12]. Mit seiner eingehenden Beschreibung der den einzelnen Weihestufen zugeordneten Dienste scheint Gropper einen Beitrag zur Lösung dieser auch andere Geister der Zeit[13] bewegenden Frage liefern zu wollen.

[8] F. Gillmann, Zur Lehre der Scholastik vom Spender der Firmung und des Weihesakramentes, 9. Für Johannes Teutonicus, Raimund von Peñafort, Gottfried von Trani und Heinrich von Segusia vgl. ebd. 40,80,83 u. 94.

[9] Über John Maior s. o. S. 12, Anm. 46.

[10] Die These, daß der Psalmistat eine eigene Weihestufe ist, begründet er mit dem Hinweis auf die Dekretale „Cum contingat" X. 1,14, 11 (Friedberg II 129).

[11] Mit der Firmung und der Spendung der höheren Weihen kann der Bischof, so argumentiert John Maior, Akte setzen, die von einem einfachen Priester nicht vollzogen werden können. Eine Beziehung der einzelnen Weihestufen auf das Sakrament der Eucharistie im Sinne der thomistischen und skotistischen Auffassung hält er nicht für unbedingt erforderlich. J. Maior, Comment. in quartum librum sententiarum, D. 24 q. 1 (Ausgabe Paris 1516, f. 155d—156a); zitiert nach: L. Ott, Das Weihesakrament, 79.

[12] Institutio catholica, p. 158[164] (L VIIv): „Haec iuventutem, quae ad ecclesiarum ministeria destinatur, nosse, perutile, imo necessarium est, ut intelligat, ordines, quibus quandoque initiabitur, non esse nuda nomina, sed egregia munera, quorum utinam, ut adhuc vocabula manent et supersunt, revocarentur etiam functiones in ecclesiam, siquidem eius dignitati et administrationi nulla re magis consuleretur."

[13] Noch energischer als von Gropper wurde dies Problem von dem seit 1549 in Dillingen tätigen Pedro de Soto angegangen, und zwar in dem dort 1558 er-

Im Gegensatz zu Maior und Eck rechnet Gropper aber weder die Tonsur noch den Episkopat zu den „ordines". Wie die überwältigende Mehrzahl der scholastischen Theologen des Hoch- und Spätmittelalters[14] betrachtet Gropper den Episkopat — und ebenso Archepiskopat, Primat, Patriarchat und Papsttum — als eine zum Priestertum hinzukommende Würde, die mit einem jeweils größeren Maß an Jurisdiktionsgewalt ausgestattet ist. Auch die Tonsur hat für Gropper nicht die Qualität einer Weihe; sie bedeutet ihm die Scheidung der Kleriker von den Laien; ferner stellt sie für ihn im moralischen Sinn einen ständigen Appell an die Kleriker dar, ihr Leben mit Aszese und Ernst auf die Berufung hin, die an sie ergangen ist, zu orientieren[15]. Wohl referiert Gropper, in der alten Kirche habe es Psalmisten (Cantoren) gegeben; doch — so bemerkt er ausdrücklich — „inter ordines non computabantur"[16]; denn für die Psalmisten sei eine Ordination durch den Bischof nicht erforderlich gewesen. Ausgereicht habe für die Amtsübertragung der Auftrag eines Presbyters, welcher die Formel verwendet habe: „Sieh zu, daß du im Herzen glaubst, was du mit dem Munde singst, und daß du in Taten erweisest, was du im Herzen glaubst"[17]. Mithin

schienenen und später mehrfach nachgedruckten „Tractatus de institutione sacerdotum". Hier macht der Dominikaner die Prognose, daß die Kirche die Weihen zum Ostiariat und Exorzistat durch Konzilsbeschluß abschaffen werde, da deren Notwendigkeit nicht mehr einleuchte (Tractatus de institutione sacerdotum, f. 341v—342r). Diese Entwicklung sei nur zu verhindern, wenn diesen Weihen wieder ernsthafte Aufgaben zugeordnet würden; der Erhalt der bloßen Weihevollmachten ohne entsprechende Dienste gereiche allein den Häretikern zum Spott (Ebd., f. 342v—343r). Tatsächlich hat sich das Tridentinum mit der Frage der „ordines minores" beschäftigt. Das dogmatische Dekret über das Weihesakrament vom 15. Juli 1563 umschreibt die niederen Weihen in der thomistisch-skotistischen Perspektive des Bezuges zur Eucharistie, nicht in der von Gropper bevorzugten Perspektive auf den Bischof hin (CT IX 620,26—36). Das Reformdekret vom selben Tag proklamiert in c. 17 die wirksame Wiederherstellung der niederen Weihestufen (CT IX 627, 36—628,13), allerdings ohne Nennung bestimmter Aufgaben, obwohl dafür in den unter Zeitdruck erfolgten Beratungen der vorangegangenen Tage verschiedene originelle Anregungen eingegangen waren (CT IX 598,39—601,34; 601,35—616,12). Nun wurde die nähere Fassung auf eine Darstellung im „Catechismus Romanus" verschoben, die dann aber ganz und gar traditionell ausfiel ohne Verwertung der in der Konzilsaula vorgebrachten Reformvorstellungen (A. Duval, Das Weihesakrament auf dem Konzil von Trient, 237—242; G. G. Meersseman, Il tipo ideale di parroco, 32—36; G. Bellinger, Der Catechismus Romanus und die Reformation, 223).

[14] L. Ott, Das Weihesakrament, 80—87.
[15] Enchiridion, f. 199r; Capita institutionis, N 4r; Institutio catholica, p. 685 (q VIIIr). Dabei verweist Gropper auf: Ps. Dionysius, De ecclesiastica hierarchia VI 3, 3 (MG 3,536). C 12 q. 1 c. 7 (Friedberg I 678).
[16] Enchiridion, f. 192r.
[17] D. 23 c. 20 (Friedberg I 85); Concilium Carthaginense IV (398), c. 10 (Mansi 3,952); Statuta Ecclesiae antiqua, c. 98 (Ch. Munier, Les Statuta Ecclesiae antiqua, 99).

kennt Gropper nur sieben Weihestufen, und über diese sieben lehrt er im Rückblick auf die Geschichte der alten Kirche; ihn treibt dabei das Motiv, „ut veteris ecclesiae mos innotescat"[18]. Er zitiert aus der alten Kirchengeschichte wiederholt das angebliche vierte Konzil zu Karthago (398)[19], welches die niederen und höheren Weihen einschließlich der Riten, nach denen diese Weihen erteilt wurden, aufgezählt habe. In der ältesten Zeit der Kirche seien nur das Priestertum und der Diakonat als höhere Weihen bezeichnet worden[20], wie das ja auch dem Zeugnis der Schrift entspreche; erst in späterer Zeit sei auch der Subdiakonat diesen zugezählt worden, vornehmlich deshalb, weil man den Subdiakonen wie den Priestern und Diakonen aus sakralrechtlichen Gründen („propter sacrorum contrectationem") die Eheschließung untersagt habe[21]. Unter den niederen Weihen, über deren Sakramentalität Gropper nicht abschließend befindet[22], habe die Kirche damals außer den Subdiakonen folgende Weihestufen gekannt: Die Türhüter (Ostiarier oder Ianitoren), die Lektoren, die Exorzisten und die Akolythen.

Zu einem besonderen Aspekt der Lehre von den Weihestufen nötigte Johannes Gropper die auf der Trienter Kirchenversammlung am 3. Januar 1552 den Vätern zur Prüfung übergebene Lehrvorlage eine Stellungnahme ab; sie erklärte, es sei unbezweifelbar, daß Christus, der Herr, „author atque institutor" der sämtlichen Stufen bzw. Grade des Weihesakramentes sei[23]. Gegen diese Formulierung erhob die von Gropper mitbearbeitete Stellungnahme des Kölner Erzbischofs schwerwiegende Bedenken, indem sie ihre Übereinstimmung mit dem kirchlichen Recht und den Ansichten der Väter in Frage stellte. Der Kirchenvater Cyprian erinnere nämlich die Diakone daran, daß der Herr die Apostel erwählt habe, in ihnen also die Bischöfe (und Priester), nicht aber die Diakone; diese hätten die Apostel erst nach der Himmelfahrt des Herrn als Diener der Kirche und als Hilfskräfte ihres bischöflichen Aufsichts-

---

[18] Enchiridion, f. 191r.

[19] S. o. Anm. 7.

[20] Gropper beruft sich auf D. 60 c. 4 (Friedberg I 227): „... Sacros autem ordines dicimus diaconatum et presbiteratum."

[21] Papst Innozenz II. erklärte 1139 die heiligen Weihen vom Subdiakonat an aufwärts zum trennenden Ehehindernis. Concilium Lateranense II (1139), cc. 6 u. 7 (Mansi 21,527f.). Vgl. C. 27 q. 1 c. 40 (Friedberg I 1059).

[22] Enchiridion, f. 198v u. 199r: „An autem hosce minores ordines proprie sacramentum dixeris, non diffinimus; certe presbyterium et diaconatus sola habent apertum scripturae testimonium, quamvis et caeteri ordines divina, non humana authoritate sint instituti, ut quis officium bona conscientia in ecclesia gerere audeat sibi commissum, quod alioqui sibi haud creditum periculose gerendum praesumeret."

[23] CT VII/1, 484, App. Anm. x.

amtes bestellt[24]. Auch das Kirchenrecht stütze die Auffassung, daß
nur die Bischöfe und Priester den vom Herrn berufenen Aposteln
und Jüngern nachfolgten, während die Diakone (Leviten) erst von
den Aposteln ordiniert und außerdem im Laufe der Zeit noch Subdiakone und Akolythen von den Leitern der Kirche bestellt wurden[25]. Die These, Christus habe alle „ordines" eingesetzt, lasse sich
lediglich insofern zu Recht vertreten, als alle in dem einen, von
Christus eingesetzten Priestertum enthalten sind. Wem auch immer
vom Bischof eine der unteren Weihen erteilt wird, so definiert das
Kölner Gutachten, der wird berufen zur Anteilnahme an dem von
Christus eingesetzten Dienst („in partem ministerij a Christo instituti") — unter einer gewissen Aufteilung der geistlichen Vollmacht,
deren Fülle im Bischof ist[26]. Demnach ist die gesamte geistliche
Vollmacht, die Christus den Aposteln hinterlassen hat, von diesen
und ihren Nachfolgern, den Bischöfen, auf die mit der Zeit ausgebildeten verschiedenen Weihestufen verteilt worden[27]. Dabei tut
diese Aufteilung der geistlichen Vollmacht jedoch der Einheit des
Weihesakramentes keinen Abbruch[28]; denn die Apostel haben die
Diakone und übrigen Mitarbeiter keineswegs „sua authoritate

---

[24] Gropper zitiert: Cyprian, Epistula 3 (ad Rogatianum), 3 (CSEL 3/2,471):
„Meminisse autem diaconi debent, quoniam apostolos, id est episcopos et
praepositos Dominus elegit, diaconos autem post ascensum Domini in caelos
apostoli sibi constituerunt episcopatus sui et ecclesiae ministros." D. 93 c. 25
(Friedberg I 329f.).

[25] Gropper verweist auf: D. 21 Vorspann (Friedberg I 67): „Simpliciter vero
maiorum et minorum sacerdotum discretio in novo testamento ab ipso Christo
sumpsit exordium, qui XII. apostolos tanquam maiores sacerdotes et LXXII.
discipulos quasi minores sacerdotes instituit. . . . Hanc eandem formam apostoli
secuti in singulis civitatibus episcopos et presbiteros ordinaverunt. Levitas
autem ab apostolis ordinatos legimus, quorum maximus fuit B. Stephanus;
subdiaconos et acolithos procedente tempore ecclesia sibi constituit." Das Alter
der niederen Weihen, zumindest des Akolythates, wird an einer anderen
Stelle des Kölner Gutachtens höher taxiert als von Gratian; vgl. Archivio
Segreto Vaticano, Conc. Trid. 18 (Arm. LXII), f. 11r: „Nam et si ap[osto]li
diaconatum et, ut apparet, etiam alios ordines minores instituisse videantur,
cum et accolythorum in subscriptionibus ep[isto]larum Pauli mentio fiat..."
Dieser Gedanke, der auf die Nennung des Akolythen Onesimus in dem von
einigen Codices überlieferten Briefkopf von 1 Thess und in der ebenfalls nicht
allgemein verbreiteten Subskription von 2 Thess anspielt, ist für Gropper bereits früher zu belegen (Enchiridion, f. 192r). S. u. S. 176, Anm. 55.

[26] Ambrosiaster, Comment. ad Efesios 4,11f. (CSEL 81/3,99): „. . . nam in episcopo omnes ordines sunt."

[72] Archivio Segreto Vaticano, Conc. Trid. 18 (Arm. LXII), f. 242v—243r.

[28] Die Behauptung Calvins (Institutio religionis christianae IV 19, n. 22;
CR 29,1081f.), der Ordo sei nicht e i n Sakrament und die niederen und mitt-
leren Weihen richteten sich nicht wie Stufen auf die Priesterweihe, war unter
die aus reformatorischem Schrifttum ausgewählten und am 3. Dezember 1551
in Trient vorgelegten Artikel aufgenommen worden (CT VII/1,377,19—21).

proprie" eingesetzt, sondern lediglich zur Anteilnahme an ihrer Sorge berufen („in partem sollicitudinis suae vocarunt"). Dies gehe klar aus Apg 6,2 hervor; dort bedauere Petrus, daß er und die andern Apostel das Wort Gottes vernachlässigen müßten, um an den Tischen dienen zu können; um der Notwendigkeit willen, den besonders wichtigen Dienst der Verkündigung nicht hintanzustellen, habe er sich nach Männern umgesehen, denen er — nach dem Beispiel des Moses (Ex 18,25f.) — „velut subdeputatis" einen weniger gewichtigen Teil seines Dienstes anvertrauen könne. So ergibt sich, daß der Diakonat und die „ordines minores" eingeschlossen („inclusi") sind in dem von Christus eingesetzten Priestertum und daß die Aufteilung der einen geistlichen Vollmacht auf die verschiedenen Weihestufen auf eine Anordnung des Apostels zurückgeht, der dabei handeln konnte kraft der Vollmacht, die ihm Christus übergeben hat in dem Wort: „Wie mich der Vater gesandt hat, so sende ich euch" (Joh 20,21). Dieses Wort drückt auch, so fährt das Kölner Votum fort, das allen Weihestufen gemeinsame äußere Zeichen aus, nämlich die äußerlich sichtbare Sendung[29]. Daneben freilich gibt es für die einzelnen Weihestufen spezielle äußere Zeichen, wie sie für die Priesterweihe und für die übrigen Weihestufen im Pontifikale und in den „Statuta Ecclesiae antiqua" beschrieben sind[30].

[29] Derselbe Gedanke findet sich auch in dem Kölner Gutachten, welches zu den am 3. Januar 1552 in Trient vorgelegten Lehrkapiteln über das Weihesakrament Stellung nimmt. An einer Formulierung, welche die Handauflegung als äußeres Zeichen des Weihesakramentes bezeichnet (CT VII/1, 483, App. Anm. ee), entzündet sich ein Bedenken des Gutachtens. Nach den „Statuta Ecclesiae antiqua" sei nämlich die Handauflegung bei den niederen Weihen und bei der Subdiakonatsweihe nicht vorgesehen; als äußeres Zeichen sei allen Weihestufen gemeinsam die „missio seu vocatio visibilis ad certum ministerium forma verborum ordinationis expressum"; vgl. Archivio Segreto Vaticano, Conc. Trid. 18 (Arm. LXII), f. 241r/v; das Zitat: f. 241v. Zur Begründung wird hingewiesen auf: X. 5,7, 12 (Friedberg II 784—787, bes. 786). Daß die Weihestufen unterhalb des Diakonats erst im Laufe der globalen Ausbreitung der Kirche entstanden sind, wird mit einem Ambrosiaster-Zitat (Comment. ad Efesios 4,11f.; CSEL 81/3,100) belegt, welches Gropper auch in der „Institutio catholica" (p. 163f.; L VIIr/v) verwendet: „Initio quidem soli episcopi, presbyteri et diaconi in scripturis sacris ordinati leguntur. At ubi omnia loca circumplexa est ecclesia, quod fere sub ipsis apostolis contigit, tum, ut Ambrosius ait, et rectores et caetera officia in ecclesijs sunt ordinata, ut nullus de clero auderet, qui ordinatus non esset, praesumere officium, quod sciret non sibi creditum vel concessum, ne, si omnes eadem possent, irrationabile esset et vulgaris res et vilissima videretur."

[30] Archivio Segreto Vaticano, Conc. Trid. 18 (Arm. LXII), f. 241v. Zur Frage des äußeren Zeichens des Weihesakramentes s. o. S. 156—159, mit Anm. 89—106.

a) Die „ordines minores"

Das niedrigste Amt in der altkirchlichen Weihehierarchie war das der Türhüter[31]; ihnen war laut Groppers Ausführungen[32] die Wache über das Gotteshaus anvertraut, und zwar hauptsächlich mit dem Bewenden, daß sie die Unwürdigen unter den draußen Stehenden von der Schwelle des Gotteshauses zurückwiesen und nur die Würdigen „ad sacrorum conspectum" einließen; dabei war den Türhütern große Diskretion zwischen den Ungläubigen, Häretikern, Exkommunizierten, Katechumenen, Energumenen und Büßern verschiedener Art geboten[33]. Die Ostiarier hatten ferner die Pflicht, über die Geräte zu wachen, die für den Gebrauch der Kirche erforderlich waren[34]; dies symbolisierte die Weihehandlung der Bischöfe an ihnen, nämlich die Übergabe der Kirchenschlüssel, welche Gropper anhand der von Gratian zitierten Bestimmung der „Statuta Ecclesiae antiqua" beschreibt[35].

Groppers Folgerung lautet: Wie die alte Kirche kann auch die Kirche der Gegenwart nicht dulden, daß zu ihren Gottesdiensten Personen kommen, die mit der Exkommunikation oder dem Interdikt belegt, öffentlich als Verbrecher bekannt oder in anderer Weise als unwürdig anzusehen sind; das Amt der Ostiarier ist also keineswegs entbehrlich; wenigstens an den Kathedral- und Kollegiatkirchen soll es ausgeübt werden, und zwar von den Kustoden;

[31] Gropper betont, schon Ignatius von Antiochien seien die „custodes sanctarum portarum" bekannt gewesen; vgl. Ps. Ignatius, Epistula ad Antiochenses 12,2 (Fr. X. Funk u. Fr. Diekamp, Patres apostolici II 222f.).

[32] Enchiridion, f. 191r/v; Institutio catholica, p. 162f. (L VIv—L VIIr); CT VII/ 1,407,6—8.

[33] Im „Enchiridion" verweist Gropper auf die Regelung des zeitweiligen Ausschlusses aus der Eucharistiegemeinschaft durch Kirchenversammlungen der Antike: Concilium Ancyranum (314), cc. 3—9 (Mansi 2,514—518); Concilium Nicaenum (325), cc. 5 u. 12—14 bzw. 11—13 (Mansi 2,670 u. 674; Hinschius, 258f.); vgl. Ps. Clemens, Epistula 2 (ad Jacobum fratrem domini), (Hinschius, 48). In der „Institutio catholica" zeigt Gropper anhand alter liturgischer Formulare, daß bei der Messe allein die „plebs sancta" anwesend war (A. Strittmatter, Missa Grecorum — Missa Sancti Johannis Crisostomi, 100f., bes. Zeile 3 u. 132A); außerdem beruft er sich auf: Ambrosius, Epistula 20 (ad Marcellinam), 4 u. 5 (ML 16,1037); in diesem Brief, den er nach der Erasmus-Ausgabe als Epistula 33 zählt, schildert Ambrosius Zusammenstöße mit der Kaiserin Justina, u. a. eine Störung der Eucharistiefeier durch eindringende Arianer.

[34] D. 23 c. 19 (Friedberg I 85); Concilium Carthaginense IV (398), c. 9 (Mansi 3, 951f.); Statuta Ecclesiae antiqua, c. 97 (Ch. Munier, Les Statuta Ecclesiae antiqua, 98).

[35] Mit Verweis auf D. 93 c. 5 (Friedberg I 321) deutet Gropper (Enchiridion, f. 191v) an, daß in der alten Kirche ein Abt einem Ostiarier untergeordnet war, obgleich letzterer nur die niedrigste Weihe erhalten hatte.

unter den Kapitularen sind sie nämlich jene, „qui munus Ostiariorum in Ecclesia gerunt"[36].

Der Lektor empfängt bei seiner Ordination aus der Hand des Bischofs einen Codex der Heiligen Schrift; dabei spricht der Bischof zu ihm: „Accipe et esto lector verbi Dei, habiturus, si fideliter et utiliter impleveris officium, partem cum eis, qui verbum Dei administraverunt"[37]. In dieser rituellen Handlung ist das Amt der Lektoren versinnbildet, durch Rezitation aus den Heiligen Schriften das Volk in der Kirche zu unterweisen[38]. Tertullian umschreibt das Amt der Lektoren in der Weise, daß sie die Gläubigen durch Vergegenwärtigung der Heiligen Schriften vor der Beschaffenheit der Gegenwart warnen, ihren Glauben durch heilige Worte erbauen, ihre Hoffnung aufrichten und durch Einprägung der Gebote ihre Liebe nähren sollen[39]. Tatsächlich gehörte es in der alten Kirche zu den Obliegenheiten der Lektoren, die öffentlichen Lesungen aus den Propheten und anderen alttestamentlichen Schriften dem im Gotteshaus versammelten Volk vorzutragen[40]. Noch immer, so läßt Gropper in einer aktuellen und zeitkritischen Bemerkung folgen, gebe es diese Lesungen im Stundengebet, vornehmlich in der Matutin; aber sie dienten nicht mehr wie einst der Unterweisung des ganzen Volkes, sondern erreichten nur noch den anwesenden Klerus, und auch das nicht mehr bei jener Aufmerksamkeit wie einst in der alten Kirche, als dem Volk in der Rezitation des Gotteswortes von den Lektoren gleichsam eine geistliche Speise gereicht wurde; heute verstünden die Lektoren selber kaum den Inhalt ihrer Lesungen.

[36] Forma, iuxta quam . . ., d iiij r; J. Hartzheim, Concilia Germaniae VI 631.
[37] D. 23 c. 18 (Friedberg I 84f.); Concilium Carthaginense IV (398), c. 8 (Mansi 3, 951); Statuta Ecclesiae antiqua, c. 96 (Ch. Munier, Les Statuta Ecclesiae antiqua, 98).
[38] Institutio catholica, p. 160f. (L Vv—L VIr).
[39] Tertullian, Apologeticum 39,3 (CChrlat 1,150).
[40] Gropper bezieht sich hier (Enchiridion, f. 191v) auf den Ambrosiaster. Bei der Auslegung von Eph 4,11 werden dort die Apostel mit den Bischöfen, die Propheten mit den Auslegern der Schrift, die Evangelisten mit den Diakonen, die Hirten mit den Lektoren und die Lehrer mit den Exorzisten gleichgesetzt; über die Lektoren heißt es (CSEL 81/3,99): „. . . lectores, qui saginent populum audientem; quia ‚non in pane tantum vivit homo, sed in omni verbo, quod procedit ex ore Dei'." Vgl. Mt 4,4. Auf dieselbe Stelle bezieht sich Gropper auch in der „Gegenberichtung" (f. 128r): „Der heilige Ambrosius in epist. ad Ephes. c. IIII. gibt eynem jeden orden seyn eygenschafft uß dem heiligen Paulo / zeigt an, in wölchem befelh / ambt und stat eyn jeder ordo succediere. Und sagt in epistolam I Corint. c. XII., das in des Herren gesaetz stapffelen (gradus) der gnaden seyndt / in den embtern der kirchen . . ." Ambrosiaster, Ad Corinthios I 12,31 (CSEL 81/2,143): „. . . gradatim illos ad meliora provehit ostendens illis gratiam supra dicti omnis doni, quae in hominibus videntur, sive loquendi aut curandi vel profetandi . . ."

Wenn in der alten Kirche ein Exorzist ordiniert wurde, so emp-
fing er aus der Hand des Bischofs eine Fibel, in der Exorzismen
verzeichnet waren. Der Bischof sprach zu diesem Ritus folgende
Worte: „Accipe et commenda memoriae, et habeto potestatem
imponendi manum super Energumenum, sive Baptizatum sive Catechumenum"[41]. Gropper bemerkt in diesem Zusammenhang, er
glaube ein solches Büchlein mit Exorzismen in der Bibliothek des
Patroklimünsters zu Soest gefunden zu haben[42]. Dieses Interesse
Groppers am Exorzistat resultiert wohl aus der Absicht des Kölner
Theologen, dieses Amt in der Kirche wiederherzustellen, und zwar
im Zusammenhang mit der Wiederbelebung der „poenitentia
publica"; wenn nämlich in den Gemeinden wieder unterschieden
werde zwischen dem heiligen Volk und denen, die sich mit außer-
gewöhnlicher Schande beladen und damit gezeigt hätten, daß sie
vom Teufel besessen seien, dann sollten die Exorzisten den letzteren
die Hände auflegen und sie unter Ausspruch eines Exorzismus von
ihrer Besessenheit heilen[43]. Auf diese Weise könnte sich eine echte
Kontinuität zu den Funktionen des Exorzistenamtes in der alten
Kirche ergeben; denn dort rechnete man zu den Energumenen nicht
nur jene Menschen, die von den Schrecknissen unreiner Geister
heimgesucht wurden, sondern auch alle, die sich bestialischer Verbrechen schuldig gemacht hätten. Die Exorzisten aber waren vom
Bischof damit beauftragt, den Energumenen unter feierlichen Beschwörungen die Hände aufzulegen und sie so in die Kirche zurückzuführen[44]. Wie zu lesen sei, habe der heilige Martin, von Hilarius
dazu bestellt, in ganz vorzüglicher Weise des Exorzistenamtes ge-
waltet[45].

[41] D. 23 c. 17 (Friedberg I 84); Concilium Carthaginense IV (398), c. 7 (Mansi
3,951); Statuta Ecclesiae antiqua, c. 95 (Ch. Munier, Les Statuta Ecclesiae
antiqua, 97).

[42] Institutio catholica, p. 680 (q Vv).

[43] Unica ratio reformationis, f. 143r (H. Lutz, Reformatio Germaniae, 273;
ARC VI 171).

[44] Enchiridion, f. 191v; Institutio catholica, p. 161f. (L VIr/v); Gropper beruft
sich hier auf: Ambrosiaster, Comment. ad Efesios 4,11f. (CSEL 81/3,99):
„Magistri vero exorcistae sunt, quia in ecclesia ipsi conpescunt et verberant
inquietos." Im „Enchiridion" verweist Gropper auf: Concilium Ancyranum
(314), c. 17 (Mansi 2, 519; Hinschius, 263); dort behauptet Gropper auch, das
Exorzistat sei schon im Judentum bekannt gewesen (Apg 19,13); wäre es bis
in die Gegenwart in Übung geblieben, gäbe es weniger Wahrsagerinnen und
Hexen (Enchiridion, f. 191v u. 268v—269v).

[45] Sulpicius Severus, Vita Sancti Martini, 5 (CSEL 1,115): „Exinde relicta militia
sanctum Hilarium Pictavae episcopum civitatis, cuius tunc in Dei rebus spec-
tata et cognita fides habebatur, expetiit et aliquamdiu apud eum commoratus
est; temptavit autem idem Hilarius inpositio diaconatus officio sibi eum artius
inplicare et ministerio vincire divino; sed cum saepissime restitisset, indignum
se esse vociferans, intellexit vir altioris ingenii, uno eum modo posse con-

Seine Beschäftigung mit der Bedeutung und Praxis des Exorzistates in der alten Kirche leitet Gropper somit zu einigen aus recht
origineller Perspektive entwickelten Gedanken über die Restitution
dieses Amtes in der Kirche der Gegenwart. Voraussetzung dafür
ist die Vorstellung einer relativen Eigenständigkeit des Exorzistates,
jedenfalls eine Lösung von der thomistisch-scotistischen Auffassung einer Hinordnung der einzelnen Weihestufen auf die Feier der
Eucharistie. Nicht von ungefähr kommt in einem der vom Kölner
Erzbischof am 7. Januar 1552 dem Trienter Konzilssekretär Angelo
Massarelli überreichten Gutachten unter Verweis auf die Dienstämter der Exorzisten und Lektoren ein gezielter Widerspruch[46]
gegen folgende Textpassage des am 3. Januar herausgegebenen
Lehrentwurfs vor: „quod omnes [sc. sacramenti ordinis] gradus
tam minores quam sacri ad legitimam et honorificam sacrosanctae
Eucharistiae confectionem atque administrationem tanquam ad
unum finem referantur"[47].

Beim Akolythenamt ist der Bezug zur Eucharistiefeier deutlicher;
bereits im Weiheritus[48] wird er symbolisiert, wenn der (Archi-)
Diakon dem Weihekandidaten das leere Kännchen zur Darbringung des Weines übergibt[49]; zuvor reicht er ihm einen Leuchter mit
einer Kerze, womit dem Akolythen bedeutet wird, bei der Verkündigung des Evangeliums und der Feier des Opfers den Presbytern
und Diakonen Kerzen voranzutragen, und zwar zum Zeichen der
Freude, so daß die Herzen aller Gläubigen durch diese äußere
Zeremonie angeregt werden, auf das Licht des Evangeliums zu
schauen und ingleichen den Geist auf Christus selbst zu lenken, der
das wahre Licht ist, das jedem Menschen leuchtet, der in diese Welt
kommt (Joh 1,9), und daß sie aufgefordert werden, Gott durch
Christus das schuldige Lob zu erweisen[50]. Auf diese beiden Dienste

---

stringi, si id ei officii imponeret, in quo quidam locus iniuriae videretur: itaque
exorcistam eum esse praecepit; quam ille ordinationem, ne despexisse tamquam humiliorem videretur, non repudiavit."

[46] Archivio Segreto Vaticano, Conc. Trid. 18 (Arm. LXII), f. 243r: „Sic et illud
expendendum putamus, utrum o[mn]es ordines etiam minores ad eucharistiae
confectionem tanquam ad unum finem, sicut hic dicitur, referantur, praesertim propter ordinem lectorum et exorcistarum. Lector enim ordinatur, ut
sit lector verbi Dei, habiturus partem cum eis, qui verbum Dei ministraverunt.
Exorcista vero ad imponendum manus super energumenum sive baptizatum
sive catechumenum."

[47] CT VII/1, 484, 18f. (mit App. Anm. y—bb).

[48] D. 23 c. 16 (Friedberg I 84); Concilium Carthaginense IV (398), c. 6 (Mansi 3,
951); Statuta Ecclesiae antiqua, c. 94 (Ch. Munier, Les Statuta Ecclesiae antiqua, 96f.).

[49] Dieser Dienst, so bemerkt Gropper unter der Einschränkung, daß er sich
eventuell täuschen könne, sei später auf die Subdiakone übergegangen.

[50] Enchiridion, f. 191v—192r.

war das Akolythenamt einst keineswegs beschränkt; wie umfassend
es war, zeigt sich für Gropper daran, daß das griechische Wort
„Akolyth" in der lateinischen Sprache etwa „assectator" (Nachfolger), „comes" (Begleiter) oder „ministrans" (Diener) bedeutet[51].
Darum sei auf der Synode zu Laodicea[52] statt von Akolythen auch
nur allgemein von „Dienern" die Rede gewesen. Auch sei ihnen die
Aufgabe zugekommen, die Eintragungen über die Katechumenen
und Täuflinge in den Kirchenbüchern vorzunehmen; bei den großen
Tauffeiern an Ostern und Pfingsten leisteten sie wichtige liturgische
Dienste, nachdem bereits die Vorbereitung der Taufkandidaten
weitgehend durch sie erfolgt war[53].

Ausgiebig stellt sich Johannes Gropper im „Enchiridion" dem
reformatorischen Vorwurf, die niederen Weihen unter Einschluß
des Subdiakonates seien eine nachbiblische menschliche Erfindung[54]; er hält dem entgegen, daß man gerade aus den angesehen-
sten Autoren der alten Kirche den Nachweis für die frühere Hochschätzung dieser Weihen erbringen könne. Schon in der neutestamentlichen Briefliteratur gibt es dafür laut Gropper[55] Indizien; ein
gleiches Zeugnis liefern ihm für seine Ansicht die Apostolischen
Kanones, deren Echtheit er entschieden verteidigt; das Amt der
Subdiakonen, Lektoren und Cantoren erwähnen sie ausdrücklich[56].
Auch Dionysius Areopagita[57] nennt Ostiarier, Lektoren und andere
Kleriker mit weiteren liturgischen Funktionen; und er ist für Grop-

---

[51] Institutio catholica, p. 159 (L Vr).

[52] Concilium Laodicenum (345/382), cc. 22 u. 24 (Mansi 2,567f.; Hinschius, 275).

[53] Gropper beruft sich auf den „Liber Romani ordinis". Vgl. M. Andrieu, Les
Ordines Romani du haut moyen-âge II, Ordo XI (417—447), cc. 13—16
(420f.), 21—22 (422f.) u. 64—66 (434f.).

[54] Luther erklärte, alle Abstufungen des geistlichen Amtes seien rein kirchlichen
Ursprunges; er machte auf die gleichwertige Verwendung der Begriffe „Bischof" und „Presbyter" bei Paulus aufmerksam und hielt die Benennung des
einen Dienstes der Verkündigung und rechten Sakramentenspendung für peripher (WA 6, 440, 26—36; 441, 22—25; 535, 27—32. WA 7, 630, 34—631,10).

[55] Enchiridion, f. 192r: „In primis siquidem ex vetustissima traditione accepimus,
quod et argumenta illa nequaquam nova apostolicis epistolis praefixa testantur,
Paulum apostolum scripsisse utramque ad Thessalonicenses ex Athenis per
Tichicum diaconem et Onesymum acolythum, ut vel hinc constet, et Pauli
tempore acolythos ecclesiae fuisse in ecclesiae ministerium asscitos..." Gropper spielt auf den in einigen Codices überlieferten Briefkopf des ersten und
die gleichfalls nicht allgemein bezeugte Subskription des zweiten Thessa-
lonicherbriefes an.

[56] Constitutiones Apostolorum VIII 47,43 u. 69 (F. X. Funk, Didascalia et Constitutiones apostolorum I 576f. u. 584f.).

[57] Ps. Dionysius, De ecclesiastica hierarchia III 2 (MG 3,425f.). Enchiridion,
f. 192v: „Deinde (inquit) ministrorum officio sanctarum scripturarum lectio
suo ordine recitatur. Et paucis interiectis subiungit: Porro ministrorum alij
quidem pro clausis templo foribus astant, alij proprij aliquid muneris agunt."

per an dieser Stelle durchaus ein verläßlicher Zeuge für die Praxis
der ältesten Zeit der Kirche mit ihrem Erfordernis der verschiedenen liturgischen Dienste; den Einwand, Dionysius könne unmöglich der von Paulus bekehrte Athener sein, da in einem derart
frühen Stadium der Kirchengeschichte Liturgie und Zeremonien
noch nicht so reich entwickelt gewesen sein könnten, wischt Gropper mit der pauschalen Entgegnung vom Tisch, jeder Sachkenner
wisse, daß die alte Kirche darin mannigfaltige Formen besessen
habe, daß sie diese weit sorgfältiger als die zeitgenössische Kirche
gehütet habe und daß gerade zur Anzahl der Zeremonien im Laufe
der Geschichte nicht sehr viel hinzugekommen sei, während an
Frömmigkeit sehr viel verloren gegangen sei, was schon aufscheine
bei der Lektüre der Kapitel 10,11 und 14 im ersten Korintherbrief.

Als weiterer Zeugen für den Bestand der niederen Weihen in
der Urkirche führt Gropper Ignatius von Antiochien an; er zitiert
aus dem Präskript des Briefes, den Ignatius aus Philippi an seine
Heimatgemeinde gerichtet haben soll, worin er Presbyter, Diakone,
Subdiakone und die Inhaber der verschiedenen andern niederen
Dienstämter einzeln begrüßt[58]. Gropper wußte wie auch seine Zeitgenossen noch nicht, daß der Verfasser dieses Briefes nicht Ignatius
war, vielmehr wahrscheinlich identisch ist mit dem pseudepigraphi-
schen Autor der Apostolischen Kanones[59]. Um seine These weiter
abzusichern, zitiert Gropper wiederum die Synode von Laodicea[60]
in Phrygien, das Konzil von Chalcedon[61], die erste[62] und vierte[63]

[58] Enchiridion, f. 193r/v. Gropper zitiert: Ignatius, Ad Antiochenses 12 (F. X.
Funk u. F. Diekamp, Patres Apostolici II 220/222 bzw. 221/223). Außerdem
bemerkt er, auch die Päpste Clemens und Anaclet hätten Subdiakonat und
Minores gekannt; dafür gibt er keine Quellen an, doch spielt er offenbar auf
die Nennung von „ministri", „ostiarii" und „reliqui clerici" (neben Presbytern
und Diakonen) an; vgl. Ps. Clemens, Epistula 2 (ad Iacobum fratrem domini),
(Hinschius, 47f.); ders., Epistula 3 (Hinschius, 57); Ps. Anaclet, Epistula 1,10
(Hinschius, 70).

[59] Bis 1646 hielt man diese Briefe (die sieben authentischen Ignatius-Briefe in
spätantiker Rezension und sechs pseudepigraphe Briefe, zu denen im Mittelalter vier weitere kleine Briefe kamen) allgemein für echt. Erst dann wurde
die 1498 zuerst gedruckte lateinische Rezension ebenso wie eine längere griechische von 1557 in Frage gestellt, nachdem die ursprüngliche Fassung von
sechs der sieben echten Briefe bekanntgeworden war (ohne den Römerbrief,
dessen ursprüngliche Fassung 1689 veröffentlicht wurde). B. Altaner u. A.
Stuiber, Patrologie, 48 u. 256.

[60] Concilium Laodicenum (345/382), cc. 23 u. 24 (Mansi 2,567f.; Hinschius, 275);
aufgezählt werden: Presbyter, Diakone, Lektoren, Sänger, Exorzisten, Ostiarier.
D. 23 cc. 26—28 (Friedberg I 86) u. D. 44 c. 2 (Friedberg I 157).

[61] Concilium Chalcedonense (451), cc. 6,13 u. 14 (Mansi 7,362f.; Hinschius, 285f.).

[62] Concilium Toletanum I (400), cc. 4 u. 5 (Mansi 3,999; Hinschius, 350).

[63] Concilium Toletanum IV (633), cc. 40 u. 41 bzw. 39 u. 40 (Mansi 10,629f.; Hinschius, 369f.).

Synode zu Toledo sowie eine Synode zu Braga[64]. Schließlich führt
er den Kirchenvater Ambrosius[65] ins Feld; nach dessen Lehre
stamme die Einrichtung der niederen „ordines" von Gott[66]; er sei
unzweifelhaft der Ansicht gewesen, daß den Empfängern der niederen Weihe eine bestimmte Gnade mitgeteilt werde, in welcher
sie zum Nutzen und Heil der Kirche gültig wirken könnten. Es stehe
auch fest — so fährt Gropper fort —, daß die niederen Weihen
gleichsam Stufen gewesen seien, über welche die Bewährten schritt-
weise zu den höheren Weihen zugelassen wurden. Alle, die keine
dieser Weihen empfangen hätten, habe man Laien genannt, und die
seien durch Schranken vom Altar während der Feier der heiligen
Geheimnisse ferngehalten worden. So sei es gekommen, daß Ambrosius dem Kaiser Theodosius, der ja Christ und ein frommer Mann
gewesen sei, verboten habe, im Chorraum unter den Priestern Platz
zu nehmen und die Sedilien der Kleriker in Anspruch zu nehmen[67].
Ambrosius habe so geurteilt, weil er die Rücksichtnahme auf die
kirchlichen „ordines" allen andern Rücksichten voranstellte und
weil er der Ansicht war, daß in der Kirche Ordnung bewahrt werden müßte. Mit diesem Arsenal von Zitaten und Argumenten glaubt
Gropper einen unumstößlichen Nachweis dafür geliefert zu haben,
daß die „ordines minores" seit ältester Zeit einen festen Platz im
Leben der Kirche besitzen.

Das Problem, welches sich in der Bestreitung der Ursprünglich-
keit der niederen Weihen spiegelt, ist für Gropper damit noch nicht
ausgestanden. Vielmehr macht er sich ernste Sorgen um eine sinnvolle Neugestaltung dieser „ordines" und ihre Wiederverankerung
in der Lebenspraxis der Kirche. Daß im Fortgang der Kirchengeschichte mit dem Schwinden der Vielfalt der Liturgie in den

---

[64] Concilium Bracarense I (561/563), cc. 10 u. 11 (Mansi 9,778; Hinschius, 423).
Manches legt die Annahme nahe, daß sich Gropper bei diesen Zitaten altkirchlicher Synoden auf die „Hispana collectio" stützt, die alte, ursprünglich
auf Martin von Braga zurückgehende Rechtssammlung (vgl. Enchiridion,
f. 155r u. 162v). Edition der „Hispana collectio": ML 84,23—848. Zur Materie
der „ordines minores": Excerpta canonum I 18—22 (ML 84,32f.); dort sind u. a.
die von Gropper zitierten Bestimmungen erfaßt.

[65] Gropper bezieht sich hier auf die Auslegung des Epheserbriefes durch den
Ambrosiaster, den er noch mit Ambrosius identifiziert. S. o. Anm. 40 u. 44.

[66] Enchiridion, f. 193v: „... minores hosce ordines non omnino humanitus, sed
magis divinitus et ex Christi authoritate in ecclesia institutos fuisse."

[67] Sozomenus, Historia ecclesiastica VII 25 (MG 67,1495f.). Ambrosius wies dem
Kaiser einen Platz vor den Schranken an, welche den Altarraum abtrennten;
dadurch erhielt der Kaiser Vorrang vor dem Volk, nicht aber vor den Priestern. Das häufig wiederholte Verbot für Laien, den Chorraum zu betreten,
findet sich z. B. in: Concilium Bracarense I (561/563), c. 13 (Mansi 9,778;
Hinschius, 423).

Gotteshäusern[68] allmählich auch die niederen Weihen in Verruf gekommen seien, kann und darf nach einer Bemerkung des Kölner Theologen nicht mehr wundern, wenn man „veteris ecclesiae faciem ad nostram conferat". Einst hätten der Bischof und seine Kleriker sich ihre jeweiligen Ämter und die mit ihnen verbundenen Pflichten wirklich angelegen sein lassen; einst seien die Laien nicht aus minderwertigen Absichten, sondern in echtem religiösen Eifer zur Kirche gegangen; einst habe der Priester mit höchster Ehrfurcht die Geheimnisse gefeiert, und das Volk habe ihnen andächtig und ehrfürchtig beigewohnt; das Volk habe den Ermahnungen der Kleriker Folge geleistet, wie umgekehrt auch die Kleriker ihren jeweiligen Obliegenheiten ordentlich nachgekommen seien. In einem plötzlichen, rhetorisch fragend formulierten Ausruf weist Gropper dann hin auf den Reichtum der alten Kirche nicht nur an geistlichem Eifer, sondern auch an Würde und Anziehungskraft, wodurch selbst Ungläubige, wie schon Paulus bezeuge (1 Kor 14,25), in Bann gezogen und zu dem Bekenntnis überwältigt wurden, daß wahrhaft Gott in ihrer Mitte sei. Daß diese Werte der Kirche mit der Zeit verlorengegangen seien, führt Gropper auf jene geschichtliche, von ihm übrigens korrekt skizzierte Entwicklung zurück, die die Kathedralkirchen — bei gleichzeitig fortschreitender Dezentralisierung des Pfarreisystems — in die Zuständigkeit der Kapitel gebracht habe mit dem Ergebnis, daß in ihnen kaum mehr ein Schatten der alten Kirche geblieben sei, seien sie doch zu Wandelhallen profaniert worden und würden heute fast ohne jede Ehrfurcht vom Volk aufgesucht. Von den alten Minoristenämtern seien wohl die Namen geblieben, die Funktionen aber würden von anderen wie Ministranten, Sängerknaben und Küstern wahrgenommen. Und selbst wenn sie von den Kanonikern des Kapitels noch geübt würden wie ein Teil des Lektorendienstes, so geschehe das doch nicht in der rechten Gesinnung, die dem äußerlichen Lesen auch die innere Aufnahme

---

[68] In einer Marginalie bietet Gropper hier (Enchiridion, f. 192v) eine Deutung des deutschen Wortes „Dom", lateinisch „Dominica"; er übernimmt sie von Beatus Rhenanus (Autores Historiae Ecclesiasticae, p. 211; Anmerkung zur Edition von: Eusebius, Ecclesiastica Historia IX 9): „Primi illi Christiani templa in honorem Christi Domini erecta Dominica appellabant, in quibus precum, sacrarum lectionum eucharistiaeque causa conveniebatur. Erat autem apud veteres Domini vocabulum paulo frequentius quam Christi iuxta consuetudinem apostolicam et solennem evangelicae historiae modum. Proinde quoniam Dominum semper habebant in ore, etiam ipsa loca, in quibus propter Dominum coibant, appellarunt Dominica. Unde Germani etiamnum episcopalia templa, quae certe primaria sunt et reliquis antiquiora, ‚Dom' vocant et illorum canonicos ‚Domherren', quasi dicas Dominicales sive Dominicanos dominos..." Über Beatus Rhenanus (1485—1547): G. Ritter, Erasmus und der deutsche Humanistenkreis am Oberrhein, 13f. u. 22f.; R. Newald, Beatus Rhenanus, 682f. Eine befriedigende Biographie steht bislang aus.

und den Erweis in der Tat folgen lasse. Angesichts solch korrupter
Verhältnisse dürfe es einen nicht wundern, so diagnostiziert Gropper, wenn diese den Häretikern Anlaß zu spöttischer Verhöhnung
böten. Gott möge seine Kirche durchgreifend erneuern, so fährt er —
fast beschwörend — fort; erst dann und allein so werde ein sinn-
voller Vollzug feierlicher Liturgie unter Einschluß der Dienste der
Minoristen wieder möglich sein[69].

b) Die „ordines maiores"

Nach seinem eingehenden geschichtlichen Referat über die Herkunft der „ordines minores" und nach dem zeitkritischen Exkurs,
der durch den voraufgehenden Blick in die Geschichte im Vergleich
mit den entsprechenden Zuständen der Kirche seiner Zeit stimuliert
wurde, setzt Gropper den unterbrochenen Vortrag über die einzelnen Weihestufen mit der Darstellung des Subdiakonenamtes fort.
Wie das Wort schon anzeige, sei der Subdiakonat ursprünglich ein
allgemeines Hilfsamt für den Diakonat gewesen. Unter anderm sei
es Aufgabe der Subdiakone gewesen, die von den Gläubigen mit-
gebrachten Opfergaben in Empfang zu nehmen, um sie dann den
Diakonen weiterzugeben zur Bestreitung des Lebensunterhaltes der
Priester und des übrigen Klerus sowie zur Unterstützung der
Armen; schon Paulus bezeuge ja, daß, wer am Altare diene, vom
Altare auch leben solle (1 Kor 9,13), und ebenso fordere er die
Korinther zu einer Sammlung für die Jerusalemer Gemeinde auf
(2 Kor 8 u. 9); so könne kein Zweifel daran bestehen, daß die Gläubigen der Urkirche dieser Belehrung des Apostels Folge geleistet
und willig gespendet hätten; erst später, mit dem Aufkommen des
Benefizienwesens, sei diese Sitte allmählich außer Übung geraten.
Neben diesem Dienst sei es den Subdiakonen außerdem Pflicht
gewesen, die konsekrierten Hostien auf den Altar zu legen, ferner
die Epistel dem Volk vorzutragen, was anfangs den Diakonen vorbehalten gewesen sei; auch hätten sie Kelch und Patene zum Altar
gebracht und den Leviten übergeben, den Krug sowie das Wasser
für die Händewaschung wie auch die Tücher überreicht; Corporale
und Gewänder hätten sie gewaschen und überhaupt sei ihnen die
Berührung der sakralen Gegenstände erlaubt gewesen[70].

---

[69] Enchiridion, f. 193r.
[70] Enchiridion, f. 194r/v; Institutio catholica, p. 158f. (L IIIv—L Vr). Nur an
dieser Stelle sowie bei der Darstellung der liturgischen Hilfsdienste des Diakons streift Gropper flüchtig die Vorschriften bezüglich der Berührung sakra-
ler Gegenstände. Für sein Priesterbild haben diese Belange nur untergeordnete
Bedeutung — anders als etwa für Peter Blommeveen (vgl. Enchiridion, f. 51r
u. 63r), der minuziös das zur Zelebration nötige Sakralgerät aufzählt.

Im übrigen berichte Papst Anaklet, daß die Subdiakone gemeinsam mit den Diakonen dem Bischof bei der Opferfeier zur Seite gestanden hätten. Auch lese man, daß der Papst Fabian (236—250) sieben Subdiakone eingesetzt habe mit dem Auftrag, die Viten der Märtyrer aufzuzeichnen[71]. Ihre Ordination sei aber niemals durch Handauflegung erfolgt, da diese den Priestern und Diakonen durch 1 Tim 3,2-13; Tit 1,5-9 und Apg 6,1-6 vorbehalten sei; dennoch rechne man den Subdiakonat heute unter die höheren Weihen[72].

Für die Reform des Subdiakonates in der Kirche der Gegenwart hat Gropper den Wunsch, daß von kirchenamtlicher Seite die Bedeutung der Dienste der Subdiakone während der liturgischen Feier der Eucharistie bekräftigt werde. Insbesondere verweist er auf die in der alten Kirche bestehende Gepflogenheit, daß der dem Priester am Altar ministrierende Subdiakon wie auch der Diakon kommunizieren[73]. Er verspricht sich davon einen Ansporn für die übrigen dem Gottesdienst beiwohnenden Gläubigen, wieder häufiger die Kommunion zu empfangen[74].

Damit kann Gropper zur Beschreibung des Diakonenamtes übergehen. Schon der Name dieser Weihestufe weise darauf hin, daß die Diakone im Dienste der ganzen Kirche stünden, vorzüglich aber im Dienst der Bischöfe und Priester. Die Urkirche habe sich, wie Gropper referiert, sehr um die Armenfürsorge gekümmert und darauf geachtet, daß kein Angehöriger der Gemeinde Mangel leiden mußte. Da die Apostel aber den Dienst am Wort Gottes nicht hintansetzen wollten, hätten sie den Vorschlag gemacht, sieben Männer aus der Gemeinde für den Dienst der Caritas bei der regelmäßigen Mahlfeier zu bestellen (Apg 6,2f.). Dieser Vorschlag sei auf Zustimmung gestoßen; daraufhin hätten sie den Stephanus, einen Mann voll Glaubens und Heiligen Geistes, sowie sechs andere unter Auf-

---

[71] Die liturgische Assistenz von Diakonen und Subdiakonen an der Seite des Bischofs bestimmt: Ps. Anaclet, Epistula 1,10 (Hinschius, 70); D. 1 de cons. c. 59 (Friedberg I 1310f.). Zur Anordnung von Papst Fabian, daß die Subdiakone die Märtyrerviten niederschreiben sollten, vgl. L. Duchesne, Le Liber Pontificalis I 21 (148). Gropper beklagt, daß dadurch doch kein wirksamer Schutz vor übertriebener Legendenbildung erzielt worden sei; schon Papst Gelasius (Decretum de scriptis virorum ecclesiasticorum recipiendis et de opusculis apocryphis haereticisve renuendis: Mansi 8,151—172) habe deshalb zu mehreren apokryphen Schriften kritisch Stellung genommen.

[72] D. 23c. 15 (Friedberg I 84); Concilium Carthaginense IV (398), c. 5 (Mansi 3, 951); Statuta Ecclesiae antiqua, c. 93 (Ch. Munier, Les Statuta Ecclesiae antiqua, 96).

[73] Für die Kommunion der Subdiakone in den Papst- und Bischofsmessen vgl. M. Andrieu, Les Ordines Romani du haut moyen-âge II, Ordo IV (157—170), c. 80 (166) u. Ordo X (351—362), cc. 60—61 (361f.).

[74] Unica ratio reformationis, f. 131v (H. Lutz, Reformatio Germaniae, 263; ARC VI 163).

legung ihrer Hände zu Diakonen bestellt; ihnen sei die Austeilung der Kirchenschätze, die Sorge für die Armen und die Diener der Kirche aufgegeben gewesen[75].

Nach einem brieflichen Zeugnis des Papstes Clemens seien die Diakone überdies mit der persönlichen seelsorglichen Betreuung insbesondere der gefährdeten oder fernstehenden Gemeindeglieder betraut worden[76]. Bei der Feier der heiligen Geheimnisse und bei Ausspendung der Sakramente assistierten sie den Bischöfen und Priestern. Die Betreuung der Katechumenen sei ihnen aufgetragen, ebenso die Bereitung der „mensa domini" und die Überreichung der Opfergaben; ursprünglich hätten sie außer dem Evangelium auch die Epistel dem Volk vorgelesen, wenn dieser Dienst heute auch von den Subdiakonen verwaltet würde; ebenso hätten sie gepredigt und im Dienst der Verkündigung des Friedens gestanden. Auch die vom Priester konsekrierte Eucharistie hätten die Diakone an das Volk ausgeteilt[77]. Am Beispiel des Märtyrers Laurentius, dem Diakon des Papstes Sixtus, lasse sich eine vorbildliche Erfüllung beider diakonischen Dienste ablesen: Er habe gewissenhaft die Schätze der Kirche an die Armen verteilt und sei seinem Bischof nachgefolgt, treu bis in den Tod.

Außerdem, so fährt Gropper in seiner Deskription des Diakonenamtes fort, scheine es so, daß die Diakone in der Kirche Nachfolger der Leviten des Alten Bundes seien; daher komme es, daß sie auch den Namen Leviten führten. Das Amt der Leviten, die ihren Ursprung vom Patriarchen Levi herleiteten, werde im Buche Numeri (Kap. 3 u. 4) eingehend beschrieben. Der Herr habe Moses befohlen, nach der Ordination Aarons und seiner Söhne (Lev 8 u. 9) den ganzen Stamm Levi zum kultischen Dienst zu weihen; dieser

---

[75] Enchiridion, f. 194v. Es ist charakteristisch für Gropper, daß er den caritativ-sozialen Dienst der Diakone an erster Stelle erwähnt; dieses Verständnis des Diakonats treibt Gropper auf dem Trienter Konzil zu einem Widerspruch gegen die Vorlage vom 3. Januar 1552 (CT VII/1,484, App. Anm. f), in der es heißt, die Apostel hätten die Diakone eingesetzt „non utique, ut solis viduarum communibus mensis praeessent, sed ut ministerium potius ecclesiasticum et spirituale exequerentur, praesertim vero munus calicem Domini fidelibus dispensandi." Das Kölner Gutachten bemerkt dazu, dies stehe gegen das ausdrückliche Zeugnis von Apg 6,1—6; es räumt jedoch ein, daß seit alter Zeit neben dem Armendienst auch der Dienst am Altar zum Aufgabenbereich der Diakone gehöre. Archivio Segreto Vaticano, Conc. Trid. 18 (Arm. LXII), f. 241v u. 242r.

[76] Enchiridion, f. 194v u. 195r; Institutio catholica, p. 158 (L IIIIv). Gropper beruft sich auf: Ps. Clemens, Epistula 1 (ad Iacobum fratrem domini) ex Rufini interpretatione 12,1 (Hinschius, 34; GCS 51,381); Ps. Evarist, Epistula 1 (Hinschius, 87); D. 93 cc. 6 u. 11 (Friedberg I 321 u. 322f.).

[77] Ps. Anaclet, Epistula 1,10 (Hinschius, 70); D. 1 de cons. c. 59 (Friedberg I 1310f.); Ps. Hieronymus, Epistula ad Rusticum episcopum Narbonensen de septem ordinibus ecclesiae, c. 5 (A. Kalff, Ps. Hieronymi De septem ordinibus ecclesiae, 37—44); D. 93 c. 23 (Friedberg I 326f.).

sollte für Israel vor Aaron und seinen Söhnen im heiligen Zelt dienen (Num 8) und davor Wache halten. Was Moses in göttlichem Auftrag über den Stamm Levi festgesetzt habe, das habe die Kirche in ähnlicher Weise für die Diakone verbindlich gemacht. Schon die Apostel hätten darauf Obacht gegeben, so etwa der heilige Paulus, der verlangt habe, daß die Diakone ehrbar seien, nicht doppelzüngig, nicht starkem Weingenuß ergeben und nicht auf Gewinn aus, daß sie vielmehr das Geheimnis des Glaubens mit reinem Gewissen besitzen sollten (1 Tim 3,8—10). Auch habe Paulus auf einer Prüfung der Diakone bestanden; erst wenn sie darin untadelig befunden worden seien, sollten sie zum Dienst zugelassen werden; wenn sie diesen aber gut versehen hätten, so schafften sie sich nach Meinung des Apostels eine große Glaubenszuversicht in Christus Jesus[78].

Seine eingehende Befassung mit den Zeugnissen der Heiligen Schrift und der Patristik über das Diakonenamt begründet Gropper damit, daß sie den Diakonen seiner Zeit Einsicht darin ermöglichen solle, welch ursprünglich bedeutendes, inzwischen aber arg vernachlässigtes Amt sie innehätten. Um die Armen kümmerten sich die Diakone inzwischen fast gar nicht mehr, was in der alten Kirche ihre wichtigste Beschäftigung gewesen sei; zur Zeit des Chrysostomus habe die Kirche von Konstantinopel täglich einige Tausend Arme gespeist; ebenso habe Gregor der Große für den Unterhalt vieler Tausend armer Jungfrauen und Witwen gesorgt. Gropper bekundet nachdrücklich seinen Wunsch, daß dieser Brauch der alten Kirche wieder aufleben möge[79].

Die Schilderung der Ordination des Diakons durch Handauflegung des Bischofs stützt Gropper wiederum auf eine Bestimmung der angeblichen vierten Synode von Karthago (398)[80]; er erwähnt dann noch, daß im Altertum die Zahl der Diakone in einzelnen Städten auf sieben begrenzt gewesen sei, während es gleichzeitig am selben Ort weit mehr Presbyter gegeben habe[81]; daraus habe sich ein Standesdünkel der Diakone gegenüber den Presbytern entwickelt, den der Kirchenlehrer Hieronymus ausdrücklich gerügt habe[82]. Heute sei das alles gar nicht mehr denkbar — so schließt Grop-

---

[78] Enchiridion, f. 195r/v; Unica ratio reformationis, f. 142v (H. Lutz, Reformatio Germaniae, 272; ARC VI 171).

[79] Enchiridion, f. 195v.

[80] D. 23 c. 11 (Friedberg I 83); Concilium Carthaginense IV (398), c. 4 (Mansi 3,951); Statuta Ecclesiae antiqua, c. 92 (Ch. Munier, Les Statuta Ecclesiae antiqua, 96).

[81] Concilium Neocaesariense (314/325), c. 15 bzw. 14 (Mansi 2,544; Hinschius, 264); D. 93 c. 12 (Friedberg I 323).

[82] Hieronymus, Epistula 146 (ad Evangelum), CSEL 56,308—312); D. 93 c. 24 (Friedberg I 327—329).

per —, da das Diakonenamt außer an bestimmten Kathedral- und Kollegiatkirchen jede Eigenständigkeit verloren habe.

Die höchste Weihestufe ist der Presbyterat oder das Priestertum. Das griechische Wort Presbyter, lateinisch „senior", deutsch Ältester, spielt Gropper zufolge weniger auf das natürliche Alter als auf eine hohe geistige und sittliche Qualifikation an[83]. Eher vom sakralen Tun her erklärt sich die andere Bezeichnung: „Dicuntur ... sacerdotes a sanctificando seu a dando vel conficiendo sacra, consecrant enim et sanctificant corpus Christi"[84].

Das priesterliche Dienstamt definiert Gropper durch die Bevollmächtigungen zur Verkündigung des Evangeliums und zur Austeilung der Sakramente, unter welchen er die Eucharistie mit der Wandlungsvollmacht und das Bußsakrament mit der Absolutionsgewalt hervorhebt[85]. Als weitere wichtige Pflicht der Priester nennt er das Gebet „pro totius ecclesiae et populi Christiani prosperitate"[86]. Sonstige Dienste der Priester sind: die Leitung des anvertrauten Volkes; Rat und Beistand gegenüber den Bischöfen bei der Entscheidung anstehender Fragen und Rechtssachen auf den Synoden; Eintreten für die Unterdrückten, Geschädigten und Mittellosen; Sorge für die Waisen und Fremden; Schutz der Witwen und Jungfrauen; schließlich Vorkehrungen gegen Delikte der Gläubigen[87]. Gropper stützt sich in seiner minuziösen Zusammenstellung der dem Priestertum zukommenden Aufgaben auf das Kirchenrecht und verschiedene Kirchenväter[88]; in der stark seelsorglichen Orientierung wird man jedoch auch einen bewußt gesetzten Akzent des Kölner Theologen vermuten dürfen[89].

---

[83] Enchiridion, f. 195v u. 196r; Gropper verweist auf Weish 4,8f., 1 Tim 4,12.14 u. 1 Petr 5,1. Ähnlich erklärt der „Catechismus Romanus" (II 7,22; 269). Beide Stellen folgen: Isidor, Etymologiae VII 12,20 (ML 82,292).

[84] Enchiridion, f. 196r.

[85] Enchiridion, f. 67v, 146r u. 197v. Dieselben Schwerpunkte priesterlichen Dienstes werden ausgiebig im Kölner Provinzialkonzil von 1536 berücksichtigt: „De disseminatione verbi": Canones, f. 21r—25r (pars VI: ARC II 246—255); „De administratione sacramentorum": ebd., f. 25r—32v (pars VII; ARC II 255—271).

[86] Enchiridion, f. 197v; Hieronymus, Epistula 146 (ad Evangelum), 1—2 (CSEL 56,308—312); D. 93 c. 24 (Friedberg I 327—329).

[87] Institutio catholica, p. 156f. (L IIIv—L IIIIr).

[88] In Randglossen wird verwiesen auf: D. 93 c. 23 (Friedberg I 326f.); Isidor, De ecclesiasticis officiis II 7 (ML 83, 737f.); Ps. Ignatius, Epistula ad Trallianos 3,1 u. 7,3—4 (Fr. X. Funk u. Fr. Diekamp, Patres apostolici II 96f. u. 100—103); ders., Epistula ad Magnesianos 6,1 u. 7,1 (Ebd., 120f.); Ambrosiaster, Comment. ad Timotheum I 5,17—22 (CSEL 81/3,284—286); Chrysostomus, Homilia in Matthaeum 16,9 (ML 57,250f.).

[89] Was G. G. Meersseman (Joh. Groppers Enchiridion und das tridentinische Pfarrerideal, 23) und ähnlich J. P. Massaut (Vers la Réforme catholique, 471, Anm. 28) schon für die „Canones" von 1536 feststellen, trifft für Groppers

Ausführlich hatte sich Johannes Gropper auf dem Trienter Konzil mit der Umschreibung des priesterlichen Dienstamtes auseinanderzusetzen. Der vierte Artikel der am 3. Dezember 1551 vorgelegten Thesen zum Weihesakrament[90] referierte unter Verweis auf Martin Bucer[91], Martin Luther[92] und Johannes Calvin[93] die reformatorische Negation des besonderen Priestertums samt der diesem eigenen geistlichen Vollmacht, den Leib und das Blut des Herrn zu konsekrieren und im Opfer darzubringen sowie vor Gott von den Sünden loszusprechen; statt dessen gebe es nur das Amt und den Dienst, das Evangelium zu predigen; wer nicht predige, sei folglich kein Priester. Gegenüber diesem Konzentrat der reformatorischen Konzeption des geistlichen Amtes geht Gropper kompromißlos vor; er hält die Grundlegung eines besonderen, sichtbaren, mit der Konsekrationsgewalt und Absolutionsgewalt ausgestatteten Priestertums im Neuen Testament (Lk 22,19; Joh 20,21—23; Mt 16,18f. u. 18,18) für unbezweifelbar[94]. Eine Interpretation von Joh 20,22f. im Sinne der Auffassung, das Priestertum bestehe ausschließlich im Dienste der Verkündigung des Evangeliums, ist für Gropper unstatthaft; sie ist im übrigen bereits in der vorhergehenden Session des Konzils verurteilt worden[95]. Zwar kann man nicht bestreiten, daß die Verkündigung des Evangeliums „munus esse praecipuum in ecclesia solis competens ordinatis"[96]; aber das Priestertum ist auch ohne die Predigt unter Wahrnehmung anderer priesterlicher Funktionen möglich; zur Begründung erklärt Gropper, daß in der alten Kirche die Priester in Gegenwart des Bischofs nicht das Wort Gottes verkündeten, sondern dem Bischof

Schriften überhaupt zu: „Priesterbild und Seelsorgerideal sind hier zu einem einzigen Begriff verschmolzen." Das ist ein merklicher Gegensatz zu der harten Unterscheidung von Weihe und Amt bei: P. de Soto, Tractatus de institutione sacerdotum, f. 500v: „Duo itaque in sacerdotibus considerantur. Primo ordo ipse, propter quem non est dubium ipsos ad non pauca obligari; deinde cura animarum, quae non semper ordini coniuncta est, propter quam etiam constat ad quaedam eos astringi, qui illam suscipiunt." Ebd., f. 513r: „Constat enim officium pastorale et animarum curam multa exigere ultra ea, ad quae ordinum sacrorum sanctitas adstringit. Ex istis enim tenentur ministri, ut erga se et erga Deum recte sint ordinati et bene se habeant; ex officio autem pastorali ad ea curanda, quae proximorum sunt, tenentur."

[90] CT VII/1,377,27—378,2.
[91] M. Bucer, Enarratio in evangelion Johannis, f. 136v.
[92] WA 6,564,24—29.
[93] J. Calvin, Institutio religionis christianae IV 19 n. 29 (CR 29,1085f.).
[94] Archivio Segreto Vaticano, Conc. Trid. 18 (Arm. LXII), f. 12r/v.
[95] Angespielt wird auf Aussagen des am 25. November 1551 verabschiedeten Dekrets „de poenitentia" in c. 1 (CT VII/1, 344, 23—345,6) und c. 6 (CT VII/1,350,26—351,8) sowie auf den dritten anathematisierten Canon „de poenitentia" (CT VII/1,357,37—358,3).
[96] Dabei verweist Gropper auf: X. 5,7,12 (Friedberg II 784—787, bes. 786).

zur Seite standen „in rebus ad sacerdotale officium pertinentibus"[97]. Gropper tritt also der von den Reformatoren vertretenen, engen und ausschließlichen Koppelung des Priestertums an den Verkündigungsdienst energisch entgegen; damit gibt er jedoch keineswegs seine Hochschätzung des Verkündigungsdienstes auf, auch wenn sie anscheinend gegenüber den in den „Canones" von 1536 und im „Enchiridion" geäußerten Auffassungen geringfügig zurückhaltender ausfällt.

Für die anstehende Frage ist nun zweitens eine Kritik Groppers an dem Trienter Lehrentwurf über das Weihesakrament vom 3. Januar 1552 relevant; hierin findet sich an zwei Stellen, nämlich im ersten und im zweiten Kapitel, eine ausschließliche Hinordnung des Priestertums auf die Sakramente und eine inhaltliche Bestimmung der priesterlichen Gewalt insbesondere durch die Gewalten der Wandlung und der Lossprechung[98]. Gegen diese Engführung spricht Gropper in dem vom Kölner Erzbischof Adolf von Schaumburg überreichten Gutachten erhebliche Bedenken aus. Gropper argumentiert darin, daß der einhellige Konsens der Väter bezeuge, daß dem Priestertum nicht bloß zwei Funktionen zukämen, sondern darüber hinaus die Predigt des Evangeliums und die Aufgabe zu taufen und die übrigen Sakramente zu verwalten. Gropper beruft sich dafür auf den Missionsbefehl in Mt 28,19f.; ferner weist er auf die Aussendung der zweiundsiebzig Jünger hin, denen Christus die Predigt ausdrücklich aufgetragen habe; da an die Stelle der zweiundsiebzig Jünger die Priester getreten seien, sei von ihnen durchaus Gleiches zu fordern. Auch der Bericht von der Wahl und Einsetzung der Diakone erlaubt nach Groppers Auffassung keinen Zweifel an der hervorragenden Rolle, welche die Verkündigung im apostolischen Amt der Urkirche eingenommen hat; die Apostel bekundeten dort, daß es für sie nicht statthaft sei, das Wort Gottes zu vernachlässigen (Apg 6,2); dem fügt Gropper[99] den noch radikaleren Ausruf des Apostels Paulus an (1 Kor 9,16): „Wehe mir, wenn ich das Evangelium nicht verkündige!"

Einer herben Kritik unterzieht Gropper die Interpretation, welche der Trienter Lehrentwurf im Sinne seiner Beweisführung bezüglich der Stelle Hebr 5,1—3 aufstellt, indem er behauptet, dort werde das priesterliche Amt ganz vornehmlich mit der Darbringung von Gaben und Opfern für die Sünden begründet, während der Predigt

---

[97] Archivio Segreto Vaticano, Conc. Trid. 18 (Arm. LXII), f. 12v. Verwiesen wird auf: Ps. Clemens, Epistula (ad Iacobum) ex Rufini interpretatione 7—11 (Hinschius, 33; GCS 51,379—381).

[98] CT VII/1,483,25—484,4 (mit App. Anm. ee—a) u. 485,23—26 (mit App. Anm. t u. u).

[99] Archivio Segreto Vaticano, Conc. Trid. 18 (Arm. LXII), f. 243v.

keinerlei Erwähnung geschehe[100]. Gropper konstatiert lakonisch, hier handle es sich um eine falsche Zitation der Heiligen Schrift; der Apostel spreche dort von den Priestern des Alten Bundes, nicht vom Priestertum des Neuen Testamentes, „quod longe plures habet functiones et praestantiores"[101].

Schließlich polemisiert Gropper gegen den Schlußabschnitt des zweiten Kapitels in dem erwähnten Lehrentwurf. Dort wird die Verkündigung aus der priesterlichen Weihegewalt ausdrücklich ausgeklammert und zu einer Angelegenheit der Jurisdiktion erklärt[102]. Gropper entgegnet darauf; es sei zwar richtig, daß für die Predigt ebenso wie für das Beichthören eine besondere jurisdiktionelle Ermächtigung erforderlich sei; er mißbilligt aber, daß die Vorlage erklärt, die Verkündigung gehöre „per se" nicht zur priesterlichen Weihegewalt und könne auch Nicht-Ordinierten übertragen werden. Mit dieser letzten Bemerkung wird das bereits beobachtete Interesse Groppers, die Verkündigung den Ordinierten vorzubehalten, erneut greifbar[103].

Resümiert man Groppers Stellungnahme, so ergibt sich einerseits eine klare Ablehnung der reformatorischen Doktrin, Priestertum und Verkündigungsauftrag als zwei allein einander bestimmende und voneinander bestimmte Größen zu betrachten, andererseits ein lebhaftes Eintreten gegen eine katholische Kontrapunktierung dieser reformatorischen Auffassung durch eine ausschließliche Zuordnung von Priestertum und Opfer, d. h. eine Bestimmung der priesterlichen Weihegewalt durch die „potestates consecrandi et absolvendi" unter Ausschluß der „potestas praedicandi"[104]. Diese Auffassung des Kölner Theologen ist ohne Auswirkung auf die weitere

---

[100] CT VII/1,486,33—35.

[101] Archivio Segreto Vaticano, Conc. Trid. 18 (Arm. LXII), f. 243v.

[102] CT VII/1,486,43—487,14 (mit App. Anm. a—h).

[103] Archivio Segreto Vaticano, Conc. Trid. 18 (Arm. LXII), f. 243v u. 244r. Dasselbe Interesse ist in der in Anm. 96 zitierten und von Gropper wohl auch hier benutzten Dekretale festzustellen.

[104] Dies ist eine beachtliche Nuance zu anderen, um dieselbe Zeit schreibenden katholischen Theologen. Es heißt etwa bei: P. de Soto, Tractatus de institutione sacerdotum, f. 336r: „Ad presbyterum, qui proximum gradum post episcopum tenet, proprie spectat ... conficere corpus Domini et benedicere Dei dona et ... omnium sacramentorum perfectio, duobus tantum illis, quae diximus ad episcopum pertinere, exceptis. ... Est igitur omnium sacramentorum ... proprius minister." Dabei hebt de Soto die Konsekrations- und Absolutionsvollmacht besonders hervor: „quae duo in ordinatione praecipue ei committuntur." Die Gewalt über die Lehre und den Auftrag zur Verkündigung ordnet er „praecipue" dem Bischof zu; „solus episcopus est pastor et sponsus ecclesiae et ad eum simpliciter cura animarum pertinet, ad alios vero partim et ex commissione eius." Bei Johann Wild (Examen ordinandorum, B Vr) heißt es über die Aufgaben des Priesters kurz und bündig: „praedicare, solvere, ligare, consecrare, sacramenta administrare."

Behandlung und schließliche Entscheidung der Frage durch das Trienter Konzil geblieben[105].

Den Ritus der Priesterweihe stellt Gropper im „Enchiridion"[106] wie in der „Institutio catholica"[107] in getreuer Anlehnung an die „Statuta Ecclesiae antiqua" dar; der Bischof legt dem Weihekandidaten die Hände auf und spricht dazu das Weihegebet; auch die bei der Ordinationshandlung anwesenden Priester legen dem Ordinanden ihre Hände auf; damit entsprechen sie dem Wort des Apostels „per impositionem manuum presbyterij" (1 Tim 4,14)[108].

Nach demselben Formular beschreibt Gropper auch den Ritus der Bischofsweihe. Zwei Bischöfe halten dabei ein Evangelienbuch über Haupt und Nacken des neuen Bischofs, während ein weiterer Bischof das Weihegebet über ihn spricht und alle übrigen anwesenden Bischöfe mit ihren Händen sein Haupt berühren[109].

Die Verkündigung bezeichnet Gropper als erste Amtspflicht der Bischöfe. Dazu beruft er sich auf das Neue Testament[110] und auf den Kirchenvater Ambrosius[111]. Üben die Bischöfe mit den Priestern den Dienst der Verkündigung gemeinsam aus, so gehört es allein zu ihren Pflichten, das Salböl des Chrisma zu weihen, mit ihm die Stirn der Getauften zu bezeichnen und diesen so den Heiligen Geist, den Tröster, in der Firmung mitzuteilen. Auch ist den Bischöfen aufgetragen, Priester zu weihen und an den einzelnen Kirchen anzustellen[112]. Die Gründung von Kirchen und Errichtung von Altären steht ebenso in ihrer Befugnis wie die Einberufung und Abhaltung von Synoden, auf denen zu handeln ist „de fidei catholicae integritate conservanda, et de sacris ministerijs, ac de moribus et disciplina"[113]. Endlich haben die Bischöfe die Aufgabe, ihre Diözese zu visitieren[114] und so auf sich und die gesamte Herde achtzugeben, in der der Heilige Geist sie zu Bischöfen, d. h. Aufsehern,

---

[105] Der am 21. Januar 1552 vorgelegte, überarbeitete Entwurf (CT VII/1,483, 15—489,24; dort: 486,43—487,14; ohne App.) sah nur geringfügige Änderungen der Formulierung vor; er kam aber nicht zur Verabschiedung, so daß die Frage in der dritten Sitzungsperiode des Konzils erneut verhandelt werden mußte.

[106] Enchiridion, f. 197v.

[107] Institutio catholica, p. 679 (q Vr)—681 (q VIr).

[108] D. 23c. 8 (Friedberg I 82); Concilium Carthaginense IV (398), c.3 (Mansi 3,951); Statuta Ecclesiae antiqua, c.91 (Ch. Munier, Les Statuta Ecclesiae antiqua, 95f.).

[109] D.23c. 7 (Friedberg I 82); Concilium Carthaginense IV (398), c.2 (Mansi 3,950f.); Statuta Ecclesiae antiqua, c.90 (Ch. Munier, Les Statuta Ecclesiae antiqua, 95).

[110] Gropper zählt folgende Stellen auf: Apg 6,2 u. 4; 1 Tim 4,11; Tit 1,9, Kol 4,3f.

[111] Ambrosius, De officiis ministrorum I 1 (ML 16,25—27).

[112] D. 68 c. 4 (Friedberg I 255).   [113] Institutio catholica, p. 155f. (L IIIr/v).

[114] Enchiridion, f. 196r. Schon das Wort Bischof weist auf die Aufseherfunktion des Amtes hin; vgl. Ps. Ambrosius, Liber de dignitate sacerdotali (ML 139, 173); C. 10 q. 1 c. 10 (Friedberg I 615).

eingesetzt hat, die Kirche Gottes zu leiten, die er sich erworben hat durch sein eigenes Blut (Apg 20,28).

Eine recht eingehende Erörterung führt Gropper über die Frage nach dem Gemeinsamen und nach dem Unterscheidenden zwischen dem priesterlichen und dem bischöflichen Amt[115]. Er räumt ohne weiteres ein, daß der Apostel Paulus für die Gründungszeit der Kirche eine Identität von Episkopen und Presbytern belege[116]; aber nicht lange darauf und noch zu Lebzeiten der Apostel sei an jedem Ort jeweils einer gewählt worden, den man den übrigen vorangestellt habe, damit das Zerbrechen der Kirche Christi und die Entstehung eines Schisma auf diese Weise verhütet bliebe. So hätten in Alexandrien vom Evangelisten Markus bis auf Esdras und Dionysius die Presbyter immer einen Mann als Bischof an ihre Spitze gewählt[117]. In Beschäftigung mit der Trienter Lehrvorlage über das Weihesakrament[118] schlägt Gropper in diesem Punkt eine Formulierung vor, die der in der „Institutio" vertretenen Auffassung ziemlich entspricht und die Definition der von der Konzilsleitung vorgelegten „Doctrina" nur unwesentlich verändert; aus ihr übernimmt Gropper hier freilich die These, daß trotz der indifferenten Verwendung der Begriffe Presbyter und Bischof bei Paulus doch bestimmte bedeutsame Funktionen nie den Presbytern, sondern stets allein den Bischöfen zugestanden hätten[119].

---

[115] Er hält den Episkopat nicht für eine eigene Weihestufe. Vgl. Enchiridion, f. 196r: „Sacerdotium summus ordo in ecclesia existimatur. Interim tamen nemo ignorat, hunc ordinem rursum ordine quodam officiorum ac dignitati distingui. Nam quidam sunt episcopi, qui et pontifices, antistites seu praesules, quidam archiepiscopi seu metropolitani, quidam primates, quidam patriarchae, quos omnes dignitate antecellit papa ecclesiasticae dignitatis apicem tenens, cuius dignitas respondet ad summum pontificatum veteris legis, quae graduum presbyterij distinctio ad sectas comprimendas facta est." Im Unterschied etwa zu: P. de Soto, Tractatus de institutione sacerdotum, f. 346r: „... episcopatus (de quo multi aut dubitant aut in diversitate nominis quaestionem constituunt) censendus est verus ordo et vero sacramento tradi." Johann Wild nimmt in seinem 1550 in Mainz erschienenen „Examen ordinandorum" (B IVr) sieben Weihestufen an, geht also davon aus, daß die Bischofsweihe keine eigene Weihestufe darstellt, weil — wie er argumentiert — der Bischof in bezug auf die Eucharistie nicht mehr vermag als der Priester. Wild ergänzt dann jedoch (B Vr): „Si autem ordo accipitur pro gradu dignitatis, episcopatus est specialis ordo, quia habet specialem potestatem in actionibus hierarchicis respectu corporis Christi mystici super sacerdotes."

[116] Ebd. Bezugnahme auf: Phil 1,1; 1 Tim 4,14; Tit 1,5—9; Apg 20,17; 1 Petr 5,1f. Außerdem beruft sich Gropper auf: Hieronymus, Comment. in epistulam ad Titum 1,5 (ML 26,562).

[117] Institutio catholica, p. 154f. (L IIv—L IIIr); Hieronymus, Epistula 69,3 (CSEL 54,683f.); ders., Epistula 146 (ad Evangelum), 1 (CSEL 56,309—311, bes. 310); D. 93 c. 24 (Friedberg I 327f.).

[118] CT VII/1, 488,6—21 (mit App. Anm. e—o).

[119] Archivio Segreto Vaticano, Conc. Trid. 18 (Arm. LXII), f. 245r.

Sollte Gropper damit etwa doch den Episkopat als eigene Weihestufe reklamieren? Dafür gibt es keinen Anhaltspunkt. Im Gegenteil, Gropper setzt bei seiner Auffassung, daß die Fülle der von Christus hinterlassenen geistlichen Vollmacht bei den Bischöfen liegt[120], eine einzige, höchste Weihestufe, das Priestertum, voraus; alle anderen Weihestufen vom Ostiariat bis zum Diakonat sind nicht von Christus, sondern erst auf apostolische oder kirchliche Anordnung hin unter Aufteilung der einen geistlichen Vollmacht ausgebildet worden. Freilich findet sich innerhalb der höchsten Weihestufe eine auf den Herrn selbst zurückgehende Gliederung in die Bischöfe als Nachfolger der Apostel und die Priester als Nachfolger der zweiundsiebzig Jünger[121]. Diese scheint Gropper jedoch keine Unterscheidung in der Weihegewalt zu bedeuten; sie ist vielmehr der Ursprung der von den Reformatoren[122] abgestrittenen hierarchischen Ordnung des Priestertums, welche in der unterschiedlichen Jurisdiktionsgewalt begründet ist[123]. Sieht man von der verschiedenen Vollmacht ab, Jurisdiktion auszuüben, so ruht auf allen Bischöfen und Priestern „eadem... gratia ordinationis sacerdotalis, secundum modum p[otes]tatis unicuique ordinato in ordinatione sua traditae et acceptae"[124]. Gropper hält die Aufteilung der Jurisdiktionsgewalt, an der jeder Priester nur einen bestimmten, von seinem Vorgesetzten konkret umschriebenen Anteil erhält, für eine kluge und vorsorgliche Einrichtung; denn auf diese Weise kann sich niemand einen Dienst aneignen, der ihm nicht anvertraut ist, so daß der Weisung des Apostels Paulus (1 Kor 14,40) entsprochen werden kann, daß in der Kirche alles in Anstand und Ordnung geschehen soll[125].

Die hierarchische Ordnung der Kirche beschränkt sich nicht auf den Presbyterat und den Episkopat; als „gradus... sacri principatus seu p[otes]tatis et iurisdictionis ecclesiasticae"[126] gibt es darüber den Archepiskopat, den Primat, den Patriarchat und den Obersten Pontifikat, das Papsttum als Spitze der Hierarchie. Freimütig erörtert

---

[120] Ambrosiaster, Comment. ad Efesios 4,11f. (CSEL 81/3,99): „... in episcopo omnes ordines sunt."

[121] Ps. Anaclet, Epistula 2,24 (Hinschius, 79); D. 21 c. 2 (Friedberg I 69f.).

[122] CT VII/1,377,22—26. Canon 3 zitiert außer Luther (WA 6,566,26—29): M. Bucer, Einfaltigs bedencken, f. 117v—118r; J. Calvin, Institutio religionis christiane III 8, n. 44—45 (CR 29,568).

[123] Archivio Segreto Vaticano, Conc. Trid. 18 (Arm. LXII), f. 11v: „Ex hac ordinatione dominica resultat et exurgit hierarchia ecclesiastica, quae in distributione p[otes]tatis et iurisdictionis sacerdotalis consistit."

[124] Archivio Segreto Vaticano, Conc. Trid. 18 (Arm. LXII), f. 11v.

[125] Enchiridion, f. 196r; Archivio Segreto Vaticano, Conc. Trid. 18 (Arm. LXII), f. 12r.

[126] Archivio Segreto Vaticano, Conc. Trid. 18 (Arm. LXII), f. 11v.

Gropper im „Enchiridion", daß der Begriff „Pontifex" dem römisch-heidnischen Bereich entstammt; dabei wird seine profunde humanistische Bildung, die er sonst nur sehr zurückhaltend zu erkennen gibt, wie durch ein Schlaglicht erhellt[127].

In seinem ersten theologischen Hauptwerk bedient sich Gropper einer durchaus konventionellen Argumentation, um den Vorrang des Papstes vor allen anderen Bischöfen in der „plenitudo administrationis, regiminis ac potestatis" zu begründen; diese „plenitudo" müsse als Zeichen für die Einheit der Kirche und um des Erhalts dieser Einheit willen bei einer Person liegen, dem Papst als Stellvertreter Christi[128]. Als Bischof von Rom sei der Papst Nachfolger des Apostels Petrus, den der Herr selbst in das Felsenamt berufen habe, was der heilige Bischof Cyprian bei der Auslegung von Mt 16,18f., Joh 20,21—23 und 21,17 klar bekräftige[129]; mit einem Zitat Cyprians ruft Gropper dazu auf, diese Einheit der Kirche und vor allem ihres Episkopates nicht preiszugeben[130]. Hieronymus, so setzt er seine Argumentation fort, schreibe[131], die Bischöfe hätten, wo immer sie residierten, dieselbe Würde und mithin dasselbe Priestertum; während jedoch die einzelnen Bischöfe nur „in suum quisque gregem" ihre geistliche Vollmacht innehätten, besitze der Papst seine „potestas" gegenüber der ganzen Christenheit; er könne und müsse sie auch ausüben, wo er eine sachliche Notwendigkeit dafür sehe. Dazu sei er von Christus befugt, habe der Herr doch dem Petrus aufgetragen, die schwankend gewordenen Brüder zu stärken

---

[127] Enchiridion, f. 196v: „Pontifices, si Scevolae credimus, dicebantur a posse et facere, quamvis Terentius Varro eos a ponte dictos arbitretur, quod ab ijs sublicius factus sit primum, nomen a gentilitate in Christianismum translatum. Et ut Romani veteres olim minores et maiores pontifices et inter hos unum summum, qui omnes sacris praeerant, habebant, ita et nos in Christianismo easdem denominationes servamus."

[128] Die Einheit der Kirche ist ein kostbares Gut, für das alle Glieder der Kirche durch gewissenhafte Erfüllung ihrer Pflichten Verantwortung zeigen sollen; menschliches Tun allein reicht jedoch nicht aus, um die Einheit zu bewahren; so betont Gropper auch die Notwendigkeit des Gebets; „... sic tandem reintegrabitur et coalescet ecclesiae pax et tranquillitas." Enchiridion, f. 198r. Vgl. Erasmus, Modus orandi Deum, 1131.

[129] Cyprian, De catholicae ecclesiae unitate, c. 4 (CSEL 3/1, 212f.). Gropper zitiert außerdem: Ps. Anaclet, Epistula 2,24 (Hinschius, 79); D 21 c. 2 (Friedberg I 69f.).

[130] Cyprian, De catholicae ecclesiae unitate, c. 5 (CSEL 3/1, 213f.): „Quam unitatem firmiter tenere et vindicare debemus, maxime episcopi, qui in ecclesia praesidemus, ut episcopatum quoque ipsum unum atque indivisum probemus ... Episcopatus unus est, cuius a singulis in solidum pars tenetur."

[131] Hieronymus, Epistula 146 (ad Evangelum), 1 (CSEL 56,310f.): „Ubicumque fuerit episcopus, sive Romae sive Egubii sive Constantinopoli sive Regii sive Alexandriae sive Tanis, eiusdem meriti, eiusdem sacerdotii." D. 93 c. 24 (Friedberg I 328).

(Lk 22,31f.). Das Verhältnis zwischen Petrus und den Aposteln, zwischen dem Papst und den Bischöfen verdeutlicht Gropper im Bild eines Knechtes, der von einem Hausvater zum Aufseher über eine Anzahl von mit der gleichen Aufgabe betrauten Knechten bestellt wird, damit das Gesamtwerk überwacht werde und keinen Schaden nehme[132]. Die Bischöfe würden „in partem sollicitudinis" über einen Teil der Gläubigen berufen, der Papst aber, dem alle Christen anvertraut seien „in plenitudinem potestatis"[133]. Diese Unterscheidung wird von Gropper nochmals rechtstheologisch verdeutlicht: Die Bischöfe seien zur gleichen Weihegewalt, nicht aber zur gleichen Jurisdiktionsgewalt berufen. Das habe seinen Grund darin, daß die Weihegewalt allen Aposteln in gleicher Weise übertragen worden sei. Der römische Papst habe aber, was den letzteren Bereich betreffe, eine größere Binde- und Lösegewalt als die übrigen Bischöfe; er habe nämlich der zeitlichen und sachlichen Notwendigkeit entsprechend eine Vollmacht, „in aedificationem ecclesiae" Gesetze zu erlassen, durch welche er allein Widerspenstige aus der äußeren Kirchengemeinschaft ausschließen und wieder zur Einsicht Gekommene rekonziliieren könne. Durch diese Jurisdiktionsgewalt werde aber die allen Priestern anvertraute Weihegewalt, die den Gewissensbereich selber betreffe, nicht eingeschränkt[134]. An den Schluß seiner Ausführungen über das Papsttum

---

[132] Enchiridion, f. 197r. Die päpstliche Hirtensorge skizziert Gropper (Enchiridion, f. 197v) auch unter Bezugnahme auf das Selbstverständnis des Apostels Paulus (2 Kor 10,8; 11,23 u. 28f.): „... sollicitudinem gerit non Romanae tantum, sed et universae ecclesiae toto terrarum orbe in Christo congregatae, ut dicere possit cum Apostolo: Ministri Christi sunt, et ego; quin plus ego, in laboribus plurimis et praeter illa, quae extrinsecus sunt, instantia mea quotidiana sollicitudo omnium ecclesiarum; quis infirmatur, et ego non infirmor? quis scandalizatur, et ego non uror? Itidem nec erubescit cum Apostolo gloriari de potestate sua, quam dedit ei dominus in aedificationem, non in destructionem."

[133] Gropper zitiert: Bernhard von Clairvaux, De consideratione ad Eugenium tertium II 8 (ML 182, 752); auch Groppers weitere Äußerungen über das Papsttum sind von dieser Stelle nachhaltig befruchtet. Die von Bernhard benutzte Wendung kommt in anderem Zusammenhang bereits bei Leo I. (Epistula 14, 1; ML 54, 671) vor und wurde seit Ps. Isidor für die Bestimmung des Verhältnisses Papst-Bischöfe gebraucht (vgl. bei Ps. Vigilius; Hinschius, 712); auch den Papalisten des Hoch- und Spätmittelalters war sie vertraut.

[134] C. 17 q. 4 c. 29 (Friedberg I 822); X. 5, 1, 6 (Friedberg II 734); X. 5. 39, 5 (Friedberg II 891); X. 5, 39, 58 (Friedberg II 912). Gropper erörtert hier spezifisch die päpstliche Jurisdiktionsgewalt; etwas außer acht läßt er, daß es wie vom Papst zu den Bischöfen auch von diesen zu den Priestern ein Gefälle in der Jurisdiktionsgewalt gibt. Dessen Notwendigkeit begründet Gropper in der „Gegenberichtung" (f. 46v u. 47r) von der Einheit der Kirche her; dabei beruft er sich u. a. auf: Leo I., Epistula ad Anastasium episcopum Thessalonicensem, c. 6 (ML 54, 619f.): „Das die zusamenfügung

stellt Gropper die Versicherung, der Name „Papst" sei in der Kirche gar nicht so jung und selten gebraucht, wie einige behaupteten; er sei bei den Vätern vielmehr sehr häufig verwendet worden, was Gropper dann auch gelehrsam zu belegen weiß[135].

In der zwölf Jahre nach dem „Enchiridion" erschienenen „Institutio catholica" schreibt Gropper dem Papst die „amplitudo iurisdictionis et sollicitudinis omnium ecclesiarum" zu[136]. Der Papst hat die Jurisdiktionsgewalt in Fülle inne; den übrigen Angehörigen der Hierarchie kommt sie in abgestuftem Maße zu; so werden Einheit und Zucht in der Kirche bewahrt[137]. Konkrete Mittel sind dabei die

des gantzen leibs / die eynigkeit erfordere / und in sonderheit die priesterliche eynigkeit. Dan obe woll die prister oder bisschoffe eyner gemeyner wirde seynt, / so seyn sie doch der ordination halb nit gleich / dweil auch under den seligsten apostolen / bei gleichheit der wirden / eyn underscheidt der gwalt gewesen sey. ... So solt auch eyn jeder, der andern vorgesatzt ist / nit vor ungût haben / das gleichermassenn jm auch eyn oberer vorgesetzt sey, sonder mehe den gehorsam, den er von andern vordert / auch seynem obern leisten."

[135] Gropper erwähnt die Formulierungen im „Incipit" der Briefe des Hieronymus an Papst Damasus (Epistulae 15; 16; 18 A; 18 B; 20; 21 u. 36; CSEL 54, 62; 68; 73; 97; 104; 111; 268.) sowie in dem u. a. vom hl. Ambrosius namens einer Mailänder Kirchenversammlung unterschriebenen Brief an Papst Siricius (ML 16, 1172).

[136] Institutio catholica, p. 721 (t II r); Capita institutionis, N 6 v. Gropper verweist hier auf: Augustinus, Epistula 43, 7 (CSEL 34/2, 90): „ ... Romanae ecclesiae, in qua semper apostolicae cathedrae viguit principatus." Unter der Überschrift, der Primat des Petrus sei „divini iuris", stellt Gropper auf den folgenden Seiten (Institutio catholica, p. 721—725; t II r — t IIII r) Zitate aus den Vätern und dem Kirchenrecht zusammen: Epiphanius, Adversus Haereses II 1, haer. 51, 17 (MG 41, 921; F. Oehler, Corporis Haeresiologici t. II/2, 78f.); Prosper von Aquitanien (von Gropper noch Ambrosius zugewiesen), De vocatione gentium II 16 (ML 51, 704): „Roma ... per apostolici sacerdotii principatum amplior facta est." Augustinus, Psalmus contra partem Donati, 229—231 (CSEL 51, 12); Cyprian, Epistula 69, 5 (CSEL 3/2, 753); Canon 34 der Apostolischen Canones (Fr. X. Funk, Didascalia et Constitutiones apostolorum I 572—575); C. 9 q. 3 c. 18 (Friedberg I 611); C. 24 q. 1 c. 25 (Friedberg I 975f.). Die Formulierung der Trienter Lehrvorlage vom 3. Januar 1552 über den Papst (CT VII/1, 487, 42—488, 3; mit App. Anm. aa—b) wandelt das Kölner Gutachten in folgende Fassung um: „ ... visibilis Christi ecclesia suum ipsius vicarium pro unico et supremo capite in terris habet, cuius universali sollicitudine et authoritate, quam in ecclesia et Christi vicarius summam obtinet, omnes ordines in officio retinentur, ut suis quique in ordinibus et stationibus collocati munera sua in totius ecclesiae utilitatem cum maxima pace et unione exequantur." Vgl. Archivio Segreto Vaticano, Conc. Trid. 18 (Arm. LXII), f. 244v. Zur Begründung wird verwiesen auf: D. 21 c. 2 (Friedberg I 69f.); Cyprian, De catholicae ecclesiae unitate, c. 4 (CSEL 3/1, 212f.).

[137] Institutio catholica, p. 725 (t IIII r): „Disciplina est diligens et accurata procuratio observationis doctrinae, sacramentorum rituumque et morum ecclesiae catholicae, quae postulat seriam animi adversationem, sed spiritualem in

Abhaltung von Synoden, Visitationen und Examinationen, die Anwendung der „poenitentia publica" (einschließlich der späteren Rekonziliation) sowie die Verhängung der in der geistlichen Gerichtsbarkeit vorgesehenen Strafen (Suspension; Exkommunikation; Interdikt)[138]. In dieser nüchternen und unterkühlten, kirchenrechtlichen Perspektive spiegelt sich in einer variierten Gestalt Groppers Wertung des Ordo als „nexus unitatis ecclesiae"; im „Enchiridion" war sie freilich eher im Blick auf das besondere Priestertum generell unter Ausklammerung der hierarchischen Gliederung festgestellt und von der biblischen Ekklesiologie her begründet worden.

4. Die Wirkungen der Weihe

Im bisherigen Gang der Untersuchung wurde gezeigt, wie Johannes Gropper in Kontroverse mit den Reformatoren deren Auffassung zurückweist, daß es nur ein allgemeines, alle Christen in gleicher Weise verbindendes Priestertum gibt. Gropper lehnt die Ausschließlichkeit dieser Lehre ab und fordert den Bestand eines besonderen, auf der Weihe beruhenden Amtspriestertums. Im anschließenden Teil der Abhandlung ergab sich die Notwendigkeit, wesentliche Elemente von Groppers Lehre über das Weihesakrament auszufalten. Dabei wurde eine recht selbständige, von der Lektüre der Vätertheologie genährte und durch das Ringen mit Luther und Melanchthon wiederholt angeregte Darstellungsweise des Kölner Theologen beobachtet.

Nun wäre zu betrachten, welche spezifischen Vollmachten Gropper dem besonderen Priestertum einräumt in Abgrenzung von jenen Eigenschaften, die alle Gläubigen in der Kirche als Getaufte gemeinsam haben. Gefragt wird also nach den Inhalten, die das priesterliche Amt in der Kirche auszeichnen. Es geht um das Problem der Wirkungen der Weihe, um den Aufweis all dessen, was Priester und Laien unterscheidet. Gropper versichert ja eindringlich, daß Christus nicht allen Gliedern der Kirche die gleiche Vollmacht zugeteilt hat, sondern daß er die Ämter in der Kirche unterschieden hat, daß das priesterliche Amt eines neben anderen in der Kirche ist, daß es freilich ein ganz besonderes, besondere Vollmachten besitzendes Amt ist[1].

Zwangsläufig steuert Gropper auch in dieser Frage auf einen Konflikt mit reformatorischen Thesen zu. Er entzündet sich am

rebelles." Gropper verweist auf: D. 95 c. 5 (Friedberg I 332f.). Vgl. M. Ramsauer, Die Kirche in den Katechismen, 131f.

[138] Institutio catholica, p. 728f. (tVv—tVIr).

[1] Enchiridion, f. 67v.

Begriff der Schlüsselgewalt. Die Reformatoren beanspruchen die Schlüsselgewalt für das allgemeine Priestertum; Gropper reserviert sie dem besonderen Amtspriestertum.

Den Begriff Schlüsselgewalt übernimmt Gropper aus der scholastischen Theologie. Er verwendet ihn vornehmlich — einer gewissen Engführung seiner reformatorischen Gegner folgend — im Blick auf das Bußsakrament[2]. Es liegt Gropper jedoch fern, nur unter diesem Aspekt eine Wirkung der Weihe, einen Unterschied zwischen Priestern und Laien feststellen zu wollen. Vielmehr ist dem Priester in der Weihe eine ganze Anzahl besonderer Vollmachten übertragen, die Gropper mehrfach aufzählt.

Meist aber vermeidet es Gropper, von bestimmten Vollmachten („potestates") zu sprechen, die dem besonderen Priestertum zukommen. Lieber äußert er sich so, daß dem Priestertum in der Weihe eine besondere Gnade geschenkt ist; gemeint ist dabei, daß der Priester in seinem Amt in einer innigen Nähe zum Mysterium Gottes steht, daß er an der Austeilung der Gnade unter die Glieder der Kirche beteiligt wird und daß die Würde dieses Dienstes so uneinholbar ist, daß seine Gültigkeit auch durch das sündige Leben des dienenden Priesters nicht aufgehoben werden kann. Groppers Theologie lotet die Frage nach der dem geistlichen Amt mitgeteilten Gnade besonders tief aus.

a) Die „potestas clavium"

Der Begriff der Schlüsselgewalt besagt für die Reformatoren die Vollmacht jedes getauften Gemeindemitgliedes, das Wort Gottes zu predigen, die Sakramente zu verwalten und dem Sünder das Wort der Vergebung zuzusprechen[3]. Für Gropper bedeutet er die

---

[2] Zum Begriff der „potestas clavium": A. M. Landgraf, Dogmengeschichte der Frühscholastik III/1, 169—209; L. Hödl, Die Geschichte der scholastischen Literatur und der Theologie der Schlüsselgewalt I. — Man wird einzuräumen haben, daß Luther mit seiner in einer bestimmten Richtung überspitzten Lehre von den Schlüsseln einer vereinseitigten, mehr im Blick auf Recht und Gesetz als im Blick auf die Vergebungsbotschaft des Evangeliums verstandenen Handhabung des Schlüsselamtes als bloßer Jurisdiktionsvollmacht der Kirchenleitungen entgegnete. E. Roth, Die Privatbeichte und die Schlüsselgewalt in der Theologie der Reformatoren, passim. W. Brunotte, Das geistliche Amt bei Luther, 135, Anm. 7.

[3] Nach Luther ist die Schlüsselgewalt Besitz jedes gläubigen Christen (WA 6, 309, 27—30. WA 11, 97, 24f.). Mt 18, 18 gilt allen Christen (WA 12, 184, 5): „Christus hic dat ius et usum clavium cuilibet Christiano." Neben der Gewalt der Sündenvergebung kennt Luther weitere Inhalte der „potestas clavium" (WA 10/III, 395, 31—33): „Also wu ein Crist den glauben hat, so mag er absolviren, predigen und alle andere ding thun, die einem prister zu stehen." Auch: WA 8, 273, 12—15. Auch Melanchthons „Loci communes theologici"

durch die Weihe verliehene und den in apostolischer Sukzession stehenden Bischöfen und Priestern vorbehaltene Gewalt, vor allem die Gewalt der Sündenvergebung. Diese Gewalt hat Christus nach dem Zeugnis von Joh 20,21—23 den Aposteln und ihren Nachfolgern übergeben[4].

Im „Enchiridion" bemüht sich Gropper zu zeigen, daß „Schlüssel" in der Schrift das Symbol für einen bestimmten Wirklichkeitsbereich ist. „Clavis in scripturis summam quandam authoritatem, potestatem, gubernationem, et domesticam administrationem designat"[5]. Zur Erhärtung dieser Behauptung weist Gropper auf den Sinn hin, den der Brauch der Schlüsselübergabe im bürgerlichen Leben hat. Wenn Christus den Aposteln die „potestas clavium" übertragen hat, so hat er sie mit einer Macht ausgestattet, die er bereits innehatte, war er doch nicht wie Moses bloß Knecht, sondern Sohn im Hause Gottes. Auf ihn haben alle Generationen gewartet; die Patriarchen und Propheten erfuhren wohl Gottes besondere Huld, aber den Schlüssel zur Vergebung der Sünden erhielten sie nicht; sie sollten hinweisen auf Christus, der den dunklen Kerker der Sünde aufbrechen und die Menschen aus der Versklavung des Bösen befreien werde. So kam denn Christus, um diese seine Sendung zu erfüllen. Seine Sendung aber war mit seiner Himmelfahrt nicht zu Ende. Die Schlüssel, welche ihm der Vater übergeben hatte, hinterließ er den Aposteln und ihren Nachfolgern in der Kirche. Mit der gleichen Vollmacht, mit der er vom Vater kam, entsandte er seine Jünger über den ganzen Erdkreis. Nicht wie Herren, sondern wie Diener sollen sie wirken als seine Gesandten „in aedificationem corporis eius, quae est ecclesia"[6]. Erst nach Eröffnung dieser heilsgeschichtlichen Perspektive macht sich Gropper an die dogmatische Bestimmung des Begriffes „potestas clavium"; sie

---

fassen die Schlüsselgewalt sehr weit (CR 21, 501): „Claves significant domesticam aliquam administrationem. Cumque Evangelium sit quasi oeconomica quaedam administratio, nec coherceat vi corporali, sed tantum verbis, nomine clavium utimur in significanda Ecclesiastica administratione. Idem igitur significant potestas Ecclesiastica et claves. ... Itaque haec proprie complectitur potestas Ecclesiastica iuxta Evangelium, mandatum docendi Evangelium et annuntiandi remissionem peccatorum et impertiendi Sacramenta . . .".

[4] Enchiridion, f. 145r: „His verbis omnium orthodoxorum sententia Christus apostolis et eorum in ecclesia successoribus claves regni coelestis tradidit potestatemque remittendorum et retinendorum peccatorum concessit ac poenitentiae sacramentum instituit, quod ut omnes clare et expedite intelligant, operae pretium est, ut in primis exponamus, quae nam sint claves, quos Christus ecclesiae suae tradidit."

[5] Enchiridion, f. 145r/v. Vgl. Ph. Melanchthon, Loci communes theologici (CR 21, 501).

[6] Enchiridion, f. 145v u. 146r; das Zitat: f. 146r.

erfordert besondere Sorgfalt; dabei ist Gropper bemüht, seine Position in einer kritischen Differenz zu Melanchthons Auffassung in den „Loci" (1535) herauszuarbeiten[7]. Gropper nimmt zunächst eine durchaus konventionelle „divisio clavium" vor; er unterscheidet nämlich zwischen Weiheschlüssel und Gerichtsschlüssel, zwischen der „potestas ordinis", der Weihegewalt zur Vergebung der Sünden im Feld des „forum internum", und der „potestas iurisdictionis", der Hirtengewalt, die sich auf das „forum externum" erstreckt[8]. Diese Unterscheidung ist auch Melanchthon geläufig[9]. Überdies unterscheidet nun Gropper — in Übereinstimmung mit der scholastischen Theologie — „utramque clavem in clavem scientiae, quam et discretionis appellant, et clavem potestatis"[10]. Gropper widerstreitet den Reformatoren ausdrücklich, wenn er — wie schon angedeutet — den Weiheschlüssel („clavis ordinis") ausschließlich den geweihten Priestern zuweist[11], und zwar allen Priestern ohne Unterschied in gleicher Fülle; damit wird die sakramentale Lossprechung von den Sünden in eine Abhängigkeit von der Weihegewalt gebracht. Mit der Unterteilung des Weiheschlüssels in den Schlüssel des Unterscheidungswissens („scientia"; „discretio"; „iudicium") und den Schlüssel der Gewalt („potestas") bezweckt Gropper die Sicherung des Bußsakramentes als gerichtliche Untersuchung mit einem der Lossprechung voraufgehenden Schuldbekenntnis. Melanchthon lehnt diese Unterteilung des Weiheschlüssels ab[12]. So unternimmt es Gropper im Anschluß hieran, diese Lehre aus der Bibel plausibel zu machen.

Er glaubt aus Lk 11,52 und Mt 23,2f.13 nachweisen zu können, daß schon im Judentum beide Schlüssel in Gebrauch waren. Ja, in

---

[7] Zum Ganzen: R. Braunisch, Die Theologie der Rechtfertigung, 249—254.

[8] Gropper verwendet das Begriffspaar „forum internum" und „forum externum" nicht; inhaltlich deckt sich dieses jedoch weitgehend mit seinen Ausführungen.

[9] Ph. Melanchthon, Loci communes theologici (CR 21, 501): „Est autem vetus partitio admodum commoda, quae partitur Ecclesiasticam potestatem in potestatem ordinis et iurisdictionis. Potestas ordinis est, quam alioqui vocant ministerium Evangelii, hoc est, mandatum docendi Evangelium et annuntiandi remissionem peccatorum et impertiendi sacramenta singulis aut pluribus. Iurisdictio vero est potestas excommunicandi obnoxios publicis criminibus et rursus absolvendi eos, si conversi petant absolutionem." Ähnlich: CR 21, 494.

[10] Enchiridion, f. 146r; Institutio catholica, p. 718 (s VIII v).

[11] Enchiridion, f. 146r: „... clavis ordinis solis sacerdotibus, qui hac parte in apostolorum vices successerunt, peculiaris est."

[12] Die „potestas ordinis" hat laut Melanchthon allein den Auftrag, die Absolution zuzusprechen; da sie das „forum internum" betrifft, verlangt sie keine richterliche Untersuchung. Nur im Bereich des „forum externum" und der „potestas iurisdictionis" ist eine Untersuchung unausweichlich; erst auf einer solchen Basis kann das Urteil der Exkommunikation bzw. Rekonziliation gefällt werden. Ph. Melanchthon, Loci communes theologici (CR 21, 494).

Christus selber seien beide Schlüssel miteinander verbunden, da
doch nach Kol 2,3 alle Schätze der Weisheit Gottes in ihm verborgen sind, da er allein würdig ist, das Buch zu nehmen und seine
sieben Siegel zu öffnen (Offb 5,9) und da ihm der Vater die Vollmacht übergab, zwischen Spreu und Weizen zu trennen; laut Mt
12,18 schließlich erfüllt sich in Jesus das Wort, das vom Propheten
Jesaja (42,1) stammt: „Ihm habe ich meinen Geist verliehen, er
wird den Völkern das Recht bringen." Außerdem setzt, so argumentiert Gropper weiter, die begriffliche Wendung „Sünden nach-
lassen" oder „Sünden behalten" bereits eine Prüfung und Unterscheidung der Sünden voraus[13]. Man kann gar nicht, will man ein
gerechtes Urteil fällen, auf eine gründliche Prüfung des Tatbestan-
des verzichten. Die „clavis potestatis" ist also ohne die „clavis discretionis" gar nicht denkbar. Erst öffnet der Schlüssel des Unterscheidungswissens die Seelen, dann schließt der Schlüssel der Gewalt den Seelen das Himmelreich auf. Für Gropper steht es somit
fest, daß Christus seinen Aposteln und deren Nachfolgern beide
Schlüssel übertragen hat. Wie im Alten Bund die Priester zuerst
die Heilung der Aussätzigen überprüfen mußten und erst dann, bei
positivem Ergebnis der Untersuchung, den Ritus der Reinigung
vollziehen durften (Lev 14,1—32), so sollen auch die Bischöfe und
Priester der Kirche ihrem Amt entsprechend zunächst die „peccatorum varietates" anhören und dann entscheiden, „qui ligandus sit
quive solvendus"[14].

Der Weiheschlüssel, der dem Priester bei der Ordination anvertraut wird, umfaßt nun freilich nicht nur die Vollmacht der Sündenvergebung. Er bedeutet überdies die umfassende Vollmacht, die
Person Christi in der Kirche zu vertreten, in seinem Namen und in
seiner Autorität zu handeln. Insofern gliedert er sich in die Vollmachten, das Wort Gottes zu predigen, den Leib des Herrn zu
konsekrieren, Sünden nachzulassen und zu behalten und endlich

---

[13] Enchiridion, f. 146v: „Quin ipsa vocabula remittendi et retinendi, ligandi et
solvendi, claudendi ac aperiendi indicant non solum authoritatem illam et
potestatem, qua remittimus ac retinemus, sed etiam inter ligandos ac solvendos
discretionem claves esse, quae scientiae appellantur."
[14] Enchiridion, f. 147r. Vgl. Hieronymus, Comment. in Matthaeum III 16, 19
(CChrlat 77, 142). Ähnlich: Institutio catholica, p. 719 (t I r); hier beansprucht
Gropper als Zeugen für die „clavis scientiae et discretionis": Ps. Maximus
von Turin, Sermo 66 (in natali sanctorum apostolorum Petri et Pauli I), (ML
57, 663—666, bes. 666); Gropper schwankt übrigens, ob er diese Predigt
Maximus oder Ambrosius zuweisen soll; das spricht dafür, daß er die Kölner
Edition (1535) von Johann Gymnich benutzt hat, weil in dieser 35 bis dahin
Ambrosius zugeschriebene Predigten nach einer entsprechenden Kritik von
Erasmus Ambrosius aberkannt und vom Herausgeber Maximus zugewiesen
wurden.

die anderen Sakramente auszuteilen[15]. An anderer Stelle[16] werden von Gropper folgende Inhalte des Weiheschlüssels aufgezählt: Die Vollmacht, das Evangelium zu predigen, die Vollmacht zu taufen, die Vollmacht des Sündennachlasses, die Vollmacht, den Leib des Herrn zu konsekrieren und die übrigen Sakramente nicht in eigener, sondern in göttlicher Kraft zu verwalten. Auch im Rahmen seiner Lehre über die Kirche erläutert Gropper, daß Christus mit dem priesterlichen Dienstamt verbunden habe „non humanam, sed plane divinam potestatem, nempe praedicandi Evangelij, remittendi et retinendi peccata, dandi spiritum sanctum, claudendi et aperiendi regnum coelorum, conficiendi corpus et sanguinem dominicum ac cetera sacramenta ecclesiae ministrandi"[17].

In den „Artikelln" von 1545 heißt es, daß durch die Auflegung der Hände des Bischofs „die erwelten zum dienst / empfahen die gewalt, das wort zů predigen / den leib und das blůt Christi zu consecrieren / und sunst alles in der kirchen anzurichten zu der erbauung / und die widerwertigen und låsterigen zu straffen"[18]. In der „Institutio catholica" definiert Gropper die „clavis ordinis" als eine den Ordinierten je nach dem Maß des anvertrauten Amtes übertragene Vollmacht. Mit ihr versehen, predigen die Priester dem

---

[15] Enchiridion, f. 146r: „Clavis ordinis est potestas vocationis, functionis seu ministerij sacerdotalis, qua qui fungitur, Christi personam in ecclesia representat omniaque non suo, sed Christi nomine et authoritate agit, quae complectitur potestatem praedicandi verbi seu annuntiandi evangelij, consecrandi corpus Christi, remittendi et retinendi peccata et impertiendi seu administrandi sacramenta." Diese Aufzählung Groppers reizt zu einem Vergleich; Martin Luther gibt in „De instituendis ministris" folgende „officia sacerdotalia" an (WA 12, 180, 2—4): „docere, praedicare annunciareque verbum Dei, baptisare, consecrare seu Eucharistiam ministrare, ligare et solvere peccata, orare pro aliis, sacrificare et iudicare de omnium doctrinis et spiritibus." Luther bestreitet aber gerade, daß die Verwaltung dieser „officia" nur einzelnen Personen zusteht mit der Begründung, sie seien alle ein gemeinsames Amt der Christen. Johannes Eck zählt die Vollmachten des Priestertums in dieser Reihenfolge auf: 1. „consecrare corpus Christi verum, sacrificare, pro vivis orare et mortuis"; 2. „administrare sacramenta, praecipue sacramentum poenitentiae; cura corporis mystici"; 3. „potestas iurisdictionis"; 4. „potestas praedicationis"; 5. „privilegium competentiae". J. Eck. Homiliarius IV: De sacramentis, Hom. 59, f. 77r/v.

[16] Unter Verweis auf Joh 20,21—23; Mt 28,19—20; Mk 16,15; Lk 24,47; 1 Kor 11,24 bemerkt Gropper (Enchiridion, f. 198v): „Quae loca ostendunt, apostolos et eorum successores in ordinatione authoritatem divinitus accipere, ut eorum munus ac functio efficax sit. Accipit sacerdos potestatem praedicandi evangelii; accipit potestatem baptizandi, remittendi peccata, corpus dominicum consecrandi conficiendique ac caetera sacramenta administrandi non suapte virtute, sed divina."

[17] Enchiridion, f. 67v. Hier beruft sich Gropper auf Mk 16, 15; Lk 12, 22—48 u. 22, 19; Joh 20,21—23; 1 Kor 4, 1.

[18] Warhafftige Antwort, f. 15v.

Volk, für das sie bestimmt sind, das Wort Gottes, taufen, wandeln den Leib Christi, opfern und reichen ihn dar, lösen die, welche ihre Schuld bekennen, von ihren Sünden oder halten sie, wenn ein vernünftiger Grund dazu raten sollte, von der Gemeinschaft des Leibes Christi auf bestimmte Zeit fern; auf diese Gewalt gestützt, segnen sie den Ehebund der Heiratenden, salben die Kranken und vollziehen alle andern Handlungen, die dem Priestertum eigentümlich sind. Die Vollmacht, all diese Handlungen gültig zu vollbringen, wird jedem Priester in der Weihe übereignet. Gleichwohl bedarf es jeweils auch noch der Erlaubnis, diese Vollmacht auszuüben, wovon nur die Konsekrationsgewalt ausgenommen ist, da sie „omnibus presbyteris communis est"[19]; sonst aber ist die Erteilung von entsprechender Jurisdiktion vonnöten.

Die „clavis iurisdictionis" oder der Gerichtsschlüssel ist von Christus selbst durch die Anordnungen in Mt 16,18; Mt 18,15—17 und Joh 20,21—23 von der „clavis ordinis", dem Weiheschlüssel, unterschieden worden. Der Gerichtsschlüssel bezieht sich auf das „forum externum"; er hat die Funktion, die Exkommunikation öffentlicher Sünder aus der Kirche und die Rekonziliation derer, die einsichtig geworden sind, zu vollziehen. Dieser Schlüssel hat also mit der Hirtengewalt zu tun, mit der Leitung der Kirche. Er ist darum auch grundsätzlich der Gesamtkirche anvertraut; weil sich diese hierarchisch gliedert, ist er zuerst dem Papst als Nachfolger Petri übergeben. Dieser kann an seiner Hirtengewalt den Bischöfen und durch die Bischöfe den übrigen Geweihten bestimmten Anteil gewähren[20].

b) Die „peculiaris gratia"

Auf die Frage nach der Wirkung der Weihe pflegt Gropper im allgemeinen mit dem Verweis auf eine besondere, dem Ordinierten von Gott geschenkte Gnade zu antworten[21]. Bei der Handauflegung empfängt der Weihekandidat eine Kraft, durch die alles, was er künftig in der Kirche „secundum Christi et ecclesiae institutionem" tut, wirkkräftig und gültig wird. In Anlehnung an Rupert von Deutz, jenen mittelalterlichen Landsmann, zu dem er gerade in seinen späteren Schriften ein etwas näheres Verhältnis gewonnen zu haben scheint, deutet Gropper die Salbung mit Chrisam, welche

[19] Institutio catholica, p. 715f. (s VII r/v).
[20] Enchiridion, f. 146r. u. 197r; Institutio catholica, p. 714 u. 717 (s VI v u. s VIII r); an der zuletzt genannten Stelle verweist Gropper auch auf 1 Kor 4, 21; 2 Kor 10, 6.8 und 13,10.
[21] Enchiridion, f. 67v u. 199r; ähnlich: Archivio Segreto Vaticano, Conc. Trid. 18 (Arm. LXII), f. 13r; dort protestiert Gropper heftig gegen eine polemische Äußerung Calvins in der „Institutio religionis christianae" IV 19, n. 31 (CR 29, 1093).

bei der Ordinationshandlung vorgenommen wird, im Blick auf ihre
Wirkung: vom Heiligen Geist gestärkt, sollen die gesalbten Hände
künftig die himmlischen Sakramente verwalten; was immer sie in
der Fülle geistlichen Reichtums segnen, das soll gesegnet werden;
und was immer sie heiligen, das soll geheiligt werden[22].

Die in der Weihe geschenkte Gnade hat also zunächst nicht mit
der Person des Priesters zu tun, sondern mit dem Amt, dem der
Priester dient. Um diesen über-persönlichen, amtlich-kirchlichen,
objektiven Aspekt der „peculiaris gratia" zu verdeutlichen, bedient
sich Gropper der Worte, die Paulus in den Pastoralbriefen gegenüber Timotheus wählt (1 Tim 4,14; 2 Tim 1,6). Dieser Zusammenhang veranlaßt Gropper sodann zu bemerken, daß diese dem Priester in der Weihe vermittelte Gnade das eigentliche Woraufhin der
Verehrung ist, welche er erfährt; sie ist der Quellgrund der „insignis
sacerdotalis dignitas . . ."; sie verursacht, „das der dienst der predig
und reichung der sacrament / nit nach den personen der diener /
sonder nach der gôtlicher Authoritet unn macht / so dem diener
befohlhen / zu schetzen und zu halten sey"[23].

Es fügt sich die Vorstellung von der Unverlierbarkeit dieser bei
der Handauflegung geschenkten Gnade an; aus ihr ergibt sich die
Unwiederholbarkeit der Weihe. Gropper orientiert sich in dieser
Frage ganz an der Position Augustins[24]. Nicht der Person, sondern
der Ordination folgt der Heilige Geist. Bischöfe und Priester, die
einmal geweiht sind und die Amtsgnade besitzen, verlieren diese

---

[22] Capita institutionis, N 1r/v; Institutio catholica, p. 681f. (qVI r/v). Gropper
verweist auf folgende Stelle: Rupert von Deutz, De divinis officiis II 5 (CChr
Continuatio Mediaevalis 7, 38): „Manus . . . Christi hoc operantur per manus
sacerdotis, quae manibus suis confortatae sunt, maxime quia, ut hoc operari
cum ipso et per ipsum et in ipso possint, oleo sancto pro clavis passionis eius
signatae sunt." Gropper zitiert den Deutzer Abt zwar nur an einigen Stellen,
doch darf man bereits das für beachtlich halten, wenn man die sonstige spärliche Verwendung anderer mittelalterlicher Theologen — Bernhard von Clairvaux ausgenommen — in Erwägung zieht. Ein Grund für Groppers Neigung
zu Rupert von Deutz könnte in dem bibelnahen, wenig abstrakten Ansatz und
der bildhaft-plastischen Darstellungsweise von dessen Theologie liegen. Hinzu
kommt, daß sich Rupert bei verschiedenen Zeitgenossen Groppers eines beachtlichen Interesses erfreute. An der Kölner Edition der Werke Ruperts (1526 bei
Birckmann) hatte Johannes Cochläus erheblichen Anteil. Außer bei Gropper
und Cochläus ist auch bei Andreas Osiander, Johannes Driedo, Albert Pigge
und Ambrosius Catharinus ein Einfluß Ruperts zu konstatieren. J. Beumer,
Rupert von Deutz und sein Einfluß auf die Kontroverstheologie der Reformationszeit, 208—211 u. 214f.

[23] Das Zitat entstammt den „Artikelln" von 1545 (Warhafftige Antwort, f. 15r).
Die voraufgehende Stelle über die „sacerdotalis dignitas": Enchiridion, f. 199v.

[24] Gropper stützt sich namentlich auf die drei Bücher „Contra epistulam Parmeniani", die den antidonatistischen Schriften Augustins zuzurechnen sind
(CSEL 51, 19—141).

nicht, auch wenn sie in ein noch so versündigtes Leben absinken; falls sie sich von der Kirche trennen, schließlich jedoch aus der Spaltung zu ihr zurückkehren, so werden sie nicht erneut ordiniert[25]. Geschähe dies, so wäre das — Gropper übernimmt hier eine Formulierung Augustins — ein Unrecht gegen das Sakrament[26]. Der beschriebene Verhalt der Unwiederholbarkeit ist dem Weihesakrament in ähnlicher Weise wie der Taufe eigen. Beide werden „quadam consecratione" verliehen. Beachtlich ist, daß Gropper diesen Ausdruck wählt, nicht den scholastischen Terminus vom sakramentalen Charakter[27], gegen welchen sich Luthers ganzer Zorn gerichtet hatte[28]. Statt dessen hält sich der Kölner Theologe an Augustinus und die von diesem bezeugte Praxis der alten Kirche[29]. Aus diesen Quellen aber erhebt er einen eindeutigen Befund. Allen Priestern, den guten wie den schlechten, ist konsekratorische Amtsgnade mitgeteilt; ihre Wirksamkeit bleibt ungebrochen, wenn sich ein Priester in Schuld verstrickt; dann erlischt jedoch die persönliche, heiligmachende, die sanktifikatorische Gnade, der Geist, in welchem — wie Gropper es ausdrückt — „mali sacerdotes... ipsi sancti sint"[30]. Solange diese Priester Glieder der Kirche bleiben, haben sie den Heiligen Geist, der den Diensten Christi und der Kirche, welche durch sie vollbracht werden, beisteht; auf diesen Geist allein kommt es an, da durch ihn die Sünden wirksam nach-

---

[25] Enchiridion, f. 191r; Gegenberichtigung, f. 127v; Capita institutionis, H 1 r; Institutio catholica, p. 154 (L II v); Archivio Segreto Vaticano, Conc. Trid. 18 (Arm. LXII), f. 12r.

[26] Enchiridion, f. 191r: „Neutro sacramento facienda est iniuria." Augustinus, Contra epistulam Parmeniani II 13, 30 (CSEL 51, 81): „... neutri sacramento iniuria facienda est."

[27] Nur in einer Randglosse im „Enchiridion" (f. 191r) heißt es: „Propter characterem, qui imprimitur, non iterantur baptismi ac ordinis sacramenta."

[28] Gegen den „character indelebilis" wendet sich Luther, weil er darin ein falsches Würdezeichen sieht, das den Klerikern die Herrschaft über die Laien einräumt, den Raum christlicher Freiheit einschränkt und die christliche Brüderlichkeit aufhebt (WA 6, 408, 22—25; 562, 30—563, 9. WA 12, 172, 12—17; 190, 24—31. WA 38, 227, 32—228, 5).

[29] Augustinus, Contra epistulam Parmeniani II 13, 28 (CSEL 51, 79): „... sicut baptismus in eis ita ordinatio mansit integra, quia in praecisione fuerat vitium, quod unitatis pace correctum est, non in sacramentis, quae, ubicumque sunt, ipsa sunt." Auf diese Stelle beruft sich im gleichen Zusammenhang wie Gropper auch: M. Helding, Von der Hailigisten Messe, f. 44r/v.

[30] Enchiridion, f. 199r. Gropper beruft sich in diesen Zusammenhang auf: Ambrosiaster, Comment. ad Corinthios I 12, 4 (CSEL 81/2, 133): „...in loco ordinis officii ecclesiastici positus gratiam habet, qualisvis sit, non utique propriam, sed ordinis per efficaciam Spiritus sancti." Theophylakt, Enarratio in evangelium Johannis II 12—17 (MG 123, 1198). Gropper dürfte die von J. Oekolampad besorgte Edition des byzantinischen Theologen benutzt haben; sie erschien 1528 und 1531 auch bei Peter Quentel in Köln (G. W. Panzer, Annales typographici VI 403, Nr. 503 u. 413, Nr. 597).

gelassen und die Sakramente wirkkräftig gereicht werden; denn die persönliche Unwürde des Priesters, der die Sakramente austeilt, ist deren Wirkung bei jenen, die sie würdig empfangen, nicht im Weg[31]. Die Kraft der Sakramente quillt ja aus Gott, nicht aus dem Priester, der nur Werkzeug Gottes ist.

Gropper verdeutlicht dies seinen Lesern mit Zitaten aus dem ersten Korintherbrief (1,12f. und 3,4—7). Dort kommt die Zerrissenheit in der korinthischen Gemeinde zur Sprache, in welcher sich einige auf Paulus, andere auf Apollos, eine weitere Gruppe auf Kephas und schließlich auch mehrere auf Christus berufen. Die Antwort des Paulus darauf aber macht klar, so heißt es bei Gropper, daß sie alle, Paulus wie Apollos und Kephas, im Dienst am ungeteilten Christus stehen und daß das Gelingen in diesem Dienst nicht eigenes Werk ist, sondern Gabe des Herrn[32]. — Daß Christus es ist, der in seinen Dienern wirkt, dafür führt Gropper eine beachtliche Reihe von Belegen an, die den Evangelien entnommen sind[33]. Eine eindringliche Erhärtung dieser Wahrheit erblickt er insbesondere in dem Wort Lk 10,16: „Wer euch hört, der hört mich; wer euch verwirft, der verwirft mich" So ist es Christus, der letztlich die Sakramente spendet und sich dabei guter wie schlechter Menschen bedient; nicht auf diese, sondern auf Christus heißt es alle Hoffnung zu setzen[34].

Gropper rührt in der dogmatischen Frage der konsekratorischen Amtsgnade an Probleme, denen durch die geschichtliche Situation der Kirche seiner Zeit eine ganz eminente Aktualität zukam, wie bereits in dem einführenden Kapitel über die Theologie des Priestertums in den ersten Jahrzehnten des 16. Jahrhunderts deutlich geworden ist. Wie Luther sucht auch Gropper nach einer Lösung

---

[31] Enchiridion, f. 66v: „Etsi tales ecclesiae ministri vitam ducentes improbatam spiritu careant, quo ipsi sancti sint et iusti, quamdiu tamen ecclesiae membra sunt et ab ecclesia tolerantur, Spiritum sanctum, qui Christi et ecclesiae ministeriis, quae per eos aguntur, assistit, habent, per quem in ecclesia peccata remittunt et sacramenta efficaciter impertiuntur. Neque enim ideo non sunt efficacia sacramenta, quia per malos tractantur; omnia enim sacramenta, licet indigne tractantibus obsint, prosunt tamen per eos digne sumentibus. In ministris enim, quatenus ministri sunt, non attendimus meritorum diversitatem, sed tantum virtutem ac potestatem eius, cuius munere funguntur. Non enim pendent sacramenta ex dignitate ministrorum, sed ex mandato et ordinatione divina."

[32] Enchiridion, f. 66v.

[33] Gropper (Enchiridion, f. 66v u. 67r) beruft sich auf: Joh 1,33; Mk 1, 8; Lk 3, 16; Mt 23, 2f.; Mt 8, 4;Lk 17, 14.

[34] Enchiridion, f. 67r: „ . . . [Christus] ministerij authoritatem a ministris in se transfert. Baptizatus ergo ab immundo sacerdote nihilo secius mundatur, non ab immundo, sed a Christo, qui intus baptizat in homine, in quem oportet totam spem ponere. Maledictus enim, qui confidit in homine."

der drängenden Fragen. Aber anders als der Reformator warnt er die Gemeinden davor, sich selbständig der unwürdigen Priester zu entledigen[35]. Trotz ihres argen Lebens dienen diese Geistlichen dem Heilswerk Gottes; auch durch ihre sündigen Hände überliefert sich die von Gott der Kirche vermittelte Gnade. Dagegen spricht auch nicht die Ansicht Cyprians, daß es dem Volk erlaubt sei, „separare se a peccatore et sacrilego sacerdote"[36]. Denn man müsse einsehen, daß diese Äußerung Cyprians jenen Priester betreffe, „qui extra legitimam ordinationem ecclesiam exiens cathedram occupat"[37]. Im übrigen müsse man unterscheiden zwischen einer Verachtung, welche der Person und dem lasterhaften Lebenswandel des Amtsinhabers gilt, und einer solchen Verachtung, die auch vor der priesterlichen Vollmacht selbst nicht haltmacht; es ist für Gropper[38] keine Frage, daß diese letztere keinesfalls statthaft ist, und er glaubt sich dabei in Übereinstimmung mit Cyprian. Cyprian selbst habe mit sündigen Laien und Klerikern, ja sogar Bischöfen und Päpsten das Brot des Herrn gebrochen und den Kelch des Herrn getrunken. Er habe sich nicht durch das Wort des Apostels abschrecken lassen: „Mische Dich nicht unter sie und iß nicht mit ihnen zusammen!" (1 Kor 5,11). Ihm reichte es, sich im Herzen von diesen zu trennen, da er sich körperlich von ihnen nicht trennen konnte. Deswegen dürfe sich das gläubige Volk, „si... ex vita scelerata pastoris scandalizetur", nicht trennen „a pastorali potestate"; es dürfe sich nicht nach eigenem Gutdünken einen neuen Pfarrer einsetzen, sondern es müsse das Urteil der Kirche abwarten (Mt 18,17), die nach Maßgabe der Richtlinien des Evangeliums die Bösen und Widerspenstigen aus ihrer Gemeinschaft ausschließen muß. Unterdessen solle sich das Volk an Mt 23,3 halten: „Alles, was sie euch sagen, sollt ihr tun und innehalten; aber nach ihren Werken sollt ihr euch nicht richten"[39].

---

[35] Artikell (Warhafftige Antwort, f. 15r): „Zum dritten, das wir auch wißten, das die diener bemelter authoritet oder jrs ampts / nit durch privat urtheil zu entsetzen seyn / alleyn umb jrs argen lebens willen / so lang sie doch die lehr Christi und sacrament recht administrieren / und von der kirchen noch geduldet werden / sonder das der gebürlicher ordination (obe gleich dieselbige je zu zeiten durch böse leute eyngenommen) jr authoritet nit sol entzogen werden."

[36] Enchiridion, f. 69r; vgl. Ph. Melanchthon, Loci communes theologici (CR 21, 540); Cyprian, Epistula 67, 3 (CSEL 3/2, 737f.).

[37] Enchiridion, f. 69r.

[38] Ebd.: „... cognosces, aliud esse vitare personam vitijs corruptam, maxime cum ecclesiae legitimo iudicio a consortio resecta sit, aliud vero separare se a cathedra, hoc est, aliud esse, contemnere corruptam vitam hominis in cathedra sedentis, aliud contemnere sacerdotalem potestatem; nam et haec in malis episcopis honoranda est, non vita."

[39] Ebd.

Den Pfarrern jedoch, die ihr Amt in solch fahrlässiger Weise veruntreuen, wirft Gropper vor, sie versündigten sich gegen das zweite Gebot, da sie Gottes Namen öffentlich entehrten. Denen, die den Pflichten des geistlichen Amtes nicht Genüge tun, sei durch einen Ausruf des Apostels Paulus das Gericht angedroht (1 Kor 9,16): „Wehe mir, wenn ich das Evangelium nicht verkünde!"[40] Das treffe insbesondere auch auf die Häretiker zu, die das Volk mit neuen Dogmen verwirren, die Sakramente verspotten und sich an einer anderen Lehre ausrichten, als sie in der katholischen Kirche seit den Zeiten der Apostel überkommen ist. Den Häretikern verwandt seien jedoch all die Geistlichen, die von den Kanzeln dem Volk nur das verkündigten, was ihm gefällig sei, es hingegen unterließen, ihm die Sünden vorzuhalten, statt dessen aber über Abwesende, die sich nicht zur Wehr setzen konnten, schamlos wetterten. Sie trieben es sogar so weit, unter dem Vorwand des Wortes Gottes Unruhe zu schüren und ordentlich berufene Geistliche aus ihren Ämtern zu verdrängen. Gropper wirft solchen Predigern vor, sie ließen es an Besonnenheit und geistiger Ausgeglichenheit fehlen, wiewohl gerade diese Eigenschaften für eine lautere Verkündigung des Wortes Gottes vonnöten seien; mithin mißbrauchten sie das Wort Gottes, sei es, um ihre eigenen Laster zu verdecken, sei es um des privaten Gewinnes willen, sei es, um Streit und Zwietracht zu säen[41].

Dennoch wird der Kölner Theologe nicht müde zu beteuern, daß solche beklagenswerten Verhältnisse keinesfalls ein zureichender Grund sind, die Kirche zu verlassen. Es gilt ja, daß die Gnade, welche von Gott der Kirche geschenkt ist, nicht darum aufhört zu wirken, daß die Sünder — ob Priester oder Laien — zur Kirche gehören. Die Gemeinschaft von Guten und Bösen, von Gerechten und Schuldigen ist eine Folge der Verleiblichung des Heiles; gerade sie macht das Geheimnis der Kirche aus. Und dieses geheimnisvolle Nebeneinander reicht bis in das geistliche Amt, ja bis in die Leitung der Kirche hinein[42]. Die dem Geweihten mitgeteilte Gnade erlischt

---

[40] Enchiridion, f. 274r: „Publice vero, non tantum privatim peccant in hoc praeceptum parochi et, qui verbi ministerium gerunt, ... omittendo, ... quum concreditum munus exequi contemnunt, quae sua sunt, non quae Iesu Christi quaerentes, quos vae horrendum manet, sicut dicit Apostolus: Vae mihi, si non evangelizavero, quia dispensatio mihi credita est!"

[41] Enchiridion, f. 274v.

[42] Enchiridion, f. 70v: „Ex quibus omnibus manifestum evadit, ecclesiam Dei, quod ad exteriorem colligantiam et communionem attinet, usque in finem seculi habituram permixtos bonos et malos etiam secundum rationem membrorum. Deinde quod ob malos mores vel praesidentium in ecclesia vel membrorum ab ecclesiae unione recedendum non sit, sed semper ecclesiae authoritas quaerenda, ne perpetuo vel ob malos mores praesidentium vel ecclesiae mem-

nicht infolge eines unwürdigen, schuldhaften Lebens; sein Dienst bleibt gültig, solange sich nicht die Kirche von ihm trennt. Priester aber, die auch um eine persönliche Vervollkommnung ringen, erfahren in ihrem sittlichen Mühen reichliche Förderung aus jener Gnadenkraft, die ihnen seit der Weihe innewohnt. Gropper weist hin auf das Beispiel des guten und treuen Knechtes, der zu den anvertrauten Talenten weitere hinzugewonnen hat (Mt 25,21). Und er schließt mit der tröstlichen, zur Nachahmung einladenden Verheißung, daß jene, die ihr Amt gut versehen, sich in Jesus Christus eine große Glaubenszuversicht verschaffen (1 Tim 3,13)[43].

In diesem Zusammenhang muß nun noch ein erstaunlicher Sachverhalt konstatiert werden: Es ist nicht zu übersehen, daß Johannes Gropper es vermeidet, in seiner Lehre von der gültigen Sakramentenspendung unwürdiger Priester die von der Scholastik dafür bereitgehaltenen Begriffe „opus operatum" und „opus operantis"[44] zu verwenden[45]. Nach der scholastischen Theologie wirkt das Sakrament, wenn Form (Wort) und Materie (stoffliches Ding) gegeben sind[46], durch die ihm von Christus her eigene „sanctificatio" die Gnade immer; da es ein Gnadenmittel von objektivem Charakter ist, hat es eine bestimmte Wirkung bereits als äußerlich gesetztes Werk („opus operatum"); diese ist unabhängig von der persönlichen Frömmigkeit des Spenders („opus operantis"). Denn der Priester ist ja aufgrund seiner Weihegewalt, nicht aufgrund seiner persönlichen Qualitäten Spender der Sakramente; er kann, auch wenn er unwürdig oder suspendiert ist, die Sakramente gültig aus-

---

brorum, etsi mortuorum, haereamus, num in corpore verae ecclesiae simus nec ne."

[43] In gleicher Absicht zitiert er außerdem 1 Petr 5, 2.4 u. 1 Tim 5, 17 (Enchiridion, f. 199v).

[44] Entgegen verbreiteter Meinung scheinen diese Begriffe nicht in der Sakramentenlehre entwickelt worden zu sein, sondern wurden zunächst zur Beantwortung der Frage verwendet, wie die Kreuzigung des Herrn zugleich ein gutes und ein schlechtes Werk sein konnte. Die Kreuzigung, das „opus operans" der Juden, war schlecht; das Leiden Christi aber, das „opus operatum", war gut. Erst später wurden die Termini „opus operans" bzw. „opus operantis" und „opus operatum" in die Sakramentenlehre übernommen. A. M. Landgraf, Dogmengeschichte der Frühscholastik III/1, 145—158, bes. 147 u. 150.

[45] Im „Enchiridion" geschieht das nur einmal, und zwar f. 105r: „Non sacerdotis iniquitas effectum impedit sacramenti, sicut nec infirmitas medici virtutem medicinae corrumpit. Quamvis igitur (ut subijcit) opus operans aliquando sit immundum, semper tamen opus operatum est mundum, non quidem ut pariter dignis et indignis, sed tantum ut digne sumentibus ad salutem proficiat." Gropper zitiert hier: Innozenz III., De sacramenti eucharistiae mysterio III 5 (ML 217, 844).

[46] Gropper pflegt diese beiden Begriffe zu umgehen; die mit „forma" und „materia" bezeichnete Unterscheidung deutet er in den Termini „verbum" und „elementum" an.

teilen, sofern er die Intention besitzt „zu tun, was die Kirche tut"[47]. Auf Seiten des Empfängers wirkt das Sakrament die Gnade nicht magisch, sondern nur gemäß dessen Disposition. Dem Empfänger wird die im Sakrament mitgeteilte Gnade nicht einfach hingeworfen, sondern im Maß seiner Empfänglichkeit geschenkt[48]. Das „opus operatum" hebt also die Bedeutung des „opus operantis" keineswegs auf.

Sachlich decken sich die Äußerungen, die Gropper wiederholt zu dieser Frage abgibt, durchaus mit dem Lehrgut der scholastischen Theologie des Mittelalters. Er scheut sich jedoch, dessen Terminologie zu übernehmen. Mit gutem Grund, denn gegen das „opus operatum" hatte sich ein leidenschaftlicher Kampf Martin Luthers gerichtet. Angezielt wurde dabei nicht die eben skizzierte, ursprüngliche Bedeutung des Begriffes, sondern seine Verfremdung durch die skotistische Sakramentenlehre und durch die Verdienstlehre vor allem bei Gabriel Biel[49]. Luther befehdete, wie Erwin Iserloh feststellt, „etwas als ‚katholische Lehre', was nicht katholische Lehre ist"[50]. Den mit „opus operatum" eigentlich gemeinten Inhalt vertritt auch der Reformator in seiner Schrift „De captivitate Babylonica Ecclesiae" durchaus. Dort betont er, „per impios sacerdotes non minus de testamento et sacramento dari et accipi quam per quosque sanctissimos"[51]. Wenn ein Unwürdiger tauft, ja selbst wenn er kommuniziert wie Judas beim letzten Mahl, so bleibt es doch immer dasselbe Sakrament; es bewirkt im würdigen, glaubenden Empfänger ein ihm gemäßes Werk, im unwürdigen und ungläubigen ein fremdes[52].

In diesem Punkt geht Gropper, der — wie bereits mehrfach beobachtet — die Schrift „De captivitate Babylonica Ecclesiae" gekannt hat und des öfteren aus ihr zitiert, mit Luther völlig einig.

---

[47] Martin V., Bulle „Inter cunctas" (22. Februar 1418), c. 22 (Mansi 27, 1210); Eugen IV., „Bulla unionis Armenorum" (22. November 1439), Einleitung von Abschnitt 5 (Mansi 31, 1054).

[48] H. R. Schlette, Sakrament, 19.

[49] Vinzenz Pfnür (Einig in der Rechtfertigungslehre, 45—64; das Zitat: 64) kommt zu dem Ergebnis: „Die Reformatoren kämpfen ... gegen einen Begriff des ‚opus operatum', der einerseits durch seinen Sitz in der Suffragienlehre, anderseits durch die skotistische Sakramentenlehre bestimmt ist. Werden nun noch beide Momente miteinander verbunden, so ist es nicht verwunderlich, daß dieses so verstandene ‚opus operatum' in der reformatorischen Polemik zum Gegenbegriff der Rechtfertigung durch den Glauben wird."

[50] E. Iserloh, Die Eucharistie in der Darstellung des Johannes Eck, 174; ders., Die protestantische Reformation, 35. Anders äußert sich, ohne voll zu überzeugen: H. Feld, Martin Luthers und Wendelin Steinbachs Vorlesung über den Hebräerbrief, 189—194.

[51] WA 6, 525, 33—35.

[52] WA 6, 526, 5—10.

Sein Verzicht auf den belasteten Terminus „opus operatum" darf vielleicht als Geste im Bemühen um Übereinkunft in der Sache gewertet werden. Wie im „Enchiridion"[53] ist Gropper auch in der „Gegenberichtung" von 1544 dieser Absicht treu geblieben[54]. Sie schließt freilich ein entschiedenes Festhalten am Inhalt der überlieferten Glaubenslehre ein, daß die in den Sakramenten der Kirche vermittelte Gnade keinen Schaden leidet unter der persönlichen Verfehlung derer, denen der Dienst der Sakramentenreichung anvertraut ist.

Gropper scheint zu spüren, daß eine Preisgabe dieser Lehre an den Lebensnerv der Kirche geht. Um diese Lehre nachhaltig zu verankern, bedient er sich nicht des erörterten Theologumenon vom „opus operatum", sondern bevorzugt eine andere Wendung, die auch inhaltlich eine gewisse Verschiebung des Akzents zur Folge hat. Gropper pocht nämlich auf den stellvertretenden Charakter, der dem Dienst der Sakramentenspendung eigen ist. Nicht der Priester ist es, der den Nachlaß der Sünden wirkt, sondern Christus[55]. Der Priester leiht nur Hand und Mund, Gott aber ist es, der durch ihn wirkt[56]. Christus hat das den Jüngern versichert mit den Worten: „Wie mich der Vater gesandt hat, so sende ich euch" (Joh 20,21). Mit der Hinterlassenschaft seines Dienstes hat er ihnen das Handeln in seiner Vollmacht in Aussicht gestellt. So wirken die Nachfolger der Apostel, die Bischöfe und Priester, „in persona

---

[53] Neben den bereits zitierten Stellen gibt es eine Vielzahl weiterer, die ähnlich lauten; im Hinblick auf das Bußsakrament bemerkt Gropper z. B. (Enchiridion, f. 184r): „... non minus ... hoc sacramentum percipitur ab indigno quam a digno ministro, si tamen confitens veram contritionem et rectam fidem attulerit."

[54] Gegenberichtung, f. 94v u. 95r: „In der heiliger catholischer kirchen wirdt im geheimniß des leibs Christi / nit mehe von dem gûten und nit minder von dem bôsen priester volbracht / dweil das sacrament nit durch den verdienst des consecrierenden priesters / sonder im wort des Schoepffers / und in der krafft des heiligen Geystes gewirckt wirt. Dan so es in dem verdienst des priesters bestunde / so gehôrts Christo nit zu. Nû aber, wie er ist, der da tâufft / so ist er auch der jene, der durch den heiligen Geist diß seyn fleisch macht / und thût den weyn zu seynem blût werden." Ähnlich: Gegenberichtung, f. 102v—103v.

[55] Enchiridion, f. 184r: „Non itaque persona sacerdotis spectanda, sed Christus (cuius sacerdos ministerium gerit) intuendus est; is enim solus peccata dimittit...". D. 1 de pen. c. 51 (Friedberg I 1170f.): „Verbum Dei dimittit peccata, sacerdos est iudex."

[56] Gropper beruft sich hier auf: Chrysostomus, Homilia in Johannis evangelium 86 (85), (MG 5, 473f.): „Sacerdos vero linguam suam commodat, manum porrigit. Neque enim iustum fuisset, ut propter alterius improbitatem illi, qui fidem sunt amplexi, in symbolis salutis nostrae laederentur. Quibus perspectis omnibus et Deum timeamus et sacerdotes eius veneremur, ipsis omnem praebeamus honorem."

Christi", wenn sie den Dienst der Sakramentenspendung vollziehen. Groppers Neigung zu dieser Aussage wird noch wiederholt zur Sprache kommen. Letztendlich bezweckt sie, die Lehre von der „peculiaris gratia" zu stützen. Die dem Geweihten mitgeteilte Gnade, die ihn bevollmächtigt, den Gläubigen die Sakramente zu reichen, ist nicht sein Eigentum Im Dienst der Sakramentenspendung handelt der Priester sozusagen nicht in eigener Sache, sondern „in persona Christi". Die in diesem Dienst durch seine immer schon sündigen Hände vermittelte Gnade weist zurück auf den Quellgrund aller Gnade, auf Christus.

II. Der Priester nach den Erfordernissen der Pastoral

Im bisherigen Gang der Untersuchung wurden wesentliche Elemente der kirchlichen Lehre vom Amtspriestertum in der Darstellung Johannes Groppers entfaltet. Neben älteren Quellen zumal aus der patristischen Theologie, die der Kölner Theologe benutzt, konnte dabei auch reformatorisches Schrifttum aufgedeckt werden, von dem sich Gropper entweder kategorisch und pauschal oder in einem kritisch geführten Dialog abzusetzen versucht; bisweilen waren auch Bezüge zu katholischen Zeitgenossen Groppers herzustellen. Bei allem war in den dogmatischen Ausführungen des Kölner Theologen über das Priestertum sublim zu spüren, daß die stärksten Antriebe seines Nachdenkens über diese Frage aus dem festen Willen resultieren, den pastoralen Dienst der Kirche zu erneuern und vorrangig den Klerus auf das Reformwerk zu verpflichten.

Merklicher als in den skizzierten dogmatischen Erwägungen schlägt sich das Erneuerungsstreben Groppers in den verschiedenen pastoralen Konzeptionen nieder, die er erstmals in den Statuten des Kölner Provinzialkonzils von 1536 und dann in mehreren, auf Anforderung des Kaisers oder im Rahmen der Mitarbeit auf Konzilien und Synoden entstandenen Gutachten entwickelt hat. Dabei ist deutlich zu beobachten, daß Gropper die praktischen Erfordernisse der kirchlichen Seelsorge im Blick hat. Dies trifft schon für die „Canones" von 1536 voll zu, doch radikalisieren sich Groppers Postulate seit dem gescheiterten Reformationsversuch des Kölner Kurfürsten Hermann von Wied erheblich. Das Programm von 1536 unternimmt es, seinen konkreten, situationsbezogenen Vorschlägen zum priesterlichen Pflichtenkreis einige Aussagen vorzuschalten, die den geistlichen Stand insgesamt betreffen und so etwas wie ein Gesamtverständnis des geistlichen Amtes durchschimmern lassen.

1. Gesamtverständnis des geistlichen Amtes

Ausgehend von einer Erklärung des Wortes „Kleriker"[1], das wie bei Hieronymus[2] von ‚κλῆρος' abgeleitet wird, schreiben die „Canones" von 1536 den Trägern des geistlichen Amtes eine besondere Teilhabe am Los des Herrn zu (Ps 16/15,5). Zwar sind die Laien gleichfalls Glieder des Leibes Christi und deshalb nicht „a sorte Domini" ausgeschlossen (Dtn 32,9), doch sind die Geistlichen in einer besonderen Weise dem Dienst Gottes und der Kirche geweiht. Schon im Alten Bund hat der Herr eigens den Stamm Levi für seinen Dienst erwählt, der im Volk kein Eigentum besitzen, dafür aber die Zehnten und weitere gesetzlich eingeräumte Privilegien erhalten sollte, um im heiligen Zelt dienen zu können (Num 18,20—32; Dtn 18,1—8). So gab es von den Ursprüngen der Kirche an, die ja bereits in Adam ihren Beginn nahm, immer einige „ex hominibus assumpti..., constituti pro hominibus, in his quae sunt ad Deum"[3].

Als Inhabern des geistlichen Amtes obliegt den Priestern durch göttliche Weisung und menschliches Gesetz ein zweifacher Dienst; zum einen besteht er darin, sich durch feierliche Opfer und fromme Bitten um Gottes Gnade gegenüber dem anvertrauten Volk zu bemühen[4]; „denn viel vermag das inständige Bitten eines Gerechten" (Jak 5,16); so sollen die Priester dastehen wie Moses, gleichsam mit stets zum Himmel gehobenen Armen (Ex 17,11), immer bereit, für das Volk vor dem Angesicht des Herrn einzutreten, um seinen Zorn abzuwenden, auf daß er es nicht vernichte (Ps 106/105,23). Außer im Gebet sollen die Priester auch durch für die Sünden dargebrachte Gaben und Opfer (Hebr 5,1) vermittelnd im Verhältnis der Menschen zu Gott eintreten. Erneut wird das alttestamentliche Gesetz zitiert (Lev 21,6): „Da sie ihrem Gott heilig sein werden, werden sie seinen Namen nicht entweihen; denn das Feueropfer des Herrn und die Speise ihres Gottes werden sie darbringen, und darum werden sie heilig sein." Das stellvertretende Ringen um die Gnade Gottes macht freilich nur den einen Teil des priesterlichen Dienstes aus; zum anderen sollen die Priester „religionis magistri" sein; sie sollen über das Gesetz des Herrn bei Tag und Nacht nachsinnen (Ps 1,2) und mit ganzem Herzen die Urteile des Herrn, die wahr und gerecht, wertvoller als Gold und kostbarer als Edelstein,

---

[1] Canones, f. 7r (cap. 2; ARC II 214f.).

[2] Hieronymus, Epistula 52 (ad Nepotianum), 5 (CSEL 54, 421).

[3] Canones, f. 7r (cap. 2; ARC II 215). Vgl. Hebr. 5,1.

[4] Canones, f. 7v (cap. 4; ARC II 215): „... ut in commissum sibi populum Deum propitium habere cunctis rationibus enitantur." Mag die Wortwahl zum Rückschluß auf ein sehr anthropomorphes Gottesbild berechtigen, so erinnert die Formulierung inhaltlich frappant an ein religiöses Grundanliegen Martin Luthers, das Ringen um einen gnädigen Gott.

süßer als Honig und Waben sind (Ps 19/18,10f.), erfassen, durch-
forschen, ergründen; und das nicht mit eigenem Vorstellungsver-
mögen oder menschlichem Sinn, sondern angeregt vom Heiligen
Geist, der dies den Weisen und Klugen verborgen, den Einfältigen
aber geoffenbart hat[5]. Mit einem weiteren alttestamentlichen Zitat
wird das Bild vom Priester als einem Lehrer der Religion verdich-
tet: „Seine Lippen bewahren Erkenntnis, und Weisung sucht man
von seinem Munde, ist er doch der Bote des Herrn der Heerscharen"[6].

Resümiert man den Inhalt dieses reichlich mit Zitaten der Bibel,
besonders des Alten Testaments durchsetzten Kapitels der Statuten
des Kölner Provinzialkonzils, so schält sich heraus, daß das beschriebene „duplex ministerium" der Geistlichen in deren Mittlerstellung zwischen Gott und den Menschen begründet ist. Überwiegt
in der ersten Bestimmung jene Perspektive, die die Priester in
Gebet und Opfer aus den Menschen heraus zu Gott hintreten sieht,
so erfordert die Bezeichnung der Priester als „religionis magistri"
eine gegenläufige Blickrichtung, die den Priester in besonderer
Nähe zu Gott und als Botschafter Gottes den Menschen gegenüber
sieht.

In dieser Mittlerstellung zwischen Gott und den Menschen, im
Beziehungsfeld des Heils, erfährt der Priester eine eigentümliche
Berührung seines Dienstes mit dem einmaligen und unüberbiet-
baren heilsmittlerischen Tun Jesu Christi selbst. Das Wirken des
Meisters, des guten Hirten, gewinnt für den Priester wegweisende
und vorbildliche Kraft. Diesen Verhalt zeichnet eine Bestimmung
des Provinzialkonzils, die dem „über die Pfarrer, ihre Vikare und
die andern Diener des Wortes" handelnden Titel zugeordnet ist, in
der Wiedergabe der Perikope Mt 9,35—38 aus[7]. Es ersteht das Bild
des durch Städte und Dörfer ziehenden, in den Synagogen lehrenden und die Frohbotschaft vom Reich Gottes verkündenden, Gebre-
chen und Krankheiten heilenden Jesus, der mit den erschöpften
Volksscharen Mitleid fühlt; hier fällt das Wort Jesu an die Jünger,
daß die Ernte groß, der Arbeiter aber wenige seien, daß es darum
gelte, den Herrn der Ernte um Sendung von Arbeitern in seine
Ernte zu bitten; und es wird bewußt gemacht, wie zeitangemessen
diese Bitte wiederum sei, da es allenthalben an Hirten mangele, die
sich wie Jesus des darbenden Volkes annehmen[8].

---

[5] Mt 11, 25.
[6] Mal 2, 7.
[7] Canones, f. 17r (cap. 2; ARC II 237).
[8] Canones, f. 17r (cap. 3; ARC II 237): „Num, quaeso, putamus, necdum tempe-
stivum esse, interpellare Dominum messis, ut mittat operarios in messem ac
pastores, non quoslibet, sed secundum cor suum, nimirum ovibus misere dissi-
patis ac palantibus requirendis?"

Die Reformkonstitutionen fahren fort: „Wer wollte nicht gewär-
tigen — es sei denn, er sei blind —, daß wir in jene höchst gefährlichen Zeitläufte geraten sind, in denen sich die Prophezeiungen
Christi und der Apostel in der Schrift im ganzen wie im einzelnen
erfüllen?"[9] Unter Anspielung auf Mt 7,15—20 und Joh 10,1—18
taucht das Bild von den Wölfen im Schaffell auf, die über die Her-
den herfallen und sie zugrunde richten, weil die Mietlinge, die keine
Hirten sind, vor ihnen die Flucht ergreifen und ihnen die Schafe
preisgeben. In beißender Schärfe sind somit die häretischen Neuerer wie die fahrlässigen Kleriker ihrer Schuld bezichtigt. Kann man
sie selbst auch geraume Zeit nicht entlarven, so werden sie doch
durch die Früchte ihres Wirkens überführt; überdies bieten der
Brief des Apostels Judas und das zweite Kapitel des zweiten Petrus-
briefes eine Fülle von Indizien, an denen Irrlehrer erkannt werden
können; gleiches gilt für die Briefe des heiligen Paulus an seine
Mitbischöfe Timotheus und Titus, was mit einem Schwall von
Zitaten demonstriert wird[10]; daraufhin wird gefragt, ob der Apostel
diese Irrlehrer noch unverhohlener hätte bezeichnen können, die
doch selbst ein Apelles[11] mit seinen Farben nicht so deutlich hätte
ausmalen können.

Die Warnung Christi vor jenen, die in seinem Namen auftreten
und viele in die Irre führen werden[12], regt das Provinzialkonzil an,
Vorschriften zu bekräftigen, welche verhindern, daß jemand ohne
bischöfliche Bevollmächtigung und Approbation zur Predigt zugelassen werden kann[13]. Außerdem besteht das Provinzialkonzil auf
der persönlichen Residenz der Pfarrgeistlichen und Kirchenrektoren
an ihren Kirchen, von der sie nur bei ganz wichtigen Gründen entbunden werden können[14]. Wiederholt wird den Geistlichen eingeschärft, ihre Aufgaben ernstzunehmen; denn wenn sie sich voller
Hingabe dem anvertrauten Amte widmen, dann besteht für die

---

[9] Canones, f. 17r (cap. 3; ARC II 237).

[10] Canones, f. 17r/v (cap. 4; ARC II 238). Vgl. 1 Tim 1,5f. u. 6, 3—5. 2 Tim 2,
14.17; 3, 2—4 u. 13; 4,3.

[11] Der berühmte Maler, ein Freund Alexanders d. Gr., galt über das Mittelalter
hinaus bis in die Renaissance als größter Maler der Antike, obwohl kein
Werk von ihm erhalten blieb.

[12] Mt 24, 4—5. Mk 13, 5f. Lk 21, 8.

[13] Canones, f. 17v (cap. 5; ARC II 238). Hier müssen auch die vom Konzil
vorgesehenen Maßnahmen gegen „clerici vagi" erwähnt werden; Canones, f. 6r
(cap. 31; ARC II 212). Ziemlich stereotyp tauchen ähnliche Bestimmungen
auch in Artikel 18 der Regensburger Reformordnung von 1524 auf (ARC I
340f.), ebenso in den Statuten des Provinzialkonzils zu Lyon 1527 (c. 6;
Mansi 32, 1129), des Provinzialkonzils zu Bourges 1528 (c. 20; Mansi 32, 1145)
und in den „Decreta morum" des Provinzialkonzils von Sens-Paris von 1528
(c. 5 u. 7; Mansi 32, 1185f.).

[14] Canones f. 17v u. 18r (cap. 6; ARC II 238f.). VI⁰ 1, 6, 14 (Friedberg II 954).

Neuerer gar keine Chance, erfolgreich in ihr Arbeitsfeld eindringen zu können; erst wenn das Amt vernachlässigt wird und sich ihr Interesse Geschäften zuwendet, die anderen obliegen, wird die Harmonie in der Kirche gestört. Daß solches in der Kirche immer wieder geschieht, ist der „cupiditas" zuzuschreiben, die als Pflanzstätte allen Übels bezeichnet wird[15]. Durch eine vertiefte Auffassung des geistlichen Amtes wollen die Statuten des Provinzialkonzils dieser Entwicklung entgegenwirken. Die Geistlichen und insbesondere jene, die auf dem Weg zum Priestertum sind, dürfen sich ihrem Amt nicht als Dilettanten stellen; sie tragen ja in besonderer Weise das Los des Herrn; alles Irdische soll ihnen gering erscheinen und allein der Herr soll ihr Erbteil sein[16].

Mit der Vorstellung, das priesterliche Amt zeichne sich durch eine eigene „dignitas" aus, wird nunmehr ein Begriff ins Spiel gebracht, der in das Gesamtverständnis des priesterlichen Dienstes ein Moment der Strenge einstiftet. Die „Canones" entwerfen engagiert auch ernsthafte, fordernde Züge in dem ihnen vorschwebenden Leitbild, an dem sich die zum Priestertum Berufenen künftig orientieren sollen; ein bevorzugtes Instrument dafür finden sie im Begriff der Würde des geistlichen Amtes, welcher eine persönliche Würdigkeit der Priester und Weihekandidaten entsprechen soll. In dieser Absicht stellt bereits eine der ersten Kapitelüberschriften fest, „dignis tantum beneficia esse conferenda"[17]. In bekräftigter Form wird dieser Wunsch gesondert vorgetragen für den Fall der Besetzung vakanter Stellen an Dom- und Kollegiatstiften[18]; unter den Erfordernissen, auf die bei einer solchen Wahl zu achten ist, wird neben dem kanonischen Alter, dem Empfang der heiligen Weihen und dem Nachweis einer gediegenen Ausbildung ausdrücklich auch Sittenstrenge genannt[19], eine Eigenschaft, die auch die Kirchenpatrone bei der Präsentation von Kandidaten auf die Kirchenämter berücksichtigen sollen[20]. Auch die Anweisungen an die Weihbischöfe für die Prüfung der Beweggründe der einzelnen Weihekandidaten erklären, daß der Würde der Berufung nur lautere Motive, guter Wille und ein fester Vorsatz zur Enthaltsamkeit

---

[15] Canones f. 7r (cap. 3; ARC II 215). Vgl. 1 Tim 6, 10.

[16] Canones, f. 5v (cap. 27; ARC II 211): „Qui enim in clerum alleguntur, rem profitentur minime ridiculam, nempe si peculiariter in sortem Domini ascitos, quibus posthac omnia terrena sordeant ac solus Dominus sors ac pars haereditatis futurus sit." Vgl. Hieronymus, Epistula 52 (ad Nepotianum), 5 (CSEL 54, 421).

[17] Canones, f. 2r (cap. 6; ARC II 204). Ebd., f. 1v (cap. 2; ARC II 203) wird plädiert für die Verhütung von Fehlern bei der Auswahl von Kandidaten für das Priestertum „non vulgari cum detrimento ecclesiae".

[18] Canones, f. 2v (cap. 7; ARC II 204f.).

[19] Canones, f. 2v (cap. 8; ARC II 205).   [20] Canones, f. 3r (cap. 11; ARC II 206).

standzuhalten vermögen[21]. In diesem Sinn soll auch die Ansprache des Weihbischofs am Vorabend der Weihe die Ordinanden zur Ganzhingabe an Gott ermahnen[22].

Welche Ansprüche an die Inhaber des geistlichen Amtes zu stellen sind, verdeutlicht Gropper an anderer Stelle durch den Hinweis auf die Ältestenspiegel der Pastoralbriefe (1 Tim 3,2—13; 5,17—25, Tit 1,5—9)[23]. Von ungebrochener Hochachtung für das Priestertum[24] und die „sacerdotalis dignitas"[25] bestimmt, empfiehlt er eindringlich die Lektüre von Ambrosius[26] und Chrysostomus[27]; wer sein Urteil unter Benutzung dieser Quellen bilde, werde allen, die die priesterliche Würde herabsetzen, kritischer gegenübertreten[28]. Chrysostomus[29] zeige, wie offenkundig unsinnig es sei, das geistliche Amt zu verachten, ohne welches es für die Menschen keinen Anteil an den ewigen Heilsgütern geben könne[30].

Einen Niederschlag der hohen Auffassung vom geistlichen Amt, die in der alten Kirche herrschte, scheint Gropper[31] auch in dem

---

[21] Canones, f. 4v (cap. 22; ARC II 209f.). Dieser Passus gehört zur ersten Korrekturschicht.

[22] Canones, f. 5r (cap. 26; ARC II 210).

[23] Enchiridion, f. 197v: „Quales etiam in episcopos ac sacerdotes eligi ac constitui oporteat, Paulus ad Timotheum scribens ostendit (Illic enim episcopi appellatione etiam presbyter continetur.)."

[24] Im Anschluß an die Beschreibung des Ordinationsritus, wie er bei der Priesterweihe verwendet wird, äußert Gropper (Enchiridion, f. 197v): „Hoc ministeriorum ordine, quem ecclesia (divina profecto dispositione) recepit, nihil pulchrius, nihil speciosius, nihil utilius aut necessarium magis."

[25] Enchiridion, f. 199v.

[26] Gemeint ist das nicht von Ambrosius stammende Werk „Liber de dignitate sacerdotali". Näheres s. o. S. 157, Anm. 94.

[27] Gemeint ist die von Gropper häufig zitierte Schrift „De sacerdotio"; sie würdigt in sechs Büchern unter verschiedenen Aspekten die Aufgaben des priesterlichen Amtes (MG 48, 623—692).

[28] Enchiridion, f. 199v.

[29] Chrysostomus, De Sacerdotio III 5 (MG 48, 643): „... insania namque manifesta est, tantum principatum despicere, sine quo neque salutem neque promissa bona consequi possumus. Nam si non potest quis intrare in regnum caelorum, nisi per aquam et spiritum regeneratus fuerit, et qui non manducat carnem Domini nec bibit eius sanguinem, aeterna vita privatur, haec autem omnia non aliter quam per sanctas illas manus, sacerdotum nempe, perficiuntur; quis sine illarum opera aut gehennae ignem effugere aut repositas assequi coronas poterit?" Vgl. Joh 3,5 u. 6,54.

[30] Enchiridion, f. 155v: „Postea eodem libro [Chrysostomus] praestantiam sacerdotalem ex loco Johannis vigesimo: Quorumcunque remiseritis peccata etc. in coelum vehens insaniam esse manifestariam dicit, despicere tantum principatum, sine quo neque salutis neque promissorum bonorum compotes fieri possumus, quod neque baptismus neque caro et sanguis Domini aliter quam per sanctas sacerdotum manus perficiantur neque sacerdotes solum nos regenerent, sed postmodum etiam condonandorum nobis peccatorum facultatem obtineant."

[31] Enchiridion, f. 179r.

Umstand zu sehen, daß einst Gläubige, die sich dem öffentlichen Bußverfahren einmal hatten unterziehen müssen, nicht zum Klerus zugelassen wurden, selbst wenn sie sich nach ihrer Zurechtweisung gebessert hatten. Nur wenn Notwendigkeit und Bedarf es verlangten, wurden sie allenfalls für das Ostiariat oder Lektorat vorgesehen; die öffentliche Buße hatte nämlich einen in bestimmter Hinsicht schlechten Ruf zur Folge, welcher nach dem Empfinden der alten Kirche dem Erfordernis widersprach, daß diejenigen, die zur Aufnahme in den Klerus anstanden, insbesondere für den Episkopat, das Priestertum und das Diakonenamt, untadelig sein mußten — auch in Bezug auf ihr vorhergehendes Leben[32]. Außerdem konnten sich Priester und Diakone in der alten Kirche erst nach voraufgehender Amtsenthebung der öffentlichen Buße unterziehen; damit wollte man erreichen, daß eine so hohe Stellung wie das Priester- oder Diakonenamt nicht durch die Schlechtigkeit weniger in Mißkredit gebracht wurde[33]. In der alten Kirche erfreute sich das Priestertum allgemeiner und unangetasteter Wertschätzung. Nur von der Rückkehr zum Vorbild der alten Kirche, zu ihrer reinen und geordneten Lebensweise ist die Beilegung der Verderbnisse und Mißhelligkeiten zu erwarten, die die Kirche der Gegenwart erschüttern. In ihr scheinen Häresien und Schismen die Oberhand über den Glauben zu gewinnen, und eine stürmische Verwilderung in Ethik und Moral läuft einher[34]. Dieser Entwicklung ist die Kirche ausgeliefert wie ein Schifflein, das hin- und hergeworfen wird und auf den Wellen tanzt[35]. Der notvollen Situation wird sie nur entgehen können durch Rückkehr zum leuchtenden Ideal der Urkirche, in der man sich noch an die Weisungen des Evangeliums und der Apostel und an die Regeln der heiligen Väter gehalten hat. In der alten Kirche herrschte eine Stille, die Blüten trieb und Früchte trug; und darauf beruhte das Glück dieser Kirche der frühen Jahrhunderte[36]. Sie brauchte sich nicht wie die Kirche der Gegenwart darum zu sorgen, daß die Würde ihres Priestertums durch das unwürdige Leben vieler Geistlichen ernsthaft in Frage gestellt wurde.

[32] Concilium Carthaginense IV (398), c. 68 (Mansi 3, 956); Statuta Ecclesiae antiqua, c. 84 (Ch. Munier, Les Statuta Ecclesiae antiqua, 93f.). Concilium Toletanum I (400), c. 2 (Mansi 3, 998f.). D. 50 c. 68 (Friedberg I 202f.).

[33] Enchiridion, f. 179r: „Presbyteris quoque ac diaconibus, ne tantus gradus in ecclesia propter paucorum improbitatem vilesceret, haec publica poenitentia non imponebatur, nisi prius deponerentur." Vgl. D. 50 cc. 65—67 (Friedberg I 202).

[34] Bemerkungen im Vorwort Hermanns von Wied zu den „Canones" vergleichen die Unruhe der Zeit mit dem Sturm auf dem See Genezareth (nicht foliiertes Blatt; Lagennotation: a ij r).

[35] Canones, f. 19v (cap. 1; ARC II 243).

[36] Ebd.: „. . . quam tranquilla, quam florens, quam fructificans, quam denique felix ecclesia fuerit."

Für eine Ursache dieses die Kirche der Gegenwart bedrückenden Problems hält Gropper den Umstand, daß viele Kleriker die „dignitas sacerdotalis" als eine äußere Würde betrachten[37], die Ansehen verschaffen kann und aufgrund vermögensrechtlicher Privilegien lukrativ ist; der innere, an den einzelnen appellierende Aspekt der Würde des Priestertums bleibt in der Amtsauffassung vieler Priester ausgeklammert. Gropper schließt die Berechtigung einer in dieser Weise verengten Perspektive aus. Er sagt ausdrücklich, daß die Weihekandidaten das Priestertum als öffentliches, Pflichten mitbringendes Amt betrachten sollen, das ihnen die Stellvertretung Christi in der Kirche aufträgt. In diesem Sinn ist das Wort des Paulus an Timotheus gesagt: „Wenn einer nach dem Bischofsamt strebt, begehrt er ein gutes Werk" (1 Tim 3,1). So müssen sich die Weihekandidaten bemühen, Christus nachzuahmen, in dessen Gesandtschaft sie ihres Amtes walten[38]. Schon wenn sie zum Weihealtar treten und vom Bischof ordiniert werden, sollen sie glauben, sie würden von Christus selbst gesandt, „idque cum multa et insigni potestate ac virtute nimirum divina et ea, qua Christus missus est"[39]. Um diese Aussage zu belegen, werden von Gropper mehrere Herrenworte (Joh 20,21; Mt 10,40; Lk 10,16) angeführt. All jene, die diesen Worten zum Trotz mit einer unlauteren Absicht die Weihen empfangen, etwa um der Ehre vor den Menschen willen oder um aus Mitteln des Kirchenschatzes ein feines Leben zu führen, sind nach dem Wort der Schrift nicht gesandt; sie treten in eigenem Namen auf; die Schrift nennt sie Wölfe, Diebe und Räuber, die nicht durch die enge Pforte (Mt 7,13) eintreten, sondern von anderswoher kommen und größtes Verderben stiften, wofür sie eines sicheren Tages überaus harte Strafen treffen werden[40]. In fahrlässiger Weise verspielen sie Größe und Würde des Amtes, in das sie als Fremde eingedrungen sind, und bringen dadurch auch das Werk der Berufenen in Mißkredit. Gropper hat bei solchen Bemerkungen offenkundig konkrete Erfahrungen mit Geistlichen seiner

---

[37] Canones, f. 10r (cap. 23; ARC II 222): „Quare meminerimus potius officij nostri quam dignitatis. Neque enim ad dominationem vocati sumus, sed ad opus."

[38] Enchiridion, f. 199v: „Qui sacerdotio initiandus est, non alio affectu accedere debet quam ad submittendos humeros non dignitati, sed magis publico muneri vice Christi in ecclesia gerendo, in quam sententiam dixit Apostolus: Qui episcopatum desiderat, bonum opus desiderat. Cogitare secum debet, ut imitator Christi sit, cuius legatione fungetur." Vgl. 1 Tim 3,1.

[39] Enchiridion, f. 199v.

[40] Ebd.: „... qui alio affectu sacros ordines ambiunt, nempe vel ut caeteros honore praeeant vel ut de ecclesiae thesauro laute vivant ac ventri indulgeant, hos scriptura non mitti, sed suo nomine venire dicit, ac lupos, fures et latronas appellat, qui non intrant per ostium, sed aliunde ascendunt, maximi criminis rei, quod ingens ultio tandem certo certius subsequetur."

Zeit und seines Landes im Auge. Er weiß sich nicht anders zu helfen als mit einladenden Beschreibungen der hoheitlichen Würde des priesterlichen Amtes[41] und des daraus ableitbaren intensiven persönlichen Anspruchs an den Amtsträger sowie einer Mahnung zur Rechenschaft, die der Priester Gott und der Kirche für sein Tun schuldig ist.

Faßt man die wesentlichsten, aus den „Canones" unter Hinzuziehung des „Enchiridion" gesammelten Aspekte eines Gesamtverständnisses des geistlichen Amtes zusammen, so ergibt sich eine Ortung des Priestertums inmitten der von Gott zu den Menschen gestifteten Heilsbeziehung. Von Gott beansprucht, der ja ihr Erbteil ist, sind die Priester unter die Menschen gesandt, denen sie Gottes Heil verkünden, um deren Heil sie sich sorgen sollen. Diese hohe Auffassung vom priesterlichen Amt kann Gropper nicht ohne kritische Auseinandersetzung mit den bekannten Mißständen im zeitgenössischen Klerus vertreten. So mobilisiert er gegen die amtsträgen Geistlichen und gegen die Vertreter der neuen Lehre das Arsenal der Evangelien und der neutestamentlichen Briefliteratur gegen Irrlehrer und Pseudopropheten; mit diesem eher negativen Vorgehen läßt er es aber nicht bewenden. Durch den Begriff der „dignitas sacerdotalis" gewinnt seine Auffassung des geistlichen Amtes einladende, aber mehr noch unbeugsam strenge Züge; die „dignitas sacerdotalis" ist offen, unabgeschlossen; der Priester besitzt sie mit der Weihe nicht ein für allemal, sondern er muß sie sich immer neu erringen. Fingerzeige dafür mag er den Ältestenspiegeln in den Briefen an Timotheus und Titus entnehmen, ebenso den Schriften der Kirchenväter, welche die ihrerseits vorbildliche Lebensweise der alten Kirche und ihrer Priester beeinflußt und geprägt haben. Ein Mißverständnis der priesterlichen Würde durch das Eindringen äußerlicher Vorstellungen schließt Gropper betont aus; auch verfolgt seine Lehre von der „dignitas sacerdotalis" kaum das Ziel, eine innere Sakralisierung der Amtsträger zu erreichen, was man schon eher aus Schriften von Josse Clichtove herauslesen kann[42]. Der skizzierte Entwurf eines Gesamtverständnisses des geist-

---

[41] Diese spiegelt sich etwa auch im Verhältnis des Priesters zur weltlichen Obrigkeit (Enchiridion, f. 290v—291r).

[42] Ausgehend davon, daß dem Priester die außergewöhnliche Gewalt gegeben ist, durch das Wunder der Konsekration Himmel und Erde zu verbinden, beschrieb Clichtove den Priester als einen aus dem christlichen Volk ausgesonderten, zum Gottesdienst bestimmten Menschen, dem die Maxime der persönlichen Heiligung gestellt ist. Deren Bedingung und Zeichen ist der sakrale Vorrang des „sacerdos" vor allen übrigen Gläubigen. Bezeichnend ist, daß Clichtove den Begriff „pastor" meidet. J. Clichtove, De vita et moribus sacerdotum, f. 75v—76r: „Nihil esse in hoc seculo excellentius sacerdotibus, nihil sublimius..., ut nomen congruat actioni, actio respondeat nomini.

lichen Amtes hat in den Jahren nach dem Provinzialkonzil von 1536 im Bereich der Kölner Kirchenprovinz nur geringen Einfluß ausgeübt. Die Ereignisse seit 1542 demonstrierten dann um so dramatischer die Dringlichkeit einer inneren Erneuerung des Klerus im Sinne eines von den frühkirchlichen Ursprüngen her befruchteten Priesterideales.

2. Die Dringlichkeit einer inneren Erneuerung

Groppers Schriften aus den Jahren seit 1546 heben sich von den früheren Arbeiten aus seiner Feder nicht nur durch eine rückhaltlosere Konfrontation mit den Reformatoren ab; sie werden auch durch ein ungeschminkteres Eingeständnis tiefgreifender Mißstände in der Kirche charakterisiert. Ein wichtiger Grund dafür dürfte die Erfahrung Groppers gewesen sein, daß das umfassende, aber bei allem doch milde Reformprogramm von 1536 kaum realisiert wurde, während die viel einschneidendere Reformation des Erzstifts, welche Hermann von Wied unter Beratung von Bucer, Melanchthon und anderen seit 1542 projektierte, eine von Gropper sehr bald als für die Substanz der Kölner katholischen Kirche bedrohlich beurteilte Resonanz und immerhin in Ansätzen eine rasche Umsetzung in die Wirklichkeit fand.

Überraschend in den Schriften Groppers aus diesem späteren Zeitraum ist die Schärfe der Analyse, welcher die als unhaltbar gewerteten Verhältnisse in der Kirche unterzogen werden, und die straffe Programmatik, in die der Kölner Theologe sein Konzept einer Reform der kirchlichen Seelsorgspraxis kleidet. Das Ziel der Reform, die Rückkehr zum Ideal der alten Kirche, erscheint gegenüber früheren Erwägungen unverändert. Zwei Mittel, die der Erreichung dieses Zieles dienen sollen, empfiehlt Gropper unermüdlich: Innerlichen Gesinnungswandel aller Gläubigen, besonders aber der Geistlichen sowie eine strengere innerkirchliche Gesetzgebung samt wachsamer Achtgabe auf deren Einhaltung. In diesem Zusammenhang stellt Gropper stärker als in früheren Schriften die Zuständigkeit und Verantwortlichkeit der Leitung der Gesamtkirche heraus.

Diese beschriebene Eigenart der jüngeren Schriften Groppers trifft schon auf das für Karl V. im Mai 1546 erstellte Reformgut-

---

... Sicut nihil esse diximus sacerdote excellentius, sic nihil est miserabilius, si de sancta vita sacerdos periclitetur. ... Et ut levius est, de plano corruere, sic gravius est, qui de sublimi ceciderit dignitate, qui ruina, quae de alto est, graviori casu colliditur. ... Magna sublimitas magnam debet habere cautelam; honor grandis grandiori debet sollicitudine circumvallari."

achten voll zu. Bereits im einleitenden Satz erklärt Gropper unmißverständlich, daß für ihn die einzige Weise einer wirklichen Erneuerung und dauerhaften Befriedung der Kirche darin liege, daß die
„administratio ecclesiastica ad semitas antiquas et veteris ecclesiae
formam publica authoritate revocetur"[1]. In der bald darauf anschließenden Umschreibung der zu reformierenden „administratio
ecclesiastica" spiegelt sich die erwähnte Tendenz, die Reformvorschläge in einem klar gegliederten Programm zusammenzufassen;
als Bestandteile der „administratio ecclesiastica" zählt Gropper
nämlich „doctrina", „ceremoniae" und „disciplina" auf; von der
Reform sind die Reinheit der Lehre, die geordnete und würdige
Feier des Gottesdienstes, der religiösen Zeremonien und der Sakramente sowie eine strenge Einhaltung der Kirchenzucht anzustreben[2].

Die Einteilung des kirchlichen Heilsdienstes in „doctrina", „ceremoniae" und „disciplina" liegt auch der „Isagoge ad pleniorem
cognitionem universae religionis catholicae" zugrunde; diese „Isagoge" bildet den zweiten Teil der „Institutio catholica" (1550), in
deren erstem Teil das klassische Schema der Katechismus-Literatur
(Glaube, Gebet, Gebote, Sakramente) verwendet wird[3]. „Doctrina",

---

[1] Unica ratio reformationis, f. 122r (H. Lutz, Reformatio Germaniae, 255; ARC
VI 156f.).

[2] Ebd. Heinrich Lutz hat darauf aufmerksam gemacht, daß im Aufbau der Denkschrift Groppers gewisse Parallelen zur Gliederung der „Wittenbergischen
Reformation" (CR 5, 607—643) festzustellen sind. Diese wurde von Melanchthon im Januar 1545 für den Wormser Reichstag verfaßt und außer von ihm
auch von Luther, Bugenhagen, Cruciger und Maior unterzeichnet. Auch in ihr
sind die Überschriften „De vera doctrina" (CR 5, 607), „De legitimo et salutari
usu sacramentorum" (CR 5, 612), „De ministerio evangelico et regimine episcoporum" (CR 5, 627), „De iudiciis ecclesiasticis" (CR 5, 638) und „De scholis"
(CR 5, 640) auszumachen. Die entsprechenden Zwischentitel in der „Unica
ratio reformationis" finden sich f. 122v (H. Lutz, Reformatio Germaniae, 255;
ARC VI 157), f. 127v (259 bzw. 160), f. 140r (270 bzw. 169), f. 147r (276 bzw.
174) u. f. 147v (276 bzw. 174). Allerdings bleiben die inhaltlichen Berührungspunkte nur oberflächlich; außerdem hat Groppers Gutachten insgesamt vierzehn Zwischentitel, die — wenn überhaupt — auch unter den drei Obertiteln
„doctrina", „sacramenta" und „disciplina" zusammengefaßt werden können.

[3] An dieses klassische Schema halten sich die meisten der von Chr. Moufang
herausgegebenen Katechismen (Katholische Katechismen des sechzehnten Jahrhunderts in deutscher Sprache; Groppers „Capita institutionis" in der deutschen Fassung „Hauptartikell christlicher underrichtung": Ebd., 243—316). In
der „Institutio catholica" tauchen durch die Verwendung der beiden Einteilungsprinzipien nacheinander geringfügige Überschneidungen auf; so wird im
ersten Teil die Sakramentenlehre abgewickelt, doch zwangsläufig manches
davon in der „Isagoge" bei der Beschreibung der Riten, unter denen die
Sakramente gespendet werden, wiederholt. Die Themen Glaube (Symbolum),
Gebet (Paternoster und Ave Maria) und Gebote (Dekalog) ließen sich durchaus unter die Kategorie „Doctrina" einbeziehen, worunter Gropper dann in
der „Isagoge" die Hauptlehren der Bibel („Summa sacrae scripturae") sowie
die Tugend- und Sündenlehre zusammenfaßt.

„ceremoniae" und „disciplina" sind letztlich die drei Bereiche, in denen sich das Leben der Kirche in der Welt, die Auferbauung des Leibes Christi (Eph 4,12), bis an das Ende der Zeit vollzieht — dem Geheiß Christ zur Wortverkündigung, Sakramentenspendung und Gemeindeleitung getreu[4].

Sicherheit und Unverfälschtheit der katholischen Lehre, würdige Feier des Meßopfers, der Sakramente und des gesamten Kultus, schließlich rigorose Durchsetzung der Kirchendisziplin — das schreibt der Kölner Konzilstheologe in seiner großen Predigt am Dreikönigsfest 1552 den Trienter Vätern aufs Panier; darin sieht er die drei Geschenke Gold, Weihrauch und Myrrhe versinnbildet, welche die Konzilsbischöfe, denen er das Beispiel der beschwerlichen Pilgerschaft der drei Magier aus dem Morgenland vorhält, dem Herrn darbringen sollen[5]. Der Ausbreitung häretischer Ideen an Kirchen und Akademien, welcher eine wahre Sintflut reformatorischer Publizistik Vorschub leistet, sollen die Bischöfe — so appelliert Gropper — mutig entgegentreten; das wenig gebildete Volk, namentlich die Jugend, sollen sie dafür gewinnen, an der altüberlieferten Lehre der Kirche festzuhalten. Damit machen sie dem Herrn ein Geschenk so hohen Wertes, wie es in dem von den Magiern überreichten Gold symbolisiert ist[6]. Das Geschenk, das die Konzilsbischöfe anstelle des Weihrauchs der drei Könige ihrem Herrn überreichen sollen, ist für Gropper eine Erneuerung der Feier des Gottesdienstes und der Sakramente aus dem Geist der alten Kirche; so sollen die Väter in Würde das heilige Priestertum des Neuen Bundes fortsetzen und den Dienst an jenem einzigartigen Opfer bewahren, welches der ewige Hohepriester Christus Jesus nach der Ordnung des Melchisedech eingesetzt hat[7]. Und schließlich setzt Gropper der Myrrhe, die die drei Könige mit an die Krippe brachten, die Kirchenzucht gleich; wird sie wieder streng eingehalten, werden die Jurisdiktionsgewalt des Papstes und die der Bischöfe wieder respektiert, wird endlich von scharfen Disziplinarmaßnahmen wieder Gebrauch gemacht, dann kann der Niedergang der Kirche ein Ende nehmen und eine durchgreifende Besserung der Verhältnisse eintreten[8].

Bei der Analyse der Gegenwartssituation der Kirche fällt das Eingeständnis Groppers unmißverständlich klar aus, daß der Ver-

---

[4] Institutio catholica, p. 332 (R VI v): „In summa [Christum] docuisse, illum sui evangelij ministerium circa tria versari debere, quae sunt: administratio verbi, sacramentorum et disciplinae. Et hoc ministerium mansurum perpetuo, dum stabit orbis, in ecclesia ad eius (quae ipsius corpus est) aedificationem."
[5] Oratio, C iiij r.
[6] Oratio, C iiij v — D v.
[7] Oratio, D v — D ij v.   [8] Oratio, D ij v — D iiij r.

fall der Kirche — zumal in Deutschland — die Folge einer geradezu dilettantischen Fahrlässigkeit der Kirchenleitungen ist, welche
Gropper der härtesten Kritik unterzieht, ohne allerdings eine Beseitigung der entscheidenden strukturellen Ursache, der gesellschaftlichen Bindung des Episkopates an das Feudalsystem, zu fordern[9].
Auch vor der Trienter Kirchenversammlung spricht er seine Kritik
am nachlässigen Einsatz des Episkopats und des Klerus für die anvertrauten hohen Aufgaben unverhohlen aus; ja, er scheut sich
nicht, die trostlosen Bilder vom Raub der Bundeslade aus Israel ins
Philisterland, den die Söhne Helis verschuldeten (1 Sam 4,1—11),
und vom Fall Jerusalems in die Hände der ruchlosen Chaldäer, der
durch die unheilbaren Verfehlungen des Volkes und der Priester,
die das Haus des Herrn nach Art der Heiden befleckten, herbei-
geführt wurde (2 Kön 25,1—21; 2 Chr 36,14—21), diese beiden
trostlosen Bilder also in grellen Farben nachzuzeichnen, um so das
ganze Ausmaß des Elends bewußt zu machen, in dem sich die
Kirche der Gegenwart aus eigenem Verschulden befindet[10]. Wer
immer ein Amt in der Kirche bekleidet, sei er Bischof, Priester,
Diakon oder Kleriker anderen Grades, sei er Hirt oder Lehrer,
Propst, Dekan, Kanoniker oder Vikar, Mönch oder Nonne, und sich
dann nicht bemüht, den Anforderungen, die ihm sein Amt stellt, zu
genügen, der begeht eine schwere Unterlassungssünde („peccatum
actuale seu personale operis omissionis")[11]. Warnend zitiert
Gropper den Apostel Paulus: „Sieh auf den Dienst, den du im
Herrn empfangen hast, damit du ihn erfüllst!" (Kol 4,17) und:
„Wehe mir, wenn ich das Evangelium nicht verkündige!" (1 Kor
9,16).

So wird die ganze Dringlichkeit einer Erneuerung der Kirche von
innen her erkennbar. Schließlich muß der Zustand ein Ende nehmen, daß jemand in der Kirche einen Namen oder Titel führt, den

---

[9] Unica ratio reformationis, f. 122r (H. Lutz, Reformatio Germaniae, 255; ARC
VI 157): „... si per ecclesiarum praesides diligenter advigilatum hactenus
fuisset, non laboraret Dei domus praesenti calamitate, qua priora secula vix
parem viderunt, praesertim in Germania. Sed quoniam fuerunt inter praesides,
qui imperitiae suae tenebris oblectati dormire maluerunt quam lucem veritatis
intueri et catholicam asserere disciplinam, iusto nimirum Dei iudicio factum est,
ut in ecclesiam cumulatim proserperent atque irrumperent haeretici."
[10] Oratio, B iiij v: „Quando ab Allophylis istis dura cervice et incircuncisis
cordibus et auribus et Spiritui sancto resistentibus arca Dei ob peccatum
filiorum Heli (cuius oculi caligaverant) grande nimis capta et gloria Domini
ab Israel translata est. Quando Hierosolyma civitas Dei, visio pacis, in Chal-
daeorum (qui a septentrione terram sanctam in meridie sitam respiciunt) impias
manus, proh dolor, ob immedicabiles praevaricationes tum populi tum sacerdotum domum Domini gentium more polluentium ex parte devenit."
[11] Institutio catholica, p. 470f. (c III v — c IIII r).

er dadurch aushöhlt, daß er ihm in seiner Lebens- und Amtsführung gar nicht entspricht[12]. Jeder, der nicht endlich bereit ist, ernst zu machen mit dem, was von ihm gefordert wird, soll sein Amt verlieren und es zugunsten eines würdigeren Kandidaten aufgeben[13]. Nur bei einer möglichst unverzüglichen, tiefgreifenden Rückkehr aller zu jenen Werten, die das Licht der alten Kirche begründeten, wird der weiteren Ausbreitung der Häresie entgegenzuwirken sein[14]. Dieses energische Drängen Groppers auf innere Reform der Kirche hat einen spürbaren Niederschlag auf den zahlreichen Synoden gefunden, die der Kölner Erzbischof Adolf von Schaumburg zwischen der Beendigung des „geharnischten Reichstages" (1548) und der Wiedereröffnung des Trienter Konzils (1551) durchführte. Das für Gropper so typische Pochen auf eine Rückwendung zur früheren Strenge, auf strikte Einhaltung fortgeltender und nur seit langem mißachteter Rechtsnormen, auf unnachsichtige Durchsetzung der Kirchendisziplin kennzeichnet auch die von Adolf von Schaumburg initiierte Reformtätikeit im Kölner Erzbistum[15]. Bereits am 1. Oktober 1548, am Vortag der Eröffnung der ersten von ihm einberufenen Diözesansynode, hatte der Erzbischof ein Mandat an den Klerus seines Sprengels erlassen, worin er zum Gebet für die Reform der Kirche aufforderte; er schilderte im Rückblick auf die vergangenen Jahre den Leidensgang der Kirche durch die innere Spaltung und den darauf folgenden Verlust vieler Gläubigen, gab aber auch bewegt der Hoffnung Ausdruck, daß durch die Tatkraft von Kaiser und Papst nun endlich das Werk der kirchlichen Erneuerung im Dreischritt von Diözesansynoden über Provinzialkonzilien zum Ökumenischen Konzil fruchtbar vorangehen könne[16].

---

[12] Unica ratio reformationis, f. 143r (H. Lutz, Reformatio Germaniae, 273; ARC VI 171): „In summa curandum est, ut nemo in ecclesia nomen inane gerat, sed ut quisque sit, quod dicitur, ut videlicet episcopus toti ecclesiae vigilanter superintendat, presbyteri ecclesiam vita et doctrina aedificent, diaconi, subdiaconi, acoluthi, lectores et ostiarii suis quique ministeriis fungantur."

[13] Unica ratio reformationis, f. 130r/v (H. Lutz, Reformatio Germaniae, 261f.; ARC VI 162f.) u. f. 140r—143v (Ebd., 270—273 bzw. 169—172); Oratio, D iij r.

[14] Unica ratio reformationis, f. 128r (H. Lutz, Reformatio Germaniae, 260; ARC VI 161): „ . . . hac sola ratione haereticorum fumi facillime evanescent, si lux veteris apostolicae et catholicae traditionis in ecclesiam redeat publica authoritate expolita et comprobata."

[15] Vgl. die Gedankenführung im Vorspann des am 15. März 1549 auf dem Kölner Provinzialkonzil verlesenen „Consilium delectorum" (Paris, Bibliothèque Nationale, Manuscrit du Fonds latin, No. 10160, f. 321r/v) und in der Vorrede des Erzbischofs Adolf zum Druck der Konzilsdekrete: Decreta Concilij, f. IX[V]v (B v); J. Hartzheim, Concilia Germaniae VI 534.

[16] Veröffentlicht im Anhang der Akten der Kölner Diözesansynode vom Herbst 1548 (Acta Synodi, C ij r — C iij r).

Erneuerung der Kirche von innen bedeutet für Johannes Gropper vorab eine Erneuerung des geistlichen Standes; sollte es gelingen, den Klerus zu reformieren und zu einer ernsten, würdigen Wahrnehmung seiner Pflichten zu bewegen, dann wird auch das Volk wieder für ein gläubiges Leben nach den Lehren der Kirche zu gewinnen sein[17]. Der Klerus nimmt also eine Schlüsselposition in der Kirche ein; deshalb ist alles daranzusetzen, daß die Priester ihren Dienst künftig lauter und ehrfürchtig ausüben; Gropper scheut jetzt durchaus nicht mehr davor zurück, Erwartungen zu formulieren, in denen eine gewisse Neigung spürbar ist, die Person des Priesters zu sakralisieren[18]. Besonders bei der Auswahl des Priesternachwuchses sind in Zukunft strenge Kriterien anzulegen, die sicherstellen, daß

[17] Unica ratio reformationis, f. 140v (H. Lutz, Reformatio Germaniae, 271; ARC VI 170): „Profecto nulla res perniciem adfert ecclesiis certiorem, quam ubi indignis quibuslibet et longe extra sacerdotale meritum constitutis pastorale fastigium et gubernatio ecclesiae creditur. Non enim est hoc consulere populo, sed nocere, nec praestare regimen, sed augere discrimen. Nam integritas praesidentium salus est subditorum. Et ubi est incolumitas obedientiae, ibi sana est forma doctrinae." Vgl. ebd., f. 141r (H. Lutz, Reformatio Germaniae, 271; ARC VI 170): „O quis det hanc optabilem reformationem in capitibus? A quibus sane reformationem ordiri est necesse, nam qui fieri potest, ut consulatur corpori, si languor non fuerit curatus in capite? Et frustra fuerit de disciplina multa meditari, nisi sint idonei episcopi, qui eam diligenter observent et observari procurent et qui ad curam aliorum positi in se ipsis ostendant, qualiter alios in domo Dei oporteat conservari."

[18] Unica ratio reformationis, f. 130r (H. Lutz, Reformatio Germaniae, 261f.; ARC VI 162): „Magnam sustulerit concilium materiam blasphemandi sacrosanctam missam, si providerit, ut sacerdotes habeamus puriores et meliores, quam quidem nunc reperiuntur, qui religiosius divina mysteria, quam ab aliquibus fit, operentur. Et praesertim ut curet, ne posthac missa (quae est omnium sacrorum actio sanctissima) sordidorum et indoctorum sacerdotum quaestus fit et hominum male viventium fiducia." Im Vergleich etwa mit Friedrich Nausea erscheinen Groppers Bemerkungen freilich nicht sehr zurückhaltend gegenüber einer sakralisierenden Bewertung der Person des Priesters. Nausea schreibt (De clericis in ecclesia ordinandis, f. 31r/v): „Haec nimirum tam est admiranda et eximia sacerdotis excellentia, tam insignis, inquam, praerogativa, ut eam stupeat coelum, miretur terra, vereatur homo, horreat infernus, contremiscat diabolus, veneretur perquam plurimum angelus. Nec mirum quidem, quando ad sacerdotij dignitatem et authoritatem, id est ad hanc unicam consecrandi potestatem, angelus ipse ... adspirare non audeat. Nam cui unquam angelorum aliquando dixit Deus: Hoc facite in meam commemorationem? Nullus profecto est. ... Hinc est, quod ob hanc stupendam sacerdotij dignitatem scriptura sacerdotes non vana nec vulgari, sed multiplici et singulari nomenclatura adpellet, ut quos modo vocet angelos, modo prophetas, modo deos." Vgl. Mal 2, 7; Ps 105/104, 15; Ex 22, 8. An dieser Stelle ist auch ein Hinweis auf die viel zitierte Stelle im „Catechismus Romanus" fällig, die dort die Ausführungen über das Weihesakrament einleitet; Catechismus Romanus II 7, 2 (259): „... ipsius Dei personam in terris gerunt; perspicuum est, eam esse illorum functionem, qua nulla maior excogitari possit;

von unten her ein Klerus nachwächst, der sich kompromißlos dem Idealbild des Priestertums verpflichtet weiß und auf diese Weise zur Regeneration des geistlichen Standes beiträgt[19]; somit bemißt Gropper die Bedeutung der Jugend für die Zukunft der Kirche sehr hoch: „tenera iuventus, quae ecclesiae seminarium est. ."[20]. Dabei geht es gar nicht einmal so sehr darum, neue Richtlinien für die Auswahl der Weihekandidaten zu erarbeiten; es genügt im Grunde der Wunsch, daß die Ordinanden solche Personen sind, wie es in den Formulierungen der altüberlieferten Weiheliturgie, nach der die Ordination erteilt werden soll, vorausgesetzt wird[21]. Weil das zuletzt keineswegs mehr der Fall war, ist die Misere der Gegenwartssituation heraufbeschworen worden. Sie kann nur ein Ende nehmen, wenn endlich die alten Bestimmungen über die Zulassung zum geistlichen Amt im vollen Umfang wieder beachtet werden[22].

Ausführlich beschreibt und bekräftigt Gropper das Idealbild des Bischofs und Presbyters, welches der Apostel Paulus im ersten Timotheusbrief (3,2—7) zeichnet. Seinem Stand als Hausverwalter Gottes entsprechend, soll der Geistliche von untadeliger Lebensführung sein und einen guten Ruf auch bei denen haben, die draußen sind. Niemand soll ihn eines Vergehens beschuldigen oder anklagen können; er soll wissen, daß er „non ad opes, sed in opus"

---

quare merito non solum angeli, sed dii etiam, quod Dei immortalis vim et numen apud nos teneant, appellantur." Vgl. Hieronymus, Comment. in Matthaeum III 16, 15 (CChrlat 77, 140): „. . . apostoli nequaquam homines, sed dii appellentur."

[19] Unica ratio reformationis, f. 140r (H. Lutz, Reformatio Germaniae, 270; ARC VI 169): „. . . potissima reformationis pars pendet ab electione, examine et ordinatione ministrorum."

[20] Unica ratio reformationis, f. 123v (H. Lutz, Reformatio Germaniae, 256; ARC VI 158).

[21] Unica ratio reformationis, f. 134r (H. Lutz, Reformatio Germaniae, 265; ARC VI 165).

[22] Unica ratio reformationis, f. 141r (H. Lutz, Reformatio Germaniae, 271; ARC VI 170) heißt es, „ad episcopale et pastorale munus" sollten nur zugelassen werden, „quorum omnis aetas a puerilibus exordiis usque ad perfectiores annos per disciplinae stipendia ecclesiasticae cucurrisset et quibus testimonium vita prior irreprehensibilis preberet et qui rite sint a clericis electi et ab omnibus expetiti et legitime examinati, confirmati, ordinati et consecrati." Ähnlich wird für den Nachwuchs an Vorstehern in Kathedral- und Kollegiatsstiften bestimmt (Ebd., f. 141r/v; H. Lutz, Reformatio Germaniae, 271; ARC VI 170): „. . . optandum, ut cathedralibus et collegiatis ecclesiis aliorum iuniorum praelatorum libera electio permittatur, sic tamen, ut obstringantur et adiurentur, eos solos eligere, quos noverunt aetatis maturitate, morum gravitate et literarum scientia pollere et qui in ordinibus sacris constituti et in divinis officiis prius exercitati velint et possint officiis, quibus praeficiuntur, diligenter incumbere et praeesse." Ähnlich: Institutio catholica, p. 682 (q VI v).

berufen ist. Keusch und zölibatär[23] soll er leben; wachsam, weise und geachtet soll er sein, nicht hart oder stolz, nicht zornig, streitsüchtig oder geldgierig, vielmehr bescheiden und gerecht, um das Gute bemüht, freigebig zu den Armen, der Ausgeglichenheit und Frömmigkeit zugetan. Durch die Lauterkeit seines Glaubens und seiner Lebensführung kann er als anziehendes Beispiel wirken. An der „doctrina sana", der gesunden Lehre, soll er festhalten und für sie alle zurückzugewinnen suchen, die ihr widersprechen; so soll er schließlich in allem ein Beispiel guter Werke geben[24].

Ebenso trägt Gropper die Erfordernisse für das Amt der Diakone vor, welche Paulus 1 Tim 3,8.9 aufstellt[25]. Dieses aus der Bibel gewonnene Bild ergänzt der Kölner Theologe um den Hinweis, daß in der alten Kirche niemand zum Klerikat zugelassen wurde, der sich einmal der „poenitentia publica" hatte unterziehen müssen, weil man darin ein dem Erfordernis der Untadeligkeit widerstreitendes, untilgbares Mal erblickte[26]. Soll dieses Idealbild des geistlichen Amtes in der Kirche wieder gelebte Wirklichkeit werden, so müssen namentlich die der Ordination voraufgehenden Prüfungen, für die schon der Apostel Paulus (1 Tim 3,10 u. 5,22; Tit 1,5) plädiert, zu einer strengen Kontrolle verschärft werden, die zuverlässigen Aufschluß über die Qualifikation der Kandidaten gewährt[27].

Tatsächlich unternahm man im Erzbistum Köln in diesen Jahren lebhafte Anstrengungen, die Prüfungsverfahren, denen sich die Weihekandidaten unterziehen mußten, durchgreifend zu reformieren. Dabei konnte man sich auf die kaiserliche „Formula Reformationis" berufen, die eine sorgfältige Erforschung „de fide, de mori-

---

[23] Für die Zölibatsverpflichtung in der alten Kirche wird verwiesen auf: Constitutiones apostolorum VIII 47,5. 17—19 u. 26 (Fr. X. Funk, Didascalia et Constitutiones apostolorum I 564—570).

[24] Unica ratio reformationis, f. 142r/v (H. Lutz, Reformatio Germaniae, 272; ARC VI 170f.).

[25] Unica ratio reformationis, f. 142v (H. Lutz, Reformatio Germaniae, 272; ARC VI 171).

[26] Institutio catholica, p. 861 (Dd VIII r): „Post publicam poenitentiam peractam nemo olim ad clericatum admittebatur; nam oportet, clericos irreprehensibiles esse sine crimine et habere testimonium bonum etiam ab his, qui foris sunt. Quod si qui forsan ex his, qui poenitentiam publicam egissent, reperti fuissent in clerum irrepsisse, depellebantur." Gropper schildert auch ausführlich, daß Geistliche in der alten Kirche dem öffentlichen Bußverfahren nicht unterzogen wurden; damit wollte man verhindern, daß durch das Versagen einzelner Priester die Ehre des gesamten Standes in Mitleidenschaft gezogen wurde; statt dessen wurden Kleriker, die sich schwer verfehlt hatten, mit der „secessio secreta" belegt. Institutio catholica, p. 862 (Dd VIII v) — 870 (Ee IIII v).

[27] Unica ratio reformationis, f. 140v (H. Lutz, Reformatio Germaniae, 270; ARC VI 169); Institutio catholica, p. 742 (u IIII v).

bus, de scientia, et aetate ordines petentis" angeregt hatte[28]. Das am 15. März 1549 auf dem Provinzialkonzil zu Köln vorgelegte „Consilium delectorum" nahm sich unter seinen „quinque media reformationis" an zweiter Stelle dieser Sache an und schlug vor, Prüfungen durchzuführen sowohl für die Weihekandidaten wie auch für alle, die „prelaturas vel regimen ecclesiarum assumuntur"[29]. In den Prüfungen der Weihekandidaten soll demnach vorab die Glaubenshaltung der Betreffenden geklärt werden; sodann sollen die Beweggründe aufgedeckt werden, mit denen die Kandidaten auf ihre Weihe zugehen; es soll kontrolliert werden, ob die Kandidaten über das zur Ausübung ihres künftigen Dienstes erforderliche Wissen in wenigstens ausreichendem Maße verfügen; auch die sittliche Qualifikation für das hohe Amt gilt es zu erforschen; schließlich ist der Nachweis des kanonischen Alters seitens der Ordinanden zu erbringen[30]. Nur nach Abhaltung dieses Examens, das für die angehenden Subdiakone und Diakone am Mittwoch und die Priester am Donnerstag vor dem Weihetag abzuwickeln ist, und nach voraufgehendem Aufgebot in den Heimatpfarreien, womit eventuelle Weihehindernisse festgestellt werden sollen, ist die Erteilung der heiligen Weihen statthaft[31]. Zuständig für die Abhaltung des Examens ist letztlich der Bischof; häufig hat dieser seine Aufgabe an den Scholaster seiner Kathedralkirche oder an einen anderen Prälaten delegiert, was aber nicht selten zu Lasten der Prüfungsstrenge geschehen ist, namentlich dann, wenn Subdelegation eingetreten ist; darum erinnert das „Consilium delectorum" die Bischöfe nachdrücklich an ihre „ex lege divina" gebotene Pflicht, alle Ordinanden vor der Handauflegung gründlich zu prüfen — entweder persönlich oder durch einen frommen, gelehrten und um die Erneu-

---

[28] Cap. 1; ARC VI 349.

[29] Paris, Bibliothèque Nationale, Manuscrit du Fonds latin, No. 10160, f. 328r; zur Begründung heißt es hier: „... quod quotidie experimur, mortales omnes sequi suum genium et asinum manere asinum, etiamsi leonis exuvium sibi induat."

[30] Paris, Bibliothèque Nationale, Manuscrit du Fonds latin, No. 10160, f. 328v. Vgl. auch: Decreta Concilij, f. Xr (C ij r); J. Hartzheim, Concilia Germaniae VI 540. Die Überprüfung der sittlichen Qualifikation soll durch das Beibringen von Zeugnissen erleichtert werden, in denen die Heimatpfarrer, aber auch andere ehemalige Vorgesetzte oder Männer, in deren Nähe die Kandidaten einen größeren Teil ihres Lebens verbracht haben, diese begutachten sollen: Consilium delectorum (= Ebd.), f. 329r/v. Auch: Decreta Concilij, f. XIr (C iijr); J. Hartzheim, Concilia Germaniae VI 541.

[31] Diese Regelung findet sich in dieser Ausführlichkeit noch nicht im „Consilium delectorum", welches allerdings das Aufgebot in den Heimatpfarreien vorsieht (f. 329r). Ansonsten aber handelt es sich hier um einen Zusatz, der im Verhandlungsverlauf des Konzils gemacht wurde. Vgl. Decreta Concilij, f. Xv u. XIr (C ij v u. C iij r); J. Hartzheim, Concilia Germaniae VI 540f.

erung der Kirche besorgten Geistlichen[32]. Aber nicht allein vor der Erteilung der heiligen Weihen sind Prüfungen vorgesehen, auch vor jeder Institution auf ein kirchliches Amt oder eine Dignität ist ein Eignungsnachweis seitens der entsprechenden Kandidaten zu erbringen; dies gilt insbesondere für alle Ämter, mit denen „cura animarum" verbunden ist. Zweck dieser Examinationen ist, daß die Verleihung kirchlicher Ämter an Unwürdige ausgeschaltet und mithin einem Mißbrauch der Pfründen vorgebeugt, die ordentliche Wahrnehmung der Seelsorgsaufgaben aber gesichert wird. Es gilt, wie das „Consilium delectorum" formuliert, das Fenster zu schließen, durch das immer wieder Unberufene eindringen. Die Kompetenz für die Durchführung dieser Examina fällt in Stellvertretung der Bischöfe den Archidiakonen zu, welche dabei Männer hinzuziehen sollen, die in der Heiligen Schrift, in der Tradition der Kirche und im kanonischen Recht gebildet sind; notfalls sollen die Bischöfe selber in das Verfahren eingreifen; denn es ist für sie von entscheidender Bedeutung, welche Mitarbeiter sie haben „in excolendo agro dominico"[33]. Als Archidiakon von Bonn hat Johannes Gropper diese seine Pflicht anscheinend sehr wichtig genommen; denn er verfaßte 1550 eine Examinationsformel, nach der alle Anwärter auf ein kirchliches Amt im Bonner Archidiakonat geprüft werden sollten, noch ehe eine entsprechende Formel auf der Ebene des Gesamtbistums publiziert und in Kraft gesetzt werden konnte[34].

Allerdings ist der Misere einer mangelhaften Bildung des Klerus nicht allein durch strenge Prüfungen vor Erteilung der Weihen und vor Verleihung der Kirchenämter beizukommen. Es bedarf hier einer weitreichenderen und langfristigeren Perspektive. So gelangt Gropper zwangsläufig dahin, Vorstellungen zu entwickeln, die eine umfangreiche Erneuerung im gesamten Sektor der Ausbildung des

---

[32] Consilium delectorum, f. 328v u. 329r; Decreta Concilij, f. Xr/v (C ij r/v); J. Hartzheim, Concilia Germaniae VI 540.

[33] Consilium delectorum, f. 329v—330v; Decreta Concilij, f. XIr—XIIv (C iij r—C iiij v); J. Hartzheim, Concilia Germaniae VI 541f.

[34] Den Titel dieser Schrift s. o. 82 f., Anm. 74. Die Anregung zur Abfassung einer solchen Formel findet sich im „Consilium delectorum" (f. 330r); sie wurde in die verabschiedeten Konzilsdokumente übernommen: Decreta Concilij, f. XIv—XIIr (C iij v—C iiij r); J. Hartzheim, Concilia Germaniae VI 541f. Während Gropper für das Bonner Archidiakonat seine ausdrücklich als vorläufig bezeichnete „Formula examinandi" Anfang 1550 herausbrachte, kam die Sache in Köln nicht vom Fleck. Die Diözesansynode vom Frühjahr 1550 wiederholte das Begehren, „necessariam esse formulam examinandi instituendos ad curam animarum; eo quod ordinatio et institutio sit ianua, per quam fit ingressus ad ecclesiarum administrationem, qui, si sit corruptus, corrumpit totam oeconomiam ecclesiarum." J. Hartzheim, Concilia Germaniae VI 618. Das Projekt scheiterte schließlich am Widerstand des Domkapitels (H. Foerster, Reformbestrebungen Adolfs III. von Schaumburg, 55).

Klerus projektieren. Er beschränkt sich dabei nicht ausschließlich auf Vorschläge zur Reform der Universitätsstudien, sondern setzt sich auch mit den Möglichkeiten einer Verbesserung der schulischen Bildung auseinander. Die Schule ist jener Ort, an dem der junge Mensch noch die größte Aufnahme- und Empfangsbereitschaft besitzt; alles ist darauf zu verwenden, daß hier in den Jugendlichen eine gute Saat angelegt wird, die später zum Nutzen der gesamten Kirche aufgehen kann[35].

Auf dieser Einsicht aufbauend, trägt Gropper in dem Gutachten für Kaiser Karl V. vom Mai 1546 ein Programm zur Ausbildungsreform vor, das in mancher Hinsicht erheblich konkreter ist als jenes, welches er eine Dekade zuvor den Statuten des Kölner Provinzialkonzils beigegeben hatte[36]. Zunächst fordert Gropper, daß an jeder Metropolitan- und Kathedralkirche eine Theologenschule bestehen soll, an der geeignete, sprachenkundige Professoren die Theologie des Alten und Neuen Testaments öffentlich vortragen sollen ebenso wie alle Lehrinhalte, die für die Seelsorge von Belang sind[37]. Der Lebensunterhalt der Lehrpersonen soll durch Pfründeneinkünfte bestritten werden. Sodann verlangt Gropper, daß endlich einer alten Bestimmung des kanonischen Rechtes[38] genüge getan wird und insbesondere die jüngeren Kleriker der Kathedralkirchen zum Besuch dieser Schulen angehalten werden; ebenso sollen die Prälaten der Kollegiatkirchen Kleriker aus den Reihen ihrer Stiftsgeistlichkeit zum Besuch derselben Schulen schicken, „ut cum docti fuerint, in Dei ecclesia velut splendor fulgeant firmamenti"[39]; während der gesamten fünf Jahre, in denen diese Kleriker ihren Studien obliegen, sollen ihnen die Einkünfte ihrer Pfründen zur wirtschaftlichen Absicherung vollständig zur Verfügung stehen. Auch in den Klöstern soll für die allgemeine und für die theologische Bildung der Mönche durch zwei Professoren gesorgt werden. Auf diese Weise, so hofft Gropper, kann binnen eines nicht zu langen Zeitraumes eine stattliche Anzahl von Doktoren in den Reihen der Kirche heranwachsen.

[35] Unica ratio reformationis, f. 147v (H. Lutz, Reformatio Germaniae, 276f.; ARC VI 174f.): „Cum scholae sint seminarium ordinis clericalis et ecclesiae, sine quibus nec episcopi et qui illis proximi sunt praelati nec pastores nec alii clerici vel monachi ad officia et ministeria ecclesiastica obeunda idonei haberi ullo modo possunt, praecipua cura esse debet, ut academiae (quae universitates vocantur) aliaeque scholae et pedagogia instaurentur et conserventur."
[36] Canones, f. 41v—42v (cap. 1—8; ARC II 291—294).
[37] Unica ratio reformationis, f. 147v u. 148r (H. Lutz, Reformatio Germaniae, 277; ARC VI 175).
[38] X. 5, 5, 5 (Friedberg II 770f.).
[39] Unica ratio reformationis, f. 148r (H. Lutz, Reformatio Germaniae, 277; ARC VI 175).

Im Bereich der Grundschulbildung liegt nach Groppers Urteil ebenso manches im Argen. Wenigstens soll an jeder Kollegiatkirche eine Schule (ein Pädagogium) bestehen. Ein geeigneter Lehrer soll die Jugend in der Grammatik, Dialektik und Rhetorik unterrichten und sie zur Frömmigkeit anleiten. Unterrichtsgrundlage sollen keinesfalls die häretischen Katechismen sein, sondern ein katholisches Lehrbuch, möglichst eines, das vom bevorstehenden Konzil autorisiert wird[40]. Für einen ausreichenden Verdienst des Lehrers hat der Schulträger zu sorgen.

Zum Schluß seines Gutachtens für den Kaiser erteilt Johannes Gropper noch einen wichtigen Rat. Demzufolge sollen die Theologieprofessoren an den Universitäten und an den Theologenschulen der Kathedralkirchen zweimal im Jahr Listen aufstellen, worin sie Personen aufführen, die sie für befähigt halten, eine Pfarrei zu leiten. Diese Listen sollen sie den bischöflichen Synoden zukommen lassen, welche ihre Veröffentlichung in der Diözese veranlassen. Alle, die am Rechtsvorgang der Neubesetzung eines erledigten Benefiziums beteiligt sind, können die Listen dann als Orientierungshilfe benutzen, wenn es gilt, einen möglichst qualifizierten Kandidaten zu finden[41].

Noch ideenreicher als Groppers Gutachten für Karl V. befaßt sich mit den Fragen der Ausbildungsreform das auf dem Provinzialkonzil zu Köln am 15. März 1549 verlesene „Consilium delectorum"; die Studienreform wird hierin als „medium primum" einer Erneuerung der Kirche bezeichnet und entsprechend gründlich behandelt. In allen Sektoren des kirchlichen Lebens bedarf es einer gediegenen Ausbildung, sofern man der verheerenden Unordnung entgehen will, die der Prophet Jesaja gegeißelt hat (Jes 56,10—12)[42].

---

[40] Unica ratio reformationis, f. 123r/v u. 148r/v (H. Lutz, Reformatio Germaniae, 257 u. 277; ARC VI 158 u. 175).

[41] Unica ratio reformationis, f. 148v—149r (H. Lutz, Reformatio Germaniae, 277f.; ARC VI 175). Vgl. Concilium Basiliense, sessio XXXI (24. Januar 1438), Decretum II de collationibus beneficiorum, Absatz: Sequuntur qualificationes et ordo in conferendis beneficiis per ordinarios (Mansi 29, 163—165). Auch: Groppers ähnlich lautende Anregung in den Statuten von 1536 (Canones, f. 42r; cap. 6; ARC II 293).

[42] Paris, Bibliothèque Nationale, Manuscrit du Fonds latin, No. 10160, f. 321v u. 322r: „Primum itaque ad perpetuam reformationis executionem parandam, cumprimis necessariam esse instaurationem scholarum, potest vel hinc evidenter constare, quod, quicquid fere exigit reformatio illa, nemo melius quam scripturarum sacrarum, religionis orthodoxe canonum et munerum ecclesiasticorum peritus prestiterit atque exequatur; sive enim regere ecclesias et edificare populum oporteat sive docere misteria scripturarum sive sacramenta conficere et administrare sive examinare et ordinare ecclesie ministros sive visitare dioeceses aut synodos celebrare, quid hic prestet idiota et rerum istarum imperitus?"

Allerdings, für die katholische Kirche in Deutschland kommt diese
Erkenntnis fast zu spät; in ziemlich düsteren Farben zeichnet das
„Consilium delectorum" ein Porträt des amtierenden Klerus; Mangel an solchen, die von den Einkünften der Kirche leben wollen,
gibt es zwar nicht; wohl aber fehlt es an tüchtigen, gebildeten
Geistlichen, die ihren Dienst mit dem nötigen Ernst ausfüllen[43].
Dies ist eine zwangsläufige Folge jener sträflichen Vernachlässigung, mit der man Fragen der Schulen und Hochschulen seit langem behandelt hat[44]. Die kaiserliche „Formula Reformationis" hat
mit dieser gefährlichen Gewohnheit gebrochen und das Augenmerk
aller auf die überfällige Reform der Schulen und Universitäten ge-
lenkt[45]. Das „Consilium delectorum" pflichtet der Dringlichkeit von
Maßnahmen bei, die einen soliden und ertragreichen Lehrbetrieb
an den Universitäten und theologischen Hochschulen wie auch an
den Grundschulen (Trivialschulen) herbeizuführen trachten[46].

Stätte der theologischen Bildung sind die theologischen Fakultäten der Universitäten und die Theologenschulen an den Kathedralkirchen jener Bischofsstädte, die keine Universität besitzen. Im
„Consilium delectorum" (1549) überwiegt erwartungsgemäß das
Interesse, welches den Belangen der Universität Köln entgegengebracht wird, bei weitem jenes, das sich auf die Domschulen der
Suffraganbistümer richtet. Reichhaltige Bestimmungen werden getroffen, die die wirtschaftliche Basis der Universität und ihrer Angehörigen verbessern und so zur Verstärkung des Wissenschafts-
betriebes beitragen wollen[47]. Groppers Vorschlag von 1546, daß
jüngeren Angehörigen des Stiftsklerus an Kathedral- und Kollegiatkirchen die Absolvierung eines Theologiestudiums entschieden an-

---

[43] Ebd., f. 322v: „... non desunt volentes [ecclesijs sub stipendio servire et bona
earum possidere], sed potentes et idonei, nempe literarum periti, qui ecclesiasticis muneribus perfungi queant."

[44] Ebd.: „Ad executionem igitur nove reformationis peritia et scientia opus est,
que in scholis percipitur potissimum theologorum, quas constat esse propria
quedam seminaria ministrorum et prelatorum ecclesie; quibus florentibus floret
ecclesia doctoribus et ministris; exhaustis et neglectis ecclesia quoque ministris
idoneis destituitur. Neque enim ut olim in die Penthecostes repentino Spiritus
sancti afflatu aut velut fungi solis ardore exciti prodeunt nobis theologi subito,
sed exercitijs longis formantur in scholis." Dieser Passus wurde aus dem
„Consilium delectorum" fast wörtlich in die verabschiedeten Konzilsdokumente
übernommen: Decreta Concilij, f. V[VI]r (B ij r); J. Hartzheim, Concilia Germaniae VI 535.

[45] Cap. 6; ARC VI 358f.

[46] Paris, Bibliothèque Nationale, Manuscrit du Fonds latin, No. 10160, f. 323r:
„Quamobrem si stabilem reformationis executionem meditamur, magna cura
instaurande sunt schole theologice apud universitates, collegia et monasteria
nec he modo, verum etiam triviales ludi, unde non parum malorum per hanc
tempestatem in ecclesiam defluxit, repurgandi videntur."

[47] Ebd., f. 325v—327r.

geraten und ökonomisch ermöglicht werden soll, kehrt — leicht ab-
gewandelt — im „Consilium delectorum" wieder; die jungen Kleriker sollen ihre Studien möglichst an der nächstgelegenen Universität betreiben, damit ihre Vorgesetzten den Fortgang ihres Studiums
und ihrer Vorbereitung auf das geistliche Amt jederzeit überwachen können[48]. Aber auch nach Abschluß der ordentlichen Aus-
bildungszeit sollen die Stiftsgeistlichen die Möglichkeit zur Fortbil-
dung haben; an jeder Stiftskirche soll ein Lektor der theologischen
Wissenschaft bestallt werden, ein Vorschlag, den das „Consilium
delectorum"[49] aus der „Formula Reformationis"[50] übernimmt, der
dann aber im Verlauf der Konzilsverhandlungen auf Einwände der
Lütticher Delegation in der Weise gemildert wurde, daß auch zwei
oder mehrere benachbarte Stifte gemeinsam einen solchen Lektor
anstellen könnten[51]. Eine ähnliche Bestimmung für die Klöster
— Gropper hatte eine solche schon früher angeregt[52] und auch die
„Formula Reformationis" vertrat dieses Anliegen[53] — ist im „Consilium delectorum" nicht aufzufinden; dafür zeigte sich dann die
Diözesansynode von 1550 um das geistige Leben in den Klöstern
besorgt und verlangte von den Äbten die Berufung tüchtiger Lehr-
kräfte zum allgemeinen Nutzen ihrer Konvente[54].

Für den Bereich der Grundschulbildung schlägt das „Consilium
delectorum" vor, die fachliche und persönliche Eignung der Lehrer
stärker als bislang zu überwachen; die Jugend ist ein so kostbares
Gut, daß alle Mühe darauf zu verwenden ist, ihre Unterrichtung
wirklich fähigen und tadellosen Pädagogen anzuvertrauen. Die
Aufsichtspflicht kommt dabei in der Stadt dem Pfarrer zu, in
dessen Pfarrei die Schule liegt; auf dem Land sind die Dechanten
hierfür zuständig. Die Lehrer haben die Aufnahmefähigkeit ihrer
Schüler im Unterricht zu berücksichtigen; Gegenstand des Unter-
richts sind die konventionellen Lehrinhalte (Grammatik, Dialektik,
Rhetorik; außerdem eine religiöse Unterweisung in Grundzügen)[55].

---

[48] Ebd., f. 327r/v.
[49] Ebd., f. 325v u. 327v. Vgl. Concilium Lateranense III (1179), c. 18 (Mansi 22,
227f.); X. 5, 5, 1 (Friedberg II 768f.).
[50] Cap. 6; ARC VI 359.
[51] Decreta Concilij, f. IXv (C v); J. Hartzheim, Concilia Germaniae VI 539:
„... decernimus et statuimus, ut eiuscemodi collegia singula, aut si vicina sint,
invicem duo aut plura simul alant theologum aliquem docentem vel binos,
qui hanc operam inter se partiantur...".
[52] Canones, f. 38v (cap. 5; ARC II 285); Unica ratio reformationis, f. 148v
(H. Lutz, Reformatio Germaniae, 277; ARC VI 175).
[53] Cap. 5; ARC VI 357.
[54] J. Hartzheim, Concilia Germaniae VI 618.
[55] Paris, Bibliothèque Nationale, Manuscrit du Fonds latin, No. 10160, f. 323r—
324v.

Nur katholische, vom Bischof bzw. seinem Beauftragten autorisierte Bücher dürfen im Unterricht benutzt werden; „libri obsceni, suspecti aut contagiosi"[56] sind von der Jugend fernzuhalten[57].

Vieles deutet so darauf, daß Gropper in Fragen der allgemeinen Bildungsreform und der theologischen Studienreform sehr engagiert war; er stand dabei nicht allein, fand vielmehr bei Erzbischof Adolf von Schaumburg und in jenen Kreisen, die das Reformwerk dieser Jahre maßgeblich betrieben, ein lebhaftes Echo. Durch den Hinweis auf zwei andere Initiativen Groppers sei dieser Sachverhalt noch kurz verdeutlicht; für den Juli 1546 sind Verhandlungen Groppers mit dem Dechanten des Stiftes St. Aposteln in Köln, Georg Schotburch, bezeugt, wobei es offenbar um eine Intensivierung der Sprachstudien in Griechisch und Hebräisch, auch um Verbesserungen im Lehrbetrieb der Artistenfakultät ging[58]; während seines Trienter Aufenthaltes war Gropper offensichtlich bestrebt, eine Bestätigung bereits erteilter und eine Verleihung neuer Privilegien für die Kölner Universität seitens der Kurie zu erreichen[59].

[56] Ebd., f. 324v. Die Formulierung ist aus der „Formula Reformationis" übernommen (Cap. 6; ARC VI 359).

[57] Ein ausdrückliches Verbot spricht das „Consilium delectorum" über die Lehrbücher Melanchthons (f. 324v) und über einige Teile der „Colloquia" des Erasmus aus; gegen das Standardwerk der Knabenerziehung aus der Feder des Rotterdamer Humanisten wird eingewendet (f. 325r): „... quedam plane in odium monastici instituti et alia quedam in ceremoniarum ecclesiarum et religionis contemtum consilio non satis prudenti scripta." Diese Begründung bestätigt die Beobachtung von Norbert Elias, daß Kritik an den Kolloquien von katholischer Seite nur wegen der Angriffe auf die Orden und kirchlichen Institutionen geübt wurde, nicht wegen des in Relation zu späteren Zivilisationsphasen recht freien Schamempfindens, welches sich auch in den „Coloquiorum libri quatuor", einer Gegenschrift des Katholiken Johannes Morisotus, spiegelt (N. Elias, Über den Prozeß der Zivlisation I 231—240; A. Bömer, Aus dem Kampf gegen die Colloquia familiaria des Erasmus, 1. 15—17. 32—35 u. 67f.). Die Gesetzgebung des Kölner Provinzialkonzils von 1549 hat das Anliegen, für zuverlässige Schulbücher zu sorgen, in einem eigenen Titel aufgegriffen; Decreta Concilij, f. VIIv—VIIIr (B iij v—B iiij r); J. Hartzheim, Concilia Germaniae VI 537. In seiner Visitationsformel hat sich Gropper Fragen der Schulreform nochmals ausführlich gewidmet und dabei auch einen Katalog von Buchtiteln aufgestellt, deren Benützung im Unterricht zu empfehlen sei; Forma, iuxta quam ..., g iiij v—h ij v u. h iiij r/v; J. Hartzheim, Concilia Germaniae VI 639f. u. 641.

[58] Soweit die Quellen erkennen lassen, förderten Schotburch und Gropper gleichermaßen interessiert die Reform, während sich in den Kapiteln der Kölner Stifte Widerstand regte. Schotburch eröffnete Gropper am 4. Juli 1546 seine Absicht, den Sekundarklerus durch den Dechanten von St. Severin als den „senior decanorum secundari cleri" zu Verhandlungen über die Studienreform am folgenden Tag auf die Dielen von St. Maria ad gradus einberufen zu lassen. H. Keussen, Regesten und Auszüge zur Geschichte der Universität Köln, 446.

[59] Die Universität hatte Gropper, Billick und den aus Gent stammenden und

Auch in seinen letzten Lebensjahren hat Gropper die Fragen der Ausbildungsreform nicht aus dem Auge verloren. Von seinen Bemühungen um die Übertragung des „Gymnasium Tricoronatum" an die Jesuiten war an anderer Stelle bereits die Rede.

All dies läßt die Folgerung zu, daß Gropper in seinem Reformprogramm für die Kirche der Ausbildungs- und Studienreform eine Schlüsselstellung zuwies. Kam diese hauptsächlich der Jugend, namentlich dem Priesternachwuchs, zugute, so zeigte sich Gropper mit anderen Maßnahmen und Vorhaben um eine innere Erneuerung auch des amtierenden Klerus bestrebt. Letztlich ging es ihm sicher darum, durch Reform der Geistlichkeit die ganze Kirche zu erneuern. Auch wenn seine praktische Tätigkeit vorderhand auf das Erzbistum Köln eingeschränkt blieb und hier nur zum Teil Erträge zeitigen konnte, da ihr vielerlei Hemmnisse entgegenstanden, so war doch immerhin die weite Verbreitung seiner Schriften und die daraus resultierende Nachwirkung seiner Gedanken nicht ganz ohne Einfluß auf die Erfolge der nachtridentinischen Reform. Übrigens wählte auch diese den von Gropper beschrittenen Weg, die Reform der Kirche vornehmlich von der Reform des Klerus her anzugehen. Freilich verfügte sie dabei in der offiziellen Gesetzgebung des Konzils über ein weitaus wirksameres und schlagkräftigeres Instrument zur Lösung dieses Problems, als es Gropper in den Jahrzehnten vor dem Abschluß des Concilium Tridentinum zuhanden war.

III. Das Leitbild des priesterlichen Dienstes

Das schriftstellerische Werk Johannes Groppers ist in erheblichem Ausmaß von dem Bemühen bestimmt, ein zukunftsträchtiges und von den elementaren Bedürfnissen der Seelsorge geprägtes Leitbild des priesterlichen Dienstes zu entwerfen. In der Hoffnung auf einen inneren Gesinnungswandel des Klerus entwickelt der Kölner Theologe reichhaltige Vorstellungen über die priesterliche Tätigeit in Verkündigung, Sakramentenspendung und Gemeindeleitung. Demgemäß strukturiert sich der weitere Verlauf der Darstellung. Betrachtungen wechselnden Ausmaßes über den priesterlichen Dienst in den verschiedenen Feldern der Pastoral — entsprechend den Wirkformen der Kirche in Wort, Sakrament und

zur Löwener Delegation gehörigen Alexander Candidus in einem Schreiben vom 14. Dezember 1551 um diese Mühe gebeten. H. Cremans, Zur Geschichte des hebräischen Sprachstudiums an der Cölner Universität im Jahre 1546, 213—216.

Seelsorge— folgen einander und werden abgerundet durch Bemerkungen zu den individuellen Lebensverhältnissen der Geistlichen.

1. Das „ministerium verbi"

Aus Sorge um den Glauben der Christen an das Wort Gottes mißt der Reformator Martin Luther dem „ministerium verbi" eine überragende Bedeutsamkeit zu. Weil der Glaube vom Hören kommt, bedarf er der Verkündigung; andernfalls ist er bedroht. Der von den Predigern zu leistende Dienst der Verkündigung des Wortes Gottes ist nach Luther für Aufbau und Bestand der Kirche von unersetzlicher Notwendigkeit. Darin ist sein hoher Wert begründet; daraus auch ergibt sich, daß der Verkündigungsdienst bestehen wird, solange die Kirche besteht; der Kirche ist aber von Christus verheißen, daß sie nicht untergehen wird. Ihre wichtigste Aufgabe ist die Verkündung des Evangeliums, worin der Mensch sein Verhältnis zu Gott offenbart findet, worin er dem Worte Gottes begegnet, das seinen Glauben einfordert und so seine Erlösung begründet. Darum kann Luther 1519 in seinem Kommentar zum Galaterbrief sagen: „Primum sane et maximum opus in ecclesia est verbi tractatio"[1].

Der Dienst am Wort Gottes, das „ministerium verbi", ist der eigentlichste und wesentlichste Dienst, der in der Kirche verrichtet werden muß[2]. Das Amt in der Kirche ist letztlich nichts anderes als der Dienst am Wort[3]. Diesen zu versehen, sind grundsätzlich alle Gläubigen bevollmächtigt; aber nicht alle dürfen auch als Prediger tätig sein[4]. Wenn der mit dem Amt der Verkündigung Bestellte, der Priester also, seiner Aufgabe nicht nachkommt und die Verkündigung unterläßt, dann ist er gar kein Priester[5]. Verhält es sich sogar so, daß der Priester in der Weihe nur ordiniert wird, das Stundengebet zu halten und Meßopfer darzubringen, ohne zur Predigt berufen zu werden, dann mag er zwar ein Priester des Papstes sein, ein christlicher Priester ist er nicht; denn das würde ja eine Trennung von Priestertum und Predigtamt bedeuten[6]. Für Luther steht aber gerade fest, daß Priestertum und Predigtamt mit-

---

[1] WA 2, 608, 19f.
[2] WA 2, 223, 33—37; WA 12, 180, 17—181, 22.
[3] WA 6, 566, 5f.: „Sacerdotis munus est praedicare, quod nisi fecerit, sic est sacerdos, sicut homo pictus est homo." Auch: WA 12, 173, 2—6.
[4] WA 7, 58, 19—21: „Nam etsi verum est, nos omnes aequaliter sacerdotes esse, non tamen possumus nec, si possemus, debemus omnes publice servire et docere."
[5] WA 6, 564, 15f.: „Ex quibus fit, ut is, qui non praedicat verbum, ad hoc ipsum per Ecclesiam vocatus nequaquam sit sacerdos."
[6] WA 6, 564, 24—28.

einander identisch sein müssen, daß das „ministerium verbi" den Priester und den Bischof ausmacht[7].

Luther verlangt überdies eine lautere Praxis des Verkündigungsdienstes; er bringt kein Verständnis dafür auf, wenn die Verkünder des Wortes Gottes sich selbst nicht an das halten, was sie predigen. So kann er sich sehr kritisch über die Lebensführung vieler Geistlichen äußern, zumal, wenn sie in der Kirche leitende Dienste wahrnehmen[8]. Sie versündigen sich dadurch, daß sie den eigenen Vorteil suchen, ohne Christus zu dienen und Gottes Geheimnisse zu verkünden[9]. Unerträglich werden sie erst recht, wenn sie ihre eigenen Lehren verkünden, dem Wort Gottes jedoch den Rücken kehren. In dieser Notlage der Kirche geht die Verkündigung auf die Laien über, die damit Prediger werden, weil die Priester ihr Amt verwirkt haben[10].

Der spätere, von der Vorstellung einer ständischen Trennung zwischen Priestern und Laien emanzipierte Luther ordnet den Verkündigungsdienst grundsätzlich dem allgemeinen Priestertum zu, auch wenn dessen tatsächliche Ausübung durch einzelne, speziell dazu von Gott und von der Gemeinde Berufene erfolgen soll. „Die Verkündigung, in abstracto die Aufgabe eines jeden, wird damit in concreto die Aufgabe für einzelne, zu diesem Dienst berufene oder erwählte Gläubige. In Luthers Terminologie läßt sich das folgendermaßen formulieren: Die Predigt ist das priesterliche Amt jedes einzelnen, es wird aber von denjenigen ausgeübt, die in das Amt coram hominibus gestellt sind"[11]. Die Predigt ist auch für diesen späteren Luther die wichtigste Aufgabe für den Amtsträger; neben ihr nennt er die Spendung der Sakramente, zurückhaltend auch die Seelsorge, den religiösen und liturgischen Leitungsdienst; ohne Frage aber sind bei Luther die Verkündigung des Wortes und die Kenntnis der Bibel das Metier, das die Amtsträger am meisten prägt[12].

Aus ganz anderen Beweggründen als Martin Luther hat mit Erasmus von Rotterdam ein anderer Zeitgenosse Groppers den Wert der Verkündigung im Leben der Christenheit betont. Mit der Herausgabe des Neuen Testaments und der wichtigsten Werke der

---

[7] WA 6, 566, 9: „Ministerium verbi facit sacerdotem et episcopum."
[8] WA 7, 494, 13—31.
[9] WA 7, 494, 32f.: „... illud est intolerabile, quod non sunt dispensatores mysteriorum Dei."
[10] WA 7, 95, 1—4: „... pertinet et hoc ad perversitatem nostram..., ut clerici veritatem damnemus, quam laici amplectuntur et fiant sacerdotes, qui sacerdotes non sunt, laici, qui laici non sunt."
[11] J. Aarts, Die Lehre Martin Luthers über das Amt in der Kirche, 279.
[12] WA 38, 197, 10f.: „Minister est, qui ponitur in ecclesia ad docendum verbum et porrigenda sacramenta."

der Kirchenväter im Urtext hat Erasmus der kirchlichen Verkündigung wichtige Quellen erschlossen und ihre Erneuerung unbestreitbar gefördert; sein eigenes theologisches Schaffen ist intensiv durch die biblischen und patristischen Schriften befruchtet worden[13].

Erasmus war durchaus bemüht, über die Gelehrten und Fachleute hinaus auch breitere Volksschichten anzusprechen; so versuchte er, in seinen Paraphrasen zu den Evangelien, zur Apostelgeschichte und zur neutestamentlichen Briefliteratur weiten Kreisen der Gläubigen die biblische Botschaft nahezubringen[14]. Vielleicht ist es überspitzt, Erasmus als den „Erneuerer der katechetischen Verkündigung"[15] hinzustellen; aber selbst Erwin Iserloh, der das kirchliche Wirken des großen Humanisten sehr kritisch beurteilt, räumt ein, Erasmus habe „als Pädagoge und Katechet für die innerkirchliche Reform Bedeutung bekommen"[16]. Verdienst daran haben mehrere Schriften[17] aus der letzten Lebensphase des Rotterdamers, besonders der im August 1535 erschienene, vier Bände umfassende „Ecclesiastes, sive Concionator evangelicus"[18].

Der „Ecclesiastes" versteht sich als praktische Hilfe für den Klerus; er will die Priester in ihrer Aufgabe unterstützen, dem christlichen Volk die Lehren des Evangeliums in der Predigt zu vermitteln; in ihm konturiert sich ein von seelsorglich-pastoralen Zügen bestimmtes Priesterbild, das erhebliche geistige, sittliche und spirituelle Ansprüche an die Person des Predigers stellt[19] — um der

[13] H. de Lubac, Exégèse médiévale II/2, 427—453.
[14] R. Padberg, Glaubenstheologie und Glaubensverkündigung bei Erasmus von Rotterdam, 58—75; ders., Reformatio Catholica, 293—305.
[15] R. Padberg, Erasmus als Katechet, 157.
[16] E. Iserloh, Die protestantische Reformation, 156.
[17] Zu nennen wären: „Exomologesis, sive modus confitendi"; „Modus orandi Deum"; vornehmlich aber die „Dilucida et pia explanatio Symboli".
[18] Der „Ecclesiastes" war dem am 22. Juni 1535 enthaupteten Bischof John Fisher gewidmet, was Erasmus im Vorwort damit begründete, daß dieser ihn zu dem Werk angeregt habe: „Is enim potissimum me literis suis ad hoc aboris impulit, significans se in celeberrima schola Cantabrigiensi, cui perpetuus erat tutor — illi cancellarium vocant —, tria instituere collegia, unde prodirent theologi, non tam ad λογομαχίας armati quam ad sobrie praedicandum verbum Dei instructi." Ich zitiere den „Ecclesiastes" weder nach der Leidener Gesamtausgabe (V 768—1100) noch nach der Basler Erstausgabe (s. o. S. 25, Anm. 133), sondern nach der bei Martin Kaiser in Antwerpen noch 1535 erschienenen Auflage (G. W. Panzer, Annales typographici IX 353, Nr. 224d).
[19] Erasmus, Ecclesiastae, p. 6f.: „Quisquis igitur se praeparat huic tam excellenti muneri, multis quidem rebus instructus sit oportet, sacrorum voluminum recondita intelligentia, multa scripturarum exercitatione, varia doctorum lectione, iudicio sano, prudentia non vulgari, syncero fortique animo, praeceptis usuque dicendi et parata linguae copia, qua dicendum est apud multitudinem, aliisque, quae suo loco commemorabimus; mea tamen sententia nihil illi prius

Glaubwürdigkeit und um des Ertrages der Verkündigung willen. Wie ein Gärtner soll der Prediger die Seelen bepflanzen und bewässern; den Heiligen Geist soll er bitten, daß er Wachstum gewähre, und in allem soll er Christus nach Kräften nacheifern; denn dieser ist sein großes und unerreichbares Vorbild[20]. Quelle der Verkündigung hat vor allem die Heilige Schrift zu sein; Erasmus ist in allen Teilen des umfangreichen Werkes bemüht, den Reichtum der Schrift für die praktische Verkündigung aufzuschlüsseln; sein Spätwerk ist nicht für den Wissenschaftler geschrieben, sondern eben für den „Ecclesiastes", „c'est-à-dire au prédicateur"[21].

Gleich Erasmus war auch Gropper von einem tiefgreifenden Einfluß der Verkündigung auf das Leben der Christenheit überzeugt. Das wird sich im folgenden zeigen, wenn zunächst das Doppelwerk von 1538, das Reformprogramm des 1536 abgehaltenen Kölner Provinzialkonzils und das „Enchiridion christianae institutionis", ausgewertet wird. Daneben findet sich bereits in diesen frühen Quellen ein Motiv, das sich in den späteren Schriften Groppers noch stärker in den Vordergrund drängt: Dem Kölner Theologen war nicht verborgen geblieben, daß die Predigt einen erheblichen Beitrag zur raschen Ausbreitung und Popularisierung der reformatorischen Bewegung geleistet hatte; es galt, dem mit vermehrter Anwendung der gleichen Mittel für die eigene Sache entgegenzuwirken. So verwundert es nicht, daß die Statuten des Kölner Provinzialkonzils dem Titel „De disseminatione verbi" ganze 27 Kapitel widmen[22].

---

aut maiore studio curandum est, qui tam excellenti muneri sese praeparat, quam ut cor orationis fontem quam purgatissimum reddat." Ähnlich: p. 41.

[20] Erasmus, Ecclesiastae, p. 6.

[21] H. de Lubac, Exégèse médiévale II/2, 453.

[22] Canones, f. 21r—25r (pars VI; ARC II 246—255). Auch manche Titel im Abschnitt „De scholis" bezwecken eine vertiefte Ernstnahme der Verkündigung; vgl. Canones, f. 42r/v (cap. 3—7; ARC II 292f.). In einer „Formula visitandi Capitulum maioris Ecclesie" von ca. 1537 erscheint die Forderung nach Errichtung einer Pfründe am Kölner Dom „pro theologo viro docto, integro et ad predicandum idoneo. Nam hoc tempore nihil magis videtur necessarium." Paris, Bibliothèque Nationale, Manuscrit du Fonds latin, No. 10160, f. 176v.

Die Kölner Maßnahmen zur Reform des Verkündigungsdienstes übertreffen bei weitem die Anweisungen der französischen Provinzialkonzilien von 1527/1528. In Lyon (1527) beschränkte man sich auf ein Verbot der lutherischen Häresie und führte aus (Mansi 32, 1128): „Praecipimus denique omnibus ecclesiarum parochialium rectoribus seu eorum vicariis, ut in eorum ecclesiis singulis diebus dominicis populo ad divina audienda congregato praemissa attente publicent et declarent et plebes eisdem commissas in doctrina christiana et ecclesiastica institutis instruant et erudiant nec sinant, proprias oves pretioso sanguine Christi redemtas horum perversitate impiorum dogmatum labefactari." In den Statuten des Provinzialkonzils von Bourges (1528) heißt

Einleitend machen sie auf die besondere Wertschätzung aufmerksam, die der Dienst am Wort beim Apostel Paulus erfährt: „Christus hat mich nicht gesandt zu taufen, sondern das Evangelium zu predigen" (1 Kor 1,17). Auch die übrigen Apostel seien dieser Ansicht gewesen und hätten die Verkündigung für wichtiger gehalten als den Dienst an den Tischen (Apg 6,2). Christus selber habe im Aussendungsbefehl zuerst den Auftrag der Verkündigung genannt (Mt 28,19f.). Wie Christus an die Apostel habe Paulus an seinen Schüler Timotheus den Verkündigungsauftrag weitergegeben: „Gib acht auf die Vorlesung, die Ermahnung und die Lehre. Vernachlässige nicht die Gnadengabe, die in dir ist, die dir gegeben wurde durch Prophetie unter Handauflegung des Presbyteriums. Dies bedenke, darin lebe, damit dein Fortschritt für alle offenkundig sei. Behalte dich selbst und die Lehre im Auge, beharre darin; wenn du nämlich das tust, wirst du dich selbst retten und jene, die dich hören" (1 Tim 4,13—16)[23]. Mit denselben beschwörenden Worten soll dem Klerus der Kölner Kirchenprovinz die Verantwortung für Verkündigung und Predigt eingeschärft werden; der Dienst am Wort wird dabei als prophetisches Wächteramt im Sinne des Propheten Ezechiel (Kap. 3; 33; 34) verstanden. Die Gläubigen warten auf den Zuspruch ihrer Priester; da der Mensch Leib und Geist hat, ist er auf zweifache Nahrung angewiesen; er lebt nicht allein vom Brot, sondern von jedem Wort, das aus dem Mund Gottes kommt — (Dtn 8,3; Mt 4,4). Neben dem im eucharistischen Sakrament empfangenen Leib und Blut des Herrn bildet das Wort der Predigt eine geistige Nahrung, die nicht vergeht, sondern zum ewigen Leben führt. Der Dienst der Verkündigung ist so wichtig, weil er für das geistig-seelische Leben vieler zu sorgen hat. Wenn die Priester diesen Dienst vergessen, werden sie von dem harten, anklagenden Wort des Propheten in Klgl 4,4 gerichtet: „Die Kinder verlangten nach Brot, und niemand reichte es ihnen"[24].

Die Prediger sollen sich bemühen, getreue Diener ihres Herrn Jesus Christus zu sein; ihn sollen sie verkünden, als seine Botschafter

---

es (c. 6; Mansi 32, 1142): „Decernit, quod rectores ecclesiarum in sacris celebrandis diebus dominicis praedicent plebi praecepta legis, evangelium, aliquid epistolae illius diei aut quod confert ad cognitionem peccatorum et virtutum." Empfohlen wird das „Opusculum tripertitum de praeceptis decalogi, de confessione et de arte moriendi" von Johannes Gerson (Gesamtausgabe, hrsg. v. L. E. Du Pin, I 425—450).

[23] Canones, f. 21r (cap. 1; ARC II 246).

[24] Canones, f. 21r/v (cap. 2; ARC II 246f.). Dasselbe Wort (Klgl 4, 4) greift das Reformdekret des Trienter Konzils vom 17. Juni 1546 auf, um den Bischöfen ihre Verpflichtung zur Predigt einzuschärfen (CT V 242, 41; vgl. ebd., 123, 34f.).

sollen sie predigen; wie der Herr sollen sie die Schrift stets auf die Liebe hin auslegen[25]. Nach 1 Tim 1,5 ist ja das Ziel des Gebotes die „Liebe aus reinem Herzen, gutem Gewissen und ungeheucheltem Glauben". Augustinus[26] sagt, daß die Gottesliebe und die Nächstenliebe Summe, Ziel und Fülle des Gesetzes und der Schriften sind. Die Liebe aber setzt die Umkehr von der Sünde voraus, wie der Prophet Ezechiel im 18. Kapitel zeigt; noch kürzer sagt das der Aufruf Christi, angesichts der Nähe des Himmelreiches Buße zu tun (Mt 3,2 u. 4,17)[27]. Deshalb muß die Predigt immer auch zur Änderung der inneren Haltung auffordern.

Gropper zeigt sodann auf, daß die Predigt ein Höchstmaß an Sorgfalt, Rücksichtnahme und Diskretion verlangt; die Vielschichtigkeit der Hörer, besonders deren ganz unterschiedliche Neigungen, das verkündigte Wort aufzunehmen, erfordere, so heißt es in den „Canones", die unbedingte Achtsamkeit der Prediger[28]. Ein vollkommener Prediger könne nur werden, wer über Kenntnis der beiden Testamente verfüge, über einen beweglichen, klugen und gewandten Verstand, ferner über eine glaubwürdige und gewinnende Beredsamkeit, aber auch über Sachverstand, Menschenkenntnis, vielseitige Erfahrung und Charakterfestigkeit. Alles aber nütze nichts ohne den Geist, „seid doch nicht ihr es, die reden, sondern es ist der Geist eures Vaters, der in euch redet" (Mt 10,20). Um diesen Geist und alle übrigen Befähigungen, die für den Dienst am Wort vonnöten sind, solle man den Vater bitten.

Eine Entbindung der Pfarrgeistlichen vom Verkündigungsauftrag kann es nicht geben[29]. Pfarrer, die den Dienst am Wort unterlassen, sündigen — wie Gropper im „Enchiridion" äußert — öffentlich gegen das zweite Gebot, da ihnen nicht an der Ehre des Namens Gottes liegt, welche ihnen doch aufgetragen ist; sie suchen das Ihrige und nicht die Sache Jesu Christi[30]. Aktiv versündigen sich gegen das gleiche Gebot alle, die sich ohne rechtmäßige Berufung über den Verkündigungsdienst hermachen und als Häretiker eine andere Lehre vortragen als die der katholischen Kirche[31]. Für

[25] Canones, f. 21v u. 22r (cap. 3—5; ARC II 247f.).
[26] Augustinus, De doctrina christiana I 35 (CChrlat 32, 28f.).
[27] Canones, f. 22r (cap. 6; ARC II 248).
[28] Canones, f. 22r/v (cap. 7; ARC II 248f.).
[29] Canones, f. 22v (cap. 8; ARC II 249). Zitiert wird: Mt 10, 20; Lk 11, 13; 1 Kor 9, 16; Jak 1, 5.
[30] Enchiridion, f. 274r: „Publice vero, non tantum privatim peccant in hoc praeceptum parochi et, qui verbi ministerium gerunt, tam omittendo quam committendo. Omittendo, quum concreditum munus exequi contemnunt, quae sua sunt, non quae Jesu Christi quaerentes, quos vae horrendum manet." Es folgt ein Verweis auf Phil 2, 21 u. 1 Kor 9, 16.
[31] Enchiridion, f. 274r/v: „In committendo..., qui haud legitime missi seu vocati se verbi ministerio temere ingerunt, qui sacram scripturam falsis enarra-

Häretiker ist auf der Kanzel, für Häresien in der Predigt kein
Platz; darauf läuft eine unmißverständliche Direktive der Konzilsstatuten hinaus[32].

Jedem gegenüber, der Rechenschaft über ihre Hoffnung und
ihren Glauben fordert (1 Petr 3,15), sollen die Prediger zu einer
besonnenen Antwort bereit sein. Dabei sollen sie eine Beschäftigung mit Fragen, die Rechthaberei und Zwistigkeiten fördern,
möglichst unterlassen; zeitigt dieses Vorgehen keinen Erfolg, so
sollen sie auf weitere Belehrungen der Häretiker verzichten und
vor allem nicht das Volk durch unnütze Wortgefechte verun-
sichern; für Streitsucht gibt es nämlich in der Kirche Gottes keinen
Platz[33]. Mit wortreichem Lamento beklagt Gropper im „Enchiridion", viele Prediger mißbrauchten das Verkündigungsamt durch
Schimpftiraden gegen Kirchenleitung, Priester- und Mönchtum und
wiegelten dadurch das Volk auf[34]; solche Prediger verstießen, so
betont der Kölner Theologe[35], in zweifacher Weise gegen das achte
Gebot: Erstens beschuldigten sie abwesende Menschen, die ihnen

tionibus aut interpretationibus maculant, qui divinas literas ad impiam opinio-
nem tuendam detorquent, qui rudem populum novis et a praescriptis ecclesiae
alienis dogmatibus imbuunt, qui sacramenta Dei irrident, qui potentiam ac
virtutem Dei in sanctis suis exhibitam ac commonstratam blasphema voce
aspernantur. Breviter, qui aliter docent, quam catholica docuit ecclesia, ab
apostolis ad nos usque derivata, quos vehementer cavendos Christus iubet et
apostoli gravissime insectantur veluti adulterantes verbum Dei." Randglossen
verweisen auf: Jes 3,9 u. 14f.; Mt 24, 11; Gal 1,7; 1 Tim 4,1; 2 Tim 3,1—5;
2 Petr 2,1—22.

[32] Canones, f. 22v (cap. 9; ARC II 249).
[33] Canones, f. 23r (cap. 12; ARC II 250).
[34] Die Konzilsstatuten verbieten ausdrücklich öffentlichen Tadel der kirchlichen
und weltlichen Obrigkeit; statthaft ist ihnen zufolge allein ein Vorgehen in
der Weise der „correctio fraterna" entsprechend dem Beispiel Johannes des
Täufers gegenüber Herodes (Mk 6, 18); aber selbst dabei ist vorsichtig-vor-
nehme Zurückhaltung zu wahren. Der Prediger hat das Volk nicht zum Protest
gegen die Obrigkeit, sondern zum Gebet für sie anzuleiten. Canones, f. 23v—
24r (cap. 16—18; ARC II 252).
[35] Bei der Erörterung des Verhältnisses von verkündigendem Prediger und
hörender Gemeinde weist Gropper auf die Stellungnahme des Apostels Paulus
zum Fall des aus der korinthischen Gemeinde ausgeschlossenen Blutschänders
(1 Kor 5,1—5) hin; er meint, die Maßnahme des Apostels habe einen Sinn
gegenüber dem Betroffenen (zu dessen Besserung und Bewährung) und gegenüber der Gemeinde (zur Vorbeugung). In diesem Rahmen fallen aktuelle
Worte, womit Gropper all jene Prediger rügt, die nicht zur Auferbauung
wirken (Enchiridion, f. 305v): „Sunt, qui hodie ex suggestis nihil non con-
vitiorum ac probrorum in ecclesiae praesides, pontifices, sacerdotes, monachos
ac monachas congerunt, toti in hoc occupati, ut promiscua plebs (alioqui
ecclesiae praefectis suopte ingenio infesta) eos auribus palpantes non vulgari
plausu excipiat, illos vero summa contumelia afficiat, conspuat, lapidet atque
adeo concitata seditione perdat; qui ecclesiastae, quod suo officio non fungantur, quis non videt? Bis enim citra controversiam peccant, tum quod absentes

nicht Rede und Antwort stehen könnten, der schlimmsten Vergehen, und zweitens verschafften sie leichtfertig dem Volk die Möglichkeit, sich der kirchlichen Obrigkeit kurzerhand zu entledigen.

Andererseits versäumt es das Reformprogramm des Kölner Provinzialkonzils keineswegs, den Geistlichen eine alternative Handreichung anzubieten für ihren Dienst, Gottes Wort zu verkündigen. Sie sollen es „pure ac syncere" predigen im Sinne der kirchlichen Tradition und dabei der Auslegung folgen, welche die von der Kirche anerkannten Väter gegeben haben[36]. Gegenüber kontroversen oder vom kirchlichen Lehramt nicht entschiedenen dogmatischen Fragen sollen sie das Volk zu jener Glaubenssicherheit führen, mit der die Kirche selbst an diese glaubt; ein solches Verfahren sei bei weitem einer Methode vorzuziehen, die unsichere und bezweifelbare Thesen in die Verkündigung einbezieht oder diese gar hartnäckig behauptet[37]. Die grundsätzliche Tendenz der Verkündigung soll positiv sein. Selbst ein geringes Maß an Intelligenz soll die Geistlichen nicht davon abhalten, das in ihre Obhut gegebene Volk für das Ideal einer christlichen Lebensführung zu begeistern[38].

et indefensos pessimorum criminum insimulant ac traducunt, tum quod in eos saevis verbis apud inconditam plebem detonantes nihil aliud agant, quam quod vulgo fenestra aperiatur authoritatem seniorum ac ecclesiae praesidum elevandi ac sinistram suspitionem ad quamlibet delationem facile recipiendi plane obliti Paulinae modestiae ac doctrinae, qua monemur, seniores ne increpemus, sed obsecremus ut patres, neve presbyteros non solum non temere accusemus, sed ne accusationem eorum nisi sub pluribus testibus recipiamus, ut interim sileamus, eiuscemodi criminatores verbo Dei gravissime abuti." Verwiesen wird auf 1 Tim 5,1 u. 17.

[36] Canones, f. 23r (cap. 13; ARC II 250f.): „Praedicetur pure ac syncere Dei verbum iuxta ecclesiasticam traditionem et patrum ab ecclesia catholica approbatorum interpretationem." Ebd., f. 24r (cap. 20; ARC II 253): „Cum secundum evangelicam atque apostolicam doctrinam ... in ecclesia Dei sola canonica scriptura ac divina eloquia secundum ecclesiasticam interpretationem sanctorum patrum ac doctorum et recitari et praedicari debeat..." („ac divina eloquia": erste Korrekturschicht; „secundum ... doctorum": dritte Korrekturschicht). Enchiridion, f. 69v: „Non enim ideo quia Cyprianus aut Hieronymus aut Augustinus ita docuit, sed quia ecclesia Christi ab initio secundum successionem serie ad haec usque tempora deducta ex scripturis sic credidit, tenuit, docuit et praedicavit, idem credendum ac docendum est." Während die Wendung von der reinen und wahren Predigt des Wortes Gottes im zeitgenössischen Schrifttum häufig den Übergang zum Luthertum signalisiert oder als Kompromiß zwischen rivalisierenden religiösen Kräften fungiert, verwendet Gropper sie in dem Bestreben, die Verkündigung der katholischen Kirche aus ihrer eigenen Tradition zu erneuern. H. Stratenwerth, Die Reformation in der Stadt Osnabrück, 42—44.

[37] Canones, f. 23r (cap. 14; ARC II 251).

[38] Canones, f. 24v (cap. 22; ARC II 254): „... quibus populus ad vitae pietatem charitatemque Dei ac proximi inflammetur."

Die Sorge für die Gläubigen veranlaßt weitere methodische Empfehlungen der „Canones"; die Prediger sollen sich vor Übertreibungen und Geschwätzigkeit hüten; ein Abgleiten in einen Erzählstil, wie er vielleicht für Märchen oder Fabeln angebracht ist, soll auf jeden Fall vermieden werden; Kriterium für die Gestaltung der Predigt soll ein aufbauender Zug, das Bemühen um „pietas" sein. Durch die Predigt soll ja nicht der Aberglaube, sondern der Glaube gefördert werden; deshalb dürfen etwa Wunderberichte nur bei guter, historisch zuverlässiger Überlieferung in die Predigt aufgenommen werden[39].

Damit stellt sich die Frage nach den inhaltlichen Quellen der Verkündigung. In den voraufgehenden Ausführungen klang bereits an, daß die Predigt bei Gropper zuerst der Dienst am Wort Gottes ist, wie es in der Heiligen Schrift offenbart und von den Vätern gedeutet worden ist[40]. Aber die „disseminatio verbi" berührt erheblich weitere Bereiche; sie bezieht sich auf das Glaubensleben und die Glaubenslehren der Kirche insgesamt, in welche sie die Gläubigen behutsam und umsichtig einzuführen versuchen soll.

Nach einer Ankündigung der „Canones" ist das „Enchiridion" als eine Handreichung an die Geistlichen zu betrachten, „ut plebem erudiant in praeceptis decalogi, articulis fidei, qui symbolo apostolico recensentur, ac ecclesiae sacramentis simul cum explicatione orationis dominicae"[41]. Der praktischen Anwendung ist eine Sammlung von „Loci communes" zugedacht, eine stattliche Anzahl von Bibelsprüchen, derer sich die Pfarrer bedienen sollen, um die Gläubigen — je nach Alter und Stand — zu christlicher Lebensweise zu ermahnen[42]. Auch über die Verehrung der Heiligen und ihrer Reliquien, über die Verwendung der Bilder in der Kirche und über den Sinn der althergebrachten Zeremonien will das „Enchiridion" gründliche Belehrungen vortragen[43]; die Seelsorger sollen sich diese zu eigen machen, um sie dem gläubigen Volk vermitteln zu können; das „Enchiridion" will ja keine abstrakte theologische Summe bieten; material ist es durchgehend von der Absicht bestimmt, dem Pfarrklerus eine fundierte Hilfe für die Verkündigung vorzulegen. Immer wieder begegnen bei der Lektüre Empfehlungen für die Predigt; sie betreffen die katholische Lehre ebenso wie das Leben der kirchlichen Gemeinschaft und

---

[39] Canones, f. 22v, 23r u. 24v (cap. 10, 11 u. 23; ARC II 250 u. 254). Cap. 23 entstammt der ersten Korrekturschicht.

[40] Die Predigt soll im wesentlichen Auslegung von Epistel und Evangelium sein nach dem Vorbild von Ambrosius, Hieronymus, Augustinus, Chrysostomus und ähnlichen Autoren (Canones, f. 24v; cap. 23 u. 24; ARC II 254).

[41] Canones, f. 24r (cap. 21; ARC II 253).

[42] Enchiridion, f. 185v—189r.

[43] Canones, f. 24r (cap. 21; ARC II 253).

des einzelnen Christen. Der priesterliche Verkündigungsdienst ist bei Gropper keinesfalls einem ausschließlichen „sola scriptura" zugeordnet; er obliegt vielmehr dem Auftrag einer umfassenden Integration der Gläubigen in die Wirklichkeit ihrer Kirche.

Besonders deutlich zeigt sich das in den Worten jenes Abschnitts, den Gropper an das Ende seiner Auslegung des Dekalogs und damit des ganzen „Enchiridion" gestellt hat. Dort heißt es, in den zehn Geboten liege eine knappe Zusammenfassung des göttlichen Willens vor, die der Herr selber dem Moses übergeben habe, damit dieser sie unter den Israeliten bekanntmache. Gleich Moses solle sich der Pfarrer als „minister ecclesiae Dei" dem Herrn, seinem Gott, nahen; aus Gottes Händen solle er den Dekalog empfangen und das, was darin geschrieben ist, dem ihm anvertrauten Volk verkünden, daß es darauf höre und es befolge, daß es weder zur rechten noch zur linken Seite abirre, sondern wandle auf dem ihm vom Herrn, seinem Gott vorgeschriebenen Weg; dann werde es dem Volke im gegenwärtigen wie im zukünftigen Leben wohl ergehen[44]. Dafür soll der Pfarrer Sorge tragen, indem er die Gläubigen über Gottes Willen belehrt, sie anleitet zum Glauben an ihn und sie so hinführt zum Heil[45].

Der Weg zum Heil kann die Heilszeichen der Kirche, die Sakramente, nicht umgehen. Charakteristisch für Groppers katechetische Neigung ist eine Anordnung, welche verlangt, daß die Geistlichen, ehe sie ein Sakrament reichen, das Volk einweisen in das Geheimnis, das dem Sakrament innewohnt. Weil in den Sakramenten durch bestimmte, wahrnehmbare Zeichen eine nicht wahrnehmbare Gnade eingegossen wird, die den äußeren Zeichen entspricht, müssen Glaube und Gottesfurcht der Christen angeregt werden, auf daß sie „credentes ac divinum mysterium intelligentes" herantreten, an der Gnade ihres Heilandes Jesus Christus Anteil zu nehmen. Das soll erreicht werden durch belehrende Ansprachen der Pfarrgeistlichen an die Gläubigen, die der Spendung der

---

[44] Enchiridion, f. 313r/v.

[45] Das Vorwort zum Dekalog „Ego sum Dominus Deus tuus" kommentiert Gropper in ähnlichem Sinn (Enchiridion, f. 263v): „Quamobrem ut eadem fides omnium mentibus inseratur, parochi diligentes esse debent in erudiendo populum, quid Deus sibi hisce verbis velit: Ego sum Dominus Deus tuus, nempe ego sum, qui omnia condidi, in cuius manu sunt omnia, creator, servator et gubernator tuus, qui — ut te condidi — ita te guberno, a malis, a peccatis, a damnatione libero ac redimo ac infinitis beneficijs cumulo, ne scilicet tuae prudentiae, tuis viribus, tuae iustitiae haec accepta feras, sed tantum mihi. Tuus, inquam, Dominus ac Deus sum, totus in tuam felicitatem profusus, quod tecum in omni cursu vitae versor, quod de te solicitus sum, quod et possim et velim te felicissime regere. Hac doctrina provocatur animus ad fidem, quae ut est initium salutis nostrae."

Sakramente vorauszuschicken sind[46]. Wie ernst es Gropper um diese Regelung zu tun ist, zeigt sich daran, daß er konkrete Vorschläge für die Gestaltung dieser Ansprachen unterbreitet. Zum Beispiel soll anläßlich einer Eheschließung die Einrichtung der Ehe nach Gen 2,18—25, ihre Heiligkeit und Wirksamkeit als Sakrament unter Konsultation von Mt 19,1—9; Mk 10,1—12 und Lk 16,18 dargestellt werden; über das Geheimnis der Ehe und über die Pflichten der Gatten sind der erste Korintherbrief (Kap. 7) und der Epheserbrief (5,21—33) heranzuziehen; schließlich soll der Pfarrer die Beschwerden des ehelichen Lebens als Folge des Sündenfalles (Gen 3) schildern[47]. Sinn dieser Unterweisung der jungen Eheleute ist die Vorbereitung auf ihre unauflösliche Lebensgemeinschaft. Im übrigen soll sich der Pfarrer, wenn er sonst das Volk über dieses Sakrament belehrt, auf die Kernpunkte der christlichen Ehelehre — unter Berücksichtigung der rechtlichen Fragen — beschränken[48].

Die Aufgabe des Priesters, das Volk zu belehren, schließt Empfehlungen zu einer christlichen Gestaltung des alltäglichen Lebens ein; Gropper konzentriert diese in den „Loci communes"[49]. Wenig vorher erwähnt er eine Gepflogenheit der alten Kirche, die eine vergleichbare Zielsetzung hatte; im christlichen Altertum habe der Beichtvater nach den Vorschriften des Glaubens für eine christliche Lebensführung gefragt; die Beichtenden zogen daraus einen doppelten Gewinn, insofern sie über den Glauben und seine Gebote unterrichtet wurden und gleichzeitig zur Selbsterkenntnis und Einsicht ihrer Sünden gelangten; Gropper wünscht, daß die Priester diese Praxis der alten Kirche wieder aufnehmen[50]. Und die Belehrung, wie man den einzelnen Geboten folgen, wie man sich gegen sie verfehlen kann, soll nicht nur insgeheim, sondern auch öffentlich erfolgen[51]. Wenn Mitglieder der Gemeinde mit den Geboten in Konflikt geraten, soll das den Predigern ein Ansporn zur brüderlichen Hilfe sein. Nicht immer allerdings erscheint es angebracht, daß in einem solchen Fall der Priester den irrenden und fehlenden Gläubigen zurechtweist; insbesondere kann dies

---

[46] Canones, f. 25r (cap. 2; ARC II 255). In Bezug auf die einzelnen Sakramente wird diese Anordnung mehrfach wiederholt.

[47] Enchiridion, f. 215r. Vgl. Canones, f. 41v (cap. 42; ARC II 269); beeinflußt von Augustinus, De Genesi ad litteram IX 7 (CSEL 28/1, 275f.).

[48] Enchiridion, f. 215r/v: „Suffecerit parocho, quem instituendum hoc libro recepimus, docere populum de matrimonij institutione sacramenti, ratione ac sanctitate, denique de recto Christiani coniugij usu."

[49] Enchiridion, f. 185v—189r.

[50] Enchiridion, f. 181v.

[51] Enchiridion, f. 182r: „... cupiamus, ut non tantum privatim, sed et publice ex suggestis idque frequentissime populus in decalogo instituatur, utque non solum plebs decalogum memoria tenere, sed et quibus operibus singulis praeceptis satisfiat, rursus quibus contra singula peccetur, doceatur ...".

nicht gleich öffentlich in der Predigt geschehen[52]. Für das Leben einer christlichen Gemeinde ist es meist besser, wenn zunächst die Gläubigen aneinander den Dienst der brüderlichen Zurechtweisung üben, den Christus geboten und den man in der alten Kirche als etwas Selbstverständliches praktiziert hat. Daß dies auch in ihren Gemeinden wieder eifrig geschieht, dazu sollen die Pfarrer in der Predigt aufrufen[53].

Zu einem wichtigen Gegenstand ihrer Verkündigung sollen die Pfarrer die Anleitung der Gläubigen zu einem regen Gebetsleben machen. Nicht allein für den Priester, für jeden Christen ist das Gebet eine unversiegliche Quelle, aus der Kraft zufließt, die Anforderungen des Lebens zu bewältigen. Es ist eine der schönsten Aufgaben des Pfarrers, die Gläubigen, die ihm anvertraut sind, zu dieser Quelle hinzuführen.

Die „expositio orationis dominicae", die Gropper im „Enchiridion" vorlegt, ist nicht nur für den privaten „Bedarf" der Priester gedacht; sie soll von diesen weitergereicht werden an das gläubige Volk, um so auf das Gebetsleben der Gläubigen befruchtend einzuwirken[54]. In vielerlei Gestalt kann sich Frömmigkeit äußern; ihre äußere Form muß stets durch eine lautere, verinnerlichte Haltung gedeckt sein; letztere ist die eigentliche Mitte des Gebets; zum Beispiel soll das Tischgebet getragen sein von Vertrauen auf Gottes Fürsorge und von Dankbarkeit für seine Wohltaten[55].

Einen beachtlichen Platz im kirchlichen Leben nimmt die Volksfrömmigkeit ein; volksfrommes Brauchtum rankt sich um die Feste der Heiligen und um alle sonstigen Feiertage des Kirchenjahres. So kann die kirchliche Verkündigung nicht umhin, in hilfreicher Absicht zur Volksfrömmigkeit Stellung zu beziehen. Dabei fällt auf, daß Gropper gegenüber Erscheinungen ausufernder Veräußerlichung eine sehr kritische Position einnimmt; instinktiv scheint er die Gefahr eines Umschlagens in bloßen Aberglauben zu spüren. Dennoch hütet er sich vor pauschalen Verurteilungen. Er vertritt den theologischen Standpunkt der kirchlichen Tradition, die allein

[52] Canones, f. 21r (cap. 2; ARC II 246; vgl. Jak 5,19f.) u. 23v (cap. 15; ARC II 251).

[53] Enchiridion, f. 143r: „Atque utinam parochi populum frequenter de … fraterna correptione admoneant ac ad eandem quam diligentissime cohortentur, quam Christus ipse praecepit ac tam lucrosam ostendit."

[54] Canones, f. 24r (cap. 21; ARC II 253).

[55] Enchiridion, f. 241v: „… parochi summo studio plebem admonere debent, ne morem illum omnium pientissimum benedicendi Domino ante cibum sumptum et gratias agendi Deo post sumptum (quem a Christo profectum et ab omnibus pijs in haec usque tempora usitatum constat) intermittant aut negligant, quod vel hoc ipso more, quaecunque in hanc particulam diximus, in memoriam nobis revocentur, fiducia erga Deum alatur et debitae gratiae ipsi pro collatis beneficijs reddantur."

Jesus Christus als „unum mediatorem redemptionis et salutis nostrae opificem" anerkennt, da kein anderer Name unter dem Himmel ist, „in quo nos oporteat salvari"[56]. Die Heiligen sind „intercessores", die durch ihre Fürsprache vor und bei Gott die Erhörung der Gebete erwirken; wer ihnen mehr zuschreibt als dies, der verliert sich im Aberglauben. Davor warnt Gropper nachdrücklich; und er fordert die Pfarrer auf, in ihrer Verkündigung das gleichfalls zu tun[57]; durch Sorglosigkeit und Unaufmerksamkeit der Geistlichen hat sich im Volk die Gewohnheit eingeschlichen, einzelnen Heiligen für bestimmte Krankheiten Heilkräfte zuzuschreiben[58], was keineswegs mit den Auffassungen der Kirche übereinstimmt[59]. Die Pfarrer haben darüber zu wachen, daß sich das Volk solcher abergläubischen Praktiken enthält; sie sollen es zur rechten Frömmigkeit zurückrufen, indem sie es belehren, daß es seine Bitten Gott vortragen soll, dem Urheber alles Guten, des leiblichen und seelischen Heiles, den Heiligen aber „non aliter quam intercessoribus". Das verlange bereits der heilige Petrus mit den Worten (1 Petr 5,7): „Werfet alle eure Sorge auf ihn, denn er sorgt für euch"[60].

Gropper fordert ferner klärende Worte der Geistlichen zur Reliquienverehrung. Auch in dieser Sache spart er nicht mit kritischen Bemerkungen über offenkundige Mißstände in der zeitgenössischen Kirche. Wohl hält er daran fest, daß die Reliquienverehrung einen berechtigten Platz im kirchlichen Frömmigkeitsleben einnimmt, aber er warnt vor Magie; bloße Wundersucht prangert er an. Das Beispiel der alten Kirche gilt ihm auch in dieser Frage als vorbildlich; ihre Gläubigen schauten zuerst auf den unbesiegbaren Glauben der Martyrer und nicht auf die Wunder[61]. In diesem Sinne haben die Pfarrer ihre Gläubigen zu belehren. In den Reliquien soll der Glaube der Heiligen verehrt werden; von der Erinnerung an

---

[56] Enchiridion, f. 267r.

[57] Ebd.: „Quae tamen idcirco dicta non velimus, ut ullo modo probare videamur, si quid in sanctorum interpellatione hactenus superstitiosius est actum. Forsan eo deventum est, ut nobis peculiares quosdam ex sanctis delegerimus, quos auxiliatores appellavimus, quos, et ut adiuvarent et opem ferrent, imploravimus. Sed utinam defuisset verbis superstitiosus affectus, quod totum situm erat in parochis, qui populum docere debebant, sanctos non aliter adiuvare nos nisi intercessione apud Deum."

[58] Ebd.: „Irrepsit, fatemur, pastorum dormitantium incuria error in ecclesiam, quo vulgus verae pietatis non satis intelligens singulorum morborum curam singulis sanctis assignavit."

[59] Enchiridion, f. 267v: „Hinc enim male edocta ac persuasa plebs caeco iudicio collegit, scripturam ipsis sanctis curam certorum morborum peculiariter ascribere seu quosdam sanctos sanandi morbos potestatem peculiariter obtinere, quod a pietate et ecclesiae sententia ac supplicationis usu est alienum."

[60] Ebd.   [61] Enchiridion, f. 270r/v. Gegenberichtung, f. 38r/v.

deren Leben und Lehre sollen sich die Christen anregen, von der Hoffnung auf die künftige Auferstehung sich tragen lassen. Entspricht die Reliquienverehrung diesen Maximen — und die Pfarrer haben dafür Sorge zu tragen —, dann wird sie von aller Idololatrie frei bleiben[62].

Schließlich haben sich die Pfarrer in der Verkündigung darum zu kümmern, daß die Gläubigen bei allen sonstigen frommen Bräuchen, die das Kirchenjahr vorsieht, auf deren inneren Sinn achten und eine diesem entsprechende subjektive Gesinnung entwickeln, statt daß sie die Zeremonien bloß äußerlich und vielleicht unter Mißverständnissen mitvollziehen. „Docendus est ergo populus ab exterioribus istis, ut signatis potius quam signis inhaereat ac intendat"[63]. Dies gilt auch für das Sonntagsgebot[64]. Die äußere Heiligung des Sonntags soll nach Gropper ein „signum sabbati spiritualis" sein; anzustreben ist also eine innere, keine gesetzliche Auffassung des dritten Gebotes wie bei den Juden, die darin von Christus korrigiert worden sind. Gropper bringt ein längeres Zitat aus der Perikope vom Ährenraufen am Sabbat (Mt 12,1—8; Mk 2,23—28; Lk 6,1—5)[65]. Die Pfarrer sollen nicht davon ablassen, diesen Sachverhalt den Gläubigen in ihren sonntäglichen Predigten beizubringen.

Mit dem Kirchgang und dem Anhören der Predigt ist dem Sonntagsgebot nicht abschließend Genüge getan; als Gebot der Gottesliebe und der Nächstenliebe besteht es fort; unter anderm soll es sich darin konkretisieren, daß sich die Gläubigen mit dem Wort Gottes, wie sie es im Evangelium und in der Auslegung des Priesters gehört haben, hernach geistig auseinandersetzen, was übrigens die „Canones" zu der Empfehlung veranlaßt, daß am Ende jeder Predigt eine knappe Zusammenfassung der wichtigsten Gedanken vorzutragen sei[66]. Einen Gedanken von Johannes Chrysostomus[67] aufgreifend und fortspinnend, bemerkt Gropper[68]: „Das

---

[62] Enchiridion, f. 270v u. 271r. Ähnliche Anweisungen für die Verehrung der Bilder: Ebd., f. 272r.

[63] Canones, f. 36v (cap. 15; ARC II 280).

[64] Im Verlauf der Erörterung des dritten Gebotes bemerkt Gropper (Enchiridion, f. 280v): „Hoc ergo parochis praestandum erat, ut populus disceret inhaerere rebus signatis, non nudis signis, nam et eatenus ab ecclesia ceremoniae reprobantur, si quis putet, in illis salutem consistere."

[65] Enchiridion, f. 280v u. 281r.

[66] Canones, f. 24v (cap. 25; ARC II 254). Gehört zur ersten Korrekturschicht.

[67] Chrysostomus, Homilia in Johannis evangelium 2 (MG 59, 36): „Quid plus habebimus quam ii, qui nihil audierunt, quando post concionem nihil domum referemus, sed verba tantum mirati fuerimus? Date nobis igitur, ut in bonam semen iaciamus; date, ut nos magis attrahitis. Et si quis spinas habeat, ignem Spiritus iniiciat...".

[68] Enchiridion, f. 285r: „[Christiani] ... neglectis omnibus prae studio audiendi

gehörte Wort werden sie weder leichtfertig unbeachtet lassen noch unter den dornigen Begierden dieser Zeit vergessen (Mt 13,22); auch werden sie dem Teufel keinen Zutritt einräumen, der den Samen des Wortes ersticken will; sie werden wie Maria (Lk 2,51) das gehörte Wort in ihrem Herzen sammeln und bewahren, um so vielfältige Frucht zu bringen." Dieser optimistische Blick auf das Weiterwirken der Verkündigung lebt aus der Gewißheit, daß letztlich Gottes Heiliger Geist durch das Wort des Predigers spricht und mit seiner Gnadenkraft bewirkt, daß die Gläubigen zu „Theodidacti" (1 Thess 4,9) werden[69].

So läßt sich zum Abschluß der Auswertung des großen Doppelwerkes von 1538 festhalten, daß Gropper die Verkündigung als eine der wichtigsten und vornehmsten Aufgaben des Priesters beurteilt; für ihre materiale Erneuerung legt er ein reichhaltiges Programm vor; dieser bedeutsame pastorale Dienst muß, so meint er, in der dogmatischen Definition des Priestertums berücksichtigt werden; deshalb zählt er die Gewalt, das Gotteswort zu predigen, im Sendungsauftrag des Priesters neben der Konsekrations- und Absolutionsgewalt auf[70].

Die nach dem Reformationsversuch des Kölner Kurfürsten Hermann von Wied entstandenen Schriften Groppers messen dem „ministerium verbi" eine unvermindert hohe Bedeutung zu; dabei wird in ihnen die konfessionelle Kampfsituation spürbarer; der erste Abschnitt des Reformgutachtens für Kaiser Karl V. vom Mai 1546 trägt die programmatische Überschrift: „Quomodo puritas doctrinae restitui et retineri possit"[71].

---

et discendi verbum Dei in ecclesiam properant, ut ex ore sacerdotis discant evangelium et voluntatem Dei, qui ex ecclesia redeuntes interpretationem evangelij auditam domi repetunt ac veluti ruminant, qui auditum verbum neque leviter transmittunt neque spinis cupiditatum huius seculi enecant neque diabolo suffocanti verbi semen aditum praebent, sed auditum verbum cum Maria in corde recondunt ac conferunt, ut fructum permanentem faciant."

[69] Enchiridion, f. 242r: „Frustra siquidem concionatoris vox aures foris pulsabit, nisi et unctio (id est gratia Spiritus sancti verbi vim in animi recessus) inserat ac faciat nos Theodidactos, id est a Deo doctos. Certe qui quotidie in intellectu verbi Dei promovet adolescitque et grandescit quotidianis virtutum auctibus, is solus vere sentit, quam dulcis animae cibus sit verbum Dei."

[70] Enchiridion, f. 67v, 146r u. 198v. Vor dem Hintergrund spätscholastischer Theologie erscheint Gropper hierin originell. Gabriel Biel etwa verstand in der „Canonis Missae Expositio" (Lectio I E; H. A. Oberman u. W. J. Courtenay, Gabrielis Biel Canonis Misse Expositio, 13) allein die Konsekrations- und Absolutionsgewalt als „potestas ordinis sacerdotalis", während er bezüglich des Verkündigungsauftrags erklärte: „Hec potestas non confertur ex vi ordinationis sacerdotalis nec par est in omnibus" (Lectio III G; ebd., 28).

[71] Unica ratio reformationis, f. 122v (H. Lutz, Reformatio Germaniae, 255; ARC VI 157).

Darin plädiert Gropper für zuverlässige katholische Ausgaben der Heiligen Schrift und übt Kritik an den reformatorischen Bibelübersetzungen, von welchen er namentlich die Ausgaben von Martin Luther[72], Leo Jud[73] und Sebastian Münster[74] erwähnt; den genannten Herausgebern wirft er Texteingriffe im Sinne ihrer häretischen Auffassungen vor. Gropper fordert, das Konzil solle demnächst die Vulgata als offizielle Bibelausgabe der katholischen Kirche bestätigen, jedoch gleichzeitig eine Textrevision unter Heranziehung der hebräischen und griechischen Urfassungen durch eine Kommission von Fachleuten veranlassen[75]. Außerdem verlangt er die Bereitstellung einer offiziellen, kommentierten Übersetzung der Heiligen Schrift in deutscher Sprache, welche ebenfalls dem Erfordernis einer verläßlichen und tadellosen Textgestalt genügen soll[76].

In seinem Gutachten weist Gropper den Kaiser ferner auf den gefährlichen Einfluß hin, den die „Loci communes theologici" Philipp Melanchthons sowie die von Melanchthon, Luther, Corvinus und anderen verfaßten Predigtbücher bei der katholischen Jugend und in Kreisen der Geistlichkeit ausüben; dringend vonnöten erscheint ihm die Herausgabe eines Handbuches, worin von katholischen Gelehrten die „Loci communes" der Glaubenslehre der Kirche, insbesondere soweit sie von den Reformatoren bestritten werden, nach dem Muster der Sentenzen des Petrus Lombardus zusammengestellt werden sollen[77]. Des weiteren meldet er den Wunsch nach einer Postille an, auf welche die weniger gebildeten

---

[72] Luther hat seine Übersetzung des Neuen Testamentes 1521/1522 angefertigt; „Das Newe Testament Deutzsch" erschien ohne Angabe von Übersetzer, Drucker und Verleger im September 1522 in Wittenberg. Die Übersetzung des Alten Testaments zog sich bis 1534 hin; im Herbst dieses Jahres konnte die erste Wittenberger Bibelausgabe in Hochdeutsch erscheinen. Näheres bei: H. Volz, Bibelübersetzungen. Die Luther-Bibel, 1202—1207.

[73] Leo Jud hat den größten Teil der Übersetzungsarbeit für die Zürcher Bibel in alemannischer Mundart geleistet; das Werk erschien schon 1529, fünf Jahre vor der Luther-Bibel.

[74] Sebastian Münster brachte 1535 die erste vollständige Ausgabe der hebräischen Bibel mit lateinischer Übersetzung heraus.

[75] Unica ratio reformationis, f. 123r (H. Lutz, Reformatio Germaniae, 256; ARC VI 157).

[76] Unica ratio reformationis, f. 123r/v (H. Lutz, Reformatio Germaniae, 256; ARC VI 158).

[77] Unica ratio reformationis, f. 123v (H. Lutz, Reformatio Germaniae, 256; ARC VI 158). Derselbe Gedanke taucht in einer ausführlichen Erörterung im Rahmen des Widmungsbriefes auf, der Groppers „Institutio catholica" (a II r—d VIII v) vorangestellt ist. Wichtig daran scheint, daß Gropper seine „Institutio catholica" offenkundig für ein solches Handbuch gehalten hat, wie es ihm als katechetisch-kerygmatisches Rüstzeug der einfacheren Geistlichen vorschwebte.

Geistlichen bei der Vorbereitung ihrer Predigten zurückgreifen können[78]. Überdies verlangt er, daß ein vom Konzil zu autorisierender Katalog publiziert werden müsse, worin die schwerwiegendsten Irrtümer und Häresien der Reformatoren zusammengestellt und verurteilt werden sollen[79]. Schließlich schlägt er die Veröffentlichung einer Glaubensfibel zur religiösen Unterweisung der Jugend vor; von ihr verspricht er sich die Zurückdrängung der häretischen Katechismen, deren Wirkung er als fatal ansieht, machen sie doch nach seinen Worten aus gläubigen Kindern und Jugendlichen, die bereits zu den Sakramenten gegangen sind, wieder Katechumenen oder gar Ungläubige und Heiden[80].

Im Anschluß an das skizzierte Publikationsprogramm, in welchem er offenbar eine elementare Voraussetzung für eine erfolgreiche Verkündigungstätigkeit sieht, geht Gropper zu konkreten und detaillierten Appellen über; darin wendet er sich an all jene, „quibus verbi ministerium specialiter est impositum"[81]; er hebt dabei die besondere Verantwortung der Bischöfe für die Verkündigung des Wortes Gottes hervor; ebenso mahnt er die Pfarrer und die zur Entlastung der Pfarrer eingesetzten Angehörigen der Bettelorden zu Eifer und Sorgfalt im Verkündigungsdienst. Zuerst ruft er die Bischöfe auf, um des guten Beispiels willen wieder wie in früheren Jahrhunderten persönlich in den Kathedralkirchen zu predigen; wenigstens aber sollen sie sich durch gelehrte, katholisch gesinnte Männer in diesem Amt vertreten lassen; gleichermaßen sollen die Pfarrer in ihren Pfarrkirchen und die Mendikanten in ihren Klöstern sowie auf allen ihnen amtlich zugewiesenen Kanzeln

---

[78] Unica ratio reformationis, f. 123v (H. Lutz, Reformatio Germaniae, 256; ARC VI 158). Dieser Wunsch wird in dem am 15. März 1549 auf dem Kölner Provinzialkonzil verlesenen „Consilium delectorum" wiederholt; Paris, Bibliothèque Nationale, Manuscrit du Fonds latin, No. 10160, f. 341r: „Visum quoque delectis est expedire, ut formula aliqua conscribatur conciliari authoritate probanda, quam sequantur parochi in docendis rudibus et parvulis." Er taucht schließlich in Groppers Vorrede zur „Institutio catholica" (d IIII r) auf; nach den dortigen Angaben plante Gropper selbst die Herausgabe eines Lektionars mit Erklärungen der sonntäglichen Episteln und Evangelien; er hat dieses Projekt aber nicht in die Tat umgesetzt, obwohl er es auch im Visitationsformular (Forma, iuxta quam..., h iij v; J. Hartzheim, Concilia Germaniae VI 641) ankündigte.

[79] Unica ratio reformationis, f. 123v u. 124r (H. Lutz, Reformatio Germaniae, 256f.; ARC VI 158).

[80] Unica ratio reformationis, f. 124r/v (H. Lutz, Reformatio Germaniae, 257; ARC VI 158f.). Hier findet sich übrigens der Vorschlag, auf katholischer Seite den Titel „Katechismus" durch „Institutio puerilis ad pietatem" zu ersetzen; kurz vor Abfassung des Reformgutachtens waren Groppers „Capita institutionis" erschienen.

[81] Unica ratio reformationis, f. 124v (H. Lutz, Reformatio Germaniae, 257; ARC VI 159).

an den Sonn- und Festtagen das Wort Gottes „pure et catholice" dem gläubigen Volk verkünden[82].

Näherhin empfiehlt das Gutachten Groppers, daß in den Predigten eine zuverlässige Auslegung der im Gottesdienst vorgetragenen Lesungen aus der Heiligen Schrift geboten werden soll; es wird angeraten, die bewährte, aus der Zeit Gregors des Großen stammende Aufteilung der Lesungen auf das Kirchenjahr beizubehalten; von einem Eingriff in die Perikopenordnung wird ein Schaden für das religiöse Leben des Volkes befürchtet. Die Predigt soll nur wesentliche Glaubensinhalte zur Sprache bringen, die einem frommen Lebenswandel zuträglich sind; Spitzfindigkeiten sind zu meiden; vielmehr soll die Verkündigung ansprechend und aufbauend sein. An den Heiligenfesten soll sie das Leben und Sterben der Heiligen darstellen auf der Grundlage von Autoren wie Eusebius, die von der Kirche gebilligt sind; das Beispiel der Heiligen soll die Zuhörer zu einem ähnlichen Glaubenseifer anspornen, wie ihn diese unter Gottes Hilfe zeigen konnten[83].

Gropper geht dann darauf ein, daß von den Häretikern die lateinische Sprache im Gottesdienst abgeschafft worden ist; er warnt davor, sich der reformatorischen Argumentation in diesem Punkte anzuschließen. Statt dessen stellt er das Beispiel der ersten Glaubensboten vor Augen, die das Christentum nach Deutschland gebracht haben. Von ihnen sei die lateinische Sprache in der Liturgie nicht angetastet worden; aber sie seien bestrebt gewesen, dem Volk die Riten des Gottesdienstes aufzuschlüsseln und zu erklären. Nach ihrem Vorbild solle das aufs neue geleistet werden. Auch in anderer Weise hätten jene Väter des Christentums in Deutschland das Volk am Geschehen des Gottesdienstes zu beteiligen gewußt; am Ende der Predigt seien im Wechsel zwischen Priester und Volk Fürbitten gesprochen worden; auch hätten sie öffentliche Gebete für die Leitenden in Kirche und Welt und für das ganze christliche Volk in die Messe aufgenommen; die Namen der Toten, derer bei der Meßfeier gedacht wird, hätten sie laut ausgesprochen; schließlich sei das Glaubensbekenntnis von allen gemeinsam gesprochen worden, woran der Priester eine Bitte für das Volk angeschlossen habe, „ut is aptus fieret ad interessendum sacris Christi mysteriis"[84]. Gropper ist der Überzeugung, daß durch eine Wiederbelebung dieser ursprünglichen Form des Gottesdienstes eine befriedigende Beteiligung der Gläubigen am heiligen Geschehen zu erreichen ist.

[82] Unica ratio reformationis, f. 124v u. 125r (H. Lutz, Reformatio Germaniae, 257; ARC VI 159).

[83] Unica ratio reformationis, f. 125r/v (H. Lutz, Reformatio Germaniae, 257f.; ARC VI 159).

[84] Unica ratio reformationis, f. 125v—126v (H. Lutz, Reformatio Germaniae, 258f.; ARC VI 159f.).

Die Gebete, welche Opferung und Wandlung umrahmen, sind immer in der ganzen Kirche still gesprochen worden. Gropper meint, das solle so bleiben. Ziemlich fadenscheinig fällt seine Begründung für dieses Votum gegen eine durchgehend deutschsprachige Liturgie aus; er erklärt nämlich, schon die Begriffe „mysterium" und „sacramentum" deuteten an, daß dem Volk nicht alles zu eröffnen sei, vielmehr nur, was zur Erbauung notwendig ist[85]. Immerhin setzt er sich dafür ein, daß bestimmte Gebete von Priester und Volk gemeinsam zu sprechen sind und daß dafür einheitliche Textfassungen herausgegeben werden sollen. Ansonsten plädiert er für disziplinarische Maßnahmen; sie können einen regen Besuch und störungsfreien Verlauf der Gottesdienste garantieren[86].

Als Resümee ist festzuhalten: Gropper weist der Verkündigung einen festen Platz im Heilsdienst der Kirche zu; er nimmt den Mangel wahr, der die Situation der katholischen Kirche auf diesem Gebiet kennzeichnet; er unterbreitet einige — im zeitgenössischen Vergleich als vernünftig und praktikabel zu wertende — Vorschläge, die dem herrschenden Defizit abhelfen wollen; wiewohl er die Verantwortung wahrnimmt, welche der Kirche durch den Verkündigungsauftrag Jesu aufgebürdet ist, bleibt sein Reformkonzept aus einem spürbaren Mißtrauen gegen die Praxis der Reformatoren zurückhaltend gegenüber allzu großen Veränderungen.

Dieses Zwischenergebnis, das auf der Basis des 1546 für Kaiser Karl V. angefertigten Reformgutachtens ermittelt worden ist, soll nun an späteren Stellungnahmen Groppers zu Fragen des Verkündigungsdienstes überprüft werden. Auch in der „Institutio catholica" betont Gropper, daß die Verkündigung geradezu konstitutiv für die Kirche ist; denn die Kirche ist aus dem Willen des Herrn hervorgegangen, daß auch nach seiner Himmelfahrt die Heilsbotschaft den Menschen überliefert werde; deshalb hat Christus einige zu Aposteln bestellt, andere zu Propheten, andere zu Evangelisten, wieder andere zu Hirten und Lehrern (Eph 4,11); durch ihre Gesandtschaft an Gottes Statt versammelte er sich die Kirche, deren Haupt, Gemahl und Heiland er selber ist[87]. Sind die Apostel und in deren Nachfolge die Bischöfe und Priester zur Verkündigung des Evangeliums gesandt, so folgen sie damit letztlich dem Geheiß Christi, sein Werk auf Erden fortzusetzen; das macht deutlich, wie ernst der Auftrag zu nehmen ist, der ihnen in dem Gebot, den Menschen das Wort Gottes zu verkünden, anheimgegeben ist.

---

[85] Unica ratio reformationis, f. 126v u. 127r (H. Lutz, Reformatio Germaniae, 259; ARC VI 160).

[86] Unica ratio reformationis, f. 127r (H. Lutz, Reformatio Germaniae, 259; ARC VI 160).

[87] Institutio catholica, p. 324f. (R II v — R III r).

Für die Gläubigen bedeutet dies, daß die Bischöfe und Priester, die ihnen die Grundlagen des christlichen Glaubens predigen, in Stellvertretung Jesu Christi handeln; so erscheint es angeraten, ihrer Verkündigung Vertrauen zu schenken und ihnen gehorsam zu sein, haben sie doch in der apostolischen Sukzession die Gnadengabe der Wahrheit ("charisma veritatis") empfangen[88]. Gegenüber allen übrigen aber, die außerhalb der Sukzession stehen, ist Verdacht am Platze, seien sie nun Häretiker oder Schismatiker, Überhebliche und Selbstgefällige oder Heuchler, die nur um des Gewinnes oder des vergänglichen Ansehens willen predigen[89]. Die Gläubigen sollen gemäß einer Empfehlung Groppers darum beten, daß ihnen die Predigt solcher Menschen erspart bleibt und daß allein rechtmäßige Verkünder des Wortes Gottes zu ihnen kommen; bei der Auslegung der Bitte um das tägliche Brot im Vaterunser schreibt Gropper[90]: "Weil der Mensch nicht vom irdischen Brot allein lebt, sondern von jedem Wort, das aus Deinem Munde kommt (Dtn 8,3; Weish 16,26; Mt 4,4), so gib uns auch das Brot Deines göttlichen, himmlischen Wortes, durch welches Du unsere Seele speisest und kräftigst, die ohne es ganz und gar hungrig ist und dahinschwindet (Joh 6,32—35); gib uns dieses Brot, süßer als Honig und Wabenseim (Ps 19/18,11), auf daß wir uns in ihm üben und über es nachsinnen Tag und Nacht (Ps 1,2)!"

Inhaltlich soll die Verkündigung der Kirche vom Wort Gottes bestimmt sein; die Botschaft Jesu Christi, aus der Sünde umzukehren, Buße zu tun und ein Leben in Liebe zu Gott und zum Nächsten zu beginnen, soll von den Predigern der Kirche, den Bischöfen und Priestern, weitergegeben werden. Unerschöpfliche Quelle dieser Botschaft ist die Heilige Schrift; aber auch vom Reichtum der patristischen Theologie soll sich die Verkündigung anregen lassen. Kurzum, die Prediger sollen in der Lage sein, jedem Auskunft zu geben, der von ihnen Rechenschaft fordert über den Glauben und die Hoffnung, die in ihnen ist (1 Petr 3,15)[91]. Ihr Ziel muß es sein,

---

[88] Gropper zitiert: Irenäus, Adversus Haereses IV 26, 2 (MG 7, 1053f.; SChr 100, 718).

[89] Institutio catholica, p. 325f. [335f.] (R VIII r/v); Capita institutionis, P 8r/v.

[90] Capita institutionis, C 1 r/v; Institutio catholica, p. 30 (B VII v). Auch bei Michael Helding (Brevis institutio, f. 17v u. 18r) findet sich in Erläuterung der Vaterunser-Bitte "Gib uns unser tägliches Brot" nächst der Bitte um leibliche Stärkung die um geistige Nahrung durch das Wort Gottes: "Sed et animae alimoniam a Deo petimus, panem illum divini verbi, cuius sanum sensum ab erroribus et haeresibus defecatum et unctione Spiritus sancti foecundatum instillari animis nostris postulamus."

[91] Institutio catholica, c VI r: "... quae [sacrae scripturae elogia et sanctorum patrum dicta] sane parochos memoriae bene commendata ... habere convenit, ut de omni re expedite et inoffense ad populum concionari et omni poscenti eos rationem de ea, quae in ipsis est, spe et fide reddere possint."

die Gläubigen so sehr in die Geheimnisse des Glaubens einzuführen, daß auch sie fähig sind, solche Rechenschaft abzulegen. Das wird der Fall sein, wenn den Gläubigen die wichtigsten Teile der Heiligen Schrift vertraut sind, so daß sie nach den Weisungen der Bibel ihr tägliches Leben gestalten können. Die Predigt darf darum nicht lebensfremd sein; sie muß das Wort Gottes aktualisieren, muß Bezüge aufweisen zwischen der Botschaft Jesu Christi und dem Alltag des christlichen Lebens. Der Aufruf Jesu Christi zur Umkehr wird dann ganz konkret zum Aufruf, von den je eigenen Verfehlungen und Vergehen zu lassen und Buße zu tun. So können die Prediger nicht davon entbunden werden, den Gläubigen ihre Sünden vorzuhalten[92]. Endlich aber soll die Verkündigung bestrebt sein, die Gläubigen in die reichhaltige Vielfalt des Lebens der Kirche einzuführen; Sakramente und Sakramentalien sollen in ihrem Sinn aufgeschlüsselt werden; der Aufbau des Kirchenjahres ist zu erläutern; ferner soll durch die Predigt die Verehrung der Heiligen und ihrer Reliquien gefördert, zugleich aber das Aufkommen von Aberglauben und parareligiösen Auswüchsen in der Volksfrömmigkeit verhindert werden. Schließlich sind den Gläubigen in der Predigt Anregungen und Hilfen für den Aufbau und die Pflege eines persönlichen Gebetslebens zu bieten[93].

Was die Methoden der Verkündigung betrifft, so ist sich Groper über die hohen Anforderungen des Predigtamtes im klaren. Das sorgsame Abwägen von Kerygma, Katechese und Paränese, von narrativen, argumentativen und appellativen Inhalten setzt ein sicheres Urteil über die Aufnahmefähigkeit der Zuhörer voraus. Besonders deren unterschiedliche gesellschaftliche Stellung verlangt viel Einfühlungsvermögen; auch auf den meist niedrigen Bildungsstand der Zuhörer muß Rücksicht genommen werden. Theologische Auseinandersetzungen überfordern den Laien und gehören deshalb nicht auf die Kanzel. Grundsätzlich soll die Verkündigung von bejahenden, aufbauenden Zügen bestimmt sein[94].

[92] Allen Bischöfen und Pfarrern, die dazu nicht Stellung nehmen, wirft Gropper vor, durch dieses Schweigen an den Verfehlungen anderer mitschuldig zu werden; Institutio catholica, p. 495 (d VIII r): „[Silendo] ... maxime peccant, quibus evangelizandi et praedicandi munus incumbit, episcopi et pastores, dum ad scelera connivent." Warnend erwähnt Gropper Spr 21, 13; Jes 56, 10; Ez 33, 6. — Dieses Anliegen bewegt ihn auch dazu, in das Visitationsformular eine Frage bezüglich der Pfarrer aufzunehmen, „an sint inter eos segnes aut caeci speculatores et velut canes muti non valentes latrare, qui non audeant populo annunciare peccata eorum et incorrigibiles deferre ad eorum superiores"; Forma iuxta quam..., f ij v; J. Hartzheim, Concilia Germaniae VI 634.

[93] Forma, iuxta quam..., f ij r — f iij r; J. Hartzheim, Concilia Germaniae VI 634f.; auch: Ebd., g ij r bzw. 637.

[94] Forma, iuxta quam..., f ij r — f iij r; J. Hartzheim, Concilia Germaniae VI 634f.

Verglichen mit dem Reformprogramm von 1536, tritt in den jüngeren Schriften Groppers dessen klare Konfrontation mit den Reformatoren auffälliger in Erscheinung. Wie geschildert, beurteilt Gropper bereits in dem Reformgutachten für den Kaiser von 1546 den Einfluß der reformatorischen Publikationen äußerst negativ. Dieses Urteil veranlaßt die Verfasser des „Consilium delectorum", dem Provinzialkonzil von 1549 einen Katalog von Autoren vorzuschlagen, deren Bücher als verboten zu gelten haben. Das „Consilium"[95] zählt in dieser Reihenfolge auf: Martin Luther, Martin Bucer, Johannes Oekolampad, Philipp Melanchthon, Johannes Brenz, Anton Corvinus, Andreas Osiander, Cyriak Spangenberg und Caspar Hedio[96]. Tatsächlich sind alle diese Reformatoren in den Index verbotenen Schrifttums aufgenommen worden, den das Provinzialkonzil verabschiedet hat; ihnen wurden aber noch folgende Autoren beigesellt: Hermann Bonnus, Johann Bugenhagen, Heinrich Bullinger, Johannes Calvin, Wolfgang Capito, Sebastian Franck, Christoph Hegendörfer, Franz Lambert, Wolfgang Musculus, Johann Oldendorp, Konrad Pellikan und Erasmus Sarcerius[97]. Diesen Negativkatalog hat Johannes Gropper 1550 in sein Visitationsformular übernommen; lediglich Johann Oldendorp fehlt in seiner Liste, die er dagegen um Huldrych Zwingli ergänzt[98]. Gropper weist die Visitatoren an, alle Bibliotheken und Buchhandlungen auf den Bestand an Büchern dieser Verfasser zu kontrollieren und eventuell vorhandene Exemplare zu beschlagnahmen. Die Lektüre dieses Schrifttums soll allgemein verhindert werden[99].

Gropper beschränkt sich jedoch nicht darauf, einen Negativkatalog vorzulegen. Namentlich den einfacheren Geistlichen, deren Bildungsstand nur durchschnittlich ist, will er helfen durch eine Empfehlung verschiedener theologischer Werke, an deren Lektüre sie sich bei der Vorbereitung ihrer Predigten wenigstens so lange halten sollen, bis sein alter Wunsch, die Herausgabe einer offiziellen Postille mit Erklärungen zu den sonn- und feiertäglichen Episteln und Evangelien[100], in Erfüllung gegangen ist. Er führt zunächst in der Geschichte der Kirche seit langem bewährte Theolo-

---

[95] Paris, Bibliothèque Nationale, Manuscrit du Fonds latin, No. 10160, f. 325v.
[96] Von Hedio werden namentlich die „in ecclesiasticam Eusebii historiam pestilentissima supplementa" verworfen. Hedio gilt, da er u. a. Eusebius und Theodoret übersetzte sowie Chroniken aus dem Mittelalter herausbrachte, als erster protestantischer Kirchenhistoriker. Als Teilnehmer an den Religionsgesprächen in Worms und Regensburg, später als Gehilfe Bucers in Bonn war er ein „alter Bekannter" Groppers. Über ihn vgl. R. Stupperich, Caspar Hedio, 111f.
[97] Decreta Concilij, f. VIII r (B iiij r); J. Hartzheim, Concilia Germaniae VI 537f.
[98] Forma, iuxta quam . . . , h ij v; J. Hartzheim, Concilia Germaniae VI 640.
[99] Forma, iuxta quam . . . , h iij r/v; J. Hartzheim, Concilia Germaniae VI 640f.
[100] S. o. Anm. 78.

gen an[101], nämlich: Johannes Chrysostomus mit seinen Kommentaren zum Matthäusevangelium, zum Johannesevangelium und zu den paulinischen Briefen; Augustinus von Hippo mit seinen Traktaten zum Johannesevangelium und den Predigten für die beweglichen Feste des Kirchenjahres und für die Heiligenfeste. Johannes Damascenus und Theophylakt werden ohne Nennung bestimmter Werke aufgezählt. Wohlwollend erwähnt werden sämtliche Bibelkommentare Bedas, den Gropper als subtilen Kenner Augustins schätzt. Auch auf das Homiliar Alkuins macht Gropper aufmerksam. Schließlich rät er zur Benutzung der „Catena aurea" zu den vier Evangelien und der Kommentare zu den paulinischen Briefen aus der Feder des hl. Thomas von Aquin.

Sodann nennt Gropper einige zeitgenössische katholische Autoren, deren Konsultation er den Predigern nahelegt. Zunächst weist er hin auf das Predigtwerk des Johannes Justus Landsberg; nach seiner Meinung ist die Spiritualität Landsbergs (Herz-Jesu-Verehrung, Passions- und Marienfrömmigkeit) leicht zugänglich[102]. An zweiter Stelle fällt der Name Josse Clichtove, den gleich Gropper das Problem der Erneuerung des Klerus bewegte, wenn er im einzelnen auch andere Wege als der Kölner ging[103]. Ihm folgt Johannes Eck, dessen Predigtbücher als Frucht langjähriger Seelsorgstätigkeit in Ingolstadt entstanden sind[104]. Gropper bekundet ferner Anerkennung für die Homilien des Augustiners Johannes Hoffmeister[105]. Abschließend empfiehlt er noch die Postille von Franz Le Roy[106] und das Predigtwerk des langjährigen Kölner Dompredigers Heinrich Helmesius[107], der wie Le Roy Franziskaner war.

---

[101] Forma, iuxta quam..., h iij v; J. Hartzheim, Concilia Germaniae VI 641.
[102] Landsberg war Mitglied der Kölner Kartause, in der er mehr als die Hälfte seines Lebens verbrachte. Von 1530 bis 1535 war er Prior in Jülich, wo er vom Landesherrn Herzog Johann III. sehr geschätzt wurde. Landsberg hat auch nachhaltigen Einfluß auf P. Canisius, P. Faber und L. Surius ausgeübt. Er starb am 10. August 1539 in Köln. S. Autore, Jean Justus Lansperge, 2606—2609. Vgl. auch o. S. 23, Anm. 123.
[103] Gropper empfiehlt: J. Clichtove, Elucidatorium; ders., Sermones.
[104] Band I u. II behandeln die Sonn- und Feiertage des Kirchenjahres (erstmals 1530 erschienen); Band III gilt den Heiligenfesten (1531); Band IV befaßt sich mit den Sakramenten (1535) und Band V bietet eine Auslegung des Dekalogs (1539).
[105] Sie erschienen in zwei Bänden in Ingolstadt 1547.
[106] Er war Guardian des Minoritenkonventes von Nivelles; lange Jahre stand er als Hofprediger in Diensten der Schwester Karls V., Maria von Österreich-Burgund, der Gemahlin des 1526 auf der Flucht vor den Türken ums Leben gekommenen Königs Ludwig II. von Böhmen und Ungarn. A. Teetaert, François Le Roy, 139f.
[107] Das mehrbändige Predigtwerk des Helmesius war zur Zeit der Abfassung des Gropperschen Visitationsformulars erst zum Teil erschienen. Der dritte Band der Homilien von Helmesius, 1574 in Lyon bei Charles Pesnot nach-

Dies alles deutet darauf hin, daß Gropper auch in der Zeit nach dem Scheitern des Reformationsversuches von Erzbischof Hermann von Wied dem priesterlichen Verkündigungsdienst einen hohen Stellenwert im Programm der kirchlichen Erneuerung eingeräumt hat. Gegenüber den Auffassungen im „Enchiridion" scheint er in der „Institutio" zwar etwas zurückhaltender damit zu sein, der Verkündigung auch in der dogmatischen Bestimmung des Priestertums Valenz beizumessen; dennoch gibt es auch in der „Institutio" Stellen, an denen Gropper die priesterliche Weihegewalt unter anderem durch die Gewalt, das Wort Gottes zu predigen, definiert[108]. Dieser Befund wird durch eine Analyse der Trienter Voten Groppers erhärtet[109]. Auch hier zeigt sich: Abgelehnt wird von Gropper die These der Reformatoren, daß das Priestertum nahezu ausschließlich im Predigtamt besteht; Gropper hütet sich jedoch, seinerseits die genau entgegengesetzte Position zu beziehen; er hält vielmehr an einer Einbeziehung der Verkündigungsgewalt in die priesterliche Weihegewalt fest[110]. Es darf nicht vergessen werden, daß Gropper in seiner Predigt am Dreikönigsfest 1552 an die versammelten Väter des Trienter Konzils nachdrücklich appellierte, ihrer Verantwortung für die Bewahrung des rechten Glaubens in der Kirche durch unermüdliche Verkündigung des Wortes Gottes gerecht zu werden[111]. Gleichwohl hat sich Groppers Standpunkt in Trient letzten Endes nicht durchsetzen können[112].

[108] gedruckt, enthält die Widmung: „... Patroclo Groppero, doctori doctissimo..." (H. Baudrier, Bibliographie lyonnaise III 139). Über Patroklus Gropper s. o. S. 74, Anm. 44.

[108] Institutio catholica, p. 155 (L III r) u. p. 324f. (R II v — R III r). Für das „Enchiridion" vgl. o. Anm. 70.

[109] Für diese Analyse s. o. S. 185—187, Anm. 94—104.

[110] Archivio Segreto Vaticano, Conc. Trid. 18 (Arm. LXII), f. 12r/v sowie f. 243v u. 244r. In Auseinandersetzung mit dem offiziellen Lehrentwurf vom 3. Januar 1552 heißt es (Ebd., f. 243v): „... sacerdotij duas tantum ponit functiones, cum tamen et evangelij praedicatio et baptizandi sacramentaque administrandi munus proprie ad hunc ordinem pertineant ... Proinde non probatur nobis, quod hic dicitur, ad ordinem p[res]b[yte]ratus per se non spectare praedicationem verbi, sed eam esse tantum jurisdictionis."

[111] Oratio, C iiij v — D v. Im Anschluß an eine Schilderung des Einflusses der Häretiker fragt Gropper (Ebd., D r): „Quid igitur vobis, Patres, faciendum...? Certe ante omnia illorum scoriam haereticae pravitatis et schismaticae corruptionis ... ad purum excoctam, omne stannum sensus carnalis, quod auro ecclesiae superinduxerunt, ex ecclesiae officina penitus eiicere et eliminare vos necesse est. Id quidem facere incepistis, sed restant alia permulta. Quod est enim catholicum dogma, quod illi non contaminarint, non conspurcarint?"

[112] In dem überarbeiteten Entwurf vom 21. Januar 1552 (CT VII/1, 483, 15—489, 24) wurden der Kritik Groppers nur geringe Konzessionen gemacht. Dieser Entwurf kam aber auf der zweiten Sitzungsperiode des Konzils nicht mehr zur Verabschiedung.

Bereits in Bologna war in der Diskussion über einen am 26. April
1547 vorgelegten Satz Luthers, welcher das Priesteramt ausschließlich durch die Predigt bestimmte[113], von einzelnen Theologen eingewendet worden, man könne diesen Satz nur unter Beifügung der
Klausel verdammen, daß es den Priestern sehr wohl aufgegeben sei
zu predigen[114]; tatsächlich erhielt der Canon in der nächsten Redaktion einen entsprechenden Zusatz[115]; dieser wurde dann jedoch
gegen die Stellungnahmen des Ambrosius Catharinus[116] und des
Veroneser Bischofs Luigi Lippomani[117] von der Mehrheit abgelehnt[118].

Ähnlich verlief der Gang der Dinge, als in der dritten Sitzungsperiode des Konzils (1562/1563) erneut über das besondere, sakramentale Priestertum debattiert wurde. Am 13. Oktober 1562 legten
acht Konzilsväter einen Entwurf vor, der gegenüber Luther zwar
darauf bestand, daß ein Priester auch dann Priester sei, wenn er
nicht predige, der jedoch immerhin die Predigt ausdrücklich eine
Aufgabe des Priesters nannte[119]. Obwohl sich dieser Auffassung
auch Girolamo Seripando anschloß[120], wurde der gesamte Passus im
revidierten Entwurf vom 3. November 1562 gestrichen[121]. Man beschränkte sich auf die Zuordnung von „sacerdotium" und „sacrificium" unter Verzicht darauf, die priesterliche Weihegewalt auch zu
bestimmen durch die Gewalt, das Wort Gottes zu verkünden.
Dieser Eindruck verstärkt sich noch bei einer Untersuchung des

---

[113] CT VI/1, 97, 9f.: „Ordinem potestatem esse praedicandi, non offerendi,
ideoque eos, qui verbum Dei non praedicant, non esse sacerdotes." Vgl.
WA 6, 564, 24—28.

[114] Der portugiesische Dominikaner Jorge de Santiago erklärte (CT VI/1,
106, 6f.): „... prima pars potest tolerari, quod officium sacerdotis sit etiam
praedicare, praesertim in his, qui gregem habent." Alfonso Salmeron betonte
zwar die Möglichkeit eines Priestertums ohne das Predigtamt, für welches
eine besondere „missio" erforderlich sei, gab aber zugleich seiner besonderen
Wertschätzung des Verkündigungsdienstes Ausdruck (CT VI/1, 111, 13—20).

[115] CT VI/1, 308, 12—14: „... tametsi sacerdotes ipsi populis sibi commissis
verbum Dei praedicare et sanae ac salutaris doctrinae cibum exhibere accurate
debeant."

[116] CT VI/1, 318, 9—11.

[117] CT VI/1, 314, 29—33. Lippomani betonte, daß durch den Begriff „populis
sibi commissis" der Gedanke der eigenen Sendung zum Predigtamt hinreichend berücksichtigt sei.

[118] CT VI/1, 373, 36—38: „Quia ultima pars ibi ,tametsi' etc. maiori parti
generalis congregationis placuit, ut expungeretur, delenda est."

[119] CT IX 39, 12—14: „Et quamvis negandum non sit, ministerium etiam verbi
sacerdotibus convenire, sacerdotes tamen esse non desinunt, tametsi munus
hoc non exerceant." Der Abschnitt CT IX 39, 4—15 ist mit späteren Redaktionen zu vergleichen.

[120] CT IX 41, 18—20.

[121] CT IX 105, 8—106, 4.

endgültigen Textes vom 15. Juli 1563[122]. Allerdings hat das Konzil in seinen Reformdekreten mehrfach auf der Bedeutung und Notwendigkeit der Verkündigung bestanden[123]; in seiner „doctrina de sacramento ordinis" hat es jedoch versäumt, die pastorale Verpflichtung zur Predigt dogmatisch zu verankern[124]. Zu diesem Versäumnis dürfte u. a. die bei vielen Konzilsteilnehmern verbreitete Haltung verleitet haben, eine klare Stellung gegen die Reformation zu beziehen und deren Lehren als falsch zurückzuweisen, nicht aber eine umfassende Darstellung der Lehre vom geistlichen Amt zu bieten und Meinungsverschiedenheiten in der katholischen Theologie schlichten zu wollen[125].

2. Der Dienst der Sakramentenspendung

In besonders dichter Weise erfährt der Priester im Dienst der Sakramentenspendung, daß er die Stelle Christi in der Kirche vertritt; denn Christus hört auch nach seinem Heimgang zum Vater nicht auf, als Mittler für die Menschen bei Gott einzutreten[1]. Das von Christus erschlossene Heil wird in der Zeit der Kirche zwischen der Himmelfahrt und der Wiederkunft des Herrn in den Sakramenten gegenwärtig; diese sind von Christus eingesetzte und von

---

[122] Hier (CT IX 620, 18—25) wurde nur noch gesprochen von der priesterlichen potestas „consecrandi, offerendi et ministrandi corpus et sanguinem eius necnon et peccata dimittendi et retinendi" (Ebd., 23f.), Während der Entwurf vom 3. November 1562 ergänzte „et cetera, quae sui muneris sunt, peragendi" (CT IX 106, 2f.).

[123] Belege: CT V 241, 15—243, 29; CT VIII 961, 24—31; CT IX 623, 24—31; ebd., 627, 16f.; ebd., 981, 1—18.

[124] Dieses Versäumnis wird vom „Catechismus Romanus" erhärtet; er bestimmt die priesterliche Weihegewalt mit der Konsekrationsvollmacht unter Auslassung der Verkündigungsvollmacht. Die Weihegewalt wird auf das „corpus Christi verum" bezogen, die Jurisdiktionsgewalt auf das „corpus Christi mysticum" (Catechismus Romanus II 7, 7; 262): „... quantaque ipsi ecclesiae eiusque ministris potestas divinitus tributa sit. Ea autem duplex est, ordinis et iurisdictionis. Ordinis potestas ad verum Christi Domini corpus in sacrosancta eucharistia refertur. Iurisdictionis vero potestas tota in Christi corpore mystico versatur; ad eam enim spectat, Christianum populum gubernare et moderari et ad aeternam caelestemque beatitudinem dirigere."

[125] Symptomatisch hierfür ist eine Äußerung von Bischof Cornelio Musso (Bitonto) in der Generalkongregation des Konzils am 9. Oktober 1551 (CT VII/1, 189, 1f.): „.... synodum velle tantum damnare haereticos, qui asserunt, ut in canone, non autem scholasticas opiniones definire."

[1] Zeichen der unaussprechlichen Barmherzigkeit Christi ist es, „esse semper et manere perpetuum inter Deum et nos, si convertamur ad eum, unicum mediatorem, summum aeternumque pastorem, pontificem et episcopum animarum nostrarum." Institutio catholica, p. 327 (R IIII r).

der Kirche überlieferte Heilszeichen, Gnadenmittel, welche die
Gnade zugleich bezeichnen und bewirken[2]. Durch sie stärkt
Christus das Vertrauen der Gläubigen auf die Verheißungen seiner
Heilsbotschaft[3].

Das wirkliche Subjekt sakramentalen Handelns ist nicht der
Priester, sondern Christus, und zwar als gegenwärtig Handelnder,
nicht nur als der Ursprung einer dem Priester übertragenen Gewalt; der priesterliche Dienst der Sakramentenspendung ist als
Dienst der Stellvertretung Christi bestimmt; er erfolgt im Namen
der Kirche, der gegenüber der Priester also ebenfalls in eine Relation der Stellvertretung eintritt. Diesen von Augustinus[4] im Streit
mit den Donatisten entwickelten Gedanken trägt Gropper wiederholt vor[5]. Er birgt ein Moment, das den Priester persönlich fordert;
in stark appellativer Sprache artikuliert Gropper gerade dieses
Moment des öfteren[6].

---

[2] Sie bezeichnen die Gnade, insofern sie einerseits bestehen in einem „externum
sacrum signum influens oculis et auribus"; sie bewirken die Gnade, da sie
zum anderen bestehen aus der „res sacramenti, divina et spiritualis vis". Institutio catholica, p. 107 (H III r). Gegenüber der reformatorischen Verflüchtigung des Sakramentsbegriffes bleibt bei Gropper bewußt, daß die Sakramente
wirksame Zeichen dessen sind, was sie bezeichnen (Enchiridion, f. 76r):
„... sacramenta novae legis ... sunt signa visibilia gratiae Dei, quam Deus
efficaciter et certo in ipsis operatur." Hat uns Gott auf dem Höhepunkt der
Heilsgeschichte seinen eingeborenen Sohn als „signum potentissimum" (Enchiridion, f. 76v) gegeben, damit jeder, der an ihn glaubt, nicht verlorengehe,
sondern das ewige Leben habe, so vermitteln uns in der gegenwärtigen Heils-
ordnung die von Christus hinterlassenen Sakramente Zugang zu seiner Heilstat am Kreuz, indem sie die Einmaligkeit des geschichtlichen Ereignisses
belassen, es aber fortwährend in der Heilsgeschichte vergegenwärtigen.

[3] Institutio catholica, p. 325 (R III r): „.... [sacramenta], per quae ut canales
quasdam gratiam suam in credentes derivaret."

[4] Augustinus, In Johannis evangelium tractat. 5, 18 (CChrlat 36, 51f.) u. 6, 7
(CChrlat 36, 56f.); Contra epistulam Parmeniani II 15, 34 (CSEL 51, 87—89);
Contra litteras Petiliani Donatistae I 9 u. 10 (CSEL 52, 9—11); De baptismo
III 10 (CSEL 51, 204—206), IV 4 (CSEL 51, 226f.) u. V 19 (CSEL 51,
283—285); Contra Cresconium Donatistam IV 20 (CSEL 52, 523f.). S. a. u.
S. 273, Anm. 79.

[5] Enchiridion, f. 78r, 118r, 217v u. 218r. Terminologisch bevorzugt Gropper
den auch von Augustinus geschätzten Ausdruck „personam alicuius gerere"
(Dazu: P. J. Cordes, Sendung zum Dienst, 184). Seltener verwendet er den
Begriff „repraesentatio"; ob dies dann auf Anleihen bei Nicolaus Cusanus
zurückzuführen ist, kann schwerlich positiv entschieden werden (R. Haubst,
Der Leitgedanke der „repraesentatio" in der cusanischen Ekklesiologie,
140—159).

[6] Bei der Besprechung des Firmsakramentes zitiert Gropper offenkundig in
dieser Absicht: Ambrosius, De spiritu sancto I 8, 90 (CSEL 79, 53). Vgl.
Enchiridion, f. 90r: „Ut enim divus Ambrosius ait: Non humanum hoc opus
neque ab homine datur, sed invocatus a sacerdote Spiritus a Deo traditur, in
quo Dei munus, ministerium est sacerdotis."

Die Sakramente sind von einer ganz elementaren Bedeutung für das christliche Leben. Um so schwerwiegender erscheint Gropper die Tatsache, daß die Reformatoren die Zahl der Sakramente von sieben auf zwei vermindern, ihren Sinn entstellen und den Ritus ihrer Spendung willkürlich verändern[7]. Gropper hält es für ein Gebot der Stunde, daß die Bischöfe und Priester alle Kraft darauf verwenden, den Gläubigen die sakramentalen Zeichen zu erläutern und sie in die Wirkkraft der Sakramente einzuweihen; dies geschieht nach seiner Meinung am besten jeweils unmittelbar vor der Spendung der einzelnen Sakramente[8]. Dieser Vorschlag Groppers ist in die kaiserliche „Formula Reformationis" von 1548 übernommen worden[9]. Zu seiner Verwirklichung hat Gropper selbst entscheidend beigetragen zunächst mit der 1549 bei Gennep in Köln erschienenen Schrift, welche mustergültige Kurzansprachen in deutsch enthält[10], sodann aber auch durch die Aufnahme von Fragen in das Visitationsformular des Erzbistums Köln von 1550, welche für die Belehrung der Gläubigen durch ihre Geistlichen über die verschiedenen Sakramente Sorge tragen[11]. Groppers Anregung hat auch in der Gesetzgebung der unter Erzbischof Adolf von Schaumburg im Erzbistum Köln durchgeführten Kirchenversammlungen ihren Niederschlag gefunden[12].

Die Kritik der Reformatoren nimmt Gropper aber auch zum Anlaß, seinerseits mancherlei Entstellungen und Auswüchse zu rügen, die sich im Laufe der Jahrhunderte in die Riten, nach denen die Sakramente gespendet werden, eingeschlichen haben; er verlangt eine Überarbeitung der Agenden mit dem Ziel, der Feier der Sakramente ihre angemessene Würde zurückzugeben, damit das Licht der alten, apostolischen und katholischen Überlieferung wieder in der Kirche leuchtet[13]. Im Bereich des Erzbistums Köln

---

[7] Unica ratio reformationis, f. 127v (H. Lutz, Reformatio Germaniae, 259f.; ARC VI 160f.).

[8] Unica ratio reformationis, f. 128v (H. Lutz, Reformatio Germaniae, 260; ARC VI 161).

[9] Cap. 9; ARC VI 362.

[10] Näheres s. o. S. 81, Anm. 71.

[11] Forma, iuxta quam..., f iij r — g ij r; J. Hartzheim, Concilia Germaniae VI 635—637.

[12] Das am 15. März 1549 auf dem Kölner Provinzialkonzil verlesene „Consilium delectorum" empfahl Groppers Schrift und verband damit die Erwägung, diese in erweiterter und lateinischer Fassung herauszugeben (Paris, Bibliothèque Nationale, Manuscrit du Fonds latin, No. 10160, f. 341r/v). Diesen Gedanken übernahm die Diözesansynode vom Frühjahr 1550 (J. Hartzheim, Concilia Germaniae VI 618). Gleichwohl wurde er nicht verwirklicht.

[13] Unica ratio reformationis, f. 127v—128r (H. Lutz, Reformatio Germaniae, 260; ARC VI 160f.). Ähnlich im Widmungsbrief der „Institutio catholica" (d IV v — d V r).

scheint sich Gropper mit Nachdruck für dieses Anliegen verwendet zu haben[14].

a) Die Taufspendung

In seinem seelsorglichen Dienst der Sakramentenverwaltung begleitet der Priester die ihm anvertrauten Gläubigen durch ihr ganzes Leben; an Einschnitten und Wendepunkten des menschlichen Lebens hält der Priester im Namen der Kirche die Sakramente als Zeichen und Mittel des Heiles bereit[15]; das erste Sakrament, durch welches der Eintritt in die Kirche erfolgt, ist die Taufe, welche Gropper als Bund Gottes mit den Menschen und des Menschen mit Gott versteht[16]. In ihr wird unter Nachlaß der Erbsünde der alte Mensch getilgt; es entsteht der „homo novus", der von allem Makel durch den Glauben an Christus gereinigt ist. Der Täufling wird gewaschen im Bad der Wiedergeburt und der Erneuerung des Heiligen Geistes, im Blut Christi, das für uns vergossen ist. In der Taufe legen die Christen den alten Adam ab und ziehen an seiner Stelle Christus an, damit sie wie Christus, der von den Toten auferstanden ist kraft der Herrlichkeit des Vaters, in einem neuen Leben wandeln.

Diese auf das Wichtigste konzentrierte, aus der paulinischen Theologie (Röm 6,4; 2 Kor 5,17; Gal 6,15; Tit 3,5) geschöpfte Erklärung des Taufsakramentes sehen die Statuten des Kölner Provinzialkonzils von 1536 für die Belehrung der Gläubigen vor[17]; ihr breiteres Fundament findet sich in dem Traktat „De baptismi sacramento" in Groppers „Enchiridion"[18]. Auch eine eingehende Erklärung der einzelnen Riten, die während der liturgischen Feier der Taufspendung vorgenommen werden, ist Aufgabe der Seelsorger; nur so kann den Gläubigen der Zugang zu einem sinnvollen

---

[14] Das Protokoll der Diözesansynode vom Frühjahr 1550 vermerkt, daß eine „repurgatio quaedam agendarum ecclesiasticarum" vonnöten sei; der Erzbischof habe einige Männer betraut, „qui ea repurgent, emendent et reducant ad maiestatem et integritatem antiquam" (J. Hartzheim, Concilia Germaniae VI 618). H. Jedin, Das Konzil von Trient und die Reform der liturgischen Bücher, 512.

[15] Canones, f. 25r (cap. 1; ARC II 255). Das Wort „mysteria" geht auf die erste Korrektur zurück.

[16] Enchiridion, f. 78v u. 79r: „Nam quid aliud est baptismus quam foedus Dei cum homine, hominis cum Deo? Nam quatenus homo satanae et mundi gloriae pompisque abrenuntiat et se vero Deo astringit ad mortificandum per omnem vitam peccati, est foedus hominis cum Deo. Rursus quatenus se Deus vicissim homini astringit, quod peccata illi remittat, quod propter filium recipiat, quod Spiritum sanctum donet, qui vivificet et sanctificet, foedus Dei cum homine dici potest."

[17] Canones, f. 25r (cap. 3; ARC II 255f.).

[18] Enchiridion, f. 78v—83v.

Vollzug des sakramentalen Geschehens eröffnet werden[19]. Dabei schlüsselt der Seelsorger hauptsächlich sein eigenes, im Namen der Kirche erfolgendes Tun bei der Sakramentenspendung auf. Wenn etwa eine Aufklärung über die Anhauchung des Täuflings vorgesehen wird[20], so betrifft diese einen Ritus, den der Priester vornimmt, freilich stellvertretend, als „purum ministerium"; bezeichnet wird in diesem Ritus, daß der unreine Geist aus dem Täufling ausgetrieben wird und dem Heiligen Geiste weicht[21].

Nur wenn den Gläubigen die Bedeutung des Taufsakramentes von den Priestern ausgiebig erklärt wird, sind sie fähig, die Taufspendung andächtig und ehrfürchtig „in loco sacro"[22] mitzufeiern. Im Text der Beschlußfassung des Provinzialkonzils heißt es: „Daher möge man nach Ablegung allen Hochmutes in demütiger Gesinnung und mit rechter Zuversicht auf Gott herantreten wie jene, die ihre Kinder zu Jesus brachten, damit er ihnen die Hände auflege; denn in der Taufe wird dem Satan widersagt, allen seinen Werken und allem seinem Gepränge. Auch möge zuvor unter den Paten eine Übereinkunft über den Namen des Kindes getroffen sein, damit bei der Taufe selbst lieber nachgedacht werde über die für Christus zu gewinnende Seele als über den Namensempfang"[23].

Wenn sich die Gläubigen zur Feier des Taufsakramentes versammeln, soll der Priester vor Beginn der liturgischen Zeremonie den ernsten Charakter des bevorstehenden Geschehens etwa auf folgende Weise erläutern: Nach den Worten des Herrn kann niemand ohne die Wiedergeburt aus dem Wasser und dem Geist die Seligkeit erlangen (Joh 3,5). In der Taufe vollzieht sich diese Wiedergeburt; aus einem Kind des Zornes, das in der Gewalt des Bösen gefangen ist, wird eine neue, von der Tyrannei des Teufels und der Verstrickung in die Sünde befreite Kreatur, ein Kind Gottes, ein Erbe Gottes und Miterbe Christi (Röm 8,16f.). Gott selbst ist es, der die Befreiung des Täuflings von der Erbsünde wirkt und ihn so mit sich versöhnt; besiegelt wird diese Befreiung in den formelhaften Beteuerungen, dem Teufel zu widersagen und künftig Gott zu dienen[24].

Ein besonderes Wort soll der Priester in seiner Ansprache vor Beginn der Tauffeier an die Paten richten; denn diese übernehmen

---

[19] Canones, f. 25v (cap. 5; ARC II 256).

[20] Ebd.: „... cur insuffletur in faciem baptizandi ...".

[21] Enchiridion, f. 80r: „Quum vero baptismus ministratur, principio adhibetur exorcismus, qui verbo et exufflatione peragitur, ut Spiritus immundus a baptizando expellatur, utque per purum sacerdotis ministerium Spiritui sancto cedat fugiens spiritus malignus."

[22] Canones, f. 25v (cap. 7; ARC II 257).

[23] Canones, f. 25v (cap. 6; ARC II 256).

[24] Wie bei haltung und reichung ..., A ij r — A iij v.

ja die verantwortungsvolle Aufgabe, für den unmündigen Täufling im sakramentalen Geschehen einzustehen. So warten sie mit dem Kind zunächst außerhalb des Gotteshauses und deuten damit an, daß der noch nicht getaufte Mensch von Natur aus ein Kind der Sünde ist, das erst durch die grundlose Barmherzigkeit Gottes gerettet und dem Reich Christi eingegliedert wird[25]. Auf die Frage des Priesters nennen die Paten den Namen des Kindes; damit zeigen sie, daß das Kind „nu erst seynen namen Gott uffgebe / und begere eingeschrieben zu werden in das Ritterbůch der lebendigen unsers herren Jesu Christi"[26]. Stellvertretend für das Kind widersagen die Paten dem Teufel und bekennen den Glauben an den dreifaltigen Gott; der Priester hat die Paten auf die Folgen aufmerksam zu machen, die ihnen aus dem stellvertretenden Glaubensbekenntnis für die religiöse Erziehung des Kindes erwachsen.

Der knappen dogmatischen Belehrung über die Wirkung des Taufsakramentes und dem gesonderten Wort an die Paten soll der Priester eine Erklärung der einzelnen Zeremonien, unter denen die Taufe gespendet wird, folgen lassen. Zunächst wird in drei Zeichen, nämlich der Anhauchung des Kindes durch den Priester, der Bezeichnung mit dem Kreuzzeichen und der Bestreuung mit Salz, versinnbildet, daß der böse Geist von dem Kind lassen soll, damit es künftig ganz Gott angehören kann[27]; vertieft wird die Zeremonie durch den Ausspruch des Exorzismus, „eyn gestrenge und erschröckliche beschwerung des unreynen und bösen geists durch den almechtigen namen des lebendigen Gots"[28].   Der Priester legt darauf dem Kind seine Hand auf, wie es einst Jesus bei den Kindern tat, welche die Leute zu ihm brachten (Mk 10,16); das Glaubensbekenntnis und das Vaterunser werden gesprochen; schließlich ahmt der Priester am Täufling die Heilung des Taubstummen durch den Herrn nach, indem er ihm seine Finger in die Ohren legt, ihn mit Speichel berührt und dabei spricht: „Epheta / Werd uffgethan"[29]. Erst hiernach wird das Kind in die Kirche getragen; der erste Ritus, der im Gotteshaus an ihm vollzogen wird, ist eine kreuzweise an Brust und Schultern anzubringende Salbung mit Öl; diesen Ritus soll der Priester als Sinnbild dafür erläutern, daß das Kind fortan Ritter Gottes und Kämpfer gegen den bösen

---

[25] Wie bei haltung und reichung..., A iiij r/v.
[26] Wie bei haltung und reichung..., A iiij v — A v r. Auch: Canones, f. 25v (cap. 4; ARC II 256).
[27] Wie bei haltung und reichung..., A v r/v; in der „Institutio catholica" findet sich eine ähnliche Erläuterung der Taufzeremonien; vgl. p. 645 (o III r) — 660 (p III v), bes. p. 649 (o V r).
[28] Wie bei haltung und reichung..., A vi r.
[29] Wie bei haltung und reichung..., A vi v — A vij r.

Feind sein soll. Dann wird der Täufling zum Taufbrunnen getragen und mit dem an Ostern und Pfingsten geweihten Wasser im Namen des Vaters, des Sohnes und des Heiligen Geistes getauft[30]. Die Salbung des Kindes mit Chrisam, die in Gestalt eines Kreuzzeichens an der Stirn vorgenommen wird, weist darauf hin, daß Jesus Christus, der wahre Gesalbte, das Haupt des Kindes und dieses „syns leibs glidmaß seyn soll / und daß es mit allen andern Christgläubigen in Christo Jesu werd zum küniglichen Priesterthum gesalbet"[31]. Die Anlegung des weißen Kleides soll der Priester als Sinnbild der bis ans Lebensende zu bewahrenden Unschuld des getauften Kindes deuten. Danach wird das Kind vom Taufbrunnen zum Altar getragen; dort wird ihm ein wenig gesegneter Wein in den Mund gestrichen, ein Zeichen dafür, daß in Zukunft der Herr Jesus Christus seine tägliche Nahrung sein soll. Die schließlich folgende Überreichung einer brennenden Kerze an die Paten soll dazu ermahnen, die Taufgnade zu bewahren[32]. An den Schluß seiner Ansprache, die er den zur Tauffeier versammelten Gläubigen hält, soll der Priester einen Hinweis auf den Ernst des sakramentalen Geschehens stellen; auch soll er zum gemeinsamen Gebet dafür auffordern, daß Gott an dem Kind seine Gnade wirksam werden läßt. Erst dann soll die Tauffeier in würdiger Form begangen werden[33]. Letzten Endes ist es ja Jesus Christus selbst, der das sakramentale Geschehen der Eingliederung des Täuflings in seine Kirche wirkt. Der Priester handelt bei der Spendung des Sakramentes in Stellvertretung Christi[34].

Nach Groppers Vorstellungen hat — so kann man zusammenfassen — der Priester vor der Spendung der Taufe den versammelten Gläubigen eine sorgfältige Einführung in den theologischen Gehalt und die liturgische Gestalt des Taufsakramentes zu vermitteln; insbesondere soll er dabei die verschiedene Bedeutung des sakramentalen Geschehens für den Täufling, die Taufpaten und den Taufspender herausstellen. Er wird so ein allgemeines religiöses Grundwissen der Gläubigen auch über das Taufsakrament, das in Unterricht und Predigt angelegt worden ist[35], wesentlich vertiefen können. Gropper regt an, daß nach der Taufspen-

---

[30] Wie bei haltung und reichung..., A vij v — A viij v.
[31] Wie bei haltung und reichung..., B r.
[32] Wie bei haltung und reichung..., B v. Bei Erläuterung dieses Ritus in der „Institutio catholica" (p. 659f.; p III r/v) erinnert Gropper an Ps 119/118, 105: „Eine Leuchte ist meinen Füßen Dein Wort, ein Licht meinen Pfaden."
[33] Wie bei haltung und reichung..., B v — B ij r.
[34] Institutio catholica, p. 657f. (p II r/v).
[35] Forma, iuxta quam..., f iij v; J. Hartzheim, Concilia Germaniae VI 635. Hier wird den Pfarrern die Auflage gemacht, die Gläubigen im Rahmen der sonntäglichen Verkündigung über das Taufsakrament zu belehren.

dung im Beisein des Täuflings und der Paten, der Verwandten und Bekannten die heilige Messe gefeiert werden soll; er meint, hiermit könne eine sinnvolle Gewohnheit der alten Kirche wiederaufgenommen werden[36]. Dasselbe Motiv bestimmt das Provinzialkonzil von 1549, wenn es anregt, die Weihe des Taufwassers an Ostern und Pfingsten mit der Taufe von Kindern, die kurz vor dem jeweiligen Fest geboren sind, zu verbinden[37]. Auf jeden Fall soll die Taufe vor allem als religiöses Ereignis begangen werden; zu verwerfen ist aller festlicher Aufwand, der diesem Charakter des Geschehens nicht entspricht und die dem Sakrament gebührende „honestas" verletzt[38].

b) Die Eheschließung

Ähnlich wie bei der Taufe zu Beginn ihres irdischen Daseins werden die Gläubigen bei der Eheschließung, einer weiteren bedeutsamen Wegmarke ihres Lebens, auf den Priester zugeführt. Mit der theologischen Tradition des Mittelalters, die nach der endgültigen dogmatischen Entwicklung des Sakramentsbegriffs diesen auch auf die Ehe anwendete[39], betrachtet Gropper die Ehe als erste zwischenmenschliche Verbindung, sodann als Amt mit der doppelten Aufgabe der Ausbreitung des Reiches Gottes durch Erzeugung von Nachkommen und der Sicherung der Gottverbundenheit der Gatten durch Verhütung von Unzucht[40], vorzüglich aber als Sakrament, als Zeichen der Verbindung zwischen dem wiederkommenden Christus und der Kirche[41]. Jene Liebe, mit der

---

[36] Forma, iuxta quam . . . , f iiij r; J. Hartzheim, Concilia Germaniae VI 635.

[37] Decreta Concilij, f. XXIIII r (F iiij r); J. Hartzheim, Concilia Germaniae VI 555: „Et ut orationes et ceremoniae solennes, quae tempore paschali et Pentecostes baptismo adhibentur, habeant res eis respondentes, statuimus, ut pastores et concionatores adhortentur populum, ut parvulos natos instante festo Paschae servent baptizandos in vigiliam Paschae et natos festo Penthecostes instante ad festum Penthecostes usque servent, si tamen nullum immineat vitae periculum."

[38] Mandat des Erzbischofs Adolf von Schaumburg vom 29. September 1550; J. Hartzheim, Concilia Germaniae VI 776—779; dort: 778f.

[39] Concilium Lateranense II (1139), c. 23 (Mansi 21, 532).

[40] Auch Groppers Lehre über das Ehesakrament (Enchiridion, f. 200r—218r) schöpft auf weite Strecken aus den Werken von Augustinus. Für die drei zitierten Wesenseigenschaften der Ehe vgl. Enchiridion, f. 200r/v.

[41] Enchiridion, f. 200v: „Praeter hos fines non postrema, sed potissima causa institutionis matrimonij (si Dei propositum respiciamus) est, ut esset congruum signum artissime illius coniunctionis venturi Christi et ecclesiae, quam quidem a principio et ab aeterno, antequam quicquam fieret, praeordinavit Deus . . .". Diesen Gedanken entfaltet Gropper im folgenden; er nimmt auf verschiedene Passagen des Alten und Neuen Testamentes Bezug; mit Verweis auf Eph 5,25 formuliert er (Enchiridion, f. 201v): „. . . matrimonium non vulgari, sed mysti-

Christus die Kirche geliebt hat, wird den Gatten beim Empfang
dieses Sakramentes, und zwar unter der Fürbitte des Priesters, als
geistliches Geschenk zuteil[42].

Wie in der Taufe empfangen also auch bei der Eheschließung
die Gläubigen die sakramentale Gnade unter dem vermittelnden
Dienst des Priesters. Wenn der Priester Mann und Frau in der Ehe
verbindet, so bedeutet dies, daß die Ehe vor Gott geschlossen wird,
dessen Stelle der Priester vertritt[43]; deswegen verwendet der
Priester bei diesem Ritus Worte Christi, nämlich: „Was Gott verbunden hat, soll der Mensch nicht trennen" (Mt 19,6)[44]. Gropper
liegt sehr daran, auch bei der Eheschließung am stellvertretenden
Dienst des Priesters festzuhalten; wohl sei die Ansicht nicht völlig
zu verwerfen, das Ehesakrament erfordere keinen festen „minister", da Gott selbst die Ehegatten verbinde; jedoch habe es schon
im Alten Bund Menschen gegeben, die an Gottes Stelle die Ehegatten verbunden hätten[45], nämlich der Vater, ein Beauftragter des
Vaters oder der nächste Verwandte des Mädchens von väterlicher
Seite. So heiße es im Buche Tobias (Vulgata 7,15): „Raguel nahm
die rechte Hand seiner Tochter, legte sie in die Rechte des Tobias
und sprach: ‚Der Gott Abrahams und der Gott Isaaks und der Gott
Jakobs sei mit euch; er selbst möge euch verbinden und mit seinem
Segen erfüllen.'" Wenn dem aber bereits im Alten Bund so gewesen
sei, müsse man um vieles mehr annehmen, daß auch im Neuen
Bund dieser Gott stellvertretende Dienst bestehe. Tatsächlich sei
seit den Zeiten der Apostel die kirchliche Eheschließung gefeiert
worden, indem die Priester im liturgischen Brautsegen unter
anderem die Worte Raguels über die Gatten gesprochen hätten[46].

ca omnino ratione, non quolibet, sed singulari quodam modo (quem scriptura
refert) a Deo in paradiso institutum fuisse, nimirum ut sacramentum esset
artissimae illius unionis in Christo et ecclesiae futurae, quod divus Paulus
in … epistola ad Ephesios … gravissime commonstrat."

[42] Canones, f. 31r (cap. 40; ARC II 268).
[43] Enchiridion, f. 212v: „nectente Deo (cuius legatione sacerdos fungitur)…".
[44] Institutio catholica, p. 693f. (r III r/v): „Coniunctio, quam consertis sponsi
et sponsae manibus sacerdos facit, significat matrimonium nectente Deo, cuius
legatione sacerdos fungitur, copulari."
[45] Enchiridion, f. 215r: „Ut forsan quidam non improbanda ratione dicant,
matrimonium certum ministrum non exigere, quod coniuges in sese casto
amore ac religiose consentientes Deus ipse coniungat, tamen videmus et in
veteri lege quosdam fuisse, qui Dei vice coniuges coniungerent."
[46] Ebd.: „Ad eundem modum ab apostolorum temporibus matrimonij sacramentum in facie ecclesiae celebratum est, ministris sacerdotibus Christi Ra-
guelis atque alia scripturae verba et pias admodum benedictiones super coniuges pronuntiantibus." Klandestin geschlossene Ehen bewertet Gropper als nicht
sakramental. Vgl. Canones, f. 31v (cap. 43; ARC II 269); Enchiridion, f. 206r
u. 212r.

Die Auffassung von der Ehe, welche im Buche Tobias (Kap. 6—8) entfaltet wird, greift Gropper wiederholt empfehlend auf. Das abschreckende Beispiel der sieben Männer Saras, die vom Dämon getötet wurden, da sie nach den Worten Raphaels die Ehe so vollzogen, daß sie Gott von sich und von ihren Sinnen ausschlossen und sich so ihrer Lust hingaben wie Pferd und Maultier, die keinen Verstand haben (Tob 6,17), dient als Begründung für den Rat, daß die Gatten vor der kirchlichen Trauung sich durch Fasten vorbereiten sollen[47]. Seinem Wunsch, die Trauung durch Meßfeier und Empfang der Kommunion zu umrahmen, verleiht Gropper durch ein Zitat aus Tertullian Nachdruck[48]. In der Regel dient die Pfarrkirche der Brautleute als Ort der Eheschließung „secundum antiquos canones et ecclesiasticum ritum"[49]. Die Pfarrer werden auf die geltenden kirchenrechtlichen Bestimmungen bezüglich der Verwandtschafts- und Schwägerschaftsgrade[50] hingewiesen, damit sie dafür Sorge tragen, daß klandestine Eheschließungen wegen ihrer vielerlei negativen Auswirkungen verhindert werden[51]. Aus demselben Grund soll der Wille der Brautleute, die Ehe einzugehen,

---

[47] Canones, f.31v (cap. 41; ARC II 268f.).

[48] Enchiridion, f. 212v: „Testatur quoque Tertullianus in primitiva ecclesia nuptias cum laudis sacrificio et sacramenti venerabiles communicatione celbrari solitas, quod ea vita sanctorum communione non sit indigna, quos Raphael quoque angelus ad Tobiam contestatur, quem morem per diocoesim ubique renovari nobis curae erit." Vgl. Tob 6,20; Tertullian, Ad uxorem II 8 (CSEL 70, 124). Während der Eucharistiefeier sollen Fürbitten für die Brautleute gesprochen werden; vgl. Unica ratio reformationis, f. 134r (H. Lutz, Reformatio Germaniae, 265; ARC VI 165).

[49] Canones, f. 32r (cap. 44; ARC II 270). Decreta Concilij, f. XXVIII v (G iiij v) — XXIX r (G v r); J. Hartzheim, Concilia Germaniae VI 560.

[50] Gropper verweist auf: X. 4, 14, 8 (Friedberg II 703f.); außerdem erwähnt er die Hindernisse der Religionsverschiedenheit und der geistlichen Verwandtschaft; Unica ratio reformationis, f. 134r/v (H. Lutz, Reformatio Germaniae, 265f.; ARC VI 165). In der „Institutio catholica" verlangt Gropper von allen, die sich auf die Weihe vorbereiten bzw. ein kirchliches Amt zu übernehmen gedenken, hinreichende Kenntnisse in der Materie der Ehehindernisse; zur Erleichterung legt er ein Faltblatt bei, welches „arbores consanguinitatis et affinitatis" zeigt. Institutio catholica, p. 169 (M II r) — 174 (M IIII v).

[51] Gropper bewertet klandestin geschlossene Ehen als nicht sakramental; vgl. Canones, f. 31v (cap. 43; ARC II 269); Enchiridion, f. 206r u. 212r; Unica ratio reformationis, f. 134r (H. Lutz, Reformatio Germaniae, 265; ARC VI 165); dabei pocht er auf: Ps. Evarist, Epistula 1 (de ordine diaconorum), 2 (Hinschius, 87); C. 30 q. 5 c. 1 (Friedberg I 1104).
Ähnlich äußert sich die „Formula Reformationis" (cap. 15; ARC VI 367), die allerdings ausdrücklich die Gültigkeit der klandestin geschlossenen Ehen bestätigt. Das Kölner Provinzialkonzil von 1549 ordnet den Ausschluß aller von den Sakramenten an, die klandestin die Ehe geschlossen haben, bis sie deren feierlichen Abschluß „in facie ecclesiae" nachgeholt haben; Decreta Concilij, f. XXVIII v (G iiij v); J. Hartzheim, Concilia Germaniae VI 560.

dreimal öffentlich in der Pfarrkirche proklamiert werden[52]. Erst
danach kann die Trauung anberaumt werden, wobei die von der
Kirche im Ablauf des Kirchenjahres dafür vorgesehenen Zeiträume
einzuhalten sind[53]. Das Muster einer kurzen Ansprache, die der
Pfarrer vor der Trauungszeremonie an die Brautleute zu richten
hat[54], beginnt in Groppers Entwurf mit dem Aufweis, daß die Ehe
von Gott selbst nach der Erschaffung des Menschen eingesetzt
worden ist zum Zusammenhalt der Lebensgemeinschaft eines
Mannes und einer Frau; durch Jesus Christus wurde sie zur Würde
eines Sakramentes erhoben[55]. Die christliche Ehe dient der Erzeugung und Erziehung von Nachkommen getreu dem Frucht-
barkeitsauftrag des Schöpfungsberichtes; sie ist die sinngemäße
Lebensform für all jene, die sich geschlechtliche Enthaltsamkeit
nicht auferlegen können; vor allem ist sie ein sakramentales,
heiliges Zeichen für die innige Vereinigung des Heilandes Jesus
Christus mit seiner Kirche[56]. Eine sinnvolle Folge dieser Zeichen-
haftigkeit ist die Unauflöslichkeit der Ehe und die Pflicht der
Gatten, einander zu lieben[57]. Zum Abschluß seiner Ansprache soll
der Priester den künftigen Eheleuten Gottes Segen versprechen;
dieser Segen wird zu Beginn des Trauungsritus erteilt; er schenkt
den Gatten die Kraft, bis an ihr Lebensende in Treue beieinander
zu bleiben[58]. Der Einmaligkeit des sakramentalen Geschehens
gebührt es, auch nach der kirchlichen Feier den Hochzeitstag
würdig und ohne Ausgelassenheit zu begehen[59].

[52] Canones, f. 32r (cap. 44; ARC II 270); Unica ratio reformationis, f. 134r
(H. Lutz, Reformatio Germaniae, 265; ARC VI 165); Institutio catholica, p.
170[175] (O I r). Sollten die Brautleute aus zwei verschiedenen Pfarreien stammen, so muß nach Anordnung des Provinzialkonzils von 1549 das Aufgebot
in beiden Pfarrkirchen erfolgen; Decreta Concilij, f. XXVIII v (G iiij v);
J. Hartzheim, Concilia Germaniae VI 560.

[53] Decreta Concilij, f. XXIX r (G v r); J. Hartzheim, Concilia Germaniae VI
560. Nur „ex causis gravissimis et urgente magna necessitate" kann von dieser
Vorschrift dispensiert werden.

[54] Wie bei haltung und reichung ..., C iiij r — C vij v.

[55] Wie bei haltung und reichung ..., C iiij r.

[56] Wie bei haltung und reichung ..., C iiij v — C vi r. Gropper zitiert: Gen 2,
21—24; Mt 19, 5f.; Eph 5,29—32.

[57] Wie bei haltung und reichung ..., C vi v.

[58] Wie bei haltung und reichung ..., C vij r/v; ausdrücklich wird hier versichert, daß der eheliche Beischlaf keine Sünde ist; an anderer Stelle wird
geäußert, die Eheleute sollten in der ersten Nacht nach der Trauung „pro
reverentia benedictionis" nicht geschlechtlich miteinander verkehren; Institutio
catholica, p. 691 (r III r).

[59] Mandat des Erzbischofs Adolf von Schaumburg vom 29. September 1550
(J. Hartzheim, Concilia Germaniae VI 776—779; dort: 778): „... mandamus,
ut posthac ad convivia nuptialia cives in oppidis non ultra tres nec villani in
pagis et victis non ultra duas mensas instruant seu plures invitent, quam duabus
mensis instructis accumbere possint."

c) Die Krankensalbung

Wenn der Priester zu den Kranken gerufen wird, um Gebete über sie zu sprechen und sie zu salben, so ähnelt sein Tun dem der Apostel, die nach Mk 6,12f. auszogen, zur Umkehr aufriefen, Dämonen austrieben und viele Kranke mit Öl salbten und heilten. Dies Wirken der Apostel erfolgte im Auftrag Christi, so versichert Gropper nachdrücklich, um daraus die Einsetzung des Sakramentes der Krankensalbung durch den Herrn zu folgern[60]. In der Nachfolge der Apostel handeln auch die Priester als Stellvertreter Christi und im Auftrag der ganzen Kirche[61], wenn sie die Kranken salben „oleo, non quidem medicinali, sed sacramentali et mystico"[62]. Unter Bezugnahme auf Chrysostomus[63] meint Gropper, daß sich bei der Spendung gerade dieses Sakramentes „dignitas" und „excellentia" des Priesters in auffälliger Weise zeigen[64].

Den Verlauf der Erteilung der Krankensalbung[65] stellt sich Gropper in folgender Weise vor: Dem Priester, der das heilige Öl und die Kommunion zum Kranken bringt, sollen ein Licht und ein Kreuz vorangetragen werden; das umstehende Volk soll Ehrfurcht vor dem Sakrament bekunden. Beim Eintritt in das Haus des Kranken segnet der Priester die Wohnräume mit Weihwasser[66]. Dann begibt er sich zum Kranken; in freundlicher, trostvoller Weise soll er ihn ansprechen und ihn lehren, die Krankheit als eine Fügung zu verstehen, die Gott zu seiner Läuterung geschickt hat;

[60] Enchiridion, f. 216r.
[61] Enchiridion, f. 217v: „Cogitare itaque debet presbyter, se non suam, sed apostoli Christi atque adeo ecclesiae personam gerere...".
[62] Enchiridion, f. 216r.
[63] Chrysostomus, De sacerdotio III 6 (MG 48, 644): „[Sacerdotes] aegram et mox interituram animam saepe servarunt, aliis remissiorem poenam reddentes, alios prorsus labi non sinentes, idque non doctrinae tantum atque monitionum, sed etiam orationum auxilio. Neque enim tantum cum nos regenerant, sed etiam post regenerationem admissa peccata condonare possunt." Es folgt ein Zitat von Jak 5,14f.
[64] Institutio catholica, p. 184 (O III v).
[65] Krankenkommunion und Krankenölung kamen im Laufe des 16. Jahrhunderts in weiten Gegenden Deutschlands fast gänzlich außer Brauch; H. Jedin, Katholische Reform und Gegenreformation, 592. Bereits das Kölner Provinzialkonzil von 1549 sah sich zu folgender Mahnung veranlaßt (Decreta concilij, f. XXX r; G vi r; J. Hartzheim, Concilia Germaniae VI 561): „Relatum nobis in concilio est, impios quosdam homines infirmitatis suae tempore unctionem sacram respuisse ac contempsisse; quamobrem statuimus, ut si quis sacramentum illius nobis ab apostolo Iacobo tantopere commendatum contempserit, ecclesiastica careat sepultura." Groppers Visitationsformular stellt die Frage, ob es in den einzelnen Pfarreien Christen gibt, „qui illud sacramentum contemnant"; Forma, iuxta quam..., g r; J. Hartzheim, Concilia Germaniae VI 636.
[66] Institutio catholica, p. 696f. (r V v — r VI r).

im Blick auf die großen Leiden des Gottessohnes wird der Kranke
dazu finden, in Geduld und Ergebenheit das eigene Leiden zu
tragen[67]. Sodann fragt der Priester den Kranken, ob er zu beichten
wünscht. Ist das der Fall, so bereitet der Priester den Kranken in
schlichten Sätzen auf den Empfang des Bußsakramentes vor. Er
sucht ihn dafür zu gewinnen, alle Sünden und Verfehlungen gegenüber Gott und dem Nächsten zu bereuen. Er appelliert an den
guten Vorsatz des Kranken, die Sünde in Zukunft zu meiden und
nach Wiedererlangung der Gesundheit Werke der Buße zu tun.
Besteht nur mehr wenig Aussicht auf Genesung, so ermahnt der
Priester den Kranken, seinen letzten Willen zu regeln, sofern das
noch nicht geschehen ist, und dabei auch der Armen zu gedenken.
Er bittet ihn, sich von allen zeitlichen und weltlichen Sorgen zu
lösen und seine Hoffnung auf das ewige Heil zu richten, das im
Kreuz Christi erwirkt worden ist[68]. Nach einer stillen Besinnung
folgt das Bekenntnis der Sünden; fragend und weisend ist der
Priester dabei dem Kranken behilflich[69]. Nach der Beichte des
Kranken betet der Priester die sieben Bußpsalmen und die Litanei;
dann reicht er dem Kranken als letzte Wegzehrung den Leib des
Herrn[70]. Vor der Spendung der letzten Ölung hält der Priester eine
kleine Katechese, in der er mit den Worten des Jakobusbriefes
(5,14f.) den Sinn dieses vom Herrn eingesetzten Sakramentes
erläutert; das heilige Öl ist dabei als Symbol der Barmherzigkeit
Gottes an den Menschen zu deuten[71]. Sodann wird — entsprechend
den Vorschriften der Agende — die rituelle Salbung erteilt und der
Kranke gesegnet. Zum Abschluß richtet der Priester erneut
tröstende Worte an den Kranken; alle Furcht vor dem Teufel sucht
er ihm zu nehmen, die Hoffnung auf die Barmherzigkeit Christi zu
stärken; denn Gott wird den Kranken nun nicht mehr verlassen; als
Zeichen dafür reicht ihm der Priester ein Kreuz[72]. Danach wendet
sich der Priester vom Kranken ab, fordert die Umstehenden zum
Gebet für diesen auf und kehrt zum Gotteshaus zurück[73].

So eignen dem Priester bei der Spendung der Krankensalbung in
besonderem Maße seelsorgliche Züge. Das Bild vom geistlichen
Arzt schwingt unterschwellig ebenso mit wie das Bild vom guten
Hirten, der den verstreuten und vereinsamten Schafen nachgeht,

---

[67] Wie bei haltung und reichung..., C viij r/v.
[68] Wie bei haltung und reichung..., C viij v — D ij r; Forma, iuxta quam...,
     g r; J. Hartzheim, Concilia Germaniae VI 636.
[69] Gropper stellt einen recht ausführlichen Beichtspiegel auf; Wie bei haltung
     und reichung..., D ij v — D iiij v.
[70] Wie bei haltung und reichung..., D iiij v — D v r.
[71] Wie bei haltung und reichung..., D v v — D v i r.
[72] Wie bei haltung und reichung..., D vi v — D vij v.
[73] Forma, iuxta quam..., g r/v; J. Hartzheim, Concilia Germaniae VI 636.

wenn Gropper seine Gedanken über die Krankensalbung im „Enchiridion" so zusammenfaßt[74]: „Christus ist jener Samariter im Evangelium (Lk 10,29—35), der auf den von Räubern mißhandelten und schwer geschlagenen Mann zugeht, während die übrigen vorübergehen; er allein ist von Mitleid bewegt, und er ist ganz beansprucht von der Sorge für den so elend geschundenen Menschen; er legt diesem die Binden seiner Sakramente um; er setzt ihn dann verbunden auf sein Tragtier und führt ihn in den Stall der Kirche. Der Priester aber vertritt den Stallbesitzer („stabularij vicem gerit"); ihm ist aufgetragen, sich um den Kranken zu sorgen — mit Heilmitteln, die von Christus, jenem wahren Samariter, dem Wächter der Menschen, verordnet sind, der allein die im Herzen Verwundeten heilt und deren Wunden verbindet."

d) Die Feier der Eucharistie

Für Johannes Gropper gibt es keinen Zweifel an der Lehre der Kirche, daß die Verwaltung des Sakramentes der Eucharistie dem Priester anvertraut ist. Von Christus hat der Priester den Dienst der Versöhnung empfangen (2 Kor 5,19)[75]. Diesen Dienst vollzieht er in der Feier der Eucharistie. Christus hat sich während seines irdisch-menschlichen Lebens dem Dienst der Versöhnung bis in Leiden und Tod hingegeben. In der Feier der Eucharistie wird dieser Dienst im Handeln des Priesters wieder gegenwärtig[76]. So ist das Tun des Priesters in Eucharistie und Meßopfer völlig bestimmt von der Stellvertretung Christi.

Mit Vehemenz trägt Gropper gerade in seinen Auffassungen über das Sakrament der Eucharistie den Gedanken der Stellvertretung Christi durch den Priester vor. Es ist Christus, der unsichtbare Priester, der durch seinen sichtbaren Diener, den Priester, Brot und Wein in seine Hände nimmt[77]. Mag der Priester ein sterblicher Mensch sein, er gebraucht in der Konsekrationshandlung die Worte Christi, des Herrn, vor dem sich jedes Knie der Himmlischen, der Irdischen und der Unterirdischen beugt (Phil 2,10)[78]. Christus selbst

---

[74] Enchiridion, f. 218r.

[75] Enchiridion, f. 118r.

[76] Enchiridion, f. 95r: „Quae sive vestitum sive totum sacerdotis aliorumque ministrorum actionem spectes, nihil aliud est quam representatio quaedam iucundissima mysterij humanitatis et praesertim passionis Christi."

[77] Enchiridion, f. 92r: „Quum itaque Christus, invisibilis ille sacerdos, per visibilem ministrum panem in manus accipit ac benedicit dicens: Hoc est corpus meum, scito ibi statim ac certissime esse corpus Christi. Itidem ad haec verba: Hic est sanguis meus, statim adesse sanguinem Christi." Ähnlich: Gegenberichtung, f. 99v u. 100r.

[78] Enchiridion, f. 91v: „Porro hic sermo, quem retulimus, nec humanus nec angelicus etiam putandus est, sed plane divinus, quem etsi pronuntiet con-

ist es, der kraft des Heiligen Geistes Brot und Wein in sein Fleisch und Blut verwandelt. So ist es nicht der Priester, der dieses Geheimnis wirkt, sondern der Heilige Geist, der Lebensspender; er vollbringt dieses Mysterium in der Kirche[79].

Ist Christus das Subjekt der Konsekrationshandlung, so ist er es auch, der das eucharistische Brot zur Vergebung der Sünden an die Menschen austeilt[80]. Ja, insofern die Messe das wahre Versöhnungsopfer Christi ist, hat der Priester in einem bestimmten Sinn an der Verwaltung des eucharistischen Sakramentes gar keinen eigenen Anteil; alles vollzieht in diesem Sinne Christus, der nicht nur das dargebrachte Opfer, sondern auch der das Opfer Darbringende ist[81]. „Christus sei der Priester / und das Opffer / sey darzu unser Got / und der Tempel. Der Priester / durch welchen wyr versônt seynt. Das Opffer / damit wyr versônt seynt. Der Tempel / darinn wyr versônt seynt. Got, dem wyr versônt seynt"[82]. Gropper

secrans sacerdos, homo mortalis, tamen pronuntiando non suis, sed Christi verbis utitur. Itaque non sacerdotis, sed Christi sermo est, cui omne genu flectitur coelestium, terrestrium et infernorum." Vgl. Chrysostomus, Homilia in Matthaeum 51,3 (MG 58, 507f.).

[79] Enchiridion, f. 118r: „... sicut ipse est, qui baptizat, ita ipse est, qui per Spiritum sanctum efficit carnem et sanguinem. Non sacerdos, sed Spiritus sanctus est, qui vivificat, qui unus idemque in tota ecclesia invisibiliter ea mysteria et operando sanctificat et sanctificando benedicit." Hierzu vgl. C. 1 q. 1 c. 77 (Friedberg I 385); Innozenz III., De sacramenti eucharistiae mysterio III 5 (ML 217, 844). Die von Gropper zitierte Dekretale wird einem „Liber de corpore Domini" von Augustinus zugeschrieben; der Irrtum in der Verfasserschaft dieses Buches, das von Paschasius, dem 859 verstorbenen Abt von Corbie, stammt (ML 120, 1267—1350; hier: XII 1; ebd., 1310f.), liegt bereits in der von Gratian benutzten Quelle vor: Alger von Lüttich, De sacramentis corporis et sanguinis dominici III 8 (ML 180, 840f.). Vgl. P. Blommeveen, Enchiridion, f. 52r: „Sacerdos consecrat hoc sacramentum non virtute propria, sed sicut minister Christi, in cuius persona consecratur hoc sacramentum. Ministri vero Christi aliqui sunt boni et iusti, aliqui vero sunt mali. Dicit Augustinus in libro de corpore Domini de his ministris sic: Intra ecclesiam catholiacam in ministerio corporis et sanguinis Domini nihil a bono maius, nihil a malo minus perficitur sacerdote, quia non in merito consecrantis, sed in verbo perficitur Creatoris et virtute Spiritus sancti."

[80] Enchiridion, f. 92v: „Ipse est enim (ut supra diximus) ... non minister, qui nobis carnem et sanguinem suum (licet per ministrum sacerdotem) porrigit, quod verba sua clarissime testantur." Ebd., f. 243r: „Datur autem hic sacrosanctae eucharistiae panis non ab alio quam a Deo et Christo filio eius. Ipse est enim, non minister sacerdos, qui revera baptizat et qui carnem et sanguinem suum nobis praebet in remissionem peccatorum."

[81] Enchiridion, f. 104v: „Secundum quam quidem rationem in hoc sacramento nihil proprium est sacerdos, sed totum agit Christus, qui usque hodie hoc veracissimum et sanctissimum corpus suum creat et sanctificat et benedicit et pie sumentibus dividit." Gropper beruft sich erneut auf die in Anm. 78 verifizierte Aussage von Chrysostomus.

[82] Gegenberichtung, f. 96r. Gropper zitiert hier aus der von ihm noch Augu-

stellt also prononciert die Wirkmacht Christi in der Opferhandlung, seine Identität als Opferpriester und Opfergabe fest.

Ist das Tun des Priesters bei der Eucharistiefeier völlig bestimmt von der Stellvertretung des eigentlich und wirklich handelnden Christus, dann müssen an den Priester für die Feier der Eucharistie geradezu übermenschliche Forderungen gestellt werden. Die Gerichtsdrohung des Apostels gegen jene, die den Leib des Herrn nicht unterscheiden, wird gegen all solche Priester gewendet, die — wiewohl entweiht durch Schuld und Verbrechen — ohne Scheu die heiligen Geheimnisse feiern. Diesen Zustand der Kirche schildern die Statuten des Provinzialkonzils von 1536 nicht ohne Klage[83]. Im Blick auf diese leichtfertigen Priester wird unter Schrecken an das Herrenwort erinnert, das Heilige nicht den Hunden und Perlen nicht den Schweinen vorzuwerfen (Mt 7,6). Für jene Priester, die mehr aus Gewohnheit als aus geistlichem Eifer zum Altar treten, wird hingegen erhofft, daß das abschreckende Beispiel des Judas sie zu einer vertiefteren Auffassung ihres priesterlichen Tuns zurückrufen möge[84].

Gibt auch die unwürdige Feier der eucharistischen Geheimnisse Anlaß zur Klage, so richtet sich Gropper doch tröstend daran auf, daß selbst die schlimmsten Mißstände Wesen und Wirkung des Sakramentes nicht zu zerrütten vermögen[85]. Schon in Korinth war es so, und selbst zur Zeit eines heiligen Augustinus hat es sich nicht

---

stinus zugeeigneten, tatsächlich von Bischof Fulgentius von Ruspe stammenden Schrift: De fide ad Petrum II 22 (ML 40, 760 bzw. 65, 682).

[83] Canones, f. 8v (cap. 9; ARC II 218): „Certe graviter dolemus atque animo inhorrescimus, ubi videmus passim tantis mysterijs indignos ac conductitios illos ac indignos sacerdotes publicis etiam ac manifestis criminibus contaminatos sese (idque irreverenter et interdum magis lucelli ac stipis quam Dei causa) sacris ingerere, quorum instat interitus et perditio non dormitat." In der Endrevision ersetzt „ac indignos sacerdotes" das frühere „sacrificulos"; ergänzt ist „sacris".

[84] Canones, f. 8v (cap. 10; ARC II 218f.): „Terret nec immerito nos sermo dominicus, qui vetat, nos sanctum dare canibus et margaritas nostras proiicere ante porcos, quum quosdam leviculos sacerdotes illotis manibus pedibusque (ut in proverbio est) audacius in haec sacratissima mysteria quam in prophana irrumpere comperimus. Quales sunt, qui humano affectu tantum et potius ex more quam devotionis ardore ad altare accedunt, quorum polluta est et mens et conscientia, quos merito horrendum evangelij exemplum (quod Johannis decimotertio legimus in haec verba: Et postquam accepisset buccellam, introivit in eum satanas, et caetera, quae sequuntur) ad meliorem vitae frugem altioremque tanti mysterij contemplationem revocaret." Vgl. Mt 7, 6; Joh 13,27. Korrekturen des Provinzialkonzils und der Endredaktion vgl. im Apparat Pfeilschifters (ARC II 218f.).

[85] Enchiridion, f. 112v: „Vides quantis testimonijs ecclesiae vetustissimus ac pientissimus ritus astruatur, quem ob solos abusus malorum sacerdotum hoc divinissimum sacramentum et missae mysterium prophanantium sugillari non oportuit, multo minus tolli."

anders verhalten[86]. Für die Begründung dieses Trostes findet der dogmatische Gedanke des priesterlichen Handelns in Stellvertretung Christi erneut Valenz. Die Konsekrationsgewalt ist göttlicher Herkunft; der Priester kann sie durch persönliche Verdienste nicht mehren noch durch persönliche Unwürdigkeit ihre Wirkung auch nur irgendwie schmälern[87]. Auch der schlechte Priester wirkt das Sakrament, so er nur die rechte Intention hat und die Worte Christi bei der Wandlung gebraucht. Im Vollzug dieses Sakramentes vermag der schlechte Priester nicht weniger als der gute; letztlich vollzieht ja weder jener noch dieser das Sakrament, sondern Christus, dessen Worte der Priester bei der Konsekration ausspricht. Auch ein schlechter Priester teilt bei der Kommunion den Leib und das Blut des Herrn aus; wohl allerdings schadet er sich selbst, wenn er unwürdig zur Feier eines so großen Sakramentes schreitet[88].

So sehr Gropper im Blick auf den priesterlichen Dienst an Eucharistie und Meßopfer die Stellvertretung Christi betont, er vergißt keineswegs den insgesamt ebenso wichtigen Gedanken der Stellvertretung der Kirche im Priester[89]. Hintergründig wirkt hier ein durch die paulinische Lehre von den Charismen bestimmtes Kirchenbild ein; die Kirche ist ein Leib mit vielen Gliedern, deren jedes eine eigene Gnadengabe verwaltet; eines dieser Glieder ist der Priester; dabei besitzt er eine ganz besondere Gnadengabe.

---

[86] Enchiridion, f. 112v; 1 Kor 11,17—34; Augustinus, Epistula 22 (ad Aurelium de coercenda temulentia), (CSEL 34/1, 54—62).

[87] Enchiridion, f. 118r: „Ergo divina solummodo est haec virtus sive potestas, non humanae efficaciae, ut non sit mirum sacramentum nec bonorum dispensatorum meritis ampliari nec malorum attenuari, quamvis interim malus minister ad iudicium et condemnationem suam tanto ministerio fungatur." Auch: Canones, f. 27r/v (cap. 17; ARC II 260). Gropper benutzt auch hier das in Anm. 79 verifizierte Zitat.

[88] Canones, f. 27v (cap. 17; ARC II 260): „... malus sacerdos sibi tantum nocet indigne tanta mysteria tractans." Gropper zitiert: 1 Kor 11,29; Joh 6,56.

[89] Insofern die Messe nicht nur ein Opfer des Herrn Christus ist, sondern auch ein Opfer der Kirche (s. u. Anm. 92), ist der Dienst des Priesters am Sakrament der Eucharistie nach zwei Seiten hin stellvertretend, indem er die Person Christi vertritt und im Auftrag der Kirche handelt. Dabei bleibt doch Christus der Haupthandelnde, der Mittler zwischen Gott und den Menschen. Er wird im feierlichen Lobpreis am Abschluß des Hochgebetes verkündet als „omnium horum bonorum author et elargitor atque huius sacrificij institutor, confector et applicator" (Enchiridion, f. 96v). Besonders in der Wandlung tritt die Person des Priesters ganz hinter Christus zurück; aber auch bei der Austeilung der Kommunion handelt eigentlich Christus; der Priester ist sein Werkzeug. So ist die Messe vornehmlich Opfer Christi, ohne doch aufzuhören, Opfer der Kirche zu sein; denn durch den im Auftrag der Kirche handelnden Priester ist es Christus selbst, welcher „institutor, confector et applicator" dieses Opfers ist. Folglich kommt dem Priester eine doppelt bezogene Funktion der Stellvertretung zu; er tritt in eine Relation zu Christus und zur gläubigen Gemeinde.

Denn „inn stat der kirchen"[90] feiert er die Messe; dabei wird versichert, daß „die Meß nit eyn privat / sonder eynn gemein opffer sey des priesters / als des gemeinen dieners und der kirchen / oder der gemeinde"[91]. Durch den Priester als ihren öffentlichen Diener bringt auch die Kirche[92] in der Messe den Leib Christi dar, und zwar nicht nur den wahren Leib Christi, Christus selbst also als Opfergabe, sondern auch sich selbst als den geheimnisvollen Leib Christi („corpus Christi mysticum")[93]. Darin sieht Gropper das „sacrificium Christianorum"[94]. Die ganze Kirche vertretend, steht der Priester im unmittelbaren Vollzug dieser Opferhandlung. Sein stellvertretender Dienst wird besonders deutlich in den Gebeten um Gottes Frieden und Schutz für die Kirche, für die weltliche Gewalt — nach der Vorschrift des Apostels —, schließlich für alle um ihn

[90] Gegenberichtung, f. 90v.
[91] Gegenberichtung, f. 102r. Dies gilt auch für die sogenannte Privatmesse; deren Verwerfung durch die Reformatoren — eine Folge der Negation des Opfercharakters und der einseitigen Aufwertung des Mahlcharakters — lehnt Gropper ab; er macht im Gegenteil darauf aufmerksam, daß in bestimmter Hinsicht auch bei der Privatmesse der Mahlcharakter gegeben ist; Archivio Segreto Vaticano, Conc. Trid. 18 (Arm. LXII), f. 9v: „Et tamen nullam interea missam esse, in qua sacerdos non co[mmun]icet cum omnibus toto orbe terrarum communicantibus...". Allerdings hält es Gropper für störend, daß während des Hauptgottesdienstes Messen von anderen Priestern zelebriert werden; er schlägt vor, „ut missae speciales ... omnes ante summum sacrum seu missam parochialem successive vel post habeantur et finiantur, quo postea universi ecclesiarum clerici celebrationi summae missae concordibus votis simul interesse possint pro universae ecclesiae statu Deum simul exoraturi". Unica ratio reformationis, f. 131v (H. Lutz, Reformatio Germaniae, 263; ARC VI 163). Diese Anregung wurde 1549 durch das Kölner Provinzialkonzil aufgegriffen und beschlossen; Decreta Concilij, f. XXV v (G v); J. Hartzheim, Concilia Germaniae VI 556.
[92] Im Blick auf die auf dem Altar gegenwärtige, immerwährende Opfergabe von Christi Fleisch und Blut erscheint die Messe als das Opfer Christi, als ein wahres Versöhnungsopfer. Im Blick auf die Darbringung aber erscheint sie als Opfer der Kirche, und zwar in zweifacher Weise gemäß der doppelten „res oblata" („corpus Christi verum" und „corpus Christi mysticum") als vergegenwärtigende Darbringung des Kreuzesopfers und als geistiges Opfer des Neuen Bundes, als das Lob- und Dankopfer der Kirche. M. Hillenbrand, Johannes Groppers Meßopferlehre nach dem „Enchiridion Christianae Institutionis" aus dem Jahre 1538, 64 u. 69. J. Mehlhausen, Die Abendmahlsformel des Regensburger Buches, 203—209.
[93] Enchiridion, f. 107r. Der geistliche Gewinn der Darbringung des mystischen Leibes Christi ist abhängig vom Hinzukommen wahren Glaubens und guter Absichten (Enchiridion, f. 105r): „Aliud est enim conficere corpus Christi, quod facit sacerdos Christi vice Christi verba pronuntians, aliud vero offerre Deo Christi corpus verum et mysticum, quod nemo utiliter facit, nisi accedat vera fides et bonus motus vel offerentis vel eius, pro quo fit oblatio."
[94] Hier ist ein Einfluß von Augustinus (De civitate Dei X 20; CChrlat 47, 294) auf Gropper zu konstatieren. Über die Hälfte aller Väterzitate im Eucharistietraktat des „Enchiridion" entfallen auf Augustinus.

Stehenden, die innerlich mit ihm[95] das Opfer der Messe für die durch Christi Leiden erwirkte Erlösung ihrer Seelen darbringen, wofür Dank und Lobpreis gebührt[96].

Der reformatorischen Negation dieses stellvertretenden Dienstes entgegnet Gropper mit dem Hinweis auf 1 Tim 2,1; dort beschwört der Apostel seinen Schüler, für alle Menschen möchten Bitten und Gebete, Fürbitten und Danksagungen gehalten werden[97].

Anders und doch erneut ähnlich zeigt sich im Fortgang der Meß-feier der Gedanke der Stellvertretung: Beim Empfang der Kommunion dokumentiert der Priester, daß er in Gemeinschaft steht mit der gesamten Kirche, mit der ganzen christlichen Welt. Der Empfang des Leibes Christi besteht „nit allein in der eusserlicher gemeiner niessung", sondern „vornemlich in der geistlicher und innerlicher communion / durch wölche der Priester und alle so sunst das Sacrament mit jm empfahen / sich allen gläubigen / die durch die gantze weite welt / das sacrament gleicher massen niessen/ durch den glauben und im geist zugesellen"[98]. So erinnert der Empfang des „corpus Christi verum" daran, daß die Messe auch ein Opfer des „corpus Christi mysticum" ist. Er vermittelt die Erfahrung der Gemeinschaft der Kirche nicht nur mit ihrem Haupt, sondern aller Glieder der Kirche miteinander. Darum allerdings müssen diese auch täglich im Gebet und in geistlicher Bemühung ringen: „Dweil der priester und die gemein betrachtenn / das das gegenwertig sacrament des leibs und blůts Christi in sich

[95] Obwohl Groppers Auffassungen in diesem Punkt nicht völlig homogen auszufallen scheinen, ergibt sich doch ziemlich deutlich, daß ein Mitvollzug der Laien an der Darbringung des Opfers angenommen wird. Gropper betrachtet nicht isoliert das Opfer Christi und des Christus stellvertretenden Priesters, sondern sieht die gesamte Kirche, vornehmlich aber die versammelte Gemeinde der Gläubigen einbezogen in das Geschehen am Altar. Besonders weit geht folgende Formulierung (Enchiridion, f. 92r): „Ergo hoc ipsum, quod Christus fecit, quod deinde apostoli eius mandato fecerunt, nunc quoque per sacerdotes et fideles ipsius in consecrando, porrigendo et manducando corpore dominico fit et deinceps fiet, donec ipse redierit ad iudicandum vivos et mortuos."

[96] Enchiridion, f. 109r: „Pro tota enim ecclesia secundum Christi institutum precatur sacerdos, ut eam Deus pacificet, custodiat, adiuvet ac regat. Pro potestatibus quoque, qui in sublimitate constituti sunt, secundum apostoli praeceptum orat. Insuper pro quibusdam speciatim et subinde pro omnibus circumstantibus hoc sacrificium laudis offert, sed pro his tantum, quorum Deo fides cognita est et nota devotio, qui et ipsi offerunt hoc sacrificium laudis pro redemptione animarum suarum, hoc est, qui per fidem recolunt, se per Christi passionem, quae hic representatur, redemptos esse, debitas pro tanto beneficio gratias et laudes agentes. Quid enim est aliud offerre sacrificium laudis quam laudem dicere et gratias agere?" Ganz ähnlich äußert sich Gropper 1544 (Gegenberichtung, f. 99v).

[97] Enchiridion, f. 108r.

[98] Gegenberichtung, f. 70v.

begreiffe / nit allein wesenlich das haupt / sonder auch geistlich die glidder / so bitten sie das sie in solcher gemeinschafft warlich befonden werden mögen / uß Gótlicher gnaden / durch Chrisstum"[99].

Den bislang skizzierten theologischen Erwägungen Groppers über den priesterlichen Dienst in der Feier der Eucharistie, „unicum illud piarum mentium solacium ac delicium"[100], korrespondiert eine Fülle pastoraler Reforminitiativen. Der Eifer des Kölner Theologen in dieser Sache resultiert aus der hohen Bedeutung, die er der Versammlung der Gläubigen zur Eucharistiefeier für das Leben einer Pfarrgemeinde beimißt. Auch jene Christen, „qui magis saeculo vacant quam Deo"[101], sollen wenigstens an den Sonn- und Feiertagen den Gottesdienst besuchen[102].

Deutlich sieht Gropper das Erfordernis, dem gläubigen Volk Einblick in den Sinn der einzelnen Zeremonien[103] innerhalb der Meßfeier zu vermitteln; er schlägt vor, daß die Bischöfe und Priester das Volk in ihren Predigten über die einzelnen Teile der heiligen Messe belehren sollen[104]; ja, selbst die Symbolik der litur-

---

[99] Gegenberichtung, f. 99v.   [100] Canones, f. 26v (cap. 13; ARC II 258).

[101] Institutio catholica, p. 63f. (E V r/v); vgl. Capita institutionis, E 2v u. E 3r.

[102] Gropper verweist auf die Auslegung von Gal 4,10f. durch den Kirchenvater Hieronymus (ML 26, 377—379).

[103] Im Blick auf den Reichtum an Zeremonien, den es in der Kirche — auch ohne Verbindung mit dem Meßopfer — gibt, plädiert Gropper für behutsame Reformen im Sinne religiöser Vertiefung und für begleitende katechetische Unterweisung; Unica ratio reformationis, f. 135r/v (H. Lutz, Reformatio Germaniae, 266; ARC VI 166): „Haeretici omnes veteres ceremonias, qui veluti stimuli quidam religionis et externa ornamenta ecclesiae sint, abolitas velint, quo Catholicis magis providendum videtur, ut eae, quae veteres et piae sunt et ad aedificationem faciunt, in ecclesia retineantur. Certe populus non modo adficietur, sed et non vulgari pietatis accessione cumulabitur per decentem piarum ceremoniarum exhibitionem, modo tamen doceatur per praedicatores verbi Dei, quid singulae ceremoniae sibi velint." Speziell im Hinblick auf die Messe scheint es Gropper nötig, daß „authoritati conciliari codex missalis (ut olim a divo Gregorio ecclesiae traditus est) emaculatus edatur". Unica ratio reformationis, f. 132v (H. Lutz, Reformatio Germaniae, 264; ARC VI 164). Den Ansatz zu einer Reform des Meßbuches findet man in den Akten der Kölner Diözesansynode vom Frühjahr 1550 protokolliert (J. Hartzheim, Concilia Germaniae VI 618f.).

[104] Unica ratio reformationis, f. 130v (H. Lutz, Reformatio Germaniae, 262; ARC VI 162f.). In der „Institutio catholica" (p. 668f.; p VII v u. p VIII r) empfiehlt Gropper dafür folgende liturgischen Handbücher: Isidor von Sevilla, De officiis ecclesiasticis; Hrabanus Maurus, De institutione clericorum; Rupert von Deutz, De divinis officiis; Innozenz III., De sacramenti eucharistiae mysterio; W. Durandus von Mende d. Ä., Rationale divinorum officiorum. Unter den zeitgenössischen Autoren rät Gropper zu: Franz Titelmans, Expositio mysteriorum missae (Erstauflage Antwerpen 1528), wobei er bemerkt, Titelmans setze das Werk „Expositio in canonem missae" des Bischofs Odo von Cambrai (ML 160, 1053—1070) fort; ferner weist er auf Michael

gischen Gewänder, die der Priester im Gottesdienst trägt[105], muß
den Gläubigen erklärt werden, wie von ihnen auch eine ehrfürch-
tige Scheu vor den sakralen Gefäßen zu verlangen ist[106]. In seinem
Gutachten für Kaiser Karl V. plädiert Gropper dafür, das allgemeine Konzil möge die Herausgabe eines Gebetbuches veranlassen,
welches dem gläubigen Volk die Anteilnahme am eucharistischen
Geschehen erleichtert[107]; er erwähnt dabei, daß er selbst mit der
Abfassung des „Libellus piarum precum"[108] eine Initiative dieser
Art ergriffen hat. In seiner durch die kaiserliche „Formula Reformationis" angeregten Schrift, in der modellhafte Ansprachen ge-
sammelt sind, die die Pfarrgeistlichen vor der Spendung der einzel-
nen Sakramente halten sollen, legt Gropper auch das Muster einer
Katechese vor, womit der Priester die versammelte Gemeinde vor
der Präfation auf eine würdige Mitfeier des Meßopfers vorbereiten
soll[109]. Darin ist zunächst auf die vielen Wohltaten hinzuweisen, die
Jesus Christus uns erwiesen hat, besonders die Befreiung aus der
Tyrannei des Teufels und die Versöhnung mit dem himmlischen
Vater durch sein Leiden. Das Opfer, das der Sohn in blutiger
Weise am Kreuz dargebracht hat, wird in der heiligen Messe
„geistlicher und bedeutlicher weiß / mit hochster dancksagung solcher unußsprechlicher wolthat / fur augen gestalt / und zwischen
den Himelschen Vatter und unsere sünd andechtigklich gesatzt"[110].
Während des Meßopfers geziemt es sich für die Gläubigen, die
eigene Schuld zu beweinen, Christus für sein stellvertretendes
Opfer zu danken, zugleich sich selbst um eine aufrichtige Opfer-
gesinnung zu bemühen und sich so ganz der Gnade und Huld
Gottes anheimzugeben; auch sollen die Gläubigen für alle Menschen, besonders für die Obrigkeit, die Verwandten und Wohltäter

Heldings Predigten „Von der Hailigisten Messe" hin sowie auf die 1549 von
Johannes Cochläus besorgte Edition „Speculum antiquae devotionis circa
missam".

[105] Diese Symbolik unterstreicht, daß der Priester am Altar stellvertretend für
Christus handelt; die Albe versinnbildet etwa das von Jesus getragene linnene
Gewand, die Stola das Kreuz; im Hintreten an den Altar erinnert der Priester
daran, wie Christus den Kalvarienberg bestieg; Institutio catholica, p. 663
(p V r).

[106] Institutio catholica, p. 673 (q II r). Folgende Vorschriften des kanonischen
Rechts werden angeführt: D. 23 c. 25 (Friedberg I 86); D. 1 de cons. cc. 39.
40 u. 42 (Friedberg I 1303—1305); D. 4 de cons. c. 106 (Friedberg I 1395).
Das Anliegen wird im Visitationsformular von 1550 wiederholt; Forma,
iuxta quam . . . , e iiij r; J. Hartzheim, Concilia Germaniae VI 633.

[107] Unica ratio reformationis, f. 130v u. 131r (H. Lutz, Reformatio Germaniae,
262; ARC VI 163).

[108] Zur Würdigung dieser Schrift s. o. das Urteil von H. J. Limburg (S. 69,
Anm. 12).

[109] Wie bei haltung und reichung . . . , B vi v — B viij v.

[110] Wie bei haltung und reichung . . . , B vij v.

und die im Tod vorangegangenen Schwestern und Brüder Fürbitt-
gebete sprechen.

Wenn unmittelbar vor der Präfation der Priester die Gläubigen
aufruft: „Erhebet die Herzen!" und diese darauf antworten: „Wir
haben sie beim Herrn", so wird darin eine nachdrückliche
Mahnung zur Innerlichkeit ausgesprochen; alle weltlichen
Gedanken sollen abgestreift werden, da nun die heilige Handlung
ihrem Höhepunkt zustrebt; ganz konzentriert sollen die Gläubigen
im Gebet dem liturgischen Geschehen folgen[111]. Bereits bei der
Opferbereitung sollen sie Gott um wohlgefällige Annahme der dargebrachten Gaben bitten[112]; mit den Worten des Psalmisten (Ps 20/
19,2—4) beten sie inständig für den Priester, der im Namen der
Kirche und mithin auch in ihrem Namen das Opfer darbringt[113]; sie
selbst pflichten der Darbringung des Opfers bei, indem sie am Ende
des Stillgebetes ihr „Amen" sprechen[114]. Von diesem Zeitpunkt an
sollen die Orgeln im Gottesdienst schweigen, damit sich die
Aufmerksamkeit aller ungeteilt den Worten der Präfation und des
Kanon zuwenden kann[115]. Während der Elevation der Hostie und
des Kelches soll die Gemeinde kniend des am Kreuz von Christus
dargebrachten Opfers in frommer Erinnerung und stiller Danksagung eingedenk sein[116].

[111] Libellus piarum precum, A 5r/v; Gropper zitiert wörtlich aus: Cyprian, De
dominica oratione, 31 (CSEL 3/1, 289).
[112] Libellus piarum precum, F r/v: „Digneris, summe Deus, hanc oblationem,
quam ecclesia tua catholica tibi per sacerdotem nostris votis accedentibus
offert, placatae accipere pro cuncto populo tuo, quem acquisisti precioso
sanguine eiusdem dilecti filij tui Domini nostri Jesu Christi."
[113] Libellus piarum precum, F 2r/v: „Orent pro te omnes sancti et electi Dei,
Spiritus sanctus superveniat in te et virtus Altissimi obumbret tibi. Exaudiat
te Dominus in die tribulationis, protegat te nomen Dei Jacob. Mittat tibi
auxilium de sancto et de Syon tueatur te. Memor sit omnis sacrificij tui et
holocaustum tuum pingue fiat."
[114] Libellus piarum precum, F 2v: „Sequitur quotidiana praefatio, qua ante
orationem praemissa sacerdos parat astantium mentes, incipiens a conclusione
secretae orationis, ut astantes ad eam et oblationem addant suum Amen."
[115] Unica ratio reformationis, f. 132r (H. Lutz, Reformatio Germaniae, 263;
ARC VI 164). Forma, iuxta quam..., e ij r; J. Hartzheim, Concilia Germaniae VI 632. Vor der Theologenkongregation erklärte Gropper am 14. Dezember 1551 in Trient, ehedem seien die Konsekrationsworte laut in der
Volkssprache gesprochen worden; dabei sei allein die „plebs sancta" anwesend gewesen; inzwischen wohnten auch die „indisciplinati" dem Gottesdienst bei; deshalb würden sie jetzt in lateinischer Sprache still vom Priester
gesprochen, damit das Heilige nicht verunehrt werde (CT VII/1, 407, 13—18).
Gropper beruft sich für seine Argumentation auf: Innozenz III., De sacramenti eucharistiae mysterio III 1 (ML 217, 840). Zum Ganzen: L. Lentner,
Volkssprache und Sakralsprache, 277.
[116] Canones, f. 27r (cap. 16; ARC II 260); Unica ratio reformationis, f. 132r
(H. Lutz, Reformatio Germaniae, 263f.; ARC VI 164).

Jesus Christus selbst wird in der Eucharistie angebetet[117]. Er ist es auch, der das „tremendum Eucharistiae mysterium"[118] vollbringt; der Priester handelt ganz im Dienste Christi[119]; denn Christus hat ihm die Konsekrationsgewalt übertragen, jene Vollmacht, mit der er im Abendmahlssaal Brot und Wein in seinen Leib und sein Blut verwandelte und die er schon andeutete, als er auf der Hochzeit zu Kana Wasser in Wein verwandelte[120].

Zwar ist die heilige Wandlung die Mitte der Eucharistiefeier; gleichwohl ist die Gewohnheit etlicher Christen zu verurteilen, allein der Elevation von Hostie und Kelch beizuwohnen und sodann das Gotteshaus zu verlassen[121]. Selbst wenn sie nicht alle Einzelheiten der Meßfeier verstehen, ist das doch kein zureichender Grund, große Teile des Gottesdienstes zu versäumen[122]. Vielmehr sollen sie nach der Wandlung im Gebet verharren; ihr Gebet soll an erster Stelle darum flehen, daß die Priester zugleich durch Wort und beispielhafte Lebensführung das ihnen anvertraute Volk zum himmlischen Vaterland einladen[123]; aber auch für die Regierenden sollen sie beten, für die Könige und Fürsten, für die Jungfrauen und die Eheleute, „pro omni gradu Eclesiae".

Gropper liegt daran, daß diese Gebete still verrichtet werden. Den in vielen Gemeinden des Erzbistums Köln verbreiteten Brauch, nach der Elevation der Hostie Antiphonen für den Frieden und gegen die Pestilenz zu singen, hatte er schon durch die Statuten des Provinzialkonzils von 1536 an das Ende der Meßfeier zugunsten

---

[117] Unica ratio reformationis, f. 129v (H. Lutz, Reformatio Germaniae, 261; ARC VI 162).

[118] Institutio catholica, p. 673 (q II r).

[119] Gropper erklärte am 14. Dezember 1551 in Trient gemäß dem Protokoll Massarellis (CT VII/1, 408, 17—20): „Et imolatio et consecratio in missa ab ipsomet Christo fit; sacerdotes autem praebent tantum ministerium. Ex quo refellitur, quod Lutherani dicunt, nos per sacrificium missae derogare oblationi Christi, cum praeter illam nos etiam imolemus et offeramus in missa."

[120] Diese Auslegung von Joh 2,1—11 findet sich in Groppers Trienter Konzilspredigt vom 6. Januar 1552. Oratio, D ij r.

[121] Canones, f. 29r (cap. 26; ARC II 263f.). Diese Bestimmung wird vom Provinzialkonzil des Jahres 1549 wiederholt, indem es anordnet, daß die Gläubigen auf ihre Pflicht hinzuweisen seien, „integro sacro auscultare, quo participes fiant confessionis, quam sacerdos pro tota plebe facit, et omnium orationum et benedictionis, qua eos dimittit". Decreta Concilij, f. XXV r (G r); J. Hartzheim, Concilia Germaniae VI 556.

[122] Unica ratio reformationis, f. 126v u. 127r (H. Lutz, Reformatio Germaniae, 259; ARC VI 160): „... vocabulum mysterii seu sacramenti satis indicat, non omnia fuisse populo propalata, sed tantum ad aedificationem necessaria."

[123] Libellus piarum precum, F 4v u. F 5r. Gropper übernimmt die Formulierung aus der von ihm noch Ambrosius zugeschriebenen „Precatio secunda in praeparatione ad missam" (c. 13; ML 17, 839); diese war ihm in einer 1533 bei Johannes Gymnich in Köln erschienenen Ambrosius-Ausgabe zugänglich.

stiller, betender Erinnerung aller Gläubigen an das Erlösungswerk des Herrn verweisen lassen[124]. Diese Gebete münden ein in das Vaterunser, welches der Priester nach dem Ende des eucharistischen Hochgebetes spricht.

Wenn das Herrengebet die Bitte um das tägliche Brot ausspricht, so bezieht sich diese nicht nur auf die notwendige körperliche Nahrung, sondern auch auf die geistliche Speisung, die Christus durch sein Wort, vor allem aber in seinem für uns dahingegebenen Fleisch und Blut gewährt; mit festem Glauben sollen wir von diesem himmlischen Brote essen, auf daß wir fortan die Sünde meiden, auf daß wir in ihm bleiben wie er in uns, auf daß wir das ewige Leben haben — seiner Verheißung (Joh 6,51) gemäß: „Wer von diesem Brot ißt, wird leben in Ewigkeit"[125].

Während der Priester die Kommunion empfängt, soll der Gläubige zu Gott beten, er möge auf ihn wie auf jenen Zöllner herabsehen, der von ferne im Gotteshause stand, an seine Brust schlug und um das Erbarmen Gottes betete (Lk 18,13). Zitternd das heilige, geheimnisvolle Geschehen anbetend, möge Gott ihm wenigstens auf geistliche Weise gewähren, von seinem Fleisch zu kosten und sein Blut zu trinken, indem er ihm unsichtbarer Weise Nahrung schenkt durch einen lebendigen Glauben daran, daß der Leib des Herrn am Kreuz zerbrochen und hingeopfert worden ist für die eigenen Sünden, daß sein Blut aus seiner Seite geflossen ist für die eigene Schuld[126]. Der Gläubige soll auch darum bitten, in Zukunft häufiger „pura et secura mente et casto corpore" selbst zur Kommunion gehen zu können[127]; glaubt er sich freilich mit einer

---

[124] Canones, f. 9r (cap. 14; ARC II 219).

[125] Institutio catholica, p. 30f. (B VII v — B VIIJ r): „Da denique nobis panem supersubstantialem, carnem Domini nostri Jesu Christi filij tui, ut solida fide manducantes hunc panem de coelo missum, dulciter videlicet recolendo, carnem eius in cruce pro nobis immolatam et sanguinem eius in remissionem peccatorum nostrorum effusum esse, deinceps peccata vitantes in eo maneamus et ipse in nobis, ut per eum in nobis manentem vitam habeamus aeternam." Ähnlich: Capita institutionis, C 1v. Vgl. M. Helding, Brevis institutio, f. 18r: „Similiter et panem illum vitae aeternae poscimus, qui animae nostrae substantiam fulcit (carnem videlicet vivificatricem Domini nostri Jesu Christi), ut eum digne et recta fide manducantes in Christo maneamus et eum, qui vera vita est, in nobis manentem habentes vivamus in aeternum." Ähnlich: M. Helding, Von der Hailigisten Messe, f. 74r.

[126] Libellus piarum precum, G 2r/v. Gropper verweist auf eine von Augustinus inspirierte Bestimmung des kanonischen Rechts: D. 2 de cons. c. 59 (Friedberg I 1336f.).

[127] Libellus piarum precum, G 2v. Gropper betrachtet in seinem Gebetbuch den Fall, daß der Gläubige nicht kommuniziert, als den gewöhnlichen, den gegenteiligen als die Ausnahme; das zeigt sich u. a. darin, daß er in einem Anhang zu den für den Verlauf der Meßfeier vorgesehenen Gebeten einen eigenen Abschnitt folgen läßt unter dem Titel: „Quando communicare vis

schweren Sünde belastet, von der der Apostel sagt, daß sie vom Reiche Gottes ausschließt (Gal 5,21), so soll er auf den Empfang des Leibes Christi warten, bis er zur Beichte gegangen ist und Buße getan hat[128].

An jene Gläubigen, die diese Voraussetzung erfüllen und in bußfertiger, demütiger Gesinnung zu kommunizieren wünschen[129], soll der Priester vor der Austeilung des eucharistischen Brotes eine kurze, in das sakramentale Geheimnis einführende Ansprache richten. Darin soll er die Kommunikanten bitten, sich in das Mysterium unserer durch Christus gewirkten Erlösung zu versenken; er soll sie anleiten, daran zu denken, daß sie nun den Leib des Herrn empfangen, den Christus zur Sühne unserer Sünden in seinem Tod geopfert hat und den er uns in der Eucharistie hinterlassen hat, auf daß wir in ihr seinen für unser Heil erlittenen Tod preisend und dankend verkünden[130]. Der Priester soll die Gläubigen aber auch darüber unterweisen, daß sie durch den Empfang des Leibes Christi in eine feste, innere Gemeinschaft mit ihrem Herrn eintreten, aus der ihnen Kraft zufließt, dem Bösen zu widerstehen und im Guten

corpori et sanguini dominico" (Ebd., G 4v — G 7v). Wie schon in den Statuten des Provinzialkonzils von 1536 (Canones, f. 28r; cap. 21; ARC II 261) setzt sich Gropper auch zehn Jahre später für einen häufigeren Kommunionempfang der Laien ein; Unica ratio reformationis, f. 131r (H. Lutz, Reformatio Germaniae, 262; ARC VI 163): „Curandum item, ut non tam raro quam hactenus, sed crebrius populus ad communionem sacramentalem se paret, quemadmodum in veteri ecclesia factum constat, quod scilicet haec sit potissima causa institutionis huius sacrosancti mysterii, ut a multis in commemorationem Domini sumatur." Das Kölner Provinzialkonzil von 1549 begnügt sich mit einer Erinnerung an das Kirchengebot, wenigstens einmal im Jahr nach voraufgegangener Beichte die Kommunion zu empfangen; Decreta Concilij, f. XXIX r (G v r); J. Hartzheim, Concilia Germaniae VI 560. Bei dieser Gelegenheit untersagt die Kirchenversammlung ebenso wie schon die Kölner Diözesansynode von 1548 den Kommunionempfang „sub utraque specie"; vgl. Acta Synodi, C r; J. Hartzheim, Concilia Germaniae VI 358.

[128] Canones, f. 27v u. 28r (cap. 20; ARC II 261). Auch die vom Salzburger Provinzialkonzil (1537) beschlossenen Reformkonstitutionen hielten an der Unerlaubtheit der Austeilung der Kommunion an Gläubige, die vorher nicht gebeichtet haben, fest (ARC II 396). Den Stellenwert der Kölner und Salzburger Bestimmungen zum Verhältnis von Beichte und Kommunionempfang bemißt innerhalb größerer kirchengeschichtlicher Zusammenhänge die nicht immer sorgfältig durchgeführte Arbeit von: L. Braeckmans, Confession et communion au moyen âge et au Concile de Trente, 90.

[129] Sollten Gläubige das Sakrament „sub utraque specie" begehren, so sind sie im Sinne der kirchlichen Praxis unter Bezugnahme auf die Bestimmungen des Konstanzer und Basler Konzils gesondert zu belehren; vgl. Canones, f. 27r (cap.15; ARC II 259); Concilium Constantiense, sessio XIII (1415), Dekret „Cum in nonnullis" (Mansi 27, 727f.); Concilium Basiliense, sessio XXX (1437), Dekret „Ut lucidus videatur … super modo communionis" (Mansi 29, 158f.).

[130] Wie bei haltung und reichung …, C r — C ij r.

zu wachsen; so wird ihre Liebe zum dreifaltigen Gott ebenso vertieft wie ihre Verbundenheit mit allen Heiligen und Christgläubigen, mit allen Gliedern des Leibes Christi[131]. Im Vertrauen darauf sollen die Kommunikanten ganz ohne Angst und voller Zuversicht zum Empfang der Eucharistie gehen „tamquam ad medicinam humanae infirmitatis"[132]. In andächtiger, ehrfürchtiger Haltung sollen sie vor den Priester treten und aus seiner Hand den Leib Christi mit reinen Lippen empfangen[133].

Werfen wir zum Abschluß dieses Kapitels noch einen kurzen Blick auf das letzte große Werk des Kölner Theologen, die 1556 erschienene Monographie über das eucharistische Sakrament. Wo immer sich Gropper darin über den priesterlichen Dienst äußert, tut er das aus der Perspektive der Thematik seiner Untersuchung, also im Hinblick auf das Sakrament der Eucharistie. Jesus Christus hat, als er beim Abendmahl an seine Jünger das Wort richtete: „Tut dies zu meinen Gedächtnis!" (Lk 22,19; 1 Kor 11,24), das alttestamentliche Priestertum aufgehoben[134]; er berief die Apostel zu Priestern des Neuen Bundes, den er stiftete, und verlieh ihnen drei Gewalten: die Gewalt, Brot und Wein durch die Konsekration in seinen Leib und sein Blut zu wandeln[135]; die Gewalt, diesen Leib und dieses Blut zum Gedächtnis des Kreuzestodes in der Messe Gott als Opfer darzubringen[136]; schließlich die Gewalt, durch die Austeilung des eucharistischen Sakramentes die am Kreuz erwirkte Erlösung den Gläubigen zuzuwenden[137].

---

[131] Wie bei haltung und reichung..., C ij v — C iij v. Auch: Canones, f. 28r/v (cap. 23; ARC II 262); hier wird verwiesen auf einen angeblich von Augustinus stammenden „Sermo in dedicatione ecclesiae", c. 5 (ML 39, 2170). Tatsächlich handelt es sich um ein Werk des Caesarius von Arles (Sermo 228, 5; CChrlat 104, 903).

[132] Unica ratio reformationis, f. 131r (H. Lutz, Reformatio Germaniae, 263; ARC VI 163).

[133] Capita institutionis, G 2r; Institutio catholica, p. 143 (K V r). Gropper beschreibt den Kommunionempfang in Anspielung auf die Szene der Berufung des Propheten Jesaja (Jes 6,6). Dabei zitiert er: Chrysostomus, Homilia de eucharistia in enceniis (bei Migne: Homilia IX de poenitentia..., de sacra mensa et de iudicio; MG 50, 343—348; dort: 345): „Propter quod et accedens, ne putes, quod accipias divinum corpus ex homine, sed ex ipsis Seraphim forcipe ignem, quem Esaias vidit, reputa salutarem sanguinem quasi e divino et impolluto latere effluere et ita approximans labiis puris accipe."

[134] Vonn warer, wesenlicher und pleibender gegenwertigkeit, f. 354r—356r.

[135] Ebd., f. 87r u. 356r—358r.

[136] Edb., f. 358r—367r.

[137] Ebd., f. 367r—368v. Dabei tun die Priester ihrem Amt vollauf Genüge, wenn sie die Eucharistie unter einer Gestalt ausspenden (Ebd., f. 368v); Gropper lehnt den Laienkelch ab, weil er der Ordnung der Kirche widerspricht; eine Änderung dieser Ordnung würde er, wenn sie zur Beilegung der Spaltung führen würde, begrüßen (Ebd., f. 332r).

Aufgrund dieser Vollmachten ist das Priestertum „nit einen jetlichen Christglåubigen / der nur zum H. Sakrament gehet / gleich zu schetzen / … sonder übertrifft weith und fern / nit allein eins jetlichen sonderen Menschen Standt / aber auch alle weltliche Wirden und gewalten / die sein so groß wie sie wøllen / ja es wirdt hierin der Hymlischer Wirde nit unbillich vergleichen"[138]. Mit einer Fülle von Bildern ist schon in der Patristik die ganze außergewöhnliche Würde des Priestertums erläutert worden; selbst die Kaiserkrone ist nur Blei gegen das Gold der priesterlichen Würde[139]; durch die Konsekrationsgewalt ist das Heil der Gläubigen gleichsam in die Hände der Priester gelegt[140]; so kann Gropper bemerken, daß „die Våtter die Wirde der Priesterschafft (so leider diser zeit in die Allerhøchste verachtung kommen ist) der Engelischer Wirde gleich gehalten / ja derselbigen schier vorgesetzt haben / Und das allein von deßwegen / daß den Priestern die macht und gewalt von Christo gegeben ist / sein Wares Fleisch und Blůt zu Consecrieren und zu Conficieren / welche die Engell nit haben"[141].

Mit Bedauern beobachtet Gropper, daß die Reformatoren keinen Sinn für die in der Feier der eucharistischen Geheimnisse begründete Würde des priesterlichen Dienstes aufbringen[142]; andererseits nimmt ihn das auch nicht wunder, da ja „die Predicanten der Widersacher … meh / ertheils Meineidige und Trewlose / Abtrünnige Münch und Pfaffen seind / und jre unverschampte Weiber / under schein der Ehe / wider jre gethane Gløbden gnommen / und darumb jre gewisse verdambniß haben / Weil sie den ersten glauben / wie der Apostel 1 Tim 5,12 sagt / gebrochen haben"[143]. Im Gegensatz zu diesen reformatorischen Prädikanten sollen sich die katholischen Priester um Keuschheit und kultische Reinheit bemühen[144]. Angesichts der übergroßen Würde seines Amtes ist vom Priester eine Lebensführung zu verlangen, „als ob er im hymel, mitten under den hymlischen krefften losiert weer"[145]. Fazit: Unter

---

[138] Ebd., f. 336r.

[139] Ebd., f. 337r; vgl. Ps. Ambrosius, Liber de dignitate sacerdotali, 2 (ML 139, 170): „Si regum compares infulas et principum diademata, longe erit inferius, quasi plumbi metallum ad auri fulgorem compares." Zur Kritik dieser Quelle s. o. S. 157, Anm. 94.

[140] Chrysostomus, De sacerdotio III 5 (MG 48, 643).

[141] Vonn warer, wesenlicher und pleibender gegenwertigkeit, f. 255v.

[142] Gropper (Ebd., f. 338r) erwähnt Melanchthons stilwidrigen Vergleich der katholischen Priester mit „den persischen gotspfaffen, die ein abgøttisch fewr trogen / und anbetteten"; vgl. in der „Responsio" von 1543 (MW VI 400).

[143] Vonn warer, wesenlicher und pleibender gegenwertigkeit, f. 97v.

[144] Ebd.

[145] Ebd., f. 337v.

dem Einfluß der offenen Konfrontation mit protestantischen Auffassungen ist Johannes Gropper in seinem Spätwerk mehr als je zuvor geneigt, in seine Vorstellung vom priesterlichen Dienst sakralisierende Tendenzen einzubringen.

e) Das Sakrament der Buße

Im Wissen um die unverzichtbare, heilsame Kraft, welche die Bußpraxis in das Leben der Kirche ausstrahlt, und um die besonderen Probleme, die mit der Spendung des Bußsakramentes verbunden sind, widmet Johannes Gropper dem „sacramentum poenitentiae" ein auffälliges Interesse.

aa) Weisen des Sündenbekenntnisses

Als Vorstufe zum sakramentalen Sündenbekenntnis kennt Gropper die „confessio mentalis", ein innerliches Sündenbekenntnis des Menschen vor Gott, zu dem sich der Mensch in reuiger Selbstbesinnung versteht[146]. Dessen Notwendigkeit und Nutzen den Gläubigen zu erläutern, werden die Pfarrgeistlichen von Gropper gemahnt[147]. Täglich sollen sich die Christen im Eingeständnis ihrer Sünden üben. Nach Gropper ist die „confessio mentalis" schon im alttestamentlichen Gesetz geboten (Lev 16,16.21); im Buch Nehemia wird, so meint der Kölner Theologe, eine entsprechende Praxis unbestreitbar belegt (Neh 9,16—18.26—37). Sie hat auch in der Kirche ihren Platz, nämlich im „Confiteor" zu Anfang der Meßfeier, im allgemeinen Sündenbekenntnis von Priester und Volk nach der Predigt, schließlich im kirchlichen Stundengebet[148]

Als weitere Vorstufe zum sakramentalen Sündenbekenntnis betrachtet Gropper die „confessio fraterna", die Vergebung der Menschen voreinander. Er stützt sich dabei auf die neutestamentliche Botschaft, welche Gottes Vergebungsbereitschaft proklamiert und damit den Aufruf zur Vergebung der Menschen untereinander verbindet (Mt 18,21f.; Mk 11,25). Als Sinnbild der „confessio fraterna" erscheint ihm die Fußwaschung (Joh 13,2—15)[149].

---

[146] Enchiridion, f. 138v. Vgl. Ph. Melanchthon, Loci communes theologici (CR 21, 495).

[147] Enchiridion, f. 138v—140r.   [148] Enchiridion, f. 140r.

[149] Zwischen Joh 13,14f. und Jak 5,16 stellt Gropper (Enchiridion, f. 140r/v) eine Beziehung her; dabei bedient er sich eines Beda-Zitates (In Johannis evangelium expositio, c. 13; ML 92, 806. Dazu vgl. Augustinus, In Johannis evangelium tractat. 58, 5; CChrlat 36, 475). Es wird unterschieden zwischen schweren Sünden, die dem Priester zu beichten sind, sowie „täglichen und leichten" Sünden, die die Christen voreinander bekennen und beichten können.

Zur „confessio fraterna" gehört auch die „correptio fraterna",
die brüderliche Zurechtweisung nach Mt 18,15—17. Sie hat neben
ihrer interpersonalen Funktion als Schuldgeständnis voreinander
auch eine Funktion in Hinordnung auf die sakramentale Absolution, da das gegenseitige Bekennen und Vergeben auch zur Beichte
vor dem Priester anregen soll[150]. In diesem Zusammenhang ist es
Gropper energisch darum zu tun, die unbedingte Höherwertigkeit
des sakramentalen Sündenbekenntnisses vor dem Priester festzuhalten, wiewohl er die „confessio fraterna" schätzt und ihr auch
einen relativen Eigenwert beimißt[151]. Dennoch bietet Gropper
starkes dogmatisches Vokabular auf, um zu zeigen, daß die „confessio fraterna" nicht die den Priestern vorbehaltene Schlüsselgewalt berührt. Der Priester übt das „ministerium Christi" aus, der
Bruder das „ministerium caritatis et humilitatis". Auch das Objekt
der Vergebung ist je ein anderes, nämlich „peccati remissio" bzw.
„privatae iniuriae condonatio"[152]. Diese Unterscheidung schafft
Gropper den Raum, ein besonderes Sündenbekenntnis vor dem
Priester zu begründen, worin dieser eine „öffentliche" Amtsfunk-
tion[153] wahrnimmt. Treffend charakterisiert Braunisch[154] Groppers
Absicht so: „Die Differenzierungen der Bezeichnungen bezüglich
Art und Objekt der Schuldvergebung beleuchten allein schon das
Ziel, das Gropper im Auge hat: Er will das Bußsakrament als
eigenständiges, wirkkräftiges, sichtbares Zeichen des verborgenen
göttlichen Erbarmens sichern; er will deutlich machen, daß das
Amt der Vergebungszusage an die Person des geweihten Priesters
geknüpft ist, der als ein von Christus Autorisierter auf Grund der
Schlüsselgewalt stellvertretend dessen Wort und Heilstat im Dienst
an der Gemeinde weitergibt und erfahrbar macht."

---

[150] Enchiridion, f. 143r: „Putandum tamen non est, hanc confessionem, quam
frater corripiens a correpto elicit, sacramentalem esse; nam ea tandem sacramentalis est, quae sacerdoti vice Christi fit, habens absolutionem peccatorum
annexam, ad quam per correptionem fraternam tandem devenitur, nempe
quum correptus ob contumaciam ecclesiae, hoc est (si tamen Chrysostomo ac
alijs orthodoxis credimus) praesidibus ecclesiae denuntiatus ad cor revertitur
et eisdem praesidibus sua scelera confitetur absolutionis desiderio aestuans."
Gropper beruft sich auf die Auslegung von Mt 18, 15—18 durch Chrysostomus
(Homilia in Matthaeum 61; MG 58, 583—586).
[151] Enchiridion, f. 141r: „Retinendum ... est, ... sacerdotes longe alia ratione
... remittere peccata confitentibus, quam fratres seu privati invicem remittunt; nam illi publica authoritate et vice Christi (cuius personam in ecclesia
representant) virtute clavium ab eo acceptarum ab omnibus passim peccatis
poenitentes absolvunt vere contrito et confesso nihil minus praestantes, quam
si Christus praesens absolveret."
[152] Enchiridion, f. 141v.
[153] Enchiridion, f. 107r u. 185r.
[154] R. Braunisch, Die Theologie der Rechtfertigung, 244f.

bb) Die priesterliche Absolutionsgewalt

In eingehender und wiederholter Argumentation führt Gropper den Nachweis, daß es neben und über der „confessio mentalis" und der „confessio fraterna" eine dritte „confessio" gibt, welche vor den Bischöfen und Priestern der Kirche abgelegt wird, denen von Christus die Vollmacht erteilt ist, Sünden nachzulassen und zu behalten[155]. Kraft göttlicher Weisung ist diese Vollmacht an die Bischöfe und Priester als Nachfolger der Apostel durch die Weihelegitimation gebunden. Christus hat laut Joh 20,22f. den Aposteln und ihren Nachfolgern in der Kirche die Schlüssel des Himmelreiches übergeben, ihnen dadurch die Gewalt erteilt, Sünden nachzulassen und zu behalten und so das Bußsakrament eingesetzt[156]. In der „traditio clavium"[157] wird den Aposteln eben jene Macht übereignet, die Christus verliehen war als dem Sohn Gottes, der vom Vater in die Welt gesandt wurde, um sie aus der Knechtschaft des Bösen zu befreien und ihr den Willen des Vaters zu offenbaren. Christi Sendung vollendete sich in der Schwachheit, am Kreuz; ihm gleich und in seinem Auftrag sind auch die Apostel und in deren Sukzession die Diener der Kirche gesandt, zur Auferstehung von Christi Leib, der Kirche, zu wirken[158].

Gropper wird nicht müde, gegen alle Einwände und Zweifel zu versichern, daß die Priester kraft Christi Vollmacht, nicht aus eigenem Vermögen die Beichtenden von den Sünden absolvieren[159]. Die Übertragung dieser Vollmacht an die Priester bedeutet für diese gleichermaßen eine hohe Auszeichnung und eine große Ver-

---

[155] Enchiridion, f. 141v.

[156] Enchiridion, f. 145r.

[157] Schlüssel ist nach Gropper in der Sprache der Bibel ein bildhaftes Zeichen für eine „summa quaedam authoritas, potestas, gubernatio et domestica administratio" (Enchiridion, f. 145r); ähnlich äußert sich auch Ph. Melanchthon in den „Loci communes theologici" von 1535 (CR 21, 501).

[158] Enchiridion, f. 145r—146r. Vgl. R. Braunisch, Die Theologie der Rechtfertigung, 249.

[159] Enchiridion, f. 177v: „Suam enim potestatem Christus (quam et visibili signo adhibito ad certam fidem remissionis peccatorum nobis faciendam confirmasse legitur) sacerdotibus concessit, ne quis putet, sacerdotem sua propria potestate absolvere." Einem anderen Mißverständnis beugt Gropper gelegentlich seiner Erklärung von Begriff und Inhalt der Genugtuung vor, indem er betont, daß die Absolution auf gar keinen Fall durch eigene Verdienste und gute Werke erwirkt werden kann (Enchiridion, f. 158r/v): „Applicatur siquidem haec satisfactio a Deo per veram contritionem et fidem, cuius certum testimonium est absolutio sacramentalis sacerdotis, quae docet nos, hanc tribuere debere Deo, non nostris operibus. Nam nullus omnino hominum poterit vel pro culpa unius peccati mortalis satisfacere et poenam aeternam suis meritis abolere. Ergo non in merito confitentis, sed in nomine Patris et Filij et Spiritus sancti sacerdos confitentem absolvit."

antwortung. Gedanken von Chrysostomus[160] aufgreifend, äußert
Gropper, Christus scheine in gewisser Weise unser Heil in die
Hände der Priester gelegt zu haben[161], die seine Stelle vertreten.
Diesen sei, wiewohl sie auf der Erde lebten, eine Vollmacht übertragen, die in den Himmel reiche, die Gott weder den Engeln noch
den Erzengeln übergeben wissen wollte. Jenen sei nämlich nicht
gesagt: „Was immer ihr auf Erden binden werdet, wird auch im
Himmel gebunden sein; und was immer ihr auf Erden lösen
werdet, wird auch im Himmel gelöst sein" (Mt 18,18). Zwar hätten
auch die irdischen Fürsten eine Vollmacht zu binden; doch berühre
diese nur den Leib, sie treffe nicht die Seele der Menschen wie die
Binde- und Lösegewalt der Priester, die bis in den Himmel reiche;
ja, alles, was die Priester auf Erden täten, das bestätige und bekräftige Gott im Himmel. Was denn anderes als die ganze
Vollmacht über die himmlischen Dinge sei jenen von Gott gegeben? Könne es überhaupt eine größere Vollmacht als diese geben?
Deshalb, so folgert Gropper mit Chrysostomus, sei es eine offenkundige Tollheit, ein so hohes Amt zu verachten, ohne welches wir
Menschen nicht des Heiles und der guten Verheißungen teilhaft
werden können[162].

Mit einer Palette von Texten, bei den Pseudoklementinen[163]
beginnend, sucht Gropper die Notwendigkeit des Bekenntnisses vor
dem Priester ausführlich zu begründen[164]. Mit Eifer macht er sich
an die Interpretation mehrerer patristischer Stellen, die von den
Reformatoren gegen den „consensus ecclesiae" als Argumente für
die Abschaffung der geheimen Beichte vor dem Priester gebraucht
wurden[165]. Anders als sie hält Gropper an der althergebrachten
Lehre und Praxis der Kirche fest, so etwa, wenn er zum „signum
visibile" des Bußsakramentes auch die Akte des Pönitenten rechnet,
nämlich die frei übernommenen und vom beichthörenden Priester
im Namen der Kirche auferlegten Bußübungen für die nach Vergebung der Sünden noch verbliebenen Schuld- und Strafrelikte[166].

[160] Chrysostomus, De sacerdotio III 5 u. 6 (MG 48, 643f.).
[161] Enchiridion, f. 151r: „... sacerdotibus Christi vice fungentibus, in quorum
manus Christus salutem nostram quodammodo posuisse videtur."
[162] Enchiridion, f. 147r/v. Chrysostomus, De sacerdotio III 5 (MG 48, 643).
[163] Gropper (Enchiridion, f. 151v) weiß, daß die Echtheit dieser Schrift umstritten ist; aber auch wenn sie apokryph sei, sagt er, verbürge sie doch eine
sehr alte Autorität. Gleiches gelte für das Schrifttum des Dionysius Areopagita. Aus den Pseudoklementinen zitiert Gropper: Ps. Clemens, Epistula 1
(ad Iacobum fratrem domini), 11 u. 14 (Hinschius, 33 u. 35).
[164] Enchiridion, f. 151r—158r.
[165] Näheres bei: R. Braunisch, Die Theologie der Rechtfertigung, 256f.
[166] Enchiridion, f. 159v: „Quamobrem in ecclesia semper observatum est, ut
episcopi ac sacerdotes ecclesijs praepositi resipiscere cupientibus secundum
criminum ac delictorum modum poenitentiam darent, hoc est, poenitendi

Zum „signum visibile" rechnet Gropper auch — übrigens ebenso in Einklang mit der katholischen Tradition — den Gestus des Priesters beim Sprechen der Absolutionsworte: Der Priester legt seine Hand auf das Haupt des Pönitenten, worin angezeigt wird, daß Gottes Kraft, die befreiende und heiligmachende Gnade des Heiligen Geistes, im Sakrament wirksam zugegen ist[167]. Im Gedanken eines Gott stellvertretenden Handelns ist nach Gropper alles Tun des Priesters im Bußsakrament zu begreifen, der Gestus der Handauflegung ingleichen wie das Sprechen der Absolutionsformel[168]. Im Priester aber soll man nicht eine menschliche Person erblicken, sondern die Person Christi, den der Priester vertritt; und fest soll man daran glauben, daß die Versöhnung durch den Priester bei dem, der wahrhaft umgekehrt ist, inwendig auch bewirkt, was sie bezeichnet, nämlich daß der Absolvierte nicht nur mit der streitenden, sondern auch mit der triumphierenden Kirche versöhnt wird.

In diesem Zusammenhang kann das Votum über das Bußsakrament nicht übergangen werden, welches Gropper in der Kongregation der Trienter Konzilstheologen am 25. Oktober 1551 vortrug[169]. Gegenüber den Reformatoren verteidigt Gropper darin die Sakramentalität der Buße unter Berufung auf die von Christus den Jüngern hinterlassene Schlüsselgewalt[170]. Darüberhinaus deutet er die Buße als Sakrament der Versöhnung; ausgehend von 2 Kor 5,18—20, hält es Gropper für einen vornehmen Dienst des Priesters, jene Christen, die nach der Taufe in schwere Schuld gefallen sind, mit Gott und mit der Kirche auszusöhnen; dem Wort der Absolution, das der Priester spricht, wohnt die durch Christus verheißene Gnade der Sündenvergebung inne; nicht in eigener, sondern in Christi Vollmacht[171] tilgt der Priester alle Schuld, die den Büßer von der Gemeinschaft mit Gott und mit der Kirche

---

tempus constituerent ac castigationes et opera quaedam pia (quae ad eluendas praeteritorum peccatorum reliquias et commonstrandum peccatoris animum quammaxime idonea viderentur) imponerent. Idque non potestate humana usurpatum est, sed potius divina, nimirum apostolis et eorum successoribus per Christum tradita." Zur Lehre von der Genugtuung im „Enchiridion" Groppers: R. Braunisch, Die Theologie der Rechtfertigung, 257—263.

[167] Enchiridion, f. 180r.

[168] Ebd.: „Verbum absolutionis..., quod sacerdos vice Dei ad confessum peccata sua pronuntiat." Ebd.: „Nam sacerdoti, qui Christi vice fungitur, formula Domini ... imitanda est."

[169] CT VII/1, 265, 15—269, 10.

[170] Gropper bezeichnet als „signum" des Bußsakramentes die „absolutio sacerdotalis", als „materia" die „contritio", die „confessio" und die „satisfactio"; CT VII/1, 266, 10—13 u. 27—33.

[171] Das untermauert Gropper durch ein Zitat des hl. Ambrosius (Expositio evangelii sec. Lucam 5, 13; CChrlat 14, 139): „Quis potest remittere peccata nisi solus Deus?"

trennt. Die dem Priester in der Lossprechungsgewalt von Christus anvertraute „potestas" ist so gewaltig, daß Gropper sie — wie schon Chrysostomus[172] — nur mit jener „potestas" vergleichen kann, welche der Vater dem Sohn übertragen hat[173]; dabei bleibt sie als Vollmacht Christi in ihrer Wirksamkeit unabhängig von Würdigkeit oder Unwürdigkeit des Priesters, auch wenn dieser durch ihre Größe stets zur persönlichen Vervollkommnung angeregt wird[174].

cc) Der Verlauf der Beichte

In seinem Reformgutachten für Kaiser Karl V. vom Mai 1546 äußert Gropper, daß die Spendung des Bußsakramentes am besten nach den Richtlinien „in antiquissimis illis libris Ordinis Romani" erneuert werde. So bestünde am ehesten Hoffnung auf den Abbau mancher von den Häretikern angeprangerter Mißstände und den Wiedergewinn der „antiqua dignitas" der Kirche[175]. Eine brauchbare Handreichung für den Ablauf der Beichte bietet der Kölner Theologe den Pfarrern in seiner durch die kaiserliche „Formula Reformationis" angeregten, 1549 erschienenen Schrift über die Spendung der Sakramente[176]. Demnach soll der Beichtvater zunächst das Beichtkind befragen, ob es die Grundlagen des Glaubens, die zehn Gebote, das Vaterunser und die sieben Sakramente kennt. Ist das der Fall, so soll der Priester erkunden, ob der Beichtende bereit ist, allen Menschen zu verzeihen, gegen die er aufgebracht und zornig ist, und alle Sünden, die er begangen hat, aufrichtig zu bereuen. Es folgt die Mahnung, keine Sünde zu verschweigen, da Gott ja ohnehin alle Sünden kennt und sieht, und kein falsches, beklemmendes Schamgefühl vor dem Priester zu empfinden, der selber ein sündiger, gebrechlicher Mensch ist, jedoch im Bußsakrament die Stelle Christi vertritt[177]. Nach diesen

---

[172] Chrysostomus, De sacerdotio III 5 (MG 48, 643).

[173] CT VII/1, 268, 3—5.

[174] Gropper (CT VII/1, 267, 18—26) bekräftigt, daß für die Gültigkeit der Spendung eines Sakramentes die Intention des Priesters ausreicht zu tun, was die Kirche tut. Er verweist auf Joh 1,33; 1 Kor 1,13—15 sowie auf can. 11 „de sacramentis in genere", den das Konzil bereits 1547 verabschiedet hatte (CT V 995, 32f.).

[175] Unica ratio reformationis, f. 133r (H. Lutz, Reformatio Germaniae, 264; ARC VI 164). Vgl. M. Andrieu, Les Ordines Romani du haut moyen-âge V, Ordo L (83—365), c. 25, 24—59 (192—207) u. Anhang 1 (367—381).

[176] Wie bei haltung und reichung ..., B ij v — B vi v.

[177] Wie bei haltung und reichung ..., B ij v — B iij v. Ähnlich: Capita institutionis, G 4r; Institutio catholica, p. 146 (K VI v); dort heißt es, das Sündenbekenntnis erfolge „coram Deo et (qui Dei legatione et ecclesiae ministerio rite fungitur) sacerdote"; verwiesen wird auf 2 Kor 5,20 und den 1. Clemensbrief (57, 1; Fr. X. Funk, Patres Apostolici I 170—173).

Vorbemerkungen des Priesters soll das Sündenbekenntnis erfolgen; zeigt sich, daß das Beichtkind durch eine gründliche Gewissenserforschung gut darauf vorbereitet ist, soll der Beichtvater konzentriert zuhören und möglichst wenig eingreifen; nur wenn das Beichtkind ungeschickt ist, soll sich der Beichtvater mit der gebotenen Zurückhaltung äußern, indem er an die sieben Hauptsünden erinnert und so bei der Formulierung des Bekenntnisses behilflich ist[178]. Hier zeigt sich, wie notwendig das Wissen des Seelsorgers über die Natur, die Arten und Quellen der Sünde ist[179]. Dies ist auch erforderlich für den geistlichen Zuspruch, den der Beichtvater nach dem Bekenntnis an sein Beichtkind richtet. Als „spiritalis medicus"[180] hat der Priester seinen Rat sorgsam abzuwägen; gegen Zorn und Neid, Hoffart und Trägheit hilft stetiges, demütiges Gebet zu Gott; Geiz kann man durch Almosen überwinden; Völlerei und sinnliche Ausschweifungen sind durch Fasten und Enthaltsamkeit zu bekämpfen; bei allem kommt es darauf an, dem Beichtkind im Lichte der Heiligen Schrift Wege zu weisen, auf denen es künftig unter dem Beistand der Gnade Gottes jeden Rückfall in die Sünde vermeiden kann[181]. Mit dem Vorsatz, allen Versuchungen in Zukunft zu widerstehen, bittet das Beichtkind den Priester um das Bußwerk der Genugtuung[182]. Nachdem dieses auferlegt und vom Büßer angenommen ist, spricht der Priester die Absolution erst in lateinisch, dann in deutsch[183]. Das sakramentale Wort der Lossprechung deklariert nicht bloß, daß die Vergebung durch Gott geschehen ist, sondern es wirkt die Vergebung bei Gott. Der Priester löst also von der Schuld im Himmel und auf Erden; er versöhnt den Beichtenden mit Gott und mit der kirchlichen Gemeinschaft „per verbum Dei, cuius Sacerdos minister et annunciator est"[184]. So kann er handeln aufgrund der Schlüsselgewalt, die Christus den Aposteln und ihren Nachfolgern, den Dienern der

---

[178] Die sieben „peccata capitalia", die jeder Priester kennen muß, sind: „superbia, invidia, ira, acedia, avaritia, gula, luxuria sive libido"; Institutio catholica, p. 474 (c V v); vgl. Ps. Ambrosius, Precatio secunda in praeparatione ad missam (ML 17, 833—842); Gregor d. Gr., Moralia XXXI 45 (alte Zählung: 31; ML 76, 620—622).

[179] Institutio catholica, p. 433 (a I r): „... de natura peccati et de peccatorum generibus, fontibus et propagine ... omnibus Christianis et maxime parochis scitu apprime utilia et necessaria."

[180] Capita institutionis, G 4r; Institutio catholica, p. 147 (K VII r).

[181] Wie bei haltung und reichung..., B v r.

[182] Wie bei haltung und reichung..., B v v; Unica ratio reformationis, f. 145r (H. Lutz, Reformatio Germaniae, 274; ARC VI 173): „... remedium postulans, quicquid ei a sacerdote fuerit iniunctum, ita diligenter ac si ab ipso omnipotentis Dei ore prolatum esset, observet."

[183] Wie bei haltung und reichung..., B vi r.

[184] Capita institutionis, G 6r; Institutio catholica, p. 149 (K VIII r).

Kirche, übertragen hat (Mt 16,19 u. 18,18; Joh 20,21—23)[185]. Dabei legt der Priester dem Pönitenten die Hand auf und bedeutet ihm so, daß er nun durch Gottes Gnade Reinigung, Versöhnung und Heilung erlangt[186].

dd) Eigenschaften des beichthörenden Priesters

Die Absolutionsvollmacht verlangt dem Priester ein hohes Maß an persönlicher Lauterkeit und seelsorglichem Verantwortungsbewußtsein ab[187]. Dazu gehört auch die Pflicht, die Gläubigen auf ihre Sünden hinzuweisen[188]; besonders die Predigt am Aschermittwoch ist für die Bußerziehung bedeutungsvoll; alle, die eine schwere Sünde begangen und dadurch die Tunika Christi befleckt haben, sind darin zu ermahnen, ihren Pfarrer aufzusuchen und ihm — dem Kirchengebot entsprechend[189] — alle Sünden zu beichten[190]. Herbe Kritik übt Gropper an jenen Geistlichen, die aus Gründen der Bequemlichkeit die so vornehme Pflicht der Verwaltung des Bußsakramentes vernachlässigen und die Last des Beichthörens von sich abschieben[191].

Wollen die Priester die Christen für den Empfang des Bußsakramentes gewinnen, so müssen sie diese darauf vorbereiten; seitens der Gläubigen ist ein klares und abgewogenes Schuldbekenntnis erforderlich, ein unverschlüsseltes Eingeständnis der Sünden ohne den Versuch, diese zu entschuldigen; die meisten Menschen sind

---

[185] Institutio catholica, p. 328f. (R IIII v u. R V r).

[186] Institutio catholica, p. 673 (q II r) — 676 (q III v); nach Meinung Groppers ist die Handauflegung, die außer im Bußsakrament auch bei der Taufe, der Firmung und der Weihe verwendet wird, ein uralter Ritus, den die Bibel vielfach bezeugt (Gen 48,13f.; Mk 10, 16 u. 16, 18; Apg 3, 7; 6, 6; 13, 3; 14, 3).

[187] Gropper (Enchiridion, f. 144r) beruft sich auf die Forderungen des Kirchenrechts: D. 50 c. 27 (Friedberg I 188); D. 1 de pen. c. 89 (Friedberg I 1189); X. 5, 38, 12(Friedberg II 887f.). In diesem Zusammenhang nennt Gropper auch Cyprians Büchlein „De lapsis" (CSEL 3/1, 237—264).

[188] Canones, f. 30r (cap. 32; ARC II 266). Unica ratio reformationis, f. 133v (H. Lutz, Reformatio Germaniae, 265; ARC VI 165).

[189] X. 5, 38, 12 (Friedberg II 887f.).

[190] Unica ratio reformationis, f. 133v (H. Lutz, Reformatio Germaniae, 265; ARC VI 165).

[191] Gropper verweist auf: Nikephorus Chartophylax, Epistula ad Theodosium monachum de ligandi solvendique potestate (MG 100, 1065—1068). Daß die Beichte auch damals hauptsächlich bei den Mönchen gehalten wurde, veranlaßt Gropper zu einem spontanen Vergleich mit ähnlichen Verhältnissen in seiner Zeit (Enchiridion, f. 152v): „Ecce quam perspicue vir ille pius morem confitendi sacerdotibus ex divinis literis asserit ac comprobat, quamvis suis temporibus id usu venisse dicat, quod et nostris, nempe per pontifices et sacerdotes, ut otiosius viverent, onus audiendarum confessionum secretarum tum in monachos veluti nunc in fratres mendicantes esse reiectum, non sublatum."

laut Gropper in der Beurteilung ihrer Vergehen unsicher; sie halten zum Beispiel gerade das für Sünde, was keine Sünde ist; auch sind einige so befangen, daß sie sich selbst keinen Einblick in ihr Inneres zu verschaffen wissen; gerade sie sehnen sich nach einem lauteren, klugen und schriftkundigen Beichtvater[192]. Nur ein solcher kann seinem richterlichen Amt gerecht werden, zu unterscheiden „inter lepram et non lepram"[193]. Eine besondere, beruhigende Belehrung soll jenen zuteil werden, die beim Vortrag ihres Bekenntnisses ängstlich und skrupulös sind; Gott, der ja alles weiß, verlangt von uns nur ein aufrichtiges Herz; das soll diesen Menschen durch den Beichtvater bedeutet werden[194]. Schließlich kommt es dem Priester zu, nach Abschluß des Bekenntnisses den Beichtenden zu ermahnen[195], von der Schuld Abstand zu nehmen und sein Leben demnächst so einzurichten, daß es nicht mehr einem tödlichen Verbrechen verfällt, wie Christus zu der Frau gesagt hat: „Geh, und sündige fortan nicht mehr" (Joh 8,11). In dieser Gesinnung soll der Bekennende glauben, daß ihm durch Gottes Barmherzigkeit kraft des Blutes Christi bei der Absolution die Sünden nachgelassen werden; der Priester soll ihm ein geziemendes Bußwerk aufgeben, ihm dann endlich die Hand auflegen und ihn absolvieren[196].

Einer angeblich von Augustinus verfaßten Schrift entnimmt Gropper die metaphorische Beschreibung des beichthörenden und die Vergebung der Sünden zusagenden Priesters als Arzt[197]; dort wird empfohlen, der Verordnung eines gottesfürchtigen Priesters zu

---

[192] Enchiridion, f. 183r.
[193] Canones, f. 30v (cap. 34; ARC II 266). Enchiridion, f. 180v: „Neque enim postremus finis atque usus confessionis is est, quod scilicet confitens per sacerdotem (cui iudicium datum est cognoscendi ac iudicandi inter lepram et non lepram) instrui debeat, ut discernat inter peccatum et non peccatum."
[194] Canones, f. 30v (cap. 36; ARC II 267).
[195] Wie intensiv das geistliche Bemühen des Priesters um die Beichtenden sein soll, veranschaulicht Gropper durch ein Zitat aus: Paulinus, Vita sancti Ambrosii, 39 (ML 14, 43). Gropper scheint die Leser seines Buches zur persönlichen Nachahmung des Vorbildes von Ambrosius einladen zu wollen (Enchiridion, f. 157r): „Quotiescunque (inquit) illi aliquis ob percipiendam poenitentiam lapsus suos confessus esset, ita flebat, ut et illum flere compelleret. Videbatur etiam sibi cum iacente iacere, caussas autem criminum, quas illi confitebantur, nulli nisi Domino soli (apud quem intercedebat) loquebatur, bonum relinquens sacerdotibus posteris exemplum, ut intercessores apud Deum sint magis quam accusatores apud homines."
[196] Canones, f. 31r (cap. 39; ARC II 268).
[197] Gropper (Enchiridion, f. 154r) weiß, daß die Verfasserschaft Augustins für den „Liber de salutaribus documentis" (ML 40, 1047—1078) ebenso wie für den gleichfalls von ihm zitierten „Liber de visitatione infirmorum" (ML 40, 1147—1158) umstritten ist. Er bemerkt dazu, Augustinus vertrete in zweifelsfrei eigenen Schriften ähnliche Ansichten (Enarratio in Ps 66,7; CChrlat 39, 864. In Johannis evangelium tractat. 22,7; CChrlat 36, 227). Auch wenn die

folgen, weil dieser es wie ein weiser und erfahrener Arzt versteht, zunächst sich um seine eigenen Sünden zu kümmern und dann fremde Wunden zu reinigen und zu heilen[198]. Ergänzend bemerkt Gropper, im „Liber de visitatione infirmorum" würden jene widerlegt, die glaubten, es reiche aus, wenn sie allein Gott, dem nichts verborgen ist und der das Gewissen eines jeden kennt, ihre Fehler eingestünden, da sie nicht willens seien oder es verabscheuten, sich den Priestern zu zeigen, obwohl der Herr diese zur Überwachung der Reinheit eingesetzt habe; an dieser Stelle deutet Gropper in einer Marginalglosse an, daß ein Vorbild der priesterlichen Vollmacht in jener Aufgabe des alttestamentlichen Priestertums zu erblicken ist, die Reinheitsgesetze zu überwachen, zwischen rein und unrein zu unterscheiden.

Wie man sich bei einer leiblichen Krankheit in die Obhut des Arztes begibt, so soll man nach einer seelischen Erkrankung den Priester aufsuchen, den Gott zu seinem Stellvertreter zu nehmen sich nicht scheute[199], um von ihm das göttliche Wort der Vergebung zu hören, dem vertrauend man sich über den Nachlaß der Sünden vergewissern kann. In jener Gesinnung, die ein Todkranker hegt, wenn er sich an den Arzt wendet, ohne dessen Hilfe er dem sicheren Tode geweiht ist, soll man zum Priester gehen[200].

Auch für den beichthörenden Priester hat die Metapher vom Arzt, der seinen Patienten betreut, Konsequenzen. Behutsam soll er sein Beichtkind zur inneren Ablösung von den früheren Sünden, zur Reue über sie führen; für jede einzelne Krankheit soll er auch ein Heilmittel anwenden, wie es der Arzneischrank der Heiligen Schriften bereithält[201]. Eine große Zahl von Besserungsweisungen, die überwiegend der Schrift entlehnt sind, weiß Gropper zur Behebung der verschiedensten sittlichen Fehlhaltungen zu empfehlen[202]. Schließlich fügt sich in das Bild vom geistlichen Arzt für den

andern Schriften nicht von Augustinus seien, als alte und ehrwürdige, von der Kirche angenommene Zeugnisse hätten sie gleichwohl Beweiskraft.

[198] Enchiridion, f. 154r. Ps. Augustinus, Liber de salutaribus documentis, 52 (ML 40, 1066).

[199] Enchiridion, f. 154r: „[sacerdos]..., qui mediator sit ad Deum tuum salubri iudicio." Ps. Augustinus, Liber de visitatione infirmorum II 4 (ML 40, 1154).

[200] Enchiridion, f. 183v.

[201] Unica ratio reformationis, f. 133r (H. Lutz, Reformatio Germaniae, 264; ARC VI 164): „... ut administratio poenitentiae in ecclesia salutariter fiat, maxima ex parte situm est in pastoribus seu sacerdotibus confessariis, videlicet si tales sint viri eruditi, pii et graves, qui ut periti medici discernere possint inter morbum et morbum et singulis sua idonea remedia pro rerum et personarum qualitate adhibere et qui imprimis sciant, peccatorum reos ad veram resipiscentiam (quae absolutionem praecedere debet) per gladium ancipitem verbi Dei commovere."

[202] Enchiridion, f. 182v.

beichthörenden Priester auch die Auferlegung von Bußwerken ein, für welche Gropper plädiert — gestützt auf die Väter der alten Kirche, die gerade darum in kluger Diskretion bekümmert gewesen seien[203].

Bei allem kommt es Gropper darauf an, dem Priester durch das Leitbild vom geistlichen Arzt[204] die Augen zu öffnen für die hohen Qualitäten, die das Beichthören erfordert: Gelehrsamkeit, Rechtschaffenheit, Klugheit und vor allem Frömmigkeit; der Geistliche soll daran denken, daß er Christi Stelle im Beichtstuhl vertritt; auf eine so ernste, heilige Aufgabe muß er sich gründlich vorbereiten; sonst wäre er ein schlechter Arzt, er würde die Erkrankung des Nächsten noch mehren und Gottes Zorn auf sich herabrufen. Wie Paulus über die Schuld und Verwerfung Israels (Röm 9,1—5), so soll der Priester über die Sünden der Menschen weinen. Er soll um so inständiger beten und über die Herde des Herrn wachen, je größer die Krankheiten sind, von denen er sie befallen sieht, und dabei soll er daran denken, daß diese Krankheiten nicht in die Herde eingedrungen wären, wenn er und die anderen, denen dies Amt anvertraut ist, durch Unterweisung und Ermahnungen, Tadel und Beschwörungen darüber gewacht hätten[205].

ee) Die „poenitentia publica"

Groppers Vorstellungen über den priesterlichen Dienst der Verwaltung des Bußsakramentes wären unvollständig, wenn nicht auch die Gedanken des Kölner Theologen skizziert würden, die sich mit einer Erneuerung des öffentlichen Bußverfahrens beschäftigen, dem sich in der alten Kirche alle zu unterziehen hatten, die eines allgemein bekannten Vergehens überführt waren. Die Betroffenen konnten entweder aus eigenem, freien Entschluß ihre Schuld einge-

---

[203] Enchiridion, f. 161v: „Nam si sacerdos spiritualis medicus censendus est, si apta remedia pro modo et conditione cuiusque morbi adhibere, si inter solvendos et ligandos discernere debet idque ex mandato Dei, plane desipit, qui putat, eum debere poenitenti nulla prorsus imposita satisfactione praepropere manum imponere. Potius docendum erat (quod huius tempestatis omnium scelerum lue corruptissime ratio quammaxime postulabat), ut ad praescripta patrum (quoad fieri possit) regredi anniteremur, quam ut magis adhuc laxatis habenis ecclesiasticae disciplinae ex poenitentia rem plane ridiculam faceremus. Certe iucundum est videre, quam fuerint patres in remedijs istis imponendis solliciti, prudentes ac discreti."

[204] Auch in den Schriften von 1544 und 1545 findet sich dieses Bild: Gegenberichtung, f. 115r; Warhafftige Antwort, f. 14v. Übrigens findet sich diese Metapher mehrfach auch bei: Erasmus, Exomologesis sive modus confitendi, 150, 156, 166 u. 168f.

[205] Enchiridion, f. 183v u. 184r. Erasmus (Exomologesis sive modus confitendi, 156) nennt folgende Eignungserfordernisse: Lebenserfahrung und Reife, Gelehrsamkeit, Glaubensfestigkeit, Sanftmut und Klugheit.

stehen und um Zulassung zu diesem Bußverfahren bitten — gemäß
dem Beispiel der öffentlichen Sünderin in Lk 7,36—50 — oder
wurden von den Bischöfen dazu genötigt, und sei es durch eine
öffentliche Anklage vor versammelter Gemeinde oder durch Verhängung der Exkommunikation — ähnlich der Behandlung des
Blutschänders durch Paulus laut 1 Kor 5,1—5. Den Beteuerungen
der Kirchenväter über den Wert dieser „poenitentia publica"
schließt sich Gropper entschieden an[206].

Die Anregung zur Wiederbelebung dieser öffentlichen Form der
Buße taucht bereits in den „Canones" des Kölner Provinzialkonzils
von 1536 auf [207] einschließlich der Forderung, „usum excommunica-
tionis in publice criminos in lucem revocandum"[208]. Die Idee, in der
Kirche das im Laufe des Mittelalters außer Gebrauch gekommene
öffentliche Bußverfahren wiedereinzuführen und dadurch die
rigorose Gemeindezucht der frühen Christenheit zu erneuern,
könnte Gropper bei der Lektüre der „Exomologesis" des Erasmus
von Rotterdam gekommen sein[209]. Er hat sie bis in seine Spätschriften verfolgt.

Nachdem die ersten Anstöße, die er 1536/1538 in dieser Richtung gegeben hatte, ohne Echo geblieben waren, bot sich Gropper
im Mai 1546 eine günstige Gelegenheit, seine Überlegungen zu
wiederholen, als er von Köln aus ein Reformgutachten an Kaiser
Karl V. übersandte[210]. Systematisch entwickelte er seine Vorstellun-

[206] Enchiridion, f. 151v u. 152r.
[207] Canones, f. 31r (cap. 38; ARC II 268).
[208] Canones, f. 43v (cap. 4; ARC II 295). Der vorhandene Wortlaut ist eine
durch das Provinzialkonzil veranlaßte Abschwächung der Urfassung
Groppers.
[209] Erasmus, Exomologesis sive modus confitendi, 149: „... prisci gubernatores
ecclesiae non solum in sacramentis administrandis et in cultu divino, verum
etiam in eiiciendis in crimen relapsis et in recipiendis poenitentia purgatis
ritus quosdam visibiles ac cerimonias adhibuerunt, ut et populus deterreretur
a peccando, et quos nondum pigebat suorum scelerum, ad resipiscentiam pro-
vocarentur, et quorum erat infirma poenitentia, magis ad peccatorum horro-
rem accenderentur. Multis enim irritamentis eget humanae mentis imbecilli-
tas, ut ignem caritatis concipiat, ut servet, ut ab invalescente occupata trans-
formetur. Olim reprehendebantur ab episcopo, semovebantur a consortio gregis Christiani, nudo capite, nudis pedibus, sacco vestiti, cinere conspersi
stabant ante templi vestibulum...; huius consuetudinis exstant etiamnum
nonnulla vestigia...; nostrum est, quod corporalibus cerimoniis detractum
est, id animi deiectione cordisque contritione pensare."
[210] Unica ratio reformationis, f. 128r (H. Lutz, Reformatio Germaniae, 260;
ARC VI 161): „Quando tamen forsan expedierit, ut et caeterae formae
extarent, praesertim sacramenti poenitentiae tam privatae quam publicae, eo
quod publicam poenitentiam in usum revocare summopere sit necesse propter
instaurationem disciplinae, quae iam dudum magna ex parte gravissimo cum
ecclesiae detrimento collapsa est." Vgl. ebd., f. 133r/v (264 f. bzw. 164) u.
144v (274 bzw. 172).

gen zu dieser Frage in der „Institutio catholica" von 1550[211]. In dem
Bemühen, die frühkirchliche Bußpraxis als legitime Fortentwick-
lung der Gedanken des Neuen Testaments über die christliche Buße
aufzuweisen, stellt Gropper dort sowohl Simon Petrus, der den
Herrn verleugnete, wie auch Maria Magdalena als beispielhafte
Zeugen der „poenitentia publica" dar[212]. Nach ihrem Vorbild, so
fährt Gropper fort, verhielten sich in der alten Kirche alle, die
nach der Taufe in die Sünde zurückgefallen waren, indem sie
„pharmacum publicae poenitentiae vel ipsi ultro et avide expete-
rent, vel a presbytero spiritali medico oblatum, libenter acciparent,
aut saltem non respuerent"[213]. Das öffentliche Bußverfahren begann am Aschermittwoch mit dem Ausschluß aus dem Gotteshaus
und dauerte über die ganze Fastenzeit hin bis zum Gründonnerstag;
an diesem Tag wurde die feierliche Rekonziliation durch den
Bischof vorgenommen[214]. Gropper beschreibt dann, wie sich gegen
Ende der Antike gewisse Mißstände in das öffentliche Bußverfahren einschlichen; zum Teil legte man den Sündern ganz übertrieben
harte Strafen auf; außerdem bestanden die Seelsorger zunehmend
darauf, auch geheim begangene Sünden durch die „poenitentia
publica" abbüßen zu lassen; der heilige Ambrosius habe diese
pastoral bedenkliche Entwicklung nicht mitgemacht[215]. Das öffentliche Bußverfahren, für das innere Leben der Kirche von unent-
behrlichem Wert, erfreute sich bei fast allen Kirchenvätern besonderer Wertschätzung[216]; gleichwohl konnten sich gewisse Fehlfor-
men ausbilden, ehe es durch die Sorglosigkeit der Kirchenleitungen
im Laufe des Mittelalters ganz unterging[217]. In Umkehrung der

---

[211] Institutio catholica, p. 758 (x IIII v) — 861 (Dd VIII r).

[212] Institutio catholica, p. 758 (x IIII v) — 769 (y II r).

[213] Institutio catholica, p. 769 (y II r).

[214] Institutio catholica, p. 676f. (q III v — q IIII r): „. . . in ecclesijs . . ., ubi
adhuc in die coenae Domini publice poenitentium publica et solennis recon-
ciliatio fit, episcopus super reconciliandos inter alia, ut vetustissimus ille liber
ordinis sanctae Romanae et catholicae ecclesiae habet, sic orat: Deus, qui
mundum in peccati fovea iacentem misericorditer erexisti, Deus, qui leprosos
et alijs contagijs irretitos sacerdotum iudicio mundari praecepisti, Deus, qui
per manus tuae impositionem animarum et corporum valetudines effugasti
idemque opus discipulis tuis eorumque successoribus agere praecepisti, exaudi
preces nostras pro his famulis et famulabus tuis . . .". Für das Zitat vgl. M. Andrieu, Les Ordines Romani du haut moyen-âge V, Ordo L (83—365), c. 25,
49 (201).

[215] Institutio catholica, p. 769 (y II r) — 781 (y VIII r); ebd., p. 775 (y V r)
zitiert Gropper: Paulinus, Vita S. Ambrosii, 39 (ML 14, 43): „Causas autem
criminum, quae illi confitebatur, nulli nisi Domino soli, apud quem intercedebat, loquebatur, bonum relinquens exemplum posteris sacerdotibus, ut intercessores apud Deum magis sint quam accusatores apud homines."

[216] Institutio catholica, p. 793 (z VI r) — 814 (Aa VIII v).

[217] Institutio catholica, p. 783 (z I r) — 792 (z V v).

Argumentation der kaiserlichen „Formula Reformationis"[218] meint Gropper, die Erneuerung der „poenitentia publica" sei ein Gebot der Stunde; je mehr der Glaube und die Liebe in den Herzen der Menschen erkalteten, desto dringlicher sei es, dieser Entwicklung durch Wiedereinführung der „poenitentia publica" zu wehren und so die strenge Gemeindezucht der frühen Christenheit zurückzugewinnen[219].

Die Restitution des öffentlichen Bußverfahrens stellt sich Gropper nicht nur als eine Wiedereinführung der Exkommunikations- und Rekonziliationsliturgie am Aschermittwoch bzw. Gründonnerstag vor. Es geht ihm insbesondere um eine Erneuerung des Systems der geistlichen Gerichtsbarkeit; ihm behagt nicht, daß die Kirchenstrafen als Zwangsmittel zur Eintreibung von Geldforderungen mißbraucht werden und so ihren eigentlichen religiösen Sinn verlieren. Seinen Soester Aufenthalt 1548/1549 scheint Gropper dazu benutzt zu haben, eine Verwirklichung seiner Vorstellungen durchzusetzen. Dies bezeugt ein Brief, den Gropper am 5. April 1549 aus Soest an die Pfarrer von St. Johannes Baptist in Allagen und von St. Margaretha in Mülheim an der Möhne richtete[220]. In dem Brief nimmt Gropper gegenüber den beiden Geistlichen namens Georg Schüren und Nikolaus Dortmunder zu Vorkommnissen in deren Gemeinden Stellung, welche auf der letzten Dekanatssynode, dem „Send", bekannt geworden sind. Es heißt:

„Verehrte Freunde, mein Vikar und mein Sekretär, die ich zur Abhaltung der letzten Dekanatssynode schickte, teilten mir mit, daß unter Euren Pfarrkindern außergewöhnliche Vergehen vorgekommen sind, die einer öffentlichen Bekanntmachung mit dem Ziel der Besserung bedürfen. Weil das göttliche und menschliche Recht wie auch die kaiserliche Reformation[221] verlangen, daß öffentlich be-

---

[218] Cap. 13 (ARC VI 366): „Verum ad severas illas publicae poenitentiae leges desperamus fide et caritate admodum languentem populum hoc tempore posse reduci." Auf die Position der „Formula Reformationis" scheint es zurückzuführen sein, daß die Provinzialkonzilien und Diözesansynoden, die zwischen 1548 und 1550 außerhalb der Kölner Kirchenprovinz in Deutschland gehalten wurden, das Thema der „poenitentia publica" nicht aufgriffen. In den Dekreten der Augsburger Diözesansynode von 1548 heißt es lediglich (c. 8; J. Hartzheim, Concilia Germaniae VI 364): „Parochi ... publicis peccatis irretitos canonice, occultis vero delictis occulte arguant et ad poenitentiam adducant."

[219] Institutio catholica, p. 843 (Cc VII r) — 857 (Dd VI r). Der Abschnitt steht unter der programmatischen Überschrift: „Non desperamus de reductione publicae poenitentiae in ecclesia."

[220] Staatsarchiv Münster, Soest, Patrokli, Akten 12, f. 12r/v (etwa gleichzeitige Abschrift); ediert von: L. Schmitz-Kallenberg, Zur Lebensgeschichte und aus dem Briefwechsel des Johann Gropper, 126f.

[221] Das „desperamus" der „Formula Reformationis" scheint Gropper hier zu übersehen.

kannte Vergehen auch öffentlich bezichtigt und bestraft werden,
trage ich Euch auf, den Synodalzeugen, die auf meinen Befehl
neulich geprüft worden sind, und allen Euren Pfarrkindern zu
sagen, sie sollten in Zukunft über die Lage ihrer Pfarreien weitere
Meldung machen, d. h. nicht nur im Fall von Unzucht, sondern
auch bei anderen, weitaus schlimmeren Vergehen. Zweitens will
ich, daß Ihr von den angezeigten Unzüchtigen eine geeignete Bürg-
schaft dafür bekommt, daß sie bis Pfingsten (9. Juni 1549) die Ehre
jener Personen, die sie durch unerlaubten Beischlaf geschändet
haben, durch den Abschluß einer Ehe wiederherstellen; wenn sie
das nicht können oder wollen, sollen sie sie angemessen aussteuern,
damit sie andere in Ehren heiraten können und sich in Zukunft von
solchen unerlaubten Beziehungen enthalten wollen. In ähnlicher
Weise sollt Ihr jene, die die Feier der Exequien ihrer Anverwand-
ten ablehnen, als Verächter der Kirche zurechtweisen; damit sie
sich der frommen und heilsamen Ordnung der Kirche bis zu einem
von Euch festzusetzenden Zeitpunkt fügen, sollt Ihr diesen wie
jenen eine dem Maß der Schuld entsprechende Buße auferlegen.
Wenn sie nicht gehorchen sollten, dann sollt Ihr sie wie Schafe, die
von Krankheitserregern befallen sind, aus der Sakramentengemeinschaft der Christgläubigen fernhalten gemäß der Weisung des
Apostels: ‚Schaffet den Bösen aus eurer Mitte hinweg!' (1 Kor 5,13).
Schreibt uns, welche Maßnahmen Ihr gegenüber diesen ergreift,
damit wir wissen, was weiter zu tun vonnöten ist; denn wir haben
bestimmt, auf unseren Dekanatssynoden Vergehen nicht mit Geld-
strafen, sondern mit einem öffentlichen Bußverfahren gemäß göttlicher Weisung zu ahnden."
  Inwieweit Gropper eine Übernahme seiner Vorstellungen bezüglich der „poenitentia publica" durch den Kölner Klerus erreicht
hat, ist schwer zu ermessen. Daß er in dieser Richtung Bestrebun-
gen unternommen hat, beweisen Bemerkungen in dem 1550 erschienenen Visitationsformular, von dem er sich die gewünschten Impulse für die Gemeinden der Erzdiözese versprach[222]. Die Gesetzgebung der Frühjahrssynode von 1550 spiegelt unverkennbar Ge-
dankengut Groppers, wenn es von der „poenitentia publica" heißt:
„... sine cuius disciplinae restitutione Ecclesia perpetua scabie
laborabit"[223]. Von Gropper inspiriert zeigt sich auch die Bitte, welche Adolf von Schaumburg in seinem Schreiben an die Diözesansynode vom Frühjahr 1551 ausspricht; dort heißt es, alle Geistlichen möchten umgehend darüber Mitteilung machen, ob es in
ihren Pfarreien noch Überreste des öffentlichen Bußverfahrens

---

[222] Forma, iuxta quam..., c iij r, f iiij v u. g r; J. Hartzheim, Concilia Germaniae VI 628 u. 636.
[223] J. Hartzheim, Concilia Germaniae VI 619.

oder anderer Weisen der Ausübung der Kirchenzucht gebe, damit auf dieser Basis ein entsprechendes Reformprojekt ins Auge gefaßt werden könne[224]. Mit unbeirrter Konsequenz pries Gropper auch auf der Trienter Kirchenversammlung engagiert den Wert der „poenitentia publica"[225].

3. Der Dienst der Gemeindeleitung

Das pastorale Leitbild des Priestertums, welches Gropper in seinen Schriften auszeichnet, orientiert sich an der Einteilung des geistlichen Amtes in das Lehramt, das Priesteramt und das Hirtenamt; es tritt damit in eine Korrelation zu den drei Wirkformen der Kirche in Wort, Sakrament und Seelsorge. Entsprechend entfaltet sich der priesterliche Dienst in der Verkündigung, in der Feier und Spendung der Sakramente und schließlich in der „cura animarum", der geistlichen Fürsorge für die anvertrauten Christgläubigen. Den beiden zuerst genannten Teilbereichen des priesterlichen Dienstes ist bereits Beachtung geschenkt worden; nun gilt es aufzudecken, wie sich das verbleibende dritte Feld der Pastoral in Groppers Entwurf eines erneuerten Priesterbildes darstellt.

Welche Bedeutung der Kölner Theologe der Seelsorge beimißt, verdeutlicht das folgende Zitat aus dem Visitationsformular von 1536: „Ars enim artium ac scientia scientiarum cura animarum optimo iure dicitur"[1]. Groppers Wertschätzung der „cura animarum"

---

[224] J. Hartzheim, Concilia Germaniae VI 794.

[225] CT VII/1, 268, 36—269, 10.

[1] Formula, f. 6r. Vgl. Canones, f. 1v (cap. 2; ARC II 203); dort heißt es von der „cura animarum": „... scientia scientiarum merito appellanda est." Gregor d. Gr., Regula pastoralis I 1 (ML 77,14): „... ars est artium regimen animarum." Von hierher wurde diese Formulierung übernommen in: Concilium Lateranense IV (1215), c. 27 (Mansi 22,1015). X. 1, 14,14 (Friedberg II 130). Gropper mißt dem Begriff „cura animarum" einen im Vergleich modern erscheinenden Sinn bei. Thomas von Aquin verstand darunter — der skizzierten Zuordnung von Seelsorge und Hirtenamt entsprechend — die Gewalt über den mystischen Leib des Herrn (Comment. in quartum librum sententiarum, D. 24 q. 1 a. 3 sol. 2 ad 1; 893): „Sacerdos habet duos actus: unum principaliter supra corpus Christi verum et alterum secundarium supra corpus Christi mysticum. Secundus autem actus dependet a primo, sed non convertitur ... Alii autem promoventur ad alium actum, qui est supra corpus Christi mysticum; et a talium ore populus legem requirit; unde scientia legis in eis esse debet; ... sciant, quae populus debet credere et observare de lege." Für die Kanonisten deckte sich „cura animarum" weitgehend mit der Jurisdiktionsgewalt, dem Gerichtsschlüssel, der in die „clavis scientiae" und die „clavis potestatis" unterteilt wurde. Während Gropper darüber in Richtung auf ein neuzeitliches Verständnis von Seelsorge hinausgeht, wirken die älteren Definitionen etwa auf Urban Rieger noch spürbar ein (Opusculum, b IVr): „In mystico corpore

äußert sich in einer Fülle von ähnlichen Aussagen, die verwoben sind zu einem fortschrittlichen Programm, das eine Erneuerung auch auf diesem Gebiet der Pastoral herbeiführen will.

Schon durch das Kölner Provinzialkonzil von 1536 läßt Gropper feststellen, daß eine hauptsächliche Voraussetzung dafür die Einhaltung der Residenzpflicht durch den Seelsorgeklerus ist. Darum insistieren die „Canones"² auf einer kirchenrechtlichen Bestimmung³, die vom damaligen Klerus nicht gerade streng eingehalten wurde; sie ordnet an, daß die Rektoren der Pfarrkirchen persönlich bei ihren Kirchen „perpetuo" zu residieren haben. Nur ein wichtiger Grund kann sie von der Einhaltung dieser Pflicht befreien, etwa wenn ihre Abwesenheit von einem größeren und allgemeinen Nutzen ist, was aber vom Bischof gebilligt werden muß, oder wenn sie wegen der Weitläufigkeit der Pfarrei allein deren Leitung nicht besorgen können. In einem solchen Fall sind von ihnen Vikare zu delegieren, die einen Nachweis der erforderlichen intellektuellen und moralischen Qualifikationen erbringen müssen; diese müssen dann auf jeden Fall die Residenzpflicht einhalten.

Aus dem Wunsch der „Canones" nach verschärfter Ernstnahme der Residenzpflicht durch den Seelsorgeklerus folgt eine ziemlich

sacerdos ligat poenarum cruciatu et a mortifero criminum nexu solvit. Veram salutis semitam docet, confirmat... huius exilii viatores sacramentorum viatico, ad quod excelsum munus rite expediendum presbyteros tuba illa evangelij vocalissima Paulus Tarsensis evocat: Attendite (inquit) vobis et universo gregi, in quo constituit vos Spiritus sanctus episcopos, regere ecclesiam Dei, quam adquisivit sanguine suo." Apg 20,28.

² Canones, f. 17v (cap. 6; ARC II 238f.): „Ordinarii ergo verbi ministri ecclesiarum parochialium legitimi rectores ac parochi sunto, quos etiam personaliter apud easdem ecclesias... perpetuo residere volumus, nisi tamen eos magna ratio, veluti quod... maioris ac publicae utilitatis causa absint, ... excusaverit." Diese Kölner Bestimmung scheint schärfer gefaßt als eine entsprechende in den Statuten des 1528 abgehaltenen Provinzialkonzils von Bourges (c. 19 mit Zusatz; Mansi 32,1144 u. 1147): „Statuit, quod parochi sive curati sub poenis arbitrariis visitent suas curas personaliter semel in anno ad minus, maxime in paschate salvis tamen in omnibus privilegiatorum exemptionibus. ... Statuit provincialis haec synodus, ut parochialium ecclesiarum rectores ceterique animarum curam habentes resideant in suis beneficiis; nec eisdem etiam concedendae literae de non residendo nec ipsorum vicariis de regendo nisi causa cognita; qua expensa et vicariis idoneis praemisso examine compertis teneantur praedicti curam animarum habentes sic per se vel suos vicarios procedere, ut debita hospitalitas et pauperum subventio observentur."

³ VI° 1,6,14 (Friedberg II 954): „Is etiam, qui ad huiusmodi regimen assumetur, ut gregis sibi crediti diligentius curam gerere possit, in parochiali ecclesia, cuius rector exstiterit, residere personaliter teneatur et infra annum a sibi commissi regiminis tempore numerandum se faciat ad sacerdotium promoveri. Quodsi infra idem tempus promotus non fuerit, ecclesia sibi commissa nulla etiam praemissa monitione sit praesentis constitutionis auctoritate privatus. Super residentia vero, ut praemittitur facienda, possit ordinarius gratiam dispensationis ad tempus facere, prout causa rationabilis id exposcit."

reservierte Stellungnahme zur Beteiligung der Mendikanten an der Pfarreiarbeit. Wohl wird ausdrücklich versichert, daß deren traditionelle Privilegien nicht beschnitten werden sollen[4]; auf die Einhaltung der relativ strengen kanonistischen Vorschriften[5] wird aber gedrungen, und zwar nicht nur aus ökonomischen Gründen; es wird auch von der Sache her argumentiert, insofern erklärt wird, daß es unsinnig sei, den Pfarrern die ihnen von Christus anvertrauten Dienste und Aufgaben wegzunehmen[6]. Den Mendikanten wird geraten, bei ihren Predigten auf den Kanzeln der Pfarrkirchen Besonnenheit und Vorsicht walten zu lassen[7]. Ohne Erlaubnis des ordentlichen Pfarrers soll niemand Zutritt zur Kanzel haben. „Qui nulla legitima auctoritate innixi se verbi ministerio ingerunt, uti seditiosi comprimendi"[8].

All diese Bestimmungen zielen darauf ab, die seelsorgliche Betreuung der einzelnen Gemeinden durch ihren jeweils eigenen Pfarrer sicherzustellen; verboten wird die Häufung von Pfarrpfründen, weil ein einzelner Priester nicht an mehreren Kirchen in der erforderlichen Weise die Seelsorge ausüben kann[9]. Auch in diesem Punkt verweisen die „Canones" auf entsprechende Vorschriften altkirchlicher Konzilien[10]. Ein guter Pfarrer kann nach Groppers Vorstellungen nur sein, wer sich am Ort intensiv um das Seelenheil des ihm anvertrauten gläubigen Volkes sorgt, wer wie ein Hirte seinen Schafen nachgeht, sich ihnen opfert und so Jesus Christus selber, dem „pastorum princeps", nacheifert, ohne sein Beispiel je erreichen zu können; denn er ist der gute Hirt, der sein Leben hingibt für seine Schafe (Joh 10,11.15)[11] und der nach seinem Tod und seiner Auferstehung dem Petrus und in ihm allen Dienern der Kirche geheißen hat, seine Schafe zu weiden (Joh 21,17). „Id fecerimus, si gregem Christi post Christum unice diligamus atque eundem tam verbi doctrina quam operis exemplo pas-

---

[4] Canones, f. 19r (cap. 17; ARC II 242). Der Satz wurde allerdings erst auf dem Provinzialkonzil selbst eingefügt (dritte Korrekturschicht).

[5] Canones, f. 18r (cap. 7; ARC II 239). Clem. 3,7,2 (Friedberg II 1161—1164).

[6] Canones, f. 18v (cap. 10; ARC II 240). Geht auf die erste Korrekturschicht zurück.

[7] Canones, f. 18r/v (cap. 8 u. 9; ARC II 239f.).

[8] Canones, f. 19r (cap. 14; ARC II 241). Concilium Antiochenum (341), c. 5 (Mansi 2,1310f.; Hinschius, 270f.).

[9] Canones, f. 6r (cap. 32; ARC II 212). Auch Erasmus (Ecclesiastae, p. 69f.) bewertet die Pfründenhäufung wegen ihrer schädlichen Folgen für die Seelsorge negativ.

[10] Concilium Chalcedonense (451), c. 10 (Mansi 6,1227; Hinschius, 286); vgl. C. 21 q. 1 c. 2 (Friedberg I 853). Concilium Toletanum XVI (693), c. 5 (Mansi 12,72f.); vgl. C. 10 q. 3 c. 3 (Friedberg I 623).

[11] Canones, f. 17r (cap. 2; ARC II 237).

camus divinorumque sacramentorum dispensationem tueamur defendamusque"[12].

Vom biblischen Hirtenbild ist ein großer Teil der Aussagen des Kölner Provinzialkonzils über Amt und Dienst des Seelsorgers durchstimmt. Dabei fließen nicht nur die neutestamentlichen Aussagen über Christus als den guten Hirten ein; auch die Rede gegen die schlechten Hirten aus dem prophetischen Buch Ezechiel (Kap. 34) wird herangezogen; darin beteuert der Herr seine Hirtensorge um das Volk Israel[13]. Die Geistlichen können ihr Warnungen vor einer Vernachlässigung ihrer Hirtenpflichten und positive Wegweisungen für deren Erfüllung entnehmen. Der Pfarrer soll ja der Gemeinde ein Vorbild sein[14]; gleich Christus, dessen Spuren er folgt, geht er vor seinen Schafen her (Joh 10,4) und ebnet ihnen den Weg zum Heil[15]. Den Gläubigen soll er ein Beispiel geben im Wort, im Lebenswandel, in der Liebe, im Glauben, in der Keuschheit (1 Tim 4,12); auch sonst soll er sich als ein Vorbild guter Werke zeigen, in der Lehre, in Lauterkeit und Strenge; sein Wort soll recht und untadelig sein, damit man gegen ihn nichts Schlechtes vorbringen kann (Tit 2,7—8). Nach dem Geheiß der Bergpredigt (Mt 5,13—16) hat er Salz der Erde und Licht der Welt zu sein, ein Licht, das auf den Leuchter gestellt ist, auf daß es allen leuchtet, die im Hause sind; denn die Menschen sollen seine guten Werke sehen und den Vater, der im Himmel ist, loben. So trug es bereits der Apostel Paulus seinem Schüler Timotheus auf, damit er den guten Kampf bestehen konnte und darin seinen Glauben und ein gutes Gewissen bewahrte (1 Tim 1,18f.)[16].

---

[12] Canones, f. 19v (cap. 1; ARC II 243).

[13] Canones, f. 20r/v (cap. 4; ARC II 244f.). Erasmus (Ecclesiastae, p. 87) stellt Christus als das unerreichbare Vorbild eines guten Hirten hin: „... summum illum pastorem, qui non deest gregi suo usque ad consummationem saeculi." Gleich Gropper stützt er sich auch auf das Alte Testament; das Bild von der Preisgabe des Volkes an schlechte Hirten greift er allerdings nicht aus Ezechiel auf, sondern aus Jes 56,11 u. Sach 11,4—17; er nutzt es, um die mangelnde Hirtensorge vieler Geistlichen zu kritisieren (Ecclesiastae, p. 56f.): „Huic pastori stulto nihil obijcitur nisi silentium et neglecta cura gregis, cum e proventu gregis ipse pascatur, pro pastorem depastorem agens. Et tamen audi gravissimas Domini minas: Gladius, inquit, super brachium eius et super oculum dextrum eius; brachium eius ariditate siccabitur et oculus eius dexter tenebrescens obscurabitur. Hunc pastorem propheta stultum appellat, qui sibi videtur esse aliquid, quum nihil sit nisi simulachrum, arrogat sibi potentiam, dum effulminat in subditos, arrogat sibi prudentiam huius mundi, sed utroque privabitur, amputato brachio et obscurato oculo."

[14] Canones, f. 20r (cap. 3; ARC II 244): „Pastorem gregis exemplum esse oportere."

[15] Canones, f. 20r (cap. 2; ARC II 243f.) u. f. 21v (cap. 4; ARC II 247f.).

[16] Canones, f. 20r (cap. 3; ARC II 244).

Zu den Hirtenpflichten des Pfarrers zählt die Aufgabe, über die Gläubigen zu wachen; sollte einer von ihnen in Verfehlung geraten, so ist der Pfarrer mitverantwortlich. Das Hirtenamt enthält also das Wächteramt, wie es bereits Ezechiel zeigt (3,17 u. 33,6f.)[17]. Darum darf sich der Pfarrer nicht scheuen, sündigenden Gemeindegliedern ihre Verfehlungen vorzuhalten, sie zu ermahnen und auf den Weg des Guten zurückzurufen[18]. Ein guter Priester kann nur der sein, der Schmerz empfindet über die Sünden und Schwächen der ihm anvertrauten Menschen und der alles daransetzt, die Wurzeln ihrer Fehlhaltungen auszutilgen und sie tröstend zum Guten anzuleiten; Seelenführung dieser Art kann natürlich am besten im „forum internum" gelingen, in der sakramentalen Beichte[19]; deshalb hat das vierte Laterankonzil angeordnet, daß wenigstens einmal im Jahr jeder Gläubige dem eigenen Pfarrer seine Sünden beichten soll[20]; für Gropper steht dieses Kirchengebot, das die geregelte Seelenführung eines jeden Christen ermöglichen will, in der Kontinuität sehr alter Dekrete der Kirche, welche verhindern wollen, daß „quisquam episcoporum aut sacerdotum se in alterius parochiam ingerat, nisi id vel consensu alterius vel necessitate ita suadente fiat"[21].

Wie zur Hirtenpflicht der Bischöfe die Visitation der Diözese[22] gehört, so gehört zur Hirtenpflicht der Pfarrgeistlichen die Visitation der Gläubigen in ihrer Pfarrei; auch außerhalb des „forum internum" sollen sie darum das Volk mahnend und ratend hinführen zu einem christlichen Lebenswandel; freilich, dieser Dienst der Anleitung zu einer christlichen Gestaltung des täglichen Lebens findet seine Verdichtung im Zuspruch während der sakramentalen Beichte.

Die Hirtensorge verpflichtet den Priester zu intensiver Bemühung um jene Gläubigen, die in Grenzsituationen stehen; zu ihnen sind einmal jene zu zählen, die sich durch Schuld und Sünde von Gott und aus der Mitte der Gemeinde entfernen; wie eben gezeigt wurde, soll der Priester den Kontakt mit diesen Menschen suchen,

---

[17] Canones, f. 21r/v (cap. 2; ARC II 246f.).
[18] Canones, f. 23v (cap. 15; ARC II 251).
[19] Enchiridion, f. 184r: „Breviter non est idoneus sacerdos, qui non gerit paterna viscera erga gregem suum, qui nondum novit, cum confitentibus indolescere et compati infirmitatibus eorum, quales sunt, qui ex hominum malis cristas tollunt et supercilium adducunt. Hic vero solus idoneus est, qui noverit, infundere vinum et oleum, verbum scilicet correptionis et consolationis, sic tamen ut in consolationem semper proclivior sit, praesertim ubi intellexerit, poenitentem ex animo resipiscere."
[20] Concilium Lateranense IV (1215), c. 21 (Mansi 22,1007—1010); vgl. X. 5,38,12 (Friedberg II 887f.).
[21] Enchiridion, f. 150v.

ihnen durch ermahnende oder aufmunternde Worte helfen und sie vorbereiten auf das Bußsakrament, welches sie mit Gott und dem Nächsten versöhnt.

In anders gearteten Grenzsituationen befinden sich die Kranken; ihnen soll sich der Seelsorger tröstend zuwenden. Er hat hier einen Dienst der Heilung zu verrichten, den ihm niemand abnehmen kann; nicht um die leibliche Gesundheit soll er sich kümmern, die geistige und seelische Not des leidenden Menschen geht ihn an[23]. Am Krankenbett ist der Priester unvertretbar, unersetzbar; Gropper äußert ganz deutlich, daß die geistliche Betreuung der Kranken sich nicht in der rituellen Spendung des Sakraments der Krankensalbung erschöpft, wohl aber in ihr gipfelt; das sakramentale Geschehen ist also die Verdichtung eines weiter gefaßten Dienstes des Seelsorgers[24].

Wieder anders ist es um die Armen bestellt; ihre Not hat gewöhnlich materielle Gründe; sie soll gelindert werden aus Mitteln, die der Kirche gehören oder zufließen; die Priester sollen sie an die Armen verteilen. Das Geschick des ungetreuen Verwalters (Lk 12,45f.) droht jenen Geistlichen, die den caritativen Dienst der Armenfürsorge vernachlässigen[25].

Es hat sich gezeigt, daß für Gropper Schwerpunkte der „cura animarum" in der Betreuung der Sünder, der Kranken und der Armen liegen, also der Einzelnen, die am Rande des Lebens der Gemeinde stehen. Gerade dort, wo die Not besonders zu spüren ist, soll sich der Seelsorger zum Besten der Betroffenen einsetzen[26]. Seelsorgliche Verantwortung trägt der Pfarrer gleichwohl gegenüber jedem Mitglied seiner Gemeinde; in schöner Weise bringt dies der Segen am Schluß der Meßfeier zum Ausdruck; der Priester nimmt hier das ganze Volk in seinen Schutz und stellt es Gott

---

[22] Neben der Sorge um den Priesternachwuchs gilt die Visitation der Diözese als vorzügliche Aufgabe der Bischöfe (Canones, f. 1r; ARC II 201).

[23] Enchiridion, f. 216r: „Nam quam vani sint, qui ex hac unctione officium civile faciunt, quis non videt? Neque enim Christus suos discipulos chyrurgos fecit, sed apostolos, qui ungerent aegrotos oleo non quidem medicinali, sed sacramentali et mystico."

[24] Enchiridion, f. 215v—218r, passim.

[25] Enchiridion, f. 302v—303r: „Clerici et sacerdotes, qui census ecclesiasticos accipiunt nec ea praestare conantur, ob que illi sunt instituti, aut qui sacerdotij census accipiunt, cum abhorreant a sacris, itidem qui ecclesiae patrimonium cum scortis et potatoribus decoquunt et pauperes negligunt, quos non dubium est infidelium dispensatorum poena afficiendos."

[26] Dafür noch ein Beispiel: Leben Eheleute in kirchenrechtlich statthafter Weise getrennt voneinander, etwa nach einem Ehebruch eines der Gatten, so soll es eine der vornehmsten Sorgen des Pfarrers sein, auf eine Wiederversöhnung der Gatten hinzuwirken (Enchiridion, f. 210r).

anheim, „ut perseveret in affectu pietatis mutuaque caritate"[27]. So ist dem Priester aufgetragen, einzutreten für ein durch „pietas" und „caritas" geordnetes Leben der Menschen miteinander, das letzten Endes Geschenk Gottes ist, ruft doch Gott dazu in der Heiligen Schrift immer wieder auf. Der große Ständespiegel der „Loci communes", der die Verhältnisse in Familie und Sippe, in Stadt und Staat betrachtet und zum Wohl des Einzelnen wie der Allgemeinheit nach Weisungen der Schrift zu ordnen bemüht ist, setzt ein Bild vom Priester voraus, in dem der paulinische Gedanke der Hingabe, allen alles zu werden (1 Kor 9,22; 2 Kor 11, 28f. u. ö.), mitschwingt[28]. Als „geistliche Väter"[29] können die in der Pfarrseelsorge tätigen Priester durch ein gutes Beispiel das ihnen anvertraute Volk anleiten, den rechten Weg zu finden. Wie leidenschaftlich dieser Wunsch Groppers ist, geht aus den Schlußworten des „Enchiridion"[30] hervor, die sich unmittelbar an den Pfarrer und Seelsorger wenden: „Zeige deinem Volk, woher es die Kraft holen muß, die Gebote des Herrn zu halten; das wirst du gerade dann tun, wenn du es unablässig den Glauben an Christus lehrst, wenn du es mit den göttlichen Sakramenten stärkst, wenn du es bereit und eifrig machst zum Gebet. Auf diese Weise wirst du dich selbst ebenso wie das Volk auf das Heil vorbereiten, so daß du, wenn der Erstling der Hirten erscheinen wird, die unvergängliche Krone der Herrlichkeit empfangen wirst, die dir der Herr an jenem Tage geben wird, der gerechte Richter, der selige und alleinige Herrscher, der König und Herr der Herren. Er allein besitzt Unsterblichkeit und wohnt in unzugänglichem Licht. Kein Mensch hat ihn gesehen und niemand kann ihn sehen. Ihm gebührt Ehre und ewige Macht. Amen."

In der Zeit nach dem gescheiterten Reformationsversuch des Kölner Kurfürsten Hermann von Wied setzt sich Johannes Gropper noch energischer dafür ein, daß die Residenzpflicht von allen wahrgenommen wird, die eine mit seelsorglichen Aufgaben verbundene Pfarrpfründe innehaben; darauf soll schon bei der Besetzung der Stellen geachtet werden, damit spätere unliebsame Über-

[27] Canones, f. 28v (cap. 25; ARC II 263).
[28] Enchiridion, f. 185v–189r.
[29] Enchiridion, f. 286v (Erörterung des vierten Gebotes; zunächst wird die Verehrung der leiblichen Eltern verlangt; auf sie folgen die Geistlichen als „patres spirituales", dann die weltlichen Vorgesetzten, die Lehrer usw.). Ebd., f. 288r heißt es, die Gläubigen sollten ihren „patribus spiritualibus, qui sunt animae parentes", Liebe und Gehorsam sowie Ehrfurcht (Ebd., f. 289v–290r) erweisen. Gropper beruft sich u. a. auf Gal 4,15; Hebr 13,17; 1 Thess 5,12f. Zu Beginn der „Loci communes" betont er unter Verweis auf Eph 6,19f.; Kol 4,3f.; Apg 12,5, daß am wichtigsten das Gebet der Gläubigen für ihre Priester sei (Ebd., f. 185v; auch: f. 198r).
[30] Enchiridion, f. 313v. Der letzte Teil ist ein Zitat von 1 Tim 6,15f.

raschungen vermieden werden können[31]. Die „officij seu muneris suscepti sedula perfunctio" wird von dem am 15. März 1549 auf dem Provinzialkonzil zu Köln vorgelegten „Consilium delectorum" als drittes Mittel zur Beseitigung von Mißständen in der Kirche vorgeschlagen[32]. Gerügt wird die Unsitte, Pfarrpfründen in erster Linie als einträgliche Geldquellen zu betrachten, wie überhaupt jede von materiellen Gesichtspunkten bestimmte Vergabe kirchlicher Ämter als ungeziemend verworfen wird[33]. Ebenso findet die Kumulation mehrerer Benefizien in einer Hand den Tadel des „Consilium"; dadurch, so argumentiert die Denkschrift, müßten zwangsläufig seelsorgliche Dienste vernachlässigt werden; gutwillige Kandidaten kämen nicht zum Zuge; in Umkehrung von 1 Kor 9,13 heißt es, wer dem Altare nicht diene, solle auch nicht von ihm leben; deshalb wird die Häufung von Benefizien nur für den Fall bestimmter, vom Kirchenrecht[34] für statthaft erklärter Ausnahmen zugelassen und ansonsten verlangt, daß jeder an einer Kirche bepfründete Kleriker seinen dortigen seelsorglichen Verpflichtungen gewissenhaft nachkommen soll[35]. Pfründenhäufung aber ist in dreifacher Hinsicht eine Sünde: Sie geht aus der Habgier hervor, sie führt zur Vernachlässigung des Gottesdienstes und der Seelsorge, und schließlich gibt sie in aller Öffentlichkeit den Gläubigen ein denkbar schlechtes Beispiel[36].

[31] Gropper wünscht, „ut nemo posthac ecclesiae parrochiali praeficiatur, nisi qui personaliter residere et suum pastorale officium ovibus suae curae concredendis praestare velit et possit, qui et non prius ad regimen nedum proventus ecclesiarum percipiendos admittatur nisi electione, praesentatione seu collatione sua plebi, cui praeficiendus est, publicata, ut si quid habeat adversus eum, edicat, et nisi designatus iste prius per archidiaconum adhibitis viris sacrarum et canonum peritis examinatus et idoneus ad gerendum pastorale munus repertus fuerit." Unica ratio reformationis, f. 141v (H. Lutz, Reformatio Germaniae, 271; ARC VI 170). Zur Residenzpflicht auch: P. de Soto, Tractatus de institutione sacerdotum, f. 514r/v.
[32] Paris, Bibliothèque Nationale, Manuscrit du Fonds latin, No. 10 160, f. 331r.
[33] Ebd., f. 331v—332v. Verwiesen wird auf: X. 3,5,28 (Friedberg II 477f.).
[34] VI° 1,16,3 (Friedberg II 986f.).
[35] Paris, Bibliothèque Nationale, Manuscrit du Fonds latin, No. 10160, f. 333v—334v; Decreta Concilij, f. XIIIIr/v (D ij r/v); J. Hartzheim, Concilia Germaniae VI 544f.
[36] Vom Kölner Provinzialkonzil des Jahres 1549 wurde folgender, den Chordienst der Kleriker betreffender und im „Consilium delectorum" nicht enthaltener Text verabschiedet: „Non minori populi scandalo clerici quidam, quando sunt pingues distributiones, chorum ad breve tantummodo tempus, quo sui praesentiam testentur, ingrediuntur nec officium totum persolvunt, sed continuo egressi chorum aut obambulant in ecclesia vel eius immunitate aut ad aliam, in qua simul beneficium habent, celeri transitu se proripiunt, ubi similiter testentur, se fuisse praesentes, quo duarum ecclesiarum distributiones pro eodem officio integras percipiant, cum in nulla ecclesia officium integrum persolverint, manifesto indicio se pecuniae, non Christo aut ecclesiae servire, ut

Wie ein roter Faden durchzieht das Thema der Residenzpflicht
und der geordneten Ausübung der Seelsorge die Gesetzgebung der
unter Erzbischof Adolf von Schaumburg zwischen dem Herbst 1548
und dem Frühjahr 1551 veranstalteten Kölner Kirchenversammlungen. Die Diözesansynode vom 26. Februar 1550 gestattet lediglich, daß sich die Rektoren von Pfarrkirchen in besonders dringenden Fällen durch einen geeigneten, dem Erzbischof oder dem
Archidiakon zu präsentierenden Vizekuraten vertreten lassen können[37]. Eigenmächtig ohne Anweisung der kirchlichen Behörden
ausgeübte Pfarrseelsorge ist strikt zu unterbinden[38]. Beansprucht
jemand ohne kanonische Institution eine Pfarrei, so soll ihm mit
der Exkommunikation gedroht werden[39]. Nur so kann der Entwicklung gesteuert werden, daß mehr und mehr fremde, in ihrer Treue
zum katholischen Glauben suspekte Männer seelsorgliche Dienste
übernehmen und möglicherweise der Verbreitung der Häresie im
Volk Vorschub leisten[40]. Am ehesten freilich ist solchen beunruhigenden Tendenzen durch eine strikte und tunlichst ausnahmslose
Erfüllung der Residenzpflicht entgegenzuwirken[41]. Dazu sind die
Priester genötigt, haben sie doch ihrem Bischof bei der Weihe Ehrfurcht und Gehorsam eidesstattlich versprochen und sollen sie doch
vor der Institution auf ein kirchliches Amt diesen Eid gegenüber
den Archidiakonen als Vertretern ihres Bischofs wiederholen[42].
Schließlich aber legt ihnen die Beschlußfassung des Trienter Konzils die Einhaltung der Residenz eindringlich nahe[43]. Sie ist Voraussetzung für den Dienst der Gemeindeleitung.

ter peccent: primum cupiditate, deinde cultus divini negligentia, tertio exemplo
pravo, quo populum scandalizant, ut transgressionem canonum praetereamus."
Decreta Concilij, f. XXVIIr (G iij r); J. Hartzheim, Concilia Germaniae
VI 558.

[37] J. Hartzheim, Concilia Germaniae VI 617.

[38] Ebd. Das Provinzialkonzil von 1549 warnt Priester und Ordensleute, die nach
zeitweiliger Zugehörigkeit zur Reformation in die katholische Kirche zurückkehren, ohne Abwarten ihrer Absolution sogleich Gottesdienste zu halten und
die Sakramente zu spenden; Decreta Concilij, f. XXIv—XXIIv (F v—Fij v);
J. Hartzheim, Concilia Germaniae VI 552f. Die Diözesansynode vom 2. Oktober 1549 pocht auf alten Vorschriften, welche Zurückhaltung gegenüber
Klerikern aus fremden Diözesen anraten; Acta et Decreta, f. VIIr (B iij r);
J. Hartzheim, Concilia Germaniae VI 615.

[39] Mandat des Erzbischofs Adolf von Schaumburg vom 26. Februar 1550; J.
Hartzheim, Concilia Germaniae VI 620f.

[40] Diese Bedenken äußert der Kölner Erzbischof in einem Mandat vom 29. September 1550; J. Hartzheim, Concilia Germaniae VI 770—775; dort: 772f.

[41] Ebd., 770f. wird zitiert: VI° 1,6,14 u. 34 (Friedberg II 954 u. 964f.).

[42] Schreiben des Kölner Erzbischofs an die Diözesansynode vom Frühjahr 1551;
J. Hartzheim, Concilia Germaniae VI 785f.

[43] In einem Schreiben an die Kölner Diözesansynode vom Frühjahr 1551 (J.
Hartzheim, Concilia Germaniae VI 782) bekräftigte Erzbischof Adolf von

Gewinn für die Pastoral verspricht sich Johannes Gropper von
Visitationen; nicht nur in Krisenzeiten sind diese nützlich; auch
wenn es um die Seelsorge bestens bestellt scheint, darf auf die
regelmäßige Visitation nicht verzichtet werden[44]. Es ist Pflicht des
Bischofs, sich dieser Form der Aufsicht über den Klerus, über die
Lage der Pastoral und über den wirtschaftlichen Stand der Kir-
chengüter zu bedienen; Gropper beruft sich dafür auf das kanonische Recht[45]. Indem er die Visitation aber in erster Linie auf die
fundamentalen Belange der Seelsorge orientiert, führt er sie über
ihre traditionelle Bedeutung hinaus und mißt ihr bereits jenen
modernen Sinn zu, den sie durch die tridentinische Reformbewegung erhalten hat[46]. Sie soll nämlich vor allem dafür sorgen, daß
die Verkündigung des Wortes Gottes, die Ausspendung der Sakramente, die Leitung der Gemeinden und die persönliche Lebensführung der Priester in Übereinstimmung mit den Bestimmungen der
katholischen Kirche stehen[47]; bedrohlichen Zersetzungserscheinun-
gen kann auf diese Weise wirksam begegnet werden[48]. Gropper tritt

Schaumburg cc. 3—5 des am 3. März 1547 verabschiedeten Reformdekretes;
das Konzil, das an diesem Tage seine siebte Session abhielt, unterstrich darin,
daß die persönliche Residenz als unabdingbare Voraussetzung seelsorglicher
Tätigkeit zu verlangen sei (CT V 997,28—998,3).

[44] Institutio catholica, p. 737 (u IIr): „... visitatio non modo utilis est et necessaria, cum oppugnatur ecclesia per tyrannos et haereticos, set et tempore
pacis ac tum potissimum, ne dormitantibus pastoribus lupus de insperato in
ovile dominicum irrumpat et gregem dilaniet." Vgl. Mt 13,25; Apg 20,29.

[45] C. 10 q. 1 cc. 9—12 (Friedberg I 614—616). Vgl. Institutio catholica, p. 738
(u IIv).

[46] Institutio catholica, p. 739 (u III r)—741 (u IIII r). Die Visitation soll vornehmlich die Ausübung der Hirtenpflicht durch die Geistlichen überwachen; ihrerseits ist sie ein Mittel der Hirtenpflicht des Bischofs gegenüber dem Klerus.
Gropper führt zur Illustration die in Anm. 13 erwähnten prophetischen
Schriftstellen an.

[47] Unica ratio reformationis, f. 144r (H. Lutz, Reformatio Germaniae, 273f.;
ARC VI 172): „... in discussione cleri diligens habeatur inquisitio de doctrina
et administratione sacramentorum, item de vita et moribus clericorum et
ipsorum familiae. Et num qui in ecclesia reperiuntur, canonice et per ostium
ingressi sint an potius potestate seculari vel seditione populari intrusi. Et num
sacris tantum addicti officiis a secularibus negociis cum ecclesiastico munere
pugnantibus abstineant, num pudice vivant et externam conversationem inter
homines habeant honestam."

[48] Das „Consilium delectorum" führt aus (Paris, Bibliothèque Nationale, Manuscrit du Fonds latin, No. 10160, f. 336r): „Ad persuadendum concilij huius
sacri patribus, visitationem cum archidiaconalem tum episcopalem atque
archiepiscopalem non modo valere, quin etiam necessariam esse ad reformationem introducendam eamque in usu et vigore retinendam, censuere delecti,
nullis verbis opus esse, ut qui opinentur, neminem sibi hoc non habere vel
maxime persuasum, vitia, quibus hic vel illic peccant homines, et errores, qui
passim subrepunt, non alias melius quam in visitatione deprehendi et eradicari.
Que visitatoribus dormientibus nemine vetante crescunt et securum robur

darum für häufige Durchführung bischöflicher Visitationen ein; mit Unwillen registriert er, daß es noch immer Bischöfe gibt, deren Interesse nicht der geistlichen Aufsicht über ihren Sprengel zugewendet ist; sie werden ihrem ureigensten, schon in der Amtsbezeichnung „Bischof" ausgedrückten Auftrag untreu[49]; ihr Versagen wird insbesondere spürbar, wenn man ihre laxe Amtsführung mit der Hirtensorge vergleicht, welche der Apostel Paulus seinen Gemeinden erwies[50]. Gegenüber seinem eigenen Bischof Adolf von Schaumburg brauchte Gropper diese Kritik freilich nicht vorzubringen; in seinem Auftrag entwarf er ein umfangreiches Formular, welches der — aufgrund kirchenpolitischer Umstände allerdings nur schleppend in Gang gekommenen — Visitation des Erzbistums Köln zugrunde gelegt wurde[51].

Auch regelmäßige Synoden sind — ähnlich wie die Visitationen — der Erneuerung des kirchlichen Lebens förderlich[52]. Auf den Synoden versammelt sich der Klerus einer Kirchenprovinz, eines Bistums, eines Archidiakonates oder eines Landkapitels bzw. Dekanates unter der Leitung des ranghöchsten Geistlichen. Alle wichtigen Angelegenheiten werden offen besprochen; Konflikte finden ein angemessenes Forum, in dem sie ausgetragen werden können; zur Beseitigung von Mißständen werden entsprechende Maßnahmen

acquirunt. Sic enim in evangelio dicitur: Cum autem dormirent homines, venit inimicus homo et superseminavit zizaniam, morum nimirum et doctrine corruptelam." Vgl. Mt 13,25. Gropper benützt diese Schriftstelle anderorten (s. o. Anm. 44) zur Begründung von Visitationsmaßnahmen.

[49] Paris, Bibliothèque Nationale, Manuscrit du Fonds latin, No. 10160, f. 336r: „Dormiunt prelati, qui non visitant et vigilant super gregem suam... Et quoniam semper oportet, eos in sibi commissos oves habere oculos intentos, speculatores appellantur. Speculatorem, inquit propheta, dedi te domui Israhel. Nec aliud est episcopus etiam ex nomine quam speculator et superintendens." Ez 3,17 u. 33,7. Ähnlich: Institutio catholica, p. 155 (L IIIr).

[50] Paris, Bibliothèque Nationale, Manuscrit du Fonds latin, No. 10160, f. 336v u. 337r.

[51] H. Foerster, Reformbestrebungen Adolfs III. von Schaumburg, 56—63. Auch s. o. S. 82, Anm. 72 u. 73.

[52] Paris, Bibliothèque Nationale, Manuscrit du Fonds latin, No. 10160, f. 340r: „Restat supremus et omnium efficacissimus ad exequendam reformationem gradus frequens synodorum celebratio. Quibus neglectis ecclesiastici corporis conpages sensim solvitur atque emoritur et formam suam amittit. Siquidem in synodis redintegratur unitas, studetur corpori conservando et que non dabatur in visitatione exequi, studijs communibus executionem sortiri debent. Ubi de capite et membris, de fide et pietate, de religione, de cultu divino, de moribus, de disciplina, de officijs, de obedientia, de iudicijs et de rebus omnibus ad bene christianeque vivendum oportunis ac necessarijs tractatur atque statuitur, ut verissime dicitur in Reformationis Formula: Salus ecclesie, terror hostium eius et fidei catholice stabilimentum sunt synodi." Für die Bezugnahme auf die „Formula Reformationis", cap. 21 vgl. ARC VI 378.

vorbereitet. Wenn zur Teilnahme auch ausschließlich Kleriker be-
rechtigt sind, so steht den Laien doch die Möglichkeit offen, schrift-
liche Anträge einzureichen oder eventuelle Klagen und Beschwerden mündlich durch einen Priester auf der Synode vorbringen zu
lassen. Sicher ist, daß die Synoden für alle Ebenen des kirchlichen
Lebens von fruchtbarer Auswirkung sind; sie stärken die Autorität
der Leitungsgewalt und sind, wie Gropper formuliert, „agri dominici praecipua cultura"[53]. Darum sollen alljährlich zwei Diözesansynoden stattfinden, und zwar „ante dies Quadragesimae" sowie
„circa tempus Autumni"[54]. Provinzialkonzilien können wegen der
großen Ausdehnung der Metropolitanverbände in Deutschland
nicht öfter als einmal in drei Jahren abgehalten werden. Hingegen
sollen innerhalb der Substrukturen des Bistums von den Archidiakonen und den Landdechanten (bzw. Archipresbytern) Partikular-
synoden in regelmäßigen Intervallen durchgeführt werden[55].
Gerade diese Anregung Groppers fand die Unterstützung des
Kölner Erzbischofs Adolf von Schaumburg; in einem Mandat vom
24. Januar 1551 mahnte er die Archidiakone und Landdechanten,
alljährlich in ihrem jeweiligen Gebiet Archidiakonatssynoden und
Landkapitelsversammlungen abzuhalten und dort die Geistlichen
zur Verwirklichung der von den Diözesansynoden beschlossenen
Reformprojekte in den Gemeinden anzuhalten[56].

Um die Leitung der Kirche ist es am besten bestellt, wenn ein
jeder in seinem Amt und an seinem Platz mit Hingabe den Dienst
verrichtet, für den er bestellt ist, ohne sich in den Aufgabenbereich
eines anderen einzumischen; ein jeder soll seine Vorgesetzten achten, wie umgekehrt diese ihre Untergebenen nicht vernachlässigen
dürfen[57]. Jeder soll sich darum bemühen, das zu sein, was seine
Amtsbezeichnung ausdrückt. So soll der Bischof wachsam auf die
ganze Kirche achtgeben[58]; die Archidiakone sollen innerhalb ihres
Gebietes „tamquam oculi episcopi"[59] ihr Amt durch Synoden und

---

[53] Institutio catholica, p. 736 (u Iv).

[54] Institutio catholica, p. 735 (u Ir). Concilium Nicaenum I (325), c. 5 (Mansi
2,670; Hinschius, 258).

[55] Institutio catholica, p. 734f. (t VIIIv u. u Ir); Paris, Bibliothèque Nationale,
Manuscrit du Fonds latin, No. 10160, f. 340v. Vgl. die Anregungen der
„Formula Reformationis" in cap. 21 (ARC VI 378f.) und in cap. 2, Absatz
„Archidiaconi" (ARC VI 353f.).

[56] J. Hartzheim, Concilia Germaniae VI 788—790. Wie Gropper nimmt auch
der Erzbischof auf die in Anm. 55 genannten Stellen der „Formula Reformationis" Bezug.

[57] Unica ratio reformationis, f. 142v (H. Lutz, Reformatio Germaniae, 272;
ARC VI 171).

[58] Unica ratio reformationis, f. 143r (H. Lutz, Reformatio Germaniae, 273;
ARC VI 171): „Episcopus toti ecclesiae vigilanter superintendat . . ."

[59] Ebd. Dieselbe Formulierung wählt auch das am 15. März 1549 dem Kölner

Visitationen sorgsam ausüben; auf ähnliche Weise haben die Dechanten ihrer Aufsichtspflicht gegenüber den Priestern ihres
Sprengels zu genügen[60]; die Priester aber sollen in ihren Gemeinden durch Leben und Lehre an der Auferbauung der Kirche wirken[61]; in den von ihnen geleiteten Pfarreien haben sie Anteil an der
geistlichen Jurisdiktionsgewalt, die Christus der Kirche in der
Person des Petrus übergeben hat (Mt 16,19) und die der Papst als
Nachfolger Petri unter Beteiligung der Bischöfe und Priester in der
gesamten Kirche ausübt.

Das große Vorhaben, die katholische Kirche an Haupt und Gliedern zu reformieren, wird nur gelingen, wenn die Kirchenzucht
wiederhergestellt wird und die Maßnahmen der Jurisdiktionsgewalt
wieder den geschuldeten Respekt finden. Weil die „disciplina ecclesiastica" ihre Lebenskraft verloren hat, ist die Unordnung der
Gegenwart entstanden[62]. So bleibt nur der Ausweg, die Wiederherstellung der Kirchenzucht in der Erneuerung des Gehorsams gegenüber dem Papst, den Bischöfen und Priestern anzustreben, die Reform der römischen Kurie im Sinne des „Consilium de emendanda
ecclesia" (1537)[63] fortzusetzen und überall auf die Orientierung am
urchristlichen Kirchenideal hinzuwirken[64].

Die Erneuerung der Kirche konkretisiert sich für Johannes Gropper in der Erneuerung der Verkündigung, der Sakramentenspendung und der Kirchenleitung. An der Erneuerung der Verkündigung und Sakramentenspendung wirken alle Priester gleicher-

---

Provinzialkonzil vorgelegte „Consilium delectorum" (Paris, Bibliothèque Nationale, Manuscrit du Fonds latin, No. 10160, f. 331v), neben vielen anderen
ein kleines Indiz für die Annahme einer von Gropper verfaßten oder beein-
flußten Vorlage, die das „Consilium delectorum" verwendete.

[60] Unica ratio reformationis, f. 143v (H. Lutz, Reformatio Germaniae, 273;
ARC VI 172); Consilium delectorum, f. 331v.

[61] Unica ratio reformationis, f. 143r (H. Lutz, Reformatio Germaniae, 273;
ARC VI 171).

[62] Consilium delectorum, f. 321r: „Poterat ad eius [sc.: reformationis] executionem faciendam sufficere vel sola disciplina ecclesiastica, si illa longe desue-
tudine iam non nervum suum prope amisisset et nimium langueret . . ."

[63] CT XII 131,27—145,6.

[64] Unica ratio reformationis, f. 140r (H. Lutz, Reformatio Germaniae, 270;
ARC VI 169): „Frustra tentabitur reformatio, nisi disciplina ecclesiastica,
quae veluti claves et gubernaculum est ecclesiae, restituatur. Hoc vero tum
demum fit, si hierarchia ecclesiastica sub obedientia unius summi pontificis
restituatur . . . et iurisdictio ecclesiastica ad apostolicam et canonicam regulam
exigatur. . . . Restituetur autem citius, si summus pontifex in emendandis moribus curiae Romanae, ut cepit, pergat. Nam quamlibet consilium illud per delectos cardinales et praelatos S. D. N. exhibitum haeretici irrideant, non potest
tamen non placere piis veluti reformationis bonum initium, si effectui de-
mandetur."

maßen mit, da ihnen allen dieselbe Weihegewalt übertragen ist. Die Beteiligung an der Erneuerung der Kirchenleitung aber differenziert sich nach dem unterschiedlichen Ausmaß an Jurisdiktionsgewalt, das der einzelne innehat. Gewiß hat jeder Pfarrer die ihm untergebenen Gläubigen anzuhalten, die Maßnahmen der kirchlichen Obrigkeit zu respektieren[65]. Vornehmlich jedoch ist es Sache der Bischöfe, sich für die Wiederherstellung der Kirchenzucht einzusetzen. Dieser Überlegung gemäß brachte Gropper das Thema vor der Versammlung der katholischen Bischöfe in Trient zur Sprache.

Am Dreikönigsfest 1552 predigte der Kölner Theologe im Konzilsgottesdienst; er nahm dabei auf das in der Meßfeier verlesene Evangelium von den Weisen aus dem Morgenland (Mt 2,1—12) Bezug und bot in einem ersten Teil seiner Predigt eine an Einzelheiten reiche Nacherzählung des biblischen Berichtes[66]; daran schloß Gropper eine allegorische Auslegung des Evangelientextes an, indem er ihn auf die zeitgeschichtliche Situation der Kirche anwendete. In Bethlehem sieht Gropper Trient versinnbildlicht, in Herodes und den Schriftgelehrten die Häretiker, in den drei Weisen, die zur Krippe des Herrn eilen, die Konzilsväter[67]. Den Schlußteil der Predigt bildet eine gleichnishafte Betrachtung der Geschenke, welche die Konzilsbischöfe wie ihre Vorbilder, die drei Magier, Jesus darbringen sollen. Das Gold ist für Gropper ein Sinnbild der reinen katholischen Lehre[68]; im Weihrauch sind die Sakramente symbolisiert[69]; mit der Myrrhe schließlich ist die Kirchenzucht gemeint[70]. In einem recht interessanten Gedankengang führt Gropper den Vergleich von Myrrhe und Kirchenzucht näher aus. Wie durch die Einsalbung mit Myrrhe der Leichnam eines Verstorbenen vor dem Zerfall geschützt wird, so bewahrt die „ecclesiastica disciplina" die Gemeinschaft der Gläubigen in Eintracht beieinander. Wie jene ist diese zwar bitter, aber letztlich doch heilbringend. Die Malaise der Kirche ist nach Groppers Urteil weitgehend auf eine Geringschätzung der Kirchenzucht zurückzuführen, wiewohl doch schon der Psalmist den Wert der Zucht ohne Einschränkung preist (Ps 2,10—12). Künftig muß die Jurisdiktionsgewalt des Papstes und der Bischöfe wieder den gebührenden Respekt finden; eine durchgreifende Besserung der Lage der Kirche wird erwartet von harten

---

[65] So verlangt es beispielsweise das Mandat des Kölner Erzbischofs Adolf von Schaumburg vom 29. September 1550 (J. Hartzheim, Concilia Germaniae VI 770—775; dort: 771f.).

[66] Oratio, A iij r—B ij v. Ausführlich dazu vgl. J. Meier, Johannes Groppers Predigt vor den Trienter Konzilsvätern, 134—151.

[67] Oratio, B iij r—B iiij r.   [68] Oratio, C iiij v.

[69] Oratio, D v.

[70] Oratio, D ij v.

Maßnahmen gegen unwürdige Inhaber kirchlicher Ämter, gegen ungeeignete Weihekandidaten und gegen solche, die sich durch schwere Verbrechen strafbar gemacht haben; verlangt werden auch häufige Synoden und Visitationen sowie die Wiedereinführung der „poenitentia publica". Nur wenn sich die Bischöfe an solche und ähnliche Disziplinarmaßnahmen machen, sind sie wahrhaft jene Hirten, von denen es Jer 3,15 heißt: „Ich will euch Hirten geben nach meinem Herzen, und sie werden euch weiden mit Zucht." Werden die Bischöfe, so schließt Gropper, in diesem Geist nach der Rückkehr vom Konzilsort den beschwerlichen Hirtendienst in ihren Diözesen ausüben, dann wird ihnen einst Christus selbst, der Hirt der Hirten, die unvergängliche Krone der Herrlichkeit übergeben[71].

4. Die Lebensverhältnisse des Priesters

Es bleibt noch zu prüfen, wie sich Gropper die persönlichen Lebensverhältnisse des Priesters vorstellt. Dabei sind verschiedene Bereiche von durchaus unterschiedlicher Bedeutung zu erhellen. Zunächst stellt sich die Frage nach der geistigen Betätigung des Priesters. Im Anschluß daran sind Groppers Erwägungen zum spirituellen Leben nachzuzeichnen. Ein weites Feld tut sich mit den Bemerkungen des Kölner Theologen über den persönlichen Lebensstil der Geistlichen auf; dabei liegt es nahe, auch Groppers Stellungnahme zum priesterlichen Pflichtzölibat zu untersuchen. Schließlich kann auch das Problem des Lebensunterhalts und der wirtschaftlichen Versorgung nicht übergangen werden, da gerade die unzureichende ökonomische Absicherung eine nicht zu unterschätzende Ursache für die Krise im Klerus der Reformationszeit gebildet hat.

a) Geistiges Leben

In einem Brief vom 10. Oktober 1541 an Martin Bucer beklagte Johannes Gropper den Mangel an geeigneten Geistlichen und forderte die vermehrte Einrichtung von Schulen mit der Funktion eines „seminarium ... ministrorum"; andernfalls werde in naher Zukunft ein spürbarer Mangel an guten Hirten herrschen[1]. Die in diesem Schreiben zum Ausdruck kommende Sorge und die vielfältigen Initiativen, die Gropper zur Reform der Priesterausbildung unternommen hat, zeigen, daß dem Kölner Theologen eine Anhebung des geistigen Niveaus des Klerus besonders angelegen war.

---

[71] Oratio, D iij r—D iiij r.
[1] M. Bucer, Von den einigen rechten wegen, p. 93. Auffällig ist, daß Gropper hier bereits den Begriff „seminarium" verwendet, wenn auch wohl noch in

Seiner von verschiedenen Forschern[2] hervorgehobenen bibeltheo-
logischen Orientierung entsprechend sieht Gropper in der Lektüre
der Heiligen Schrift das Fundament des geistigen Lebens der Priester. „Biblia a clericorum manibus nunquam deponenda"[3]. Das
Buch der Bücher will nicht oberflächlich heruntergelesen, sondern
mit dem Herzen aufgeschlüsselt werden; wer sich um ein inneres
Verständnis der Schrift bemüht, wird diesen reichen Born niemals
ausschöpfen können[4]. So ist die Bibel die Quelle des Lebens; wer
aus ihr trinkt, dürstet nicht in Ewigkeit (Joh 4,14). Sie ist der
Schatz, für den man alles verkaufen muß (Mt 13,44)[5]. Wer mit ihr
ausgerüstet ist, der ist so stark, daß er allen Nachstellungen des
Teufels widerstehen kann[6]. Christus selbst nahm zu diesem Schwert
des Geistes (Eph 6,17) seine Zuflucht, als er einsam in der Wüste
fastete und betete, und ihn der Teufel in Versuchung führte; auf
das Wort Gottes gestützt, stieß Christus das Trugwerk des Satans
zurück (Mt 4,1—11).

Nächst der Heiligen Schrift mißt Gropper der Lektüre der Kirchenväter, „non minus eruditione quam vitae sanctimonia claros"[']
hohe Bedeutung bei; in ihnen leuchte das Idealbild der alten Kirche
auf, welches die gravierende Diskrepanz zu den Zuständen in der
Gegenwart unnachsichtig bewußt mache; gerade die Priester
würden darin auf ihre gefährliche Abirrung vom rechten Pfad hingewiesen; um so mehr werde sie die patristische Lektüre anspornen, künftig ihren Fuß wieder „in viam mandatorum Domini" zu
setzen[7].

Daneben legt Gropper auch Wert auf ein sorgsames Studium
gediegener theologischer Literatur. Im Wissen um einen Nachhol-

einem weiteren Sinn („Pflanzschule") als dem des späteren Trienter Seminar-
dekretes. Groppers Postulat („utque scholae ubique instaurentur, seminarium
utique ministrorum, sine quibus, ut brevi maxima penuria bonorum pastorum
laboremus, oportet") erinnert an die Formulierung einer Denkschrift von
Ludovico Beccadelli; dieser, der einmal Sekretär des von Gropper verehrten
Kardinals Contarini gewesen war und den Gropper 1551/1552 von Trient aus
in Venedig besuchte (W. Köhler, Ein Brief von Johannes Gropper an Ludwig
Beccatelli, 244—247), schreibt 1562 (CT XIII, 579, 17—19): „Ut seminarium
clericorum institueretur, qui possent, ut decet, ecclesiae inservire, essent ab
episcopo et a capitulo magistri praeficiendi, qui illos erudirent tam in litteris
et moribus quam in ecclesiae cultu exercendo."

[2] A. Franzen, Zölibat und Priesterehe, 71. Ein ähnliches Urteil findet sich bei
   C. Augustijn (De godsdiensgesprekken, 131); dort werden Johannes Gropper
   und Julius Pflug als „bijbelse humanisten" bezeichnet.

[3] Canones, f. 7v (cap. 5; ARC II 215).

[4] Hieronymus, Epistula 52 (ad Nepotianum), 7 (CSEL 54,426): „Divinas scripturas saepius lege, immo numquam de manibus tuis sacra lectio deponatur."

[5] Canones, f. 13v (cap. 14; ARC II 229).

[6] Canones, f. 38v (cap. 6; ARC II 285).

[7] Canones, f. 6v—7r (cap. 1; ARC II 214).

bedarf der katholischen Seite in der gespannten Situation seiner Zeit erarbeitete Gropper seine theologischen Werke. Gerade das „Enchiridion" und die „Institutio catholica" verstehen sich als Hilfe für die breite Masse der Pfarrgeistlichen, „ut disciplina coelesti formati sectas comprimatis, errores eradicetis, veritatem evangelicam doceatis ac ecclesiasticam unitatem in vinculo pacis conservetis"[8].

Schließlich zählt ein solides Allgemeinwissen laut Gropper zu den Zulassungskriterien zum Priesterberuf. Von den Lehrern und Vorgesetzten der Weihekandidaten ist ein Gutachten „de doctrina, vita ac moribus" einzuholen[9], was schon in der alten Kirche den Bischöfen zur Pflicht gemacht worden ist[10]. Denn es gilt zu verhindern, daß sich Proleten und Bauern gleichsam vom Pflugsterz weg auf ein kirchliches Amt begeben können, dem doch immer auch kulturpflegerische Aufgaben zufallen[11]. Der Herr sagt ja durch den Propheten (Hos 4,6): „Weil du die Erkenntnis verworfen hast, will auch ich dich verwerfen, auf daß du nicht mehr mein Priester sein sollst." Ohne jene geheimen Erleuchtungen von Gott, die laut Dionysius Areopagita das Wesen des Priestertums ausmachen, ist dieses auch für Gropper nicht vorstellbar[12]. Deshalb nimmt der Kölner Theologe in sein Visitationsformular von 1550 die Fragen auf, ob sich die Priester in der Lektüre der Heiligen Schrift üben, welche Bibelausgabe sie jeweils benutzen und welche sonstigen Autoren von ihnen gelesen werden[13].

---

[8] Enchiridion, f. 48r (Vorrede des Erzbischofs Hermann von Wied).

[9] Canones, f. 4r (cap. 19; ARC II 208f.).

[10] Concilium Carthaginense III (397), c. 22 (Mansi 3, 884; Hinschius, 298).

[11] Canones, f. 4v (cap. 20; ARC II 209). Das Kölner Provinzialkonzil scheint hier etwas über die Bestimmungen der wenige Jahre zuvor in Frankreich gehaltenen Provinzialkonzilien hinauszugehen; in den „Decreta morum" des Provinzialkonzils von Sens-Paris von 1528 (c. 3; Mansi 32,1185) heißt es lediglich: „... inquirant, si promovendus habeat scientiam a iure ad ordinem suscipiendum requisitam." Ähnlich: Concilium Lugdunense (1527), c. 6 (Mansi 32,1128): „... statuimus, ut nulli ad sacros maiores ordines admittentur, nisi qui moribus, scientia, aetate et competenti titulo sufficienter digni esse reperiantur, praecedente ad hoc diligenti scrutinio et examinatione exacta."

[12] Ps. Dionysius, De ecclesiastica hierarchia V 1,3 (MG 3,503): „Sanctissima itaque mysteriorum consecratio primam quidem virtutem deiformem habet, qua profanos sacris expiat; mediam vero, qua eos, qui iam expiati sunt, illuminando initiat; postremam denique et summam praecedentium, qua sacris initiatos propriarum consecrationum scientia consummat ac perficit. Porro sacrorum ministrorum distinctio virtute prima per mysteria profanos expiat; media vero expiatos illuminat; postrema denique eaque suprema sacrorum ministrorum virtute eos, qui divini luminis participes facti sunt, perfecta visarum illustrationum scientia absolvit."

[13] Forma, iuxta quam ..., g ij v; J. Hartzheim, Concilia Germaniae VI 637.

b) Geistliches Leben

In seinem Ringen um ein erneuertes Priesterbild sorgt sich Gropper noch entschiedener als um ein geistiges um ein geistliches, den Dienst des Priesters tragendes Fundament; unermüdlich mahnt er die Priester zur Verinnerlichung und bemüht sich, sie für ein reges spirituelles Leben zu begeistern.

Mitte der „vita spiritualis" ist nach Gropper das Stundengebet; der Kölner Theologe entgegnet damit kritisch einer pauschalen Infragestellung dieser Weise priesterlichen Betens durch die Reformatoren. Doch wäre es unangebracht, geistliches Leben bei Gropper ausschließlich mit dem Gebetsleben gleichzusetzen. Das gesamte Leben des Priesters spannt sich ja aus unter dem Rhythmus des Stundengebetes; dieses ist zwar aus dem normalen Tageslauf ausgegrenzt, kann aber gerade deshalb auf ihn einwirken. So soll es letztlich zu einer geistlichen Durchdringung des gesamten persönlichen Lebens des Priesters führen, der dann auch den Gläubigen ein wegweisendes Vorbild zu sein vermag[14]. Im sehnenden, flehenden und preisenden Gegenüber zu Gott finden die Priester jene nicht versiegende Tröstung und Stärkung, derer sie in ihrem geistlichen Dienst ständig bedürfen. Das Stundengebet der Priester war von Martin Luther heftig kritisiert worden[15]. Dahinter verbarg sich ein tiefliegendes Unverständnis für eine Gestalt des Gebetes, in der dem Reformator die Elemente des innerlichen, gläubig-demütigen Hintretens vor Gott überlagert erschienen durch solche äußerlichen Rituals, ja durch einen das Wesen des Betens verfremdenden Zwang, ein Eindruck, der sich in Luthers Augen durch den Vorbehalt dieser Gebetsweise für den geistlichen Stand verschärfte[16]. In

[14] Enchiridion, f. 218v, 226v u. 227r. Ziel ist das gemeinschaftliche Gebet aller füreinander, wie es in der Urkirche gepflegt wurde. Möglich ist, daß Gropper hier ein wenig Gedanken von Erasmus folgt, die dieser in Verbindung mit Erwägungen über das allgemeine Priestertum der Gläubigen und das besondere Weihepriestertum anstellt. Erasmus schreibt u. a. (Modus orandi Deum, 1131): „Paulus apostolus in quotidianis precibus suis mentionem facit apud Deum eorum, quos initiaverat evangelio, sed vicissim illos rogat, ut orent pro ipso. Ne roget pro se, qui neque desiderio boni cuiusquam neque mali metu tenetur. Ne roget pro alio, qui nulli bene vult praeterquam uni sibi. In summa, ne curet, hoc sacrificium offerre Deo suo, qui a sacerdotio Christiano se credit alienum."
[15] Luthers Kritik lief darauf hinaus, daß das Breviergebet „sine intellectu", „sine affectu" und „sine corde" verrichtet werde. Luther polemisierte gegen den Gebetszwang, da dieser das Gebet zu einem gesetzlich vorgeschriebenen, dem Glauben widerstreitenden Werk mache. G. Wertelius, Oratio continua, 312—316.
[16] WA 6,564,32—565,3: „Vide igitur, quorsum migrarit gloria Ecclesiae; repleta est omnis terra sacerdotibus, episcopis, cardinalibus et clero, quorum tamen, quantum ad offitium spectat, nullus praedicat, nisi denuo alia vocatione ultra

seinem Plädoyer für das Breviergebet der Priester konnte Gropper
an diesem fatalen Mißverständnis nicht vorbeigehen; die spezifische Gestalt des Stundengebetes sinnvoll und begründet in das
Gebetsleben der Kirche einzubringen, ist folglich das Bemühen
Groppers im „Enchiridion"[17]. Der Kölner Theologe lehrt hier, daß
rechtes Beten nicht möglich ist ohne den Geist des Glaubens, der
Hoffnung und der Liebe, in dem wir rufen können: „Abba, Vater"
(Röm 8,15; Gal 4,6). Wenn wir uns nicht im Glauben nahen, nicht
durch die Hoffnung aufgerichtet, nicht durch die Liebe entzündet
werden, dann können wir nicht beten[18]. Was ist das Gebet, so fragt
Gropper, anderes als ein frommer Aufstieg des Geistes zu Gott,
eine inständige und glühende Darbietung frommer Gelöbnisse und
Bitten? Es setzt den Glauben daran voraus, daß alles Gute von Gott
zu erbitten ist und daß Gott selbst, der von sich aus gut ist, für alle
das Beste will, daß er große und unschätzbare Güter seinen Getreu-
en bereitet hat. Es setzt ferner die unangefochtene Hoffnung des
Glaubenden voraus, daß er diese Güter, als seien sie für ihn bereitet, in Besitz nehmen kann. Es setzt endlich die Liebe voraus, von
welcher beseelt er sprechen soll: „Ich will laufen, suchen und empfangen, was Gott denen bereitet hat, die ihn lieben." Im Gebet bleibt
der Geschenkcharakter von Glaube, Hoffnung und Liebe bewußt,
wie er angedeutet ist in dem Herrenwort: „Niemand kann zu mir
kommen, wenn nicht der Vater, der mich gesandt hat, ihn zieht"
(Joh 6,44). Hoffnung und Liebe, „haec duo posteriora dona", setzen
dabei den Glauben gleichsam als Fundament des geistlichen Bau-
werkes („substerniculum spiritualis aedificij") voraus. Denn wer
wollte schon auf den hoffen, dem er nicht glaubt, dem er sich und
das Seine nicht anvertraut?[19] So müssen Glaube, Hoffnung und
Liebe vor und in jedem guten Werk zusammenwirken; und das
trifft am meisten zu für das Gebet als ein Werk, in dem wir Gott
ganz nahe kommen; also müssen diese drei dem Gebet vorausgehen,
„non tempore quidem (quod animus fide, spe et charitate imbutus,
saltem per coelestium desiderium, in quo tota orationis vis consistit,
non possit non orare), sed causa magis et ratione"[20]. Insofern gehen
Glaube, Hoffnung und Liebe dem Gebet nicht nur voraus, sie
gehen auch in das Gebet ein.

Hierauf aufbauend, entwickelt Gropper in gediegener Weise
eine ausführliche Lehre über das Gebet[21]. Lediglich die Stellung-

---

ordinem sacramentalem vocetur, sed abunde suo sacramento se satisfacere
putat, si battologiam legendarum precum emurmuret et missas celebret..."
[17] Enchiridion, f. 218v—227v („De ratione ac modo orandi Deum").
[18] Enchiridion, f. 219r.   [19] Ebd.   [20] Enchiridion, f. 219v.
[21] Die folgenden knappen Erwägungen ersetzen in keiner Weise eine zu wün-
schende gründliche Untersuchung der Gebetstheologie Groppers. S. o. S. 30f.,
Anm. 16.

nahme zum Stundengebet der Priester soll hier Beachtung finden; für deren Wiedergabe bleibt der sachliche Zusammenhang mit Groppers Gebetslehre, insbesondere mit seinen Bemerkungen zur Ordnung des Gebetslebens, von Bedeutung.

Wenn die Kirche in ihren Gebeten anknüpft an bestimmte „intervalla horarum et temporum"[22], so tut sie das nicht, weil die Kraft des Gebetes an bestimmte Worte und Zeiten gebunden ist; vielmehr ist die zeitliche Staffelung des kirchlichen Gebetslebens christologisch als Erinnerung an die Stationen des Leidensweges des Herrn begründet[23]; aszetisch hat sie eine anspornende Funktion; sie soll uns anhalten, in unserer Sehnsucht nach den himmlischen Gütern zu wachsen; sie soll die Sehnsucht in uns noch leidenschaftlicher werden lassen, sagt doch der Apostel (Röm 12,12; Eph 6,18; Kol 4,2): „Betet ohne Unterlaß!" Damit meint er, daß wir das glückselige Leben in der Ewigkeit und alles, was uns darauf ausrichtet, unablässig ersehnen sollen, von jenem, der es allein zu geben vermag. Freilich, unter dem Druck anderer Sorgen und Aufgaben des Alltags kühlt diese Sehnsucht allzuleicht ab. Darum erinnern wir uns bei bestimmten zeitlichen Anlässen der Aufgabe des Betens, um durch die Worte des Gebetes unsere Sehnsucht nach Gott zu mehren und ihrem Verlöschen vorzubeugen. Gropper will keinesfalls einer weltflüchtigen Haltung das Wort reden; man glaubt im Gegenteil, aus seinen Bemerkungen sogar eine positive Beurteilung der Alltagsarbeit („alia bonarum et necessariarum actionum ... officia") herauszuhören; aber diese Sicht hindert ihn nicht zu meinen, daß die Parole „Arbeit ist Gebet", sobald sie absolut gesetzt wird, ein Schwinden der Sehnsucht nach dem ewigen Heil verursachen kann. Dieser Gefahr will die Kirche entgegenwirken, wenn sie in ihrem Gebetsleben an bestimmte Zeiten anknüpft.

Aus den nämlichen Gründen würdigt Gropper das Stundengebet der Priester als „pium ac sanctum institutum"[24]. Die Priester werden dazu ordiniert, daß sie von weltlichen Geschäften völlig frei sind und Sorge tragen für das Volk Gottes „in his, quae ad Deum sunt". So ähnelt ihr Dienst jenem der Witwen in der Urkirche, an denen es war, bei Tag und Nacht im Gebet zu verharren (1 Tim 5,5); auch das Beispiel der Prophetin Anna, der Tochter Phanuels, führt Gropper an; sie verließ den Tempel nicht und diente Gott mit Fasten und Beten Tag und Nacht (Lk 2,36f.).

---

[22] Enchiridion, f. 226r.
[23] Insitutio catholica, p. 711 (s Vr): „Septies in die psalmodijs atque laudibus [ecclesia] Deum honorat et pia prece pulsat recolitque, quid Christus pro se singulis hisce horis sit passus."
[24] Enchiridion, f. 226r.

Zu rügen sind jene Priester, die das, was sie im Gebet sprechen, gar nicht verstehen, weil sie ihren Geist nicht ausrichten auf das, was sie lesen. Von ihnen gilt das Wort des Propheten: „Dieses Volk ehrt mich mit den Lippen, aber ihr Herz ist weit von mir" (Jes 29,13; Mt 15,8). Sie haben einfach noch nicht begriffen, daß das Gebet aus dem tiefsten Inneren des Herzens aufsteigen muß, obwohl das Psalterium es doch immer wieder so bezeugt: „Dich, Herr, will ich preisen aus ganzem Herzen" (Ps 111/110,1); „Herr, all mein Sehnen liegt offen vor dir" (Ps 38/37,10); „Das Denken des Menschen wird dich preisen" (Ps 76/75,11); „Meine Seele hängt an dir" (Ps 63/62,9); „Nahe ist der Herr denen, die geplagten Herzens sind" (Ps 34/33,19). Und noch tausend ähnliche Stellen, sagt Gropper, begegneten in den Psalmen. Also muß man diese untätigen und ungebildeten Kleriker scharf zurechtweisen und belehren, was der Apostel will, wenn er uns aufträgt, im Geiste zu lobsingen, gleichermaßen aber auch mit dem Verstand zu lobsingen, zu beten im Geist wie auch mit dem Verstand (1 Kor 14,15). Wenn diese Geistlichen ihre „scientia" zurückweisen, dann wird der Herr sie selber zurückweisen und vom Priestertum ausschließen. Gropper bemerkt, daß täglich zu beobachten sei, wie solches aufgrund eines gerechten Urteils Gottes geschieht, da Gott die Torheit des noch immer pflichtvergessenen Klerus straft[25]. Gropper spielt damit auf die Beobachtung an, daß Priester, die ihr Gebetsleben nur oberflächlich nehmen und sich dem Duktus der Horen versagen, die Fundamente gefährden, auf denen sie stehen, so daß sie nicht selten ihrer Berufung untreu werden.

Dieser Ansicht folgen auch die „Canones" des Kölner Provinzialkonzils von 1536. Sie suchen den Wert des Breviergebetes überzeugend darzustellen und verlangen, daß die Priester die Gebete nicht einfach dahermurmeln, sondern sie „ex intimo affectu, elevataque mente" sprechen[26]; im übrigen sei von einem Konzil[27] bestimmt, daß die Priester in dieser Gesinnung Gott ihr nächtliches und tägliches „pensum servitutis" erfüllen sollten; denn verflucht ist, wer das Werk des Herrn lässig treibt (Jer 48,10).

Der Beter soll sich ganz und gar darum bemühen, auf Gott zu schauen. Wenn er betet, um äußeren Ruhm zu erlangen, oder um des Gewinnes willen, auch wenn er mehr aus Gewohnheit als aus

---

[25] Enchiridion, f. 226v: „Quos ignavos ac stupidos clericos acriter corripere oportet et docere, quid velit divus Apostolus, quum iubet nos, psallere spiritu, psallere pariter et mente, orare spiritu, orare pariter et mente. Alioqui si scientiam repellunt, repellet eos Dominus, ne sacerdotio fungantur ei. Quod et iusto Dei iudicio quotidie fieri videmus, puniente Deo stupiditatem cleri sui etiamnum surdi et obaudientis."

[26] Canones, f. 8r (cap. 8; ARC II 217f.).

innerem Antrieb betet, dann wird er unter die Heuchler zu zählen
sein, über die der Herr im Evangelium sagt, daß sie es lieben, sich
in den Synagogen und an den Straßenecken hinzustellen und zu
beten, um den Leuten aufzufallen (Mt 6,5). Priester, die aus unlauteren Absichten nur zum Schein lange Gebete sprechen, sind
vom Herrn mit dem Gericht bedroht (Mt 23,14). Wenn der Herr
geboten hat, daß man allezeit beten müsse und nicht müde werden
dürfe (Lk 18,1), so hat er zweifellos eine andere Weise des Gebetes
gemeint als jene der Pharisäer, die nämlich, welche der heilige
Paulus geübt hat (1 Kor 14,15). Vorbildlich für ein von innen kom-
mendes Beten ist auch, was von Anna, der Mutter Samuels, berichtet wird; sie trug in ihrem Herzen viele Bitten vor den Herrn; nur
ihre Lippen bewegten sich, ihre Stimme aber konnte man nicht
hören; denn sie schüttete ihr Herz vor dem Herrn aus (1 Sam
1,12f.15). Schließlich soll der betende Geistliche darauf achten, daß
er in bußfertiger Gesinnung, reuig und demütig Gott Dank sagt
und ihn preist, daß er sich im Gebet von allem, was nichtig ist,
abwendet.

So setzen die Kölner „Canones" den Schwerpunkt ihrer Bemerkungen zum Breviergebet in den Bereich der persönlichen Gebets-
praxis der Geistlichen. Andererseits sparen sie nicht mit Kritik an
manchen Inhalten des traditionellen Breviergebetes, die sie für
degeneriert halten wie etwa die zu üppige und zu wenig gesicherte
Form der Heiligenviten. Auch hierin erscheint die Praxis der
Kirchenväter als vorbildlich[28]; in ihrem Geist soll eine Reform der
Breviere angestrebt werden. In einem Satz der „Canones", welcher
jener Korrekturschicht beizuzählen ist, die durch das Provinzialkonzil selbst angeregt wurde, wird eine vom Domkapitel, den
Theologen und andern „frommen Männern" mitgetragene diesbezügliche Initiative des Erzbischofs in Aussicht gestellt[29]. Zu einer
Verwirklichung dieser Anregung kam es unter Hermann von Wied
jedoch nicht.

Zehn Jahre nach dem Provinzialkonzil von 1536 verband
Gropper in seinem Reformgutachten für den Kaiser eine ausgiebige
Würdigung des Stundengebetes mit Vorschlägen „de reformatione
divini cultus, qui horis canonicis in cathedralibus et collegiatis

---

[27] Verwiesen wird auf die beiden Dekretalen „Presbyter" und „Dolentes":
X. 3,41,1 (Friedberg II 635) u. 3,41,9 (Friedberg II 641f.). Für die erste der
beiden vgl. Hincmar von Reims, Capitula Synodica, c. 9 (ML 125,775).

[28] Eine Randglosse verweist auf eine Verordnung der alten Kirche, wonach im
Gottesdienst allein die heiligen Schriften zu rezitieren sind. Concilium Carthaginense III (397), c. 47 (Mansi 3,891).

[29] Canones, f. 7v—8r (cap. 6; ARC II 216f.) u. f. 8v (cap. 11; ARC II 219). H.
Jedin, Das Konzil von Trient und die Reform der liturgischen Bücher, 505.

ecclesiis et monasteriis geritur"[30]. Groppers dem Kaiser unterbrei-
teten Vorstellungen entspricht eine auf der Diözesansynode im
Herbst 1548 bekundete Absicht des Erzbischofs Adolf von
Schaumburg, die Reform der liturgischen Bücher zügig voranzutreiben[31]. Im Protokoll der Diözesansynode vom Frühjahr 1550
wird vermerkt: „Reverendissimus dedit quosdam in hac synodo, qui
corrigant et repurgent missalia et breviaria et redigant ea ad antiquam puritatem et maiestatem, quae sic digesta Reverendissimus
faciet imprimi et evulgari"[32].

c) Persönliche Lebensführung

Über die individuelle Lebensgestaltung der Kleriker äußert sich
Gropper im Reformprogramm des Kölner Provinzialkonzils von
1536 mit einer Fülle detaillierter Ermahnungen, die meist den
paulinischen Briefen entnommen sind und dort für jeden gelten,
der in Christus ein neuer Mensch geworden ist und folglich ein
dementsprechendes Leben führen soll[33]. Da stehen zunächst die
Aufforderungen, Unreinheit und böse Lust, Habsucht und Wut,
Lästerungen und andere bösartige Eigenschaften auszurotten. Den
neuen Menschen sollen die Kleriker als Auserwählte Gottes
anziehen und fortan Barmherzigkeit, Güte, Demut, Sanftmut und
Geduld üben; darüber hinaus sollen sie die Liebe, die das Band der
Vollkommenheit ist, anlegen und dankbar sein. Christi Wort soll
reichlich unter ihnen wohnen; in aller Weisheit sollen sie einander
belehren und ermahnen in Psalmen, Hymnen und geisterfüllten
Gesängen. Was immer sie in Wort oder Werk tun, sollen sie im
Namen des Herrn Jesus Christus tun, und durch ihn sollen sie Gott
dem Vater Dank sagen. All ihr Tun sollen sie nicht in Augendiene-
rei, um Menschen zu gefallen, sondern in gottesfürchtiger Einfalt
des Herzens vollbringen. Im Gebet sollen sie verharren, in ihm mit
Danksagung wachen. Aus ihrem Mund soll kein häßliches Wort
kommen, sondern nur Gutes, das zur Auferbauung des Glaubens
wirkt und den Hörern Segen bringt. Alle Menschen sollen ihre
Milde erfahren. Auf alles, was tugendhaft ist, sollen sie bedacht
sein; dann wird der Gott des Friedens mit ihnen sein[34].

[30] Unica ratio reformationis, f. 135v—138v (H. Lutz, Reformatio Germaniae,
266—269; ARC VI 166—168).
[31] Acta Synodi, B v; J. Hartzheim, Concilia Germaniae VI 354.
[32] J. Hartzheim, Concilia Germaniae VI 618f.
[33] Die Eingrenzung ist den „Canones" durchaus bewußt (f. 9v; cap. 20; ARC II
221: „Sic praecepit Paulus nedum clericis, sed omnibus Christianis."), wird
aber in ihrer zu einer klerikalen Sondermoral führenden Konsequenz gleichwohl fraglos hingenommen.
[34] Canones, f. 9v u. 10r (cap. 20; ARC II 221). Der hier gekürzt wiedergegebene
Text folgt unter Auslassung bestimmter Verse dem dritten Kapitel des Ko-

An diese apostolischen Weisungen haben sich die Kleriker früher einmal gehalten und so in Frieden gelebt[35]. Wenn das in der Gegenwart nicht mehr der Fall ist, so hat das vor allem drei Gründe: Hochmut, Ausschweifung und Habsucht[36]. Davon müssen sich die Kleriker freimachen. Ehrgeiz und Stolz darf es unter ihnen nicht geben, wie Christus es schon den rivalisierenden Jüngern zeigte, indem er ein Kind in ihre Mitte rief und sagte, daß der im Himmelreich der Größte ist, der sich selbst gering achtet (Mt 18,1-4). Der Kleriker soll inmitten der Kirche ein Dienender sein, der sein Amt als Verpflichtung nimmt[37]. Dies bekräftigen die Kölner Statuten mit einer Kritik des Kirchenlehrers Hieronymus an solchen Klerikern, die in der Kirche äußere Ehre suchen[38]. Vom gleichen Verfasser wird auch eine Bemerkung zitiert, welche Klerikern Vorhaltungen macht, die sich eine luxuriöse Lebensführung gestatten[39]. Wenn der Apostel (1 Kor 9,13) dem Priester erlaubt, vom Altar zu leben, so gibt er ihm damit keinen Freibrief zur Ausschweifung; das unterstreichen die Bemerkungen in Eph 5,18 und Röm 13,13.

Um die Ehrbarkeit des geistlichen Standes zu wahren, wird an strenge Vorschriften der alten Kirche erinnert, die ihrem Klerus die Teilnahme an Hochzeitsfeierlichkeiten[40] und den Besuch von öffentlichen Schauspielen und Tanzveranstaltungen verbot, „ne auditus et intuitus sacris mysteriis deputatus turpium spectaculorum atque verborum contagione polluZeretur"[41]. Allein den Kölner Statuten genügt es schon, wenn die Kleriker in Zukunft nicht mehr in den Schenken und Wirtschaften lungern oder gar dieses

losserbriefes; außerdem zitiert er: Eph 4,29f. u. 5,19f.; Phil 4,5 u. 8f.; Kol 4,2 u. 6.
[35] Canones, f. 10r (cap. 21; ARC II 221f.).
[36] Canones, f. 10r (cap. 22; ARC II 222).
[37] Canones, f. 10r (cap. 23; ARC II 222).
[38] Ebd.: „Non immerito Hieronymus ut pestem quandam fugiendos clericos ait, qui a speluncis domorum paternarum abstracti et post in ecclesia sublimati ac sacerdotijs ditati vanae gloriae et superbiae stimulis efferuntur." Hieronymus, Epistula 52 (ad Nepotianum), 5 (CSEL 54,422).
[39] Canones, f. 10v (cap. 24; ARC II 222): „Beatus Hieronymus ecclesiae praefectos, qui luxu ac delicijs affluunt, Michaeam describere asserit, quod eiiciendi sint de spatiosis domibus lautisque convivijs et multo labore conquisitis epulis in tenebras exteriores, ubi erit fletus et stridor dentium." Hieronymus, Comment. in Michaeam I 2, 9—10 (CChrlat 76,448).
[40] Concilium Agathense (506), c. 39 (Mansi 8,331; Hinschius, 335).
[41] Concilium Laodicenum (345/382), c. 54 (Mansi 2,573; Hinschius, 275). Groppers Visitationsformular von 1550 (Forma, iuxta quam..., g ij v; J. Hartzheim, Concilia Germaniae VI 637) und die Diözesansynode vom Februar 1550 (J. Hartzheim, Concilia Germaniae VI 620) legen den Geistlichen äußerste Zurückhaltung bei Zusammenkünften nach Begräbnissen und Jahresseelenämtern auf.

Gewerbe betreiben[42]. In sehr eingehender Weise wird auf Bescheidenheit der Geistlichen im äußeren Auftreten[43] und auf standesgemäße Kleidung im Sinne des geltenden Kirchenrechts[44] gedrungen. Für ganz unangemessen wird die Praxis erklärt, daß sich Priester bei Laien als Kapläne verdingen, namentlich bei Frauen[45], wie überhaupt das Kirchenrecht[46] Verdacht erregende Wohngemeinschaft von Klerikern mit Frauen untersagt[47].

Vor Habsucht soll sich der Geistliche hüten; er darf keinen Besitz häufen, soll vielmehr zufrieden sein, wenn er Nahrung und Kleidung hat (1 Tim 6,8)[48]. Mit einem ehrbaren Handwerk darf er sich — wie der Apostel Paulus (Apg 18,3; Eph 4,28; 1 Kor 4,12) — seinen Lebensunterhalt verdienen[49], als Kaufmann aber soll er sich nicht betätigen, erst recht nicht als Zinsnehmer[50]. Abergläubischen, neugierigen und leichtlebigen Klerikern wird vorgehalten, sie verhielten sich nicht standesgemäß[51]; denn nur jene Kleriker tragen ihren Namen zu Recht, die Tag und Nacht über das Gesetz des Herrn nachsinnen, die das empfangene Amt gebührend ausfüllen und ein Leben führen, das der geistlichen Berufung würdig ist[52]

Betreffen die bisher vorgetragenen Bestimmungen des Kölner Provinzialkonzils die persönliche Lebensführung der Kleriker ganz

[42] Canones, f. 10v (cap. 25; ARC II 223). Mit Verweis auf: Concilium Carthaginense III (397), c. 27 (Mansi 3,884; Hinschius, 299). Ähnlich: Forma, iuxta quam..., g iij r; J. Hartzheim, Concilia Germaniae VI 637: „... an sint aliqui ex curatis vel vicecuratis usurarij, negociatores vel caupones aut sortilegijs, divinationibus aut venationibus indulgentes." In diesem Zusammenhang ist auch von Interesse, daß bei der Visitation von Klöstern zu fragen ist, ob den Geistlichen, die in inkorporierten Pfarreien tätig sind, ein ausreichender Unterhalt zur Verfügung steht, so daß sie nicht gezwungen sind, auf andere Erwerbszweige auszuweichen; Forma, iuxta quam..., i iij r; J. Hartzheim, Concilia Germaniae VI 643.
[43] Canones, f. 10v u. 11r (cap. 26; ARC II 223f.).
[44] Ebd. Verwiesen wird auf: X. 3,1,15 (Friedberg II 453). Ähnlich: Forma, iuxta quam..., g ij v; J. Hartzheim, Concilia Germaniae VI 637. Auch die Diözesansynode vom Februar 1550 nahm dazu Stellung, daß sich ein großer Teil der Priester schäme, das geistliche Kleid zu tragen, „quando tamen olim in concilio Triburiensi provide constitutum sit, ut presbyteri, quo a laicis discernantur, non prodeant in publicum nec vadant nisi stola aut orario induti" (J. Hartzheim, Concilia Germaniae VI 619f.). Vgl. die Beschlüsse des Nationalkonzils von Tribur (895), Additio, c. 26 (Mansi 18,164f.).
[45] Canones, f. 11r (cap. 27; ARC II 224).
[46] D. 32 c. 16 (Friedberg I 121); X. 3,2,1 (Friedberg II 454).
[47] Canones, f. 11r (cap. 28; ARC II 224).
[48] Canones, f. 11r (cap. 29; ARC II 224). — Martin Luther polemisiert häufig gegen Habsucht, Geiz, Heuchelei und herrisches Auftreten der Kleriker (WA 2,454,11—15. WA 6,565,28—566,3. WA 7,494,13—21 u. 25—27; 526, 24—30).
[49] Canones, f. 11r (cap. 30; ARC II 224).
[50] Canones, f. 11v (cap. 31; ARC II 225). Vgl. X. 3,50,1 (Friedberg II 657).
[51] Canones, f. 11v (cap. 32; ARC II 225).   [52] D. 23 c. 3 (Friedberg I 80).

allgemein, so werden sie um spezielle Vorschriften für die Pfarrer ergänzt. Gerade diese sollen sich in ihrem Leben ordentlich verhalten; leider läßt aber gerade ihre persönliche Lebensführung nur allzuoft in der Kirche der Gegenwart sehr zu wünschen übrig. Selbstkritisch[53] fordern die „Canones"[54], daß die Priester, denen Christus seine Herde anvertraut hat, wieder auf den rechten Wegen des Herrn, von denen sie abgewichen sind, wandeln sollen; jeder einzelne von ihnen soll sich bemühen, der zu sein, der er sein muß; denn auch er soll sich angesprochen wissen in jenem Wort, welches das Vermächtnis Christi an Petrus war: „Weide meine Schafe" (Joh 21,16).

Zum Grundprinzip ihrer persönlichen Lebensführung müssen die Pfarrer erheben, in Übereinstimmung zu leben mit dem, was sie in ihrer Lehre vertreten[55]. Durch ein schlechtes Beispiel wird mehr verdorben als durch das Wort aufgebaut. Das heißt es zu bedenken, damit sich nicht erneut Christi Urteil über die Pharisäer bewahrheite, die sich nicht nach dem richteten, was sie sagten (Mt 23,2f.). Christus selbst, „pastorum princeps", ist das leuchtendste Vorbild: „cuius tota vita sua doctrina est"[56]. Christus zog das Handeln dem Lehren vor (Apg 1,1); er war mächtig in Werk und Wort (Lk 24,19); er verwies die Schüler des Johannes, die nach der Ankunft des Messias fragten, auf seine Werke, indem er sagte: „Geht, sagt dem Johannes, was ihr hört und seht!" (Mt 11,2—4); er ruft seine Jünger nicht nur, sondern geht ihnen auch voraus (Joh 10,3f.); und er verspricht, daß nur, wer so gelehrt und gehandelt hat, groß sein wird im Himmelreich (Mt 5,19).

Im weiteren Verlauf des Abschnittes „De vita ac moribus parochorum" werden etliche Bestimmungen bekräftigt, die schon für die Kleriker im allgemeinen aufgestellt worden waren. Es wird nochmals auf die Gefahr der Habsucht verwiesen; ihr soll Gastfreundlichkeit (1 Tim 3,2; Tit 1,8) entgegengesetzt werden; die Pfarrer sollen nicht auf schäbigen Gewinn und materiellen Wohlstand aus sein (Tit 1,7), sondern auf die Seelen, nennt Christus sie doch Menschenfischer (Mt 4,19). Der Mann Gottes soll materielle Begierden meiden, vielmehr nach Gerechtigkeit, Frömmigkeit, Glaube, Liebe, Geduld und Sanftmut trachten (1 Tim 6,9—11)[57]. Ausschweifungen aller Art, „omnia, quae pastoralem auctoritatem aut dedecorant aut imminuunt", wird er aus dem Wege gehen[58].

---

[53] Die Formulierung erfolgt in der ersten Person Plural.
[54] Canones, f. 19v (cap. 1; ARC II 243).
[55] Wenn der damalige Klerus dies anscheinend kaum beherzigt hat, so war das wahrscheinlich auch eine Folge des Auseinanderwachsens von theologischem Denken und religiösem Leben. [56] Canones, f. 19v u. 20r (cap. 2; ARC II 243 f.).
[57] Canones, f. 20r/v (cap. 4; ARC II 244f.).
[58] Canones, f. 20v (cap. 6; ARC II 245).

Der Pfarrer soll auf sich beziehen, was Paulus seinem Schüler Timotheus empfiehlt: „Meide jugendliche Gelüste, strebe nach Gerechtigkeit, Glauben, Hoffnung, Liebe und Frieden mit denen, die den Herrn anrufen aus reinem Herzen!" (2 Tim 2,22). Er soll sich mühen wie ein guter Kämpfer für Christus und sich nicht in weltliche Angelegenheiten verwickeln (2 Tim 2,3f.) So soll er danach trachten, sich selbst vor Gott als ein Arbeiter zu bewähren, der unbeirrt das Wort der Wahrheit richtig verwaltet (2 Tim 2,15)[59].

Ob die Geistlichen diesen Zielvorstellungen entsprechend leben, soll während der Diözesanvisitation überprüft werden[60]. Dabei haben die Visitatoren auch zu erkundigen, ob der jeweilige Pfarrseelsorger ein „bonum testimonium" bei jenen hat, denen er dient[61]. Wer diesem Erfordernis nicht gerecht wird und sich in gravierender Weise einem der grundlegenden Gebote christlichen Zusammenlebens widersetzt, soll auf dem Wege der Visitation ausfindig gemacht werden, damit von den kirchlichen Behörden die nötigen Disziplinarmaßnahmen gegen ihn ergriffen werden können[62]. Nach aller Möglichkeit soll von vornherein dafür Sorge getragen werden, daß die Seelsorge nicht in die Hände eines unwürdigen Geistlichen gerät, welcher nicht willens oder fähig ist, das Wort Gottes dem Volk zu vermitteln und die Sakramente nach den in der katholischen Kirche üblichen Riten zu spenden[63].

d) Einhaltung der Zölibatspflicht

Ein besonders heikler Punkt ihrer persönlichen Lebensverhältnisse, mit dem viele katholische Geistliche des 16. Jahrhunderts in Konflikt gerieten, war die Verpflichtung zum Zölibat. Dafür gab es

---

[59] Canones, f. 20v u. 21r (cap. 8; ARC II 246).

[60] Forma, iuxta quam..., g ij r; J. Hartzheim, Concilia Germaniae VI 637: „...an vitam ducant sua appellatione dignam, videlicet talem, ut eorum comparatione caeteri merito grex dicantur." Wie Gropper zeigen sich P. de Soto (Tractatus de institutione sacerdotum, f. 519r) und Georg Witzel (Psaltes Ecclesiasticus, f. 19r) um das „exemplum vitae" der Pfarrer besorgt; letzterer beschreibt innerhalb einer vor der Priesterweihe zu haltenden Ansprache, wie sich die persönliche Lebensführung des Priesters zu gestalten hat: „...das sie in Zucht und nüchternheit haushalten / on alle schand und ergernus, gern beten / und fasten / gern studieren und meditieren / gern predigen und leren / gern lesen und schreiben / lieber geben / denn nemen / nicht heucheln / nicht simonizieren / noch curtizanieren / sondern sich mit zimlichem Intrat begnügen lassen..."

[61] Forma, iuxta quam..., g ij v; J. Hartzheim, Concilia Germaniae VI 637.

[62] Ebd. Als unwürdige Charaktereigenschaften werden aufgezählt: „impudicus, incontinens, immodestus, contentiosus, iracundus, percussor, vinolentus aut turpis lucri cupidus."

[63] Eine diesbezügliche Frage ist laut Visitationsformel allen Angehörigen von

vielschichtige Ursachen[64]. Immer wieder kam bei den vielen Einigungsbemühungen und Reformbestrebungen dieses Zeitraumes die Zölibatsfrage zur Sprache. So mußte sich auch Johannes Gropper zu diesem Themenkomplex äußern.

In seinem „Enchiridion" von 1538 polemisiert der Kölner Theologe entschieden gegen die reformatorische Abwertung von Zölibat und Jungfräulichkeit zugunsten der Ehe[65]. Gropper wendet sich aber auch gegen die Meinung, Christus und Paulus hätten allein aus dem Grunde die Jungfräulichkeit angeraten, weil die Betroffenen größere Freiheit zur Predigt des Evangeliums und zur Verwaltung der kirchlichen Dienste erlangen könnten; Gropper lehnt eine Deutung des Wortes Christi von den Eunuchen um des Himmelreiches willen (Mt 19,12) in diesem Sinne ab; damit scheint er sich von einer vorwiegend funktionalen Wertung des Zölibats, wie sie bei Erasmus[66] vorliegt, differenzieren zu wollen; seinerseits will er keineswegs behaupten, daß sich ein gläubiger Christ durch die Jungfräulichkeit oder eine andere Tugend aus eigener Kraft

Kathedral- und Kollegiatstiften zu stellen, sofern sie durch Präsentations- oder Provisionsrechte an der Besetzung von Seelsorgestellen beteiligt sind. Forma, iuxta quam . . ., d r; J. Hartzheim, Concilia Germaniae VI 629.

[64] A. Franzen, Zölibat und Priesterehe in der Auseinandersetzung der Reformationszeit und der katholischen Reform des 16. Jahrhunderts, 23—88.

[65] Heftige Polemik gegen den Zölibat entfaltete Luther in den drei bekannten Kampfschriften von 1520; er wies auf den Widerspruch des vom Papst eingeführten Gebotes zu 1 Tim 3,2 u. 12 hin (WA 6, 565, 9—27). Überwog 1520 der Wille zur Emanzipation von der kirchlichen Gesetzgebung, so folgte in der 1522 erschienenen Schrift „De votis monasticis iudicium" (WA 8, 573,1—669, 23) die theologische Abwertung von Zölibat und Virginität als leerer Werkgerechtigkeit. Luther verlangte Freiheit vom Keuschheitsgelübde für jeden, der nicht in Übereinstimmung mit dessen Forderungen leben könne. Melanchthons „Loci communes theologici" von 1535 (CR 21,510f.) werteten den Zölibat als eine „traditio humana" der Kirche, welche ein Verlangen „contra mandata Dei" stelle: „. . . praecipiunt aliquid, quod sine peccato non potest praestari; qualis est traditio de coelibatu, cum his imponitur, qui non sunt ad coelibatum idonei." In Artikel 23 der Apologie der „Confessio Augustana" (CR 27,292—296 u. 597—608) argumentierte Melanchthon, das Zölibatsgesetz habe die Heuchelei vieler Kleriker zur Folge, es sei wider das göttliche und natürliche Recht und stimme nicht einmal mit den Vorschriften der Konzilien überein. Den Wert einer charismatisch gelebten Keuschheit anerkannte Melanchthon als der Ehe gleichberechtigt, wobei er ergänzte, „etsi neque virginitas neque coniugium meretur iustificationem" (CR 27,607).

[66] Erasmus setzte sich insbesondere seit dem Augsburger Reichstag von 1530 für die Freistellung des Zölibats ein; ihm ging es dabei um den positiven Sinn des Zölibats in dessen Bedeutung für die eschatologische Situation der Kirche; er hoffte, diese würde heller aufleuchten, wenn es neben der zölibatären Lebensform die Möglichkeit der Priesterehe gebe. Erasmus verabscheute die faktischen Verhältnisse im Klerus, wo viele Geistliche kein Gespür für den Sinn des Zölibats besaßen und ihn deshalb übertraten; eine stumpfsinnige, ohne subjektive religiöse Beweggründe ergriffene religiöse Existenz hielt Eras-

Nachlaß der Sünden verdienen könne; doch an der Höherwertigkeit der Jungfräulichkeit gegenüber der Ehe hält er fest, wenn
auch, wie er einräumt, nach dem Zeugnis der Schrift viele Eheliche
wie Abraham, Isaak und Jakob vollkommener gewesen seien als
manche, die jungfräulich geblieben seien[67].

Unter Rückgriff auf stark eschatologisch gefärbte Gedanken des
Apostels Paulus (1 Kor 7,29—35.37—38.40) sucht Gropper seine
Anschauung zu untermauern; dabei legt er Nachdruck auf die Fest-
stellung, daß der Zölibat keinesfalls nur für die alte Kirche angemessen gewesen sei: „Consilium celibatus perpetuum est respiciens
omnes aetates"[68]. Gropper räumt ein, die Bibel fordere, daß solche,
die sich nicht enthalten könnten, besser eine Ehe führen sollten,
damit sie sich nicht aufgrund ihrer Leidenschaften befleckten und
anderen ein übles Beispiel böten. Jene, „qui celibatum meditantur",
sollen darum sehr wohl ihre Kräfte prüfen und sich sorgfältig
mühen, rein zu leben. Aber daß jenen, die nach reiflicher Überlegung den Zölibat gelobt haben in der Hoffnung, die Enthaltsamkeit zu bewahren, daß diesen erlaubt sei, wegen einer später
entstandenen Regung der Leidenschaft ihr Versprechen zu lösen
und ohne Sünde die Ehe zu schließen, das ist unmöglich[69]. Für
Gropper ist klar: „ .. nuptiae, quae contra votum contractae sunt,
irritae ac velut adulteria censenda sint"[70]. Mit beißender Ironie
erklärt der Kölner Theologe, er wundere sich darüber, daß all jene,
welche heutzutage grundlos das Gelübde der Enthaltsamkeit
brächen, nicht nur ihre bei beliebiger Gelegenheit „irreligiosissime"
eingegangene Ehe unter Mißachtung des Gelübdes zu verteidigen
suchten, sondern wie unter einem Zwang glaubten, nur dann
Pfarrer sein zu können, wenn sie ihr früheres Versprechen nicht
hielten[71]. Dabei bemerke doch der Apostel, daß der Bischof untadelig und von einer Frau und jeder Belastung nach Möglichkeit gelöst
sein solle[72]. Und Gropper fragt, in welcher Art wohl der Apostel

---

mus für unerträglich. Einen um Vergeistigung der Liebe und um apostolische
Verfügbarkeit für die Gemeinde bemühten Zölibat schätzte er hingegen hoch.
Ein solches Ideal darf aber laut Erasmus nicht erzwungen werden, weil es
nicht zu erzwingen ist. Nur durch Abschaffung der Verpflichtung zum Zölibat
kann das zölibatäre Ideal in Zukunft heller hervortreten. Erasmus entwickelte
seine Position in dieser Frage vornehmlich in Auseinandersetzung mit Josse
Clichtove 1532. Zum Ganzen: J. Coppens, Érasme et le célibat, 443—458.

[67] Enchiridion, f. 299r.   [69] Enchiridion, f. 299v.
[68] Ebd. (Marginalie).   [70] Enchiridion, f. 278v.
[71] Ebd.: „Quo magis miramur eos, qui hodie temere votum continentiae infringunt
nec solum nuptias suas, quas qualibet occasione oblatas irreligiosissime ineunt,
contempto voto defendere conantur, sed etiam putant, se ecclesiastes ac
parochos esse non posse, nisi votum continentiae infregerint."
[72] Beim Verweis auf den Bischofsspiegel (1 Tim 3,2—7) überspielt Gropper allerdings das Problem, daß hier die Ehelosigkeit gerade noch nicht gefordert ist.

einen Gemeindevorsteher behandelt hätte, der ein feierliches Versprechen („votum solenne") gebrochen hätte, da er doch bereits über die jungen Frauen, die einen viel geringeren kirchlichen Dienst versahen, hart geurteilt habe, wenn sie durch Heirat die erste Treue gebrochen hätten (1 Tim 5,11f.). Gropper wünscht, daß „hi votorum temerarij violatores" wenigstens ein Bewußtsein ihrer Schuld zeigen und sich für des priesterlichen Amtes unwürdig und ausgeschlossen erklären, wie es eine Verfügung der alten Kirche[73] verlangt; dabei räumt er — das Einvernehmen des Bischofs voraussetzend — die Möglichkeit einer menschlich großzügigeren Behandlung ein[74].

Gropper hat in der Frage des Zölibats und des Verhältnisses von Jungfräulichkeit und Ehe seine Position, die er mit dem Neuen Testament und dem Verhalten der alten Kirche zu stützen versucht, auch in den Schriften der Jahre 1544[75] und 1545[76] im wesentlichen beibehalten.

Die Auswertung der nach der Absetzung Hermanns von Wied entstandenen Arbeiten Groppers bestätigt, daß der Kölner Theologe den Bruch der Verpflichtung zum Zölibat dem Bruch ähn-

---

[73] Concilium Chalcedonense (451), c. 16 (Mansi 7,366). Hier geht es um Mönche und Jungfrauen, die ein Gelübde brechen; die sinngemäße Anwendung auf Priester, die den Zölibat mißachten, verdeutlicht Groppers Auffassung der Zölibatsfrage.

[74] Enchiridion, f. 278v: „Saltem hi votorum temerarij violatores veteribus canonibus hanc vim permittant, ut se ob voti fracti reatum excommunicatos et indignos etiam officio sacerdotali esse fateantur, ut interim largiamur, ipsis humanitatem exhiberi posse, si ita probaverit, qui eius rei potestatem habet episcopus."

[75] Gegenberichtung, f. 131r: „... lehret uns die heilige schrifft / das obe wol die heilige ehe hochgepreiset werden sol / das jedoch darneben die reyne jungfrawschafft / und der celibat / der jenen / so in jrem hertzen vest vörsetzen / und nit benötigt / sonder gewalt und macht habende jrs willens / in sölchen celibat rein und keusch mit der gnad Gottes zů leben / sich wolbedechtlich beschliessen / und sich also umb des reich Gottes willen beschneiten / nit allein nit zů verkleinern / sonder über den ehestand zů loben / zů setzen / und auch zů rathen sei, wie der Herr Christus selbst thůt." Vgl. Mt 19,1—12.

[76] Die „Artikell" von 1545 nehmen zum Zölibatsproblem ausführlich Stellung (Warhafftige Antwort, f. 18v—19v); sie referieren zunächst die paulinische Auffassung von der Höherwertigkeit der Jungfräulichkeit; sie entsprechen damit dem von Gropper im „Enchiridion" gesetzten Akzent. Anschließend wird aber ausführlich die Praxis der alten Kirche dargelegt; dabei wird eingeräumt, daß damals auch solche Kandidaten zur Weihe angenommen wurden, die nach der Taufe bis zum Zeitpunkt der Ordination eine Ehe eingegangen waren; andererseits wird betont, daß geweihte Zölibatäre auch in der alten Kirche nicht heiraten durften. Diesen Standpunkt wiederholt Gropper in der Auseinandersetzung mit seinem Gegenspieler im Kampf um den Reformationsversuch Hermanns von Wied, Martin Bucer (Warhafftige Antwort,

licher, unter Anrufung des Namens Gottes eingegangener Gelübde gleichsetzt; in beiden Fällen liegt nach seiner Auffassung eine schwere sittliche Verfehlung gegen das zweite Gebot vor[77]. Wer einmal zum Subdiakon, Diakon oder Priester geweiht ist, darf nicht heiraten „et in seculum relabi"[78]; diese Regel hat nicht nur in der abendländischen, sondern auch in der orientalischen Kirche immer gegolten[79]. Um so unverfrorener erscheint es Gropper, daß die Lutheraner den gegenteiligen Standpunkt vertreten[80].

Dem, der sich für das zölibatäre Leben entschieden hat oder der das Gelübde der Jungfräulichkeit abgelegt hat — nicht unter Zwang, sondern nach reiflicher Überlegung, dem ist das Wort des Herrn gesagt: „Es gibt Eunuchen, die sich selbst verschnitten haben um des Himmelreiches willen. Wer es fassen kann, der fasse es!" (Mt 19,12)[81]. Im Vertrauen auf Gott wird er an der einmal getroffenen Entscheidung später auch dann festhalten, wenn sie ihm schwer werden sollte[82].

Dieser klaren Stellungnahme Groppers entspricht die Aufnahme von Fragen, die die Einhaltung der Zölibatspflicht betreffen, in das Visitationsformular von 1550. Sowohl die Kanoniker von Kathe-

f. 42v—43r). Bucer hatte Gropper eine Befürwortung der Freigabe von Laienkelch und Priesterehe unterstellt (De concilio, O ij r/v); Gropper entgegnete, er habe lediglich eine Wiederbelebung der altkirchlichen Praxis für ein Vergleichsmittel gehalten; dabei merkte er an, auch Eck, Cochläus und Wimpina seien 1530 in Augsburg dieser Auffassung gewesen. Bucer seinerseits hatte sich schon sehr früh gegen einen privilegierten geistlichen Stand gewendet und dabei auch den Zölibat abgelehnt; 1523 schrieb er (BW I 1,329): „... seiten mal alle gleubigen einer sind in Christo, das sy all gleich geweyhet, geistlich und heilig sein, darumb nieman die eh oder was Got eingesetzet hat, mag verpotten werden, sonder sollen gleich, on allen underscheidt der personen, gotlichem wort geleben, ein jeder noch seinem berüff..." Dazu: W. van 't Spijker (De ambten bij Martin Bucer, 32): „De diepste grond van dit verzet tegen het coelibaat vinden we in het feit, dat Bucer niet een geestelijke stand als zodanig erkent, hoger, heiliger dan de gewone christenen."

[77] Institutio catholica, p. 58 (E IIv).
[78] Institutio catholica, p. 686 (q VIII v); vgl. Capita institutionis, M 8r.
[79] Gropper bezieht sich auf die Gesetzgebung der „Novellae" im Corpus Iuris Civilis (tit.: de nuptiis, c. 42: Sed et si quis...). Th. Mommsen, P. Krueger, R. Schoell u. G. Kroll, Corpus Iuris Civilis III 176.
[80] Institutio catholica, p. 686 (q VIIIv).
[81] Institutio catholica, p. 423f. (Z IIIIr/v); Capita institutionis, K 2v—K 3r: „... qui non cogente necessitate, sed deliberato consilio propter Deum eligit coelibatum. Huic, si postea obviaverint tentamenta et liberam mentem ad carnales revocaverint appetitus, non confidat in brachio carnis suae, sed in Deo, qui in se confidentibus fortis adest, qui vicit mundum et victoriam suis promittit militibus et qui victores sunt sui, coelo vim inferunt, sicut scriptum est: Regnum coelorum vim patitur et violenti diripiunt illud."
[82] Unter irrtümlicher Zuweisung an Cyprian zitiert Gropper: Ernaldus Bonaevallensis, Liber de cardinalibus operibus Christi, 1 (De nativitate Christi); ML 189,1615—1621; dort: 1621: „... melior tamen est continentia et virgini-

dral- und Kollegiatstiften[83] wie auch die in der Pfarrseelsorge tätigen Geistlichen[84] sind in dieser Hinsicht zu vernehmen. Auch darf kein Gläubiger die althergebrachte Regelung dieser Frage in der katholischen Kirche in Zweifel ziehen[85].

Bereits am 1. September 1548, an jenem Tag also, an dem er die erste Diözesansynode unter seinem Episkopat nach Köln einberufen hatte, hatte Adolf von Schaumburg ein Mandat erlassen, worin er im Sinne der kaiserlichen „Formula Reformationis"[86] scharf mit dem im Klerus verbreiteten Konkubinat ins Gericht ging und drakonische Strafen all jenen androhte, die sich den seit jeher gültigen Bestimmungen des Kirchenrechts nicht beugen wollten[87]. Diesen Ankündigungen des Erzbischofs pflichtete die Gesetzgebung der Kölner Herbstsynode von 1548[88] und des Provinzialkonzils von 1549[89] bei.

e) Ausreichender Lebensunterhalt

Für Gropper steht außer Frage, daß der Geistliche einen rechtmäßigen Anspruch darauf hat, von seiner Gemeinde die Mittel zu beziehen, die für einen ausreichenden Lebensunterhalt erforderlich sind. Gropper bezieht sich zur Begründung gern auf den Apostel

tas excellentior, quam non cogit necessitas aut mandatum, sed perfectionis suadet consilium. Quod si divinis consiliis obviaverint tentamenta et liberas mentes ad carnales revocaverint appetitus, adest Deus fortis nec spem ponat homo in homine nec in brachio carnis suae confidat, quia, qui mundum vicit, victoriam suis promittit militibus et qui victores sunt sui, coelo vim inferunt, quoniam sicut scriptum est: Regnum coelorum vim patitur et violenti rapiunt illud." Vgl. Jer 17,5; Joh 16,33; Mt 11,12.

[83] Forma, iuxta quam . . . , e iiij v; J. Hartzheim, Concilia Germaniae VI 633f.

[84] Forma, iuxta quam . . ., g ij v; J. Hartzheim, Concilia Germaniae VI 637.

[85] Forma, iuxta quam . . ., n ij r; J. Hartzheim, Concilia Germaniae VI 653. Demnach ist der Häresie verdächtigen Personen folgende Frage vorzulegen: „. . . an ne credat, in omni ecclesia, tam graeca quam latina, a temporibus apostolorum sacris semper canonibus prohibitum fuisse his, qui iam ad presbyterij ordinem promoti fuissent, matrimonium contrahere, et qui secus fecissent, ab omni ministerio et sacerdotio depositos semper fuisse."

[86] Cap. 17 (ARC VI 370f.); die Äußerungen in der „Formula Reformationis" entsprechen weitgehend jenen im Mandat des Erzbischofs.

[87] In Bezug auf den Konkubinat heißt es in diesem Mandat: „. . . cum inter omnia crimina nullum fere sit, quod clerum foedius apud populum traducat et maius in plebe scandalum pariat quam scortatio manifesta." Als Strafen werden Suspension und Exkommunikation angedroht. Acta Synodi, A iij v—A iiij r; J. Hartzheim, Concilia Germaniae VI 352f.

[88] Acta Synodi, B iiij v; J. Hartzheim, Concilia Germaniae VI 357. Der Nachdruck liegt hier auf der Bekräftigung der Illegitimität der Kinder aus eheähnlichen Verhältnissen der Priester.

[89] Decreta Concilij, f. XXr/v (E iiij r/v); J. Hartzheim, Concilia Germaniae VI 550f.

Paulus, aus dessen Briefen er zitiert (1 Kor 9,13f.; 1 Tim 5,17f.); auch weist er auf die Gepflogenheit der Gläubigen früherer Jahrhunderte hin, die zum Gottesdienst Oblationen für den Bedarf ihres Priesters mitbrachten; er regt an, diesen Brauch — wenigstens an einigen Tagen im Jahr — wiederzubeleben[90]. Wer hingegen nichts für den wirtschaftlichen Unterhalt seines Pfarrers tut und ihn Hunger leiden läßt, der betrügt den Arbeiter um seinen verdienten Lohn und macht sich eines „peccatum clamans in coelum" schuldig[91].

Tatsächlich scheint es um die ökonomischen Verhältnisse vieler Geistlichen um diese Zeit nicht zum besten gestanden zu haben. Deshalb verwundert es nicht, daß das Kölner Provinzialkonzil von 1536 dieses Problem aufgegriffen hat und eine Reihe von Vorschlägen zum Zweck der Schaffung geordneter wirtschaftlicher Verhältnisse in den Pfarreien unterbreitete[92]. Einleitend betonen die „Canones" energisch, daß die Spendung der Sakramente grundsätzlich unabhängig von materiellen Aufwendungen geschieht[93]. Der Herr hat den Jüngern gesagt: „Umsonst habt ihr empfangen, umsonst sollt ihr geben" (Mt 10,8). Diese Regel betrifft auch die Pfarrgeistlichen; sie dürfen nichts für ihren Dienst annehmen, „nisi quid voluntarie offeratur"[94]. Andererseits gibt es nun aber in der Schrift eine Reihe von Belegen dafür, daß sich die Gemeinden um den Unterhalt ihrer Seelsorger zu sorgen haben; einige davon werden im Text der Kölner Statuten angeführt, so das drastische Wort des alttestamentlichen Gesetzes, daß man dem Ochsen, wenn er drischt, das Maul nicht verbinden soll[95], und das Wort Christi, daß der Arbeiter seines Lohnes wert ist[96]. Paulus wird wiederholt, wenn gefragt wird: „Wer dient je im Krieg für eigenen Sold? Wer pflanzt einen Weinberg und ißt nicht von seiner Frucht? Wer weidet eine Herde und ißt nicht von der Milch der Herde? Denn es ist ja nicht etwas Großes, wenn die, die geistliche Güter gesät haben, auch irdische Güter ernten" (1 Kor 9,7.11)[97]. So kommen die Statuten zu dem Ergebnis, daß den Pfarrern und Predigern ein sicherer und genügender Lebensunterhalt zur Verfügung stehen

---

[90] Forma, iuxta quam..., 1 iiij r; J. Hartzheim, Concilia Germaniae VI 649. — Auf das katechetische Desiderat, den Sinn der altüberlieferten Sitte, durch Oblationen zum Unterhalt der Geistlichen beizutragen, den Gläubigen zu erläutern, macht das Provinzialkonzil von 1549 aufmerksam: Decreta Concilij, f. XXVv—XXVIr (Gv—G ij r); J. Hartzheim, Concilia Germaniae VI 557. Vgl. Enchiridion, f. 194r.
[91] Institutio catholica, p. 502 (e IIIv).
[92] Canones, f. 33r/v (pars VIII; ARC II 272—274).
[93] Concilium Toletanum XI (675), c. 8 (Mansi 11, 142; Hinschius, 409).
[94] Canones, f. 33r (cap. 1; ARC II 272).
[95] Dtn 25, 4; 1 Kor 9,9.
[96] Mt 10,10; Lk 10,7; vgl. 1 Tim 5,18.
[97] Canones, f. 33r (cap. 2; ARC II 272); Enchiridion, f. 194r u. 288v.

muß; die Geistlichen dürfen den Pfarrangehörigen nicht zur Last fallen oder gezwungen sein, ihren Lebensunterhalt von Haus zu Haus zu erbetteln.

Unter den Reformvorschlägen, welche in den „Canones" gesammelt sind, findet sich einer, der die Zusammenlegung von zwei Pfarreien oder wenigstens die Einverleibung von Kaplaneien bzw. Vikarien in die zugehörige Pfarrkirche für den Fall anregt, daß die Einkünfte für den Unterhalt der Geistlichen unzureichend sind[98]; dieser Vorschlag entspricht einer durch das Kirchenrecht eingeräumten Möglichkeit[99]; er betont die Verantwortung der Bischöfe für den wirtschaftlichen Unterhalt ihres Klerus; unterstrichen wird das durch die kirchenrechtliche Vorschrift, daß die Bischöfe Kandidaten für die höheren Weihen nur „ad certum titulum" ordinieren dürfen[100].

Zur Verbesserung der wirtschaftlichen Situation des Pfarrklerus soll außerdem die in Unordnung geratene Abgabe der Zehnten wiederhergestellt werden. Auch sollen die Pfarrangehörigen, die bisher an Weihnachten, Ostern, Pfingsten und Mariae Himmelfahrt den Pfarrern je einen Denar zu spenden pflegten, diese Leistung verdoppeln; das wird ihnen nicht schwer werden, wenn sie daran denken, daß sie vom Priester geistige und ewige Güter empfangen[101]. Und wieder wird hier an die Regelung im Alten Bund und an die paulinische Argumentation erinnert, daß jene, die das Evangelium verkünden, auch vom Evangelium leben sollen (1 Kor 9,7.11.14)[102].

Diese Vorschläge des Kölner Provinzialkonzils von 1536 bezeugen zwar ein realistisches Gespür für die tatsächliche soziale und ökonomische Problemsituation des Klerus und setzen auch einige beachtliche Akzente in Richtung auf praktikable Lösungen; gleichwohl dürften sie in ihrer Kritik an den eingerissenen Mißständen nicht tief genug angesetzt haben. Daß sich an den faktischen Verhältnissen nichts änderte, ist freilich insbesondere darauf zurückzuführen, daß die ergangenen Vorschläge nicht verwirklicht wurden. So verwundert es nicht, daß das auf dem Provinzialkonzil von 1549 vorgetragene „Consilium delectorum" erneut das Problem einer angemessenen materiellen Sicherung des Klerus, besonders des in

---

[98] Canones, f. 33v (cap. 5; ARC II 273). [100] Canones, f. 1v (cap. 2; ARC II 202f.).
[99] Clem. 3, 4, 2 (Friedberg II 1160). [101] Canones, f. 33v (cap. 6; ARC II 273f.).
[102] Bei der Auslegung des vierten Gebotes erklärt Gropper, Liebe, Gehorsam und Ehrfurcht seien auch den Priestern als „patres spirituales", nicht allein den natürlichen Eltern zu erweisen; er ergänzt (Enchiridion, f. 288v): „Quamobrem ante omnia curandum est, ut eorum necessitati succurratur, utque ipsis, quae ad victum pertinent, idque abunde, libenter et ex animo suppeditentur." Außer auf Paulus weist Gropper zur Begründung auch auf das Alte Testament hin (Sir 7,31; Lev 27; Num 18).

der Pfarrseelsorge tätigen Klerus, im Rahmen des dritten von ihm „pro exemtione reformationis" vorgeschlagenen Heilsmittels aufgreift (Titel: „Officij seu muneris suscepti sedula perfunctio"). Es befürchtet, daß die Priester, durch ihre wirtschaftliche Situation bedingt, zu standesunwürdiger Arbeit genötigt werden könnten. Das Gutachten verlangt für solche Fälle eine schleunige Aufbesserung der jeweiligen Pfründe. Speziell die Klöster macht es dann noch darauf aufmerksam, in den inkorporierten Pfarreien für befriedigende Einkünfte der Pfarrgeistlichen zu sorgen[103].

Übrigens befaßte sich auch die kaiserliche „Formula Reformationis" ausgiebig mit der wirtschaftlichen Situation der Geistlichkeit[104]. Sie verurteilte den Hang vieler Kleriker, verschiedene Pfründen zu häufen und deren Einkünfte in Anspruch zu nehmen, die mit den Pfründen verbundenen Pflichten aber nur oberflächlich oder gar nicht wahrzunehmen. Diese Kritik ergänzte sie um die Forderung, die Pfründen seien derart aufzubessern, daß in Zukunft niemand mehr auf die Sammlung mehrerer in seiner Hand angewiesen sei. Notfalls seien die Einkünfte verschiedener Benefizien zu vereinigen; jedenfalls könne die Vernachlässigung der mit einem Benefizium verbundenen Pflichten, insbesondere der Residenzpflicht, nicht geduldet werden[105]. Um die Ausführung dieser Bestimmungen sorgte man sich auf der Kölner Diözesansynode vom Herbst 1548[106]. Das Thema verschwand auch nicht von den Tagesordnungen der folgenden Synoden, die man in Köln halbjährlich bis zum Frühjahr 1551 hielt[107]. Auch die in Gang gesetzte Visitationstätigkeit sollte den Belangen des Lebensunterhaltes der visitierten Priester ihre Aufmerksamkeit widmen und gegebenenfalls mit Vorschlägen zur Verbesserung der Situation nicht sparen[108]. Unter Erzbischof Adolf von Schaumburg und seinen Mitarbeitern, deren bedeutendster Johannes Gropper war, ist es trotzdem nicht zu einer durchgreifenden Änderung der Verhältnisse gekommen.

---

[103] Paris, Bibliothèque Nationale, Manuscrit du Fonds latin, No. 10160, f. 334v—335v. Vgl. Decreta Concilij, f. XVr/v (D iij r/v); J. Hartzheim, Concilia Germaniae VI 545.

[104] Cap. 18 (ARC VI 373—375).

[105] Verwiesen wurde auf folgende Konzilsbeschlüsse: Concilium Lugdunense II (1274), Constitutiones a Gregorio X. sancitae, c. 13 (Mansi 24,90f.); Concilium Tridentinum, sessio VII (3. März 1547), Decretum super reformatione, c. 3 (CT V 997,28—33). Vgl. VI⁰ 1,6,14 (Friedberg II 954).

[106] Acta Synodi, B ij r; J. Hartzheim, Concilia Germaniae VI 354f.

[107] Für die Herbstsynode 1549: Acta et Decreta, f. VIIv (B iiij v); J. Hartzheim, Concilia Germaniae VI 615. Für die Frühjahrssynode 1551: J. Hartzheim, Concilia Germaniae VI 790f.

[108] Vgl. Bemerkungen des Erzbischofs im Vorwort des von Gropper verfaßten Visitationsformulars: Forma, iuxta quam..., b ij v; J. Hartzheim, Concilia Germaniae VI 625.

Vierter Teil:

ZUSAMMENFASSUNG

Die vorgelegte Arbeit hat den Versuch unternommen, einen Baustein zur Entstehungsgeschichte des neuzeitlichen Priesterbildes zu liefern. Das Projekt galt dem Werk des Kölner Theologen Johannes Gropper; durch seine praktische kirchliche Tätigkeit und durch ein von systemfreier Traditionsverbundenheit gekennzeichnetes theologisches Werk[1] hat dieser Mann das Amtspriestertum in einer Zeit, als es von den Reformatoren in Frage gestellt und durch die kirchlichen Reformer der romanischen Länder einer neuen Ausrichtung zugeführt wurde, in Deutschland wirksam mitgestaltet.

Groppers geistige Haltung wurde von den wechselvollen Erfahrungen seines Lebens geprägt. Die gescheiterten Ausgleichsverhandlungen des Augsburger Reichstags von 1530 veranlaßten ihn zu einem gründlichen Studium der Heiligen Schrift und der Kirchenväter; den gewonnenen theologischen Standort legte er im „Enchiridion" von 1538 nieder; dieses Werk bekundet die mutige Bereitschaft, „der unfruchtbaren Polemik zu entsagen und die Konsequenz im Stehen zur eigenen Sache mit der Konzilianz dem konfessionellen Gegner gegenüber und der Einfühlung in seine Gedankenwelt über formale Barrieren hinweg zu verbinden"[2]. So war Gropper vorzüglich zur Beteiligung an den überaus optimistisch begonnenen Worms-Regensburger Religionsgesprächen (1540/1541) disponiert. Als diese scheiterten, entschloß er sich im kämpferischen Widerstand gegen das Vorhaben des Kurfürsten Hermann von Wied, das Erzstift Köln zu protestantisieren, zu einer härteren Haltung gegen die Reformatoren. In der Folgezeit erhielt Gropper an der Seite des Erzbischofs Adolf von Schaumburg (1547—1556) Gelegenheit, für eine Erneuerung der Kölner Kirche nach seinen Vorstellungen zu wirken; dabei wurde seine Kritik an den herrschenden Mißverhältnissen immer schonungsloser; von nun an tendierte er auch zu einer strafferen Programmatik, mit der

---

[1] R. Braunisch, Johannes Gropper zwischen Humanismus und Reformation, 192.
[2] R. Braunisch, Die Theologie der Rechtfertigung, 42.

die Reform der Kirche auf Diözesansynoden, Provinzialkonzilien und schließlich durch das Allgemeine Konzil erreicht werden sollte. Das Scheitern der zweiten Tagungsperiode des Tridentinums und die zum Augsburger Religionsfrieden führende politische Entwicklung verdüsterten seit 1552 seine Perspektiven. Die 1558 in Rom abgefaßte „Meditatio" ist von einer tiefen Skepsis an der Wirksamkeit von Teilreformen durchdrungen; sie setzt ganz auf einen rigorosen, gegen-reformatorischen Einsatz von Kaiser, Papst und Konzil für die Rückgewinnung des protestantischen Deutschland und stellt ergänzende Richtlinien für die innere Erneuerung der noch katholisch verbliebenen Gebiete auf.

Im Amtspriestertum der katholischen Kirche sieht Gropper ein von Jesus Christus eingesetztes Sakrament. Schwerpunkte seiner Argumentation für dieses besondere Priestertum sind die religiösen Ordnungen des Alten Testaments und die ekklesiologische Funktion des Ordo, einheitsstiftend zu wirken. Energisch weist Gropper deshalb die reformatorische Lehre zurück, die ausschließlich ein allgemeines Priestertum aller Christen gelten läßt und das Weihesakrament für bloß kirchlichen Ursprungs hält; auf der anderen Seite bemüht er sich aber um eine gewisse Integration der funktionalen Akzentuierung des lutherischen Amtsverständnisses; er lehnt eine einseitige Zuspitzung auf den konsekratorischen Dienst ab und betont den Eigenwert der Verkündigung, der Feier der verschiedenen Sakramente und der Gemeindebetreuung. Sein Ziel ist eine Erneuerung des seelsorglichen Heilsdienstes der Kirche durch ein an den neutestamentlichen Ursprüngen und frühkirchlichen Verhältnissen orientiertes Priestertum.

Wohl kann man nicht genug davor warnen, die Theologen der ersten Jahrzehnte des reformatorischen Umbruchs vorschnell zu klassifizieren. Nach sorgsamer Betrachtung von Groppers Werk und insbesondere im Hinblick auf seinen theoretischen und praktischen Beitrag zur Erneuerung des Priesterbildes besteht jedoch kein Grund zur Scheu davor, den Kölner Theologen als einen konsequenten kirchlichen Reformer zu charakterisieren.

Hubert Jedin hat in seiner Geschichte des Konzils von Trient[3] die katholischen Reformversuche sachlich in drei Arten des Vorgehens aufgegliedert; er unterscheidet: Reform durch das Konzil — diesen Weg hatte man in Konstanz und Basel zu gehen versucht und war gescheitert; Reform durch den Papst — trotz vieler Ansätze im Rom des Renaissancepapsttums war auch dieser Weg bis zum Pontifikat Pauls III. von Vergeblichkeit gezeichnet; daneben steht ein dritter Weg, den der Dominikaner Johannes Nider schon während des Basler Konzils beschrieb: von unten ausgehende und

[3] H. Jedin, Geschichte des Konzils von Trient I 111 u. 131f.

jeweils mit der Selbstreform beginnende Teilreformen. Auf diesem
dritten Weg unternahm man in einzelnen Bistümern und Gemeinden, in den Orden und Bruderschaften sowie bei den kirchlichen
Humanisten ungezählte Versuche; aus sich erreichten sie allesamt
nicht ihr Ziel; dennoch waren sie nicht umsonst, weil sie für die
Gesetzgebung des Trienter Konzils eine unentbehrliche Vorarbeit
leisteten und so die nachtridentinische Kirchenreform beeinflußt
haben; auch das Lebenswerk Johannes Groppers gehört in diesen
Zusammenhang.

„Ich weiß leider uß anderer leuthe anzeigen wol", so schreibt der
Kölner Theologe 1545, „das zu Rom / wie auch anderßwo / die dynge
nit allenthalb so gar christlich in leben und wandel zugåhen / und
das auch sunst daselbst allerley mißbreüch eingerissen und
vorhanden (wie die dan hiebevor zum theil durch etliche darzu
erwelte treffenliche / gelehrte und fromme Cardinales und Prelaten
/ von denen jetziger Bapst Paulus Tertius / raths wie sőlche
mångell zu bessern / begert / angezeigt worden seyndt.) Sőlichs ist
mir aber von hertzen leidt. / Darumb ich dan mit den frummen
Sőnen Noe / dem Sem und dem Japhet / uß hertzlicher begirde offt
wünsche / und Christum Jesum den Gesponß seiner Kirchen …
trewlich bitten / das durch darreichung und mittheilung seins
gnadreichen Geists / Sőlche mißbreüch und mångel / durch ordentliche abstellung und besserung derselbigen / und Christliche
anrichtung eyner heilsamer Catholischer Reformation/ vom håupt
an biß zun füeßen hinauß / abgeschafft / hingenommen / und die
gewesenn unfüge durch nachfolgende Christliche erbarkeit bedeckt
werde"[4].

In Deutschland, dem Ursprungsland der Reformation, suchte
sich Johannes Gropper in Offenheit für die Herausforderungen
seiner Zeit unter prüfender Bewahrung der kirchlichen Überlieferungen einen eigenen theologischen Weg; neben manchen Erfolgen
bescherte ihm dieser auch vielfache Enttäuschungen und noch kurz
vor seinem Tode den Verdacht der Häresie; an der Seite der vortridentinischen Reformtheologen, von denen ihm die Italiener um
Gasparo Contarini, Gian Matteo Giberti und Giovanni Morone
geistig die nächsten waren, fand er einen bleibenden Platz in der
Geschichte der Kirche.

---

[4] Warhafftige Antwort, f. 47r.

QUELLEN- UND LITERATURVERZEICHNIS

A) Quellen

I. Handschriftliche Quellen

1. DÜSSELDORF, Hauptstaatsarchiv, Bestand Kurköln VIII (Geistliche Sachen), Akten Nr. 535/3, 535/4 u. 539/4.
2. FRANKFURT a. M., Stadtarchiv, Archiv der Niederdeutschen Karmeliterprovinz, Karmeliterbuch 47b.
3. KÖLN, Historisches Archiv der Stadt, Clerus secundarius A II.
4. MÜNSTER, Staatsarchiv, Soest, Patrokli, Akten 12.
5. PARIS, Bibliothèque Nationale, Manuscrit du Fonds latin, No. 10160.
6. PARMA, Biblioteca Palatina, Manoscritti Palatini, Nr. 983.
7. VATIKANSTADT, Archivio Segreto Vaticano, Conc. Trid. 7 u. 18 (Arm. LXII); Nunziatura di Germania 84.
8. WÜRZBURG, Universitätsbibliothek, Handschriftenabteilung, M. ch. o. 33.
9. ZEITZ, Stiftsbibliothek, Nachlaß Pflug, Katalog, S. 34 (Nr. 14°) u. 70 (Nr. 7).

II. Gedruckte Quellen

1. Benutzte Werke Groppers

(Zitate erfolgen ohne Angabe des Verfassers nach den im Titel durch Großbuchstaben hervorgehobenen Wörtern; sofern nicht nach den Erstauflagen zitiert wird, werden diese in eckigen Klammern angegeben.)

FORMULA / ad quam visitatio intra / Diocoesim Coloniensem exigetur. / Adijciunter huic formulae, Canonum ferme omnium Ar / gumenta Concilij provincialis Colonien. dudum celebra / ti, quibus paucis eliciuntur, quaenam in illis ipsis ad longum / contineantur (Köln [1536] 1537).

CANONES / Concilii Pro / vincialis Coloniensis. / Sub Reverendiss. in Christo pa / tre ac domino, D. Hermanno S. Co / lonien. ecclesiae Archiepiscopo, / sacri Rom. Imp. per Italiam Archi / cancellario, principe Electore, Westphaliae & Ang. duce, Le / gatoque nato, ac Administrato / re Paderb. celebrati, Anno 1536 / Quibus adiectum est ENCHIRI / DION Christianae institutionis (Köln 1538).

Christliche und Ca / tholische GEGENBERICHTUNG eyns / Erwirdigen Dhomcapittels zu Cöllen / wi / der das Bůch der gnanter Reformation / so den Sten / den des Ertzstiffts Cöllen uff junxtem Landtage zu / Bonn vorgehalten / Und nun under dem Tittel eyns / Bedenckens im Trůck (doch mit allerley zůsätzen / und veränderungen) ußgangen ist (Köln 1544).

ANTIDI / DAGMA, seu Chri / stianae et Catholicae religionis / per Reverend. et Illust. dominos Canonicos Metropolitanae ecclesiae Co / lonien. propugnatio, adversus librum quendam universis Ordinibus / seu Statibus Dioecesis eiusdem nuper Bonnae titulo Reformationis / exhibitum, ac postea (mutatis quibusdam) Consultoriae / deliberationis nomine impressum. / Sententia item Delectorum / per Venerabile Capitulum Ecclesiae Coloniensis, / de vocatione Martini Buceri (Köln 1544).

An die Rômsche / Keyserliche Maiestat / unsern Allergnedigsten Herren / WARHAFFTIGE ANTWORT und gegenberichtung / H. Johan Grôpper / Keyserlicher Rech- / ten Doctor / Canonichen des Dhoms / und Scho / lastern zu sanct Gereon zu Côllen / Uff Martini Buceri Frevenliche Clage und angeben / wider jm D. Grôpper / in eynem jüngst außgangen / Trûck beschehenn (Köln 1545).

CAPITA / INSTITUTIONIS ad pie / tatem, ex sacris scripturis et or / thodoxa Catholicae Ecclesiae / doctrina et traditione ex / cerpta, in usum pueri / tiae apud divum Gereo / nem, Coloniae / Agrippi / nae. / Per D. Joannem Gropper Docto / rem, eiusdem Ecclesiae Scholasticum ([Köln 1546] Nimwegen 1552).

LIBELLUS / PIARUM PRECUM / ad usum pueritiae / apud Divum Gereonem / Coloniae Agrip / pinae. / Per Joannem Gropper Do / ctorem, eiusdem Ecclesiae / Scholasticum (Köln 1546).

HAUPTAKTIKEL CHRISTLI / CHER UNDERRICH / TUNG zur gotseligkeit. / Auch eyn Betbûchlein / Uß Gôtlicher Schrifft / unnd den heiligen Vâtteren gezogen. / Durch Doctor Johan Grôp / per / Scholaster zu Sanct / Gereon in Côllen (Köln 1547).

WIE BEI HALTUNG / UND REICHUNG der heiliger / Sacramenten / vermöge der Kei / serlichen Declaration / die Prie / ster das volk underrichten mô / gen / von dem wesen und wirckung / derselben / und dere Ceremonien / so darbei in Catholischer Kirchen / gebraucht werden. / Durch Johann Grôpper / Doctor (Köln 1549).

FORMA IU / XTA QUAM in visi- / tatione cleri et populi ci- / vitatis et dioecesis Coloniens. inquisi- / tio secundum Ecclesiarum, Mona / steriorum, Ordinum, perso / narum et locorum diver / sas conditiones ac ra / tiones institui vel / fieri debeat ([Köln 1550] Löwen 1550).

INSTI / TUTIO CATHOLI / CA, Elementa Christianae pietatis suc / cincta brevitate complectens. / Cui subiungitur / Isagoge, ad ple / niorem cogni / tionem universae Religionis Catholicae. / Omnibus ad sacros Ordines, et Ecclesia / stica ministeria provectis, et prove / hendis apprime necessaria. / Per Ioannem Gropperum, D. Prae / positum Bonnensem, et Archi / diaconum in Ecclesia Co / loniensi (Köln 1550).

ORATIO, in solenni Epi / phaniae Domini die tri / bus illis (quos Colonia complectitur / Agrippina) sanctissimis Magis / sacro, / Ad Patres Tridenti habita in sacro / Oecumenico Concilio / Anno partae salutis / M. D. L. II. (Köln 1552).

VONN / WARER, / WESENLICHER UND PLEIBENDER / GEGENWERTIGKEIT des Leybs und Blûts Chri / sti nach beschener Consecration / Und derselben Anbet / tung im Hochwirdigsten Heiligsten Sacrament des Altars. / Und von der Communion under Eyner Gestalt. Wider / jetziger zeyt entstandene und weith verpreite / Ketzereien und Secten (Köln 1556).

DE PRAESTANTIS / SIMO ALTARIS SACRAMEN / TO, et quibusdam eo pertinentibus, / tum etiam de Communione alterius / duntaxat speciei, et alijs plerisque / lectu dignissimis. Opus prae / clarum e Germanico in / Romanam linguam / translatum, / per Christophorum / Cassianum, Trarbachensem. / Tomus I—II (Köln 1559).

DE VERITATE CORPORIS ET SANGUINIS CHRISTI in Eucharistia, / De Asservatione Eucharistiae, / De Christo in Eucharistia adorando, / De communione alterius speciei, et alijs quibusdam lectu / dignissimis, adversum haereses et sectas huius temporis, / Opus revera insigne, nunc demum / optima fide integre Latine redditum per F. Laurentium / Surium Carthusianum (Köln 1560).

2. Werke anderer Autoren (Frühdrucke) und Quellen-
veröffentlichungen

Acta et Decreta Synodi Dioecesanae Coloniensis Anno Domini Millesimo
Quingentesimo Quadragesimo nono, secunda Octobris celebratae (Köln 1549).

Acta Synodi Dioecesanae Colonien. habitae secunda Octobris Anno Domini
1548. Sub Reverendissimo et Illustrissimo Domino Adolpho, Colonien. Archiepiscopo, et Sacri Imperij per Italiam Archicancellario, Principe Electore
etc. (Köln 1548).

Allen, H. M., Allen, P. S. u. Garrod, H. W. (Hrsg.), Opus Epistolarum Desiderii Erasmi Roterodami VI (1525—1527) u. IX (1530—1532), (Oxford
1926—1938).

Ambrosius Catharinus, Oratio de officio et dignitate sacerdotum Christianique
gregis pastorum in synodo Lugdunensi habita (Lyon 1537).

— Speculum Haereticorum Fratris Ambrosii Catharini Politi Senensis Ordinis
Praedicatorum (Krakau 1540).

Andrieu, M. (Hrsg.), Les Ordines Romani du haut moyen-âge II—V: Les Textes
(Löwen 1948—1961).

Archinto, F., Christianum de fide et sacramentis Edictum (Ingolstadt 1546).

Arnoldi, B., Liber primus, quo recriminacioni respondet Culsamerice et confutationi, qua se author Sophistarum impietatem revellere iactat, quum totus
impius ipse nilnisi meram impietatem spiret. Duo Sermones. Primus De
ecclesia catholica et de petra, super quam edificatur, et de clavibus, quem
confutat Culsamerus. Secundus est de Matrimonio Sacerdotum et Monachorum exiticiorum contra vota sua et mandatum ecclesie, qui Culsamero offer-
tur pro suo candore confutandus (Erfurt 1523).

— Liber secundus, in quo respondet Culsamerice confutationi, qua confutatur
epistola, quam premisit responsioni ad libellum vernaculum a Culsamero
contra se emissum. Adiunctis tribus Sermonibus. Primus est de revelatione
paterna doctrine Christi. Secundus est de libertate christiana. Tertius est de
sacerdotio regali et ecclesiastico (Erfurt 1523).

— Libellus, in quo respondet confutationi fratris Egidii Mechlerii monachi
franciscani, sed exiticii larvati et conjugati. Nitentis tueri errores et perfidiam
Culsameri, qui illi clitellas suas archadicas imposuit, cum ipse amplius possit
nihil quia sub sarcina fatiscens defecit (Erfurt 1524).

— Libellus de falsis prophetis tam in persona quam doctrina vitandis a fidelibus.
De recta et munda predicatione evangelii et quibus conformiter illud debeat
predicari. De celibatu sacerdotum Nove legis et de Matrimonio eorum
necnon Monachorum exiticiorum. Responsio ad Sermonem Langi de Matrimonio sacerdotali quem fecit in Nuptiis Culsameri sacerdotis. Contra fac-
tionem Lutheranam (Erfurt 1525).

Beatus Rhenanus (Hrsg.), Autores Historiae Ecclesiasticae: Eusebij Pamphili
Caesariensis libri IX. Ruffino interprete. Ruffini Presbyteri Aquileiensis
libri duo. Recogniti ad antiqua exemplaria latina (Basel 1523).

Bellarmin, R., Disputationes de controversiis christianae fidei adversus huius
temporis haereticos: Ven. Cardinalis Roberti Bellarmini Politiani S. J. Opera
Omnia I—VI, hrsg. v. J. Fèvre ([Paris 1870—1873] Frankfurt 1965).

Berthold Pürstinger von Chiemsee, Tewtsche Theologey, hrsg. und mit Anmerkungen, einem Wörterbuche und einer Biographie versehen v. W. Reithmeier
(München 1852).

Blommeveen, P., Enchiridion sacerdotum, in quo ea, quae ad divinissimam
Eucharistiam et sacratissimae Missae officium attinent, facili ac pleno quodam
stylo (Köln 1532).

BOUSSARD, G., De continentia sacerdotum sub quaestione nova, utrum Papa possit cum sacerdotibus dispensare ut nubant (Paris 1505).

BRAUNSBERGER, O. (Hrsg.), Beati Petri Canisii, Societatis Jesu, Epistulae et Acta I (1541—1556) — II (1556—1560), (Freiburg 1896—1898).

BRIEGER, Th. (Hrsg.), Aus italienischen Archiven und Bibliotheken. Beiträge zur Reformationsgeschichte: Zeitschrift für Kirchengeschichte 5 (1882) 574—622.

BUCER, M., Enarratio in evangelion Johannis, praefatio, summam Disputationis et Reformationis Bern. complectens (Straßburg 1528).

— Alle Handlungen und Schrifften zu vergleichung der Religion durch die Key. Mai., Churfůrsten, Fůrsten und Stånde aller theylen, Auch den Båpstl. Legaten auff jůngst gehaltenem Reichstag zu Regenspurg verhandlet und einbracht. Anno DMXLI (Straßburg 1541).

— Von Gottes genaden unser Hermans Ertzbischoffs zu Cöln unnd Churfürsten etc. Einfaltigs bedencken, warauff ein Christliche in dem wort Gottes ge-grünte Reformation an Lehr, brauch der Heyligen Sacramenten und Cere-monien, Seelsorge und anderem Kirchendienst bis uff eines freyen, Christ-lichen, Gemeinen oder Nationals Concilij oder des Reichs Teutscher Nation Stende im Heyligen Geyst versamlet verbesserung, bey denen so unserer Seelsorge befolhen, anzurichten seye (Bonn 1544).

— Von den einigen rechten wegen und mitlen, Deutsche nation inn Christlicher Religion zu vergleichen, Und was darfür und darwider auff den tagen zu Hagnaw, Worms und Regenspurg Anno 40 und 41 und seither fürgenomen und gehandelt worden ist. Mit Warhaffter Verantwortung auff das offenbar falsch erdichtes anklagen, des sich an die Kei. Maiest. D. Johan. Gropper wider Mart. Bucerum angemasset hat (Straßburg 1545).

— De concilio, et legitime iudicandis controversiis Religionis, Criminum, quae in Mart. Bucerum Joh. Cochlaeus ad Illustrissimos Principes ac clarissimos Ordines S. Ro. Imperij per Germaniam, et quae Joh. Gropperus ad Maiest. Imperatoriam perscripsit, Confutatio (Straßburg 1545).

CAJETAN, Th. de Vio, Epistolae Pauli et aliorum apostolorum ad graecam veri-tatem castigatae et per Reverendissimum dominum, dominum Thomam de Vio Caietanum Cardinalem sancti Xisti, iuxta sensum literalem enarratae. Recens in lucem editae (Venedig 1531).

— Opuscula omnia Thomae de Vio Caietani Cardinalis tit. S. Xisti, in tres distincta tomos (Rom 1570).

— Summula peccatorum. Eiusdemque Domini Caietani Ientacula XIII (Lyon 1585).

CATECHISMUS [ROMANUS] ex Decreto Concilii Tridentini ad parochos Pii Quinti Pont. Max. iussu editus. Ad editionem A. D. MDLXVI. publici iuris factam accuratissime expressus (Leipzig 1862).

CHEMNITZ, M., Examinis Concilii Tridentini, per D. D. Martinum Chemnizium scripti, opus integrum: Quatuor partes, in quibus praecipuorum capitum to-tius doctrinae Papisticae firma et solida refutatio, tum ex sacrae scripturae fontibus, tum ex orthodoxorum Patrum consensu, collecta est, uno Volumine complectens. Ad veritatis Christianae et Antichristianae falsitatis cognitio-nem, perquam utile et necessarium (Frankfurt 1574).

CHESNEAU, N., Recueil des Passages de sainct Augustin touchant la vérité du corps et sang de Jésus Christ au sainct sacrement de l'autel, extraict des escripts de Jehan Gropper et traduit en françois (Paris 1566).

CLEMENS VIII., Index librorum prohibitorum cum regulis confectis Per Patres a Tridentina Synodo delectos auctoritate Pii IV. primum editus, Postea vero a Syxto V. auctus, et nunc demum S. D. N. Clementis Papae VIII. Iussu recognitus et publicatus. Instructione adiecta de exequenda prohibitionis, deque sincere emendandi et imprimendi libros ratione (Rom 1596).

CLICHTOVE, J., Elucidatorium ecclesiasticum ad officium Ecclesiae pertinentia planius exponens et quattuor libros complectens (Paris 1516).
— De vita et moribus sacerdotum opusculum, singularem eorum dignitatem ostendens et quibus ornati esse debeant virtutibus explanans (Paris 1519).
— Sermones Judoci Clichtovei Neoportuensis, Doctoris theologi et Carnotensis canonici (Paris 1534).
CONTARINI, G., Gasparis Contareni Cardinalis Opera (Paris 1571).
CORTESE, G., Omnia, quae huc usque colligi potuerunt, sive ab eo scripta, sive ad illum spectantia, pars prima (Padua 1774).
CRABBE, P. (Hrsg.), Tertius Tomus conciliorum omnium, tam generalium quam particularium, quae iam inde a synodo Basileensi usque ad Concilium universale Tridentinum habita, nobis hac vice ad excudendam oblata fuerunt (Köln 1551).
DECRETA CONCILII Provincialis Colonien. Sub Reverendissimo in Christo Patre et Domino, D. Adolpho, Sanctae Coloniens. Ecclesiae Archiepiscopo, Sacri Romani Imperij per Italiam Archicancellario, Principe Electore, Westphaliae et Angariae Duce, Legatoque nato, celebrati. Anno Domini 1549 (Köln 1549).
DITTRICH, F. (Hrsg.), Lovaniensium et Coloniensium Theologorum de Antididagmate Ioannis Gropperi iudicia: Index lectionum in Lyceo Regio Hosiano Brunsbergensi per aestatem a die 15. Aprilis anni 1896 instituendarum (Braunsberg 1896).
DRUFFEL, A. v. (Hrsg.), Briefe und Akten zur Geschichte des sechzehnten Jahrhunderts mit besonderer Rücksicht auf Bayerns Fürstenhaus, I: Beiträge zur Reichsgeschichte 1546—1551 (München 1873).
DUCHESNE, L. (Hrsg.), Le Liber Pontificalis. Texte, Introduction et Commentaire I (Paris ²1955).
DUNGERSHEYM, H., Tractatus de modo discendi et docendi ad populum sacra. Seu de modo predicandi (Landshut 1514).
ECK, J., Homiliarius contra sectas, ab ipso autore denuo recognitus. Tomus IV: De septem sacramentis ecclesiae catholicae (Ingolstadt 1540).
— Enchiridion locorum communium Ioannis Eckij, adversus Lutherum et alios hostes Ecclesiae. Ex omnium ultima Authoris aeditione, et annotationibus P. Tilmanni (Antwerpen 1541).
ERASMUS, D., Ecclesiastae, sive de ratione concionandi libri quatuor, opus recens iam primum ab ipso Autore natum, et nunc denuo typis post primam Frobenij aeditionem commodioribus excusum (Antwerpen 1535).
— Exomologesis sive modus confitendi: Opera omnia emendatiora et auctiora, ad optimas editiones, praecipue quas ipse Erasmus postremo curavit, summa fide exacta, doctorumque virorum notis illustrata, hrsg. v. J. Clericus, Tomus V ([Leiden 1704] Hildesheim 1962) 145—170.
— Modus orandi Deum: Opera omnia emendatiora et auctiora, ad optimas editiones, praecipue quas ipse Erasmus postremo curavit, summa fide exacta, doctorumque virorum notis illustrata, hrsg. v. J. Clericus, Tomus V ([Leiden 1704] Hildesheim 1962) 1099—1132.
— Dilucida et pia explanatio Symboli, quod Apostolorum dicitur, Decalogi praeceptorum, et Dominicae precationis: Opera omnia emendatiora et auctiora, ad optimas editiones praecipue quas ipse Erasmus postremo curavit, summa fide exacta, doctorumque virorum notis illustrata, hrsg. v. J. Clericus, Tomus V ([Leiden 1704] Hildesheim 1962) 1133—1196.
FISHER, J., Opera, quae hactenus inveniri potuerunt omnia, singulari studio diligenter conquisita, partim antea quidem excusa, nunc autem sedulo recognita, partim iam primum in lucem edita (Würzburg 1597).

— Sacri sacerdotii defensio contra Lutherum, hrsg. v. H. Klein Schmeink: Corpus Catholicorum 9 (Münster 1925).

FRIEDENSBURG, W. (Hrsg.), Beiträge zum Briefwechsel der katholischen Gelehrten Deutschlands im Reformationszeitalter. Aus italienischen Archiven und Bibliotheken. IV: Johannes Cochläus: Zeitschrift für Kirchengeschichte 18 (1898) 106—131, 233—297, 420—463 u. 596—636.

— Beiträge zum Briefwechsel der katholischen Gelehrten Deutschlands im Reformationszeitalter. Aus italienischen Archiven und Bibliotheken. VIII: Albert Pigge: Zeitschrift für Kirchengeschichte 23 (1902) 110—155.

— Zwei Briefe des Petrus Canisius 1546 und 1547: Archiv für Reformationsgeschichte 2 (1905) 396—403.

FUNK, F. X. (Hrsg.), Didascalia et Constitutiones apostolorum I—II (Paderborn 1905).

— Patres Apostolici I (Tübingen[2] 1901).

— u. DIEKAMP, F. (Hrsg.), Patres Apostolici II (Tübingen[3] 1913).

GERBER, H. (Hrsg.), Politische Correspondenz der Stadt Straßburg im Zeitalter der Reformation, IV/2 (1547—1550): Urkunden und Akten der Stadt Straßburg, Abt. II (Heidelberg 1933).

GERHARDS, H. u. BORTH, W. (Hrsg.), Hermann von Wied: Einfältiges Bedenken. Reformationsentwurf für das Erzstift Köln von 1543: Schriftenreihe des Vereins für Rheinische Kirchengeschichte Nr. 43 (Düsseldorf 1972).

GERSON, J., Compendium Theologiae: J. Gersonii Opera Omnia, hrsg. v. L. E. Du Pin, Tomus I (Antwerpen 1706) 233—422.

— Opusculum tripertitum de praeceptis decalogi, de confessione et de arte moriendi: J. Gersonii Opera Omnia, hrsg. v. L. E. Du Pin, Tomus I (Antwerpen 1706) 425—450.

GIBERTI, G. M., Constitutiones, editae per Reverendiss. in Christo patrem D. Io. Matthaeum Gibertum, episcopum Veronen., Legatum Apostolicum, ex sanctorum patrum dictis et canonicis institutis ac variis negociis quotidie occurrentibus et longo rerum usu collectae et in unum redactae (Verona 1542).

GILLEMANS, J., Praxis poenitentialis ecclesiae primitivae, compendiose descripta per Eminent.mos D. D. Joannem Bona et Joannem Gropperum S. R. E. Cardinales, in usum Confessariorum ac Poenitentium (Gent 1673).

GOUDA, W. v., Expositio misteriorum misse, et verus modus rite celebrandi (Straßburg 1508).

GYMNICH, J. (Hrsg.), D. Prosperi Episcopi Rheginensis libri tres multo eruditissimi, nunquam antehac typis excusi, quorum: Primus est de vita contemplativa et sacerdotum officio. Secundus de vita activa, et quomodo praepositi subditos suos regere debeant. Tertius de vitijs et virtutibus, et quibus causis haec vel nasci vel augeri soleant (Köln 1536).

HANSEN, J. (Hrsg.), Rheinische Akten zur Geschichte des Jesuitenordens 1542 bis 1582 (Bonn 1896).

HARTZHEIM, J. (Hrsg.), Concilia Germaniae. Tomus VI: complectitur concilia ab anno MD. ad MDLXIV. Tomus VII: complectitur concilia ab anno MDLXIV. ad MDLXXXIX. (Köln 1765—1767).

HEINRICH VIII., Assertio septem sacramentorum adversus Martinum Lutherum, aedita ab invictissimo Angliae et Franciae Rege, et Do. Hyberniae Henrico eius nominis octavo (o. O. 1523).

HELDING, M., Sacri canonis Missae Paraphrastica explicatio, cum declaratione ceremoniarum. Et brevi ad populum exhortatione, inter ipsum Sacrum habenda (Augsburg 1548).

— Von der Hailigisten Messe Fünffzehen Predige zů Augspurg auff dem Reichßtag im Jar M. D. XLVIII. gepredigt. Gemert mit zwaien Predigten.

Die erst von der Hailigisten Eucharistia am Grienen Donnerstag. Die ander an unsers Herrn Fronleichnamstag zů Augspurg gethon. Anno 1548 (Ingolstadt 1548).

— Brevis institutio ad christianam Pietatem, secundum Doctrinam Catholicam continens explicationem Symboli Apostolici, Orationis Dominicae, Salutationis Angelicae, Decem praeceptorum, Septem Sacramentorum (Mainz 1549).

HERBORN, N., Locorum communium adversus huius temporis haereses Enchiridion, hrsg. v. P. Schlager: Corpus Catholicorum 12 (Münster 1927).

HOST, J. M., Ioannis Mensingi Theologi de Ecclesiae Christi sacerdotio Libri duo. Ab auctore nuper recogniti, et multis in locis aucti. Adiunctus est iisdem panegyricus de dignitate et officio sacerdotii evangelici (Köln 1532).

HUGO, C. L. (Hrsg.), Sacrae antiquitatis monumenta historica, dogmatica, diplomatica I (Étival 1725).

JACOBAZZI, D., De conciliis: G. D. Mansi (Hrsg.), Sacrorum conciliorum nova et amplissima collectio; Introductio seu apparatus ad sacrosancta concilia, hrsg. v. L. Petit u. J. B. Martin (Paris 1903) 1—560.

JAFFÉ, Ph. u. WATTENBACH, G., Regesta Pontificum Romanorum ab condita ecclesia ad annum post Christum natum MCXCVIII, Bd. I (Leipzig² 1885).

JEDIN, H. (Hrsg.), Das Konzilstagebuch des Bischofs Julius Pflug von Naumburg 1551/52: Römische Quartalschrift 50 (1955) 22—41.

KALFF, A. W., Ps.-Hieronymi De septem ordinibus ecclesiae (Würzburg 1938).

KEUSSEN, H. (Hrsg.), Regesten und Auszüge zur Geschichte der Universität Köln 1388—1559: Mitteilungen aus dem Stadtarchiv von Köln [15] 36/37 (Köln 1918).

KIST, J. (Hrsg.), Die Matrikel der Geistlichkeit des Bistums Bamberg 1400 bis 1556: Veröffentlichungen der Gesellschaft für Fränkische Geschichte IV/7 (Würzburg 1965).

KÖHLER, W. (Hrsg.), Ein Brief von Johannes Gropper an Ludwig Beccatelli: J. Greving (Hrsg.), Briefmappe: Reformationsgeschichtliche Studien und Texte 21/22 (Münster 1912) 244—247.

KUPKE, G. (Hrsg.), Bericht über die Reise des päpstlichen Legaten Hieronymo Dandino, Bischofs von Imola, von Rom nach Brüssel im Jahre 1553: Quellen und Forschungen aus italienischen Archiven und Bibliotheken 4 (1902) 82—94.

LAVACRUM CONSCIENTIE omnibus sacerdotibus summe utile ac necessarium (Köln 1504).

LENZ, M. (Hrsg.), Briefwechsel Landgraf Philipps des Großmüthigen von Hessen mit Bucer III: Publikationen aus den königlich preußischen Staatsarchiven 47 (Leipzig 1891).

LIPGENS, W. (Hrsg.), Beiträge zur Wirksamkeit Johannes Groppers in Westfalen 1523—1559: Westfälische Zeitschrift 100 (1950) 135—194.

LOCHMAIER, M., Parochiale Curatorum Prestantissimi sacre theologie necnon iuris pontificij doctoris et artium magistri ac ecclesie Pataviensis canonici domini Michaelis Lochmaier (Paris 1509).

LOSERTH, J. (Hrsg.), Johannis Wyclif Sermones III (super epistolas): Wyclif's Latin Works published for the Wyclif Society 14 (London 1889).

LUTZ, H. (Hrsg.), Reformatio Germaniae. Drei Denkschriften Johann Groppers (1546, 1558): Quellen und Forschungen aus italienischen Archiven und Bibliotheken 37 (1957) 222—310.

MAMERANUS, N., Catalogus familiae totius aulae Caesareae per expeditionem adversus inobedientes usque Augustam Rheticam. Omniumque Principum, Comitum, Baronum, Statuum Ordinumque Imperij et extra Imperium, cum suis Consiliarijs et nobilibus ibidem in Comitijs Anno 1547 et 1548 praesentium (Köln 1550).

MARRE, J., Enchiridion sacerdotale concinnatum ad salutarem eruditionem Christi fidelium (Paris 1519).

MILLER-LANDTSPERGER, J., Pro novo Sacerdote promovendo compositio hec valebit. Et continet in se de sacerdotali dignitate, de vita et honestate clericorum et eorum privilegijs pro parte, de obedientia subditorum (Landshut 1514).

MOMMSEN, Th., KRUEGER, P., SCHOELL, R. u. KROLL, G. (Hrsg.), Corpus Iuris Civilis III: Novellae (Dublin-Zürich⁹ 1968).

MORISOTUS, J., Colloquiorum libri quatuor ad Constantinum filium. Eiusdem libellus de Parechemate, contra Ciceronis calumniatores. Cui adjectus est eorum, quae conscripsit, Catalogus (Basel o. J. [1549]).

MOUFANG, Chr. (Hrsg.), Katholische Katechismen des sechzehnten Jahrhunderts in deutscher Sprache ([Mainz 1881] Hildesheim 1964).

MUNIER, Ch. (Hrsg.), Les Statuta Ecclesiae Antiqua. Édition-Études critiques: Bibliothèque de l' Institut de droit canonique de l' Université de Strasbourg 5 (Paris 1960).

NAUSEA, F., De clericis in Ecclesia ordinandis Isagoges libri V (Wien 1551).

NEUSER, W. H. (Hrsg.), Die Vorbereitung der Religionsgespräche von Worms und Regensburg 1540/41: Texte zur Geschichte der evangelischen Theologie 4 (Neukirchen-Vluyn 1974).

OBERMANN, H. A. u. COURTENAY, W. J. (Hrsg.), Gabrielis Biel Canonis Misse Expositio: Veröffentlichungen des Instituts für Europäische Geschichte Mainz, Abteilung für Abendländische Religionsgeschichte, 31 (Wiesbaden 1963).

OEHLER, F. (Hrsg.), Corporis Haeresiologici Tomus II/3, continens S. Epiphanii Episcopi Constantiensis Panariorum librum tertium et Anacephalaeosin (Berlin 1861).

PASTOR, L. v. (Hrsg.), Die Correspondenz des Cardinals Contarini während seiner deutschen Legation 1541: Historisches Jahrbuch 1 (1880) 321—392 u. 473—501.

PFLUG, J., Christliche Ermanungen, welche die Seelsorgere des Stiffts Naumburg Bey dem Sacrament der Tauffe, Bey dem Sacrament des Altars, Bey der Verehlichung, Bey den Krancken gebrauchen sollen und mögen (Erfurt 1550).

PLAT, J. Le, Monumentorum ad historiam Concilii Tridentini potissimum illustrandam spectantium amplissima collectio. Tomus IV: complectens Monumenta a XVI. Februarii MDXLVIII. ad annum MDLXI (Löwen 1784).

PLOWE, N., Tractatus Sacerdotalis de sacramentis deque divinis officiis et eorum administrationibus (Straßburg 1508).

POLLET, J. V. (Hrsg.), Julius Pflug. Correspondance, II: 1539—1547 (Leiden 1973).

QUIRINI, A. M. (Hrsg.), Epistolarum Reginaldi Poli S.R.E. Cardinalis et aliorum ad ipsum. Pars III, quae scripta complectitur anni MDXXXX, MDXXXXI, MDXXXXII, scilicet ab exitu Legationis suae Hispanicae usque ad mortem Card. Contareni (Brescia 1748).

RANKE, L. v., Tagebücher, hrsg. v. W. P. Fuchs: L v. Ranke, Aus Werk und Nachlaß, hrsg. v. W. P. Fuchs u. Th. Schieder, I (München 1964).

REDLICH, O. R. (Hrsg.), Jülich-Bergische Kirchenpolitik am Ausgang des Mittelalters und in der Reformationszeit I: Publikationen der Gesellschaft für Rheinische Geschichtskunde XXVIII/1 (Bonn 1907).

RICHARD FITZRALPH, Summa Domini Armacani in Quaestionibus Armenorum noviter impressa et correcta a magistro nostro Johanne Sudoris. Cum aliquibus Sermonibus eiusdem de Christi dominio (Paris 1512).

RIEGER, U., Opusculum de Dignitate Sacerdotum incomparabili, ad amplissimum antistitem D. Hugonem De Landenberg Constantien. Ecclesie Episcopum (Augsburg 1519).

ROLEVINCK, W., Formula vivendi sacerdotum, canonicorum sive vicariorum secularium aut etiam aliorum devotorum presbyterorum (Köln 1509).

SADOLETO, J., Epistolarum Libri sexdecim. Eiusdem ad Paulum Sadoletum Epistolarum liber unus. Vita eiusdem autoris per Antonium Florebellum (Köln 1554).

SANDOVAL-ROJAS, B. de, Index librorum prohibitorum et expurgatorum. De consilio supremi senatus Stae. Generalis Inquisitionis Hispaniarum (Madrid 1612).

SCHATZGEYER, K., Scrutinium divinae scripturae pro conciliatione dissidentium dogmatum, hrsg. v. U. Schmidt: Corpus Catholicorum 5 (Münster 1922).

SCHMITZ-KALLENBERG, L. (Hrsg.), Zur Lebensgeschichte und aus dem Briefwechsel des Johann Gropper: J. Greving (Hrsg.), Briefmappe: Reformationsgeschichte Studien und Texte 21/22 (Münster 1912) 119—141.

SCHRÖER, A. (Hrsg.), Vaticanische Quellen zur Gropperforschung: R. Bäumer (Hrsg.), Von Konstanz nach Trient. Beiträge zur Geschichte der Kirche von den Reformkonzilien bis zum Tridentinum: Festgabe für August Franzen (Paderborn 1972) 497—518.

SCHWARZ, W. (Hrsg.), Römische Beiträge zu Joh. Groppers Leben und Wirken: Historisches Jahrbuch 7 (1886) 392—422 u. 594—607.

— Die Nuntiatur — Korrespondenz Kaspar Groppers nebst verwandten Aktenstücken (1573—1576): Quellen und Forschungen aus dem Gebiet der Geschichte V (Paderborn 1898).

SLEIDANUS, J., De statu religionis et rei publicae Carolo Quinto Caesare Commentarii I—III ([Frankfurt 1785—1786] Osnabrück 1968).

SOTO, P. de, Tractatus de institutione sacerdotum, qui sub Episcopis animarum curam gerunt (Dillingen 1558).

STATUTA SEU DECRETA Provincialium et Dioecesanarum Synodorum sanctae ecclesiae Coloniensis, ex pervetusto et authentico Codice, qui in archivo Archiepiscopali asservatur, aliisque vetustis Exemplaribus restituta et emaculata (Köln 1554).

STIMULUS BENEFICIATORUM saluberrimus, quo presertim personalem residentiam negligentes et periculosam pluralitatem beneficiorum uti semper licitam prae se ferentes, spiritualibus punguntur aculeis, Recalcitrantes vero et varijs apparentijs hos errores defensantes, quibus apertissime convincuntur, ac ut resipiscant quibusdam telis concitantur charitativis (Köln 1509).

STRITTMATTER, A. (Hrsg.), Missa Grecorum — Missa Sancti Johannis Crisostomi. The Oldest Latin Version Known of the Byzantine Liturgies of St. Basil and St. John Chrysostom: Traditio 1 (New York 1943) 79—137.

STUPPERICH, R. (Hrsg.), Unbekannte Briefe und Merkblätter Johann Groppers aus den Jahren 1542 bis 1549: Westfälische Zeitschrift 109 (1959) 97—107.

SURGANT, J. U., Manuale Curatorum predicandi prebens modum, tam latino quam vulgari sermone practice illuminatum, cum certis alijs ad curam animarum pertinentibus, omnibus curatis tam conducibile quam salubre (Basel 1508).

THOMAS AQUINAS, Commentum in quatuor libros sententiarum magistri Petri Lombardi adiectis brevibus adnotationibus II/2: liber quartus de sacramentis (Parma 1858).

THOMAS ILLYRICUS, In Lutherianas hereses Clipeus catholicae Ecclesiae. In duo sectus volumina, quorum primum de Sacramentis pertractat Ecclesiae adver-

348 Quellen- und Literaturverzeichnis

sus Lutherii opus de Captivitate Babylonica inscriptum. Alterum reliquos eiusdem Martini Luth. errores perstringit confutatos (Turin 1524).

Toto, A., Dialogo, nel quale si contiene una breve et facile instruttione nelle cose principali del Cristianesmo, raccolto per la maggior parte da uno famoso Enchiridio latino di tal suggetto (Brescia 1544).

Urban VIII., Librorum post Indicem Clementis VIII. prohibitorum Decreta Omnia hactenus edita (Rom 1624).

Wartenberg, F. W. v. (Hrsg.), Acta Synodalia Osnabrugensis Ecclesiae, ab anno Christi M.D.CXXVIII. (Köln 1653).

Wild, J., Examen Ordinandorum. Ad Quaestiones sacrorum ordinum, Candidatis in Dioecesi Moguntinensi proponi consuetas, aptae et piae Responsiones, Catholicam veritatem succincta brevitate indicantes (Mainz 1550).

Wimpheling, J., Sermo ad iuvenes, qui sacris ordinibus iniciari, et examini se submittere petunt, cum epistolio I. W. ad Hiero. Gebvilerum, et responsio eiusdem (Straßburg 1514).

Witzel, G., Psaltes Ecclesiasticus. Chorbuch der Heiligen Catholischen Kirchen Deudsch jtzundt new ausgangen (Mainz 1550).

Zawadzki, R. M. u. Zahajkiewicz, M. (Hrsg.), Johannis Isneri Expositio Missae. Msza swieta w Polsce przed Soborem Trydenckim w swietle rodzimych komentarzy — Expositiones Missae: Textus et Studia historiam Theologiae in Polonia excultae spectantia I (Warschau 1971).

3. Abgekürzt zitierte Quellen

ARC = Acta reformationis catholicae ecclesiam concernantia saeculi XVI, hrsg. v. G. Pfeilschifter, I—VI (Regensburg 1959—1974).

BW = Martini Buceri Opera Omnia, Series I: Deutsche Schriften. Im Auftrage der Heidelberger Akademie der Wissenschaften hrsg. v. R. Stupperich, 1—7 (Gütersloh-Paris 1960—1969).

CChr Continuatio Mediaevalis = Corpus Christianorum, Continuatio Mediaevalis, 1—23 (Turnhout 1966—1972).

CChrlat = Corpus Christianorum, Series Latina, 1—176 (Turnhout 1953—1973).

CR = Corpus Reformatorum, 1—28: Philippi Melanthonis Opera, 29—87: Ioannis Calvini Opera ([Halle-Braunschweig 1834 bis 1860, Braunschweig-Berlin 1863—1900] Frankfurt 1963 bis 1964).

CSEL = Corpus scriptorum ecclesiasticorum latinorum, 1—81 (Wien 1866—1969).

CT = Concilium Tridentinum. Diariorum, Actorum, Epistularum, Tractatuum nova Collectio, edidit Societas Goerresiana promovendis inter Catholicos Germaniae Litterarum Studiis, I—XIII (Freiburg 1901—1972).

Friedberg = Corpus Iuris Canonici. Editio Lipsiensis secunda post Aemilii Ludovici Richteri curas ad librorum manu scriptorum et editionis Romanae fidem recognovit et adnotatione critica instruxit Aemilius Friedberg, I—II ([Leipzig 1879] Graz 1955).

GCS = Die griechischen christlichen Schriftsteller der ersten drei Jahrhunderte, 1—54 (Leipzig-Berlin 1897—1971).

Hinschius = Decretales Pseudo-Isidorianae et Capitula Angilramni. Ad fidem librorum manuscriptorum recensuit, fontes indicavit, commentationen de collectione Pseudo-Isidori praemisit Paulus Hinschius ([Leipzig 1863] Aalen 1963).

Mansi = G. D. Mansi (Hrsg.), Sacrorum conciliorum nova et amplissima collectio, 1—31 (Florenz-Venedig 1757 bis 1798); Neudruck u. Fortsetzung, hrsg. v. L. Petit u. J. B. Martin, 1—60 (Paris 1899—1927).

MG = J. P. Migne (Hrsg.), Patrologiae cursus completus, Series graeca, 1—161 (Paris 1857—1866).

ML = J. P. Migne (Hrsg.), Patrologiae cursus completus, Series latina, 1—217 u. 4 Registerbände (Paris 1878—1891).

MW = Melanchthons Werke in Auswahl, unter Mitwirkung v. P. F. Barton, H. Engelland, G. Ebeling, R. Nürnberger, R. Schäfer, H. Scheible u. H. Volz hrsg. v. R. Stupperich, I—VII/1 (Gütersloh 1951—1971).

NBD = Nuntiaturberichte aus Deutschland, Abt. I (1534—1559), hrsg. v. Preußischen Historischen Institut in Rom, 1—12 ([Gotha-Berlin 1892—1901] Frankfurt 1968), 13—17 (Tübingen 1959 bis 1970).

SChr = Sources chrétiennes, hrsg. v. H. de Lubac u. J. Daniélou, 1—200 (Paris 1941—1973).

WA = D. Martin Luthers Werke, Kritische Gesamtausgabe, 1—58 (Weimar 1883—1948).

WA/Br = D. Martin Luthers Werke, Kritische Gesamtausgabe, Briefwechsel, 1—12 (Weimar 1930—1967).

B) Literatur

I. Bibliographie und Quellenkunde

Ascarelli, F., La tipografia cinquecentina italiana: Contributi alla biblioteca bibliografica italica 1 (Firenze 1953).

Baudrier, H., Bibliographie lyonnaise. Recherches sur les imprimeurs, libraires, relieurs et fondeurs de lettres de Lyon au XVIe siècle I—XII ([Lyon 1895 bis 1921] Paris 1964—1965).

Benzing, J., Die Buchdrucker des 16. und 17. Jahrhunderts im deutschen Sprachgebiet: Beiträge zum Buch und Bibliothekswesen XII (Wiesbaden 1963).

— Lutherbibliographie. Verzeichnis der gedruckten Schriften Martin Luthers bis zu dessen Tod. Bearbeitet in Verbindung mit der Weimarer Ausgabe unter Mitarbeit von H. Claus: Bibliotheca Bibliographica Aureliana X—XVI—XIX (Baden-Baden 1966).

Bongi, S., Annali di Gabriel Giolito de Ferrari da Trino di Monferrato, stampatore in Venezia I: Indici e Cataloghi a cura del Ministero della pubblica istruzione XI (Rom 1890).

Dagens, J., Bibliographie chronologique de la littérature de spiritualité et de ses sources (1501—1610), (Paris 1952).

Deschamps, P. Ch. E., Dictionnaire de géographie ancienne et moderne suivi de l' imprimerie hors l' Europe (Paris [1870] 1964).

Du Pin, L. E., Nouvelle bibliothèque des auteurs ecclésiastiques, contenant l'histoire de leur vie, le catalogue, la critique, et la chronologie de leurs ouvrages. Le sommaire de ce qu' ils contiennent, un jugement sur leur style, et sur leur doctrine; et le dénombrement des différéntes éditions de leurs oeuvres. Tome XVI: des auteurs du XVIe siècle de l' Église (Amsterdam² 1710).

Eubel, C. u. Van Gulik, W., Hierarchia catholica medii et recentioris aevi, III: 1503—1592 (Münster² 1923).

Foppens, J. F., Bibliotheca Belgica, sive virorum in Belgio vita, scriptisque illustrium catalogus librorumque nomenclatura II (Brüssel 1739).
Gattermann, G., Der Kölner Buchdrucker Jaspar von Gennep: Assessorarbeit des Bibliothekar-Lehrinstituts (Köln 1957).
Hartzheim, J., Bibliotheca Coloniensis, in qua vita et libri typo vulgati et manuscripti recensentur omnium Archidioeceseos Coloniensis indigenarum et incolarum scriptorum (Köln 1747).
Hurter, H., Nomenclator literarius theologiae catholicae theologos exhibens aetate, natione, disciplinis distinctos, II: ab anno 1109—1563 (Innsbruck³ 1906).
Kronenberg, M. E., Nederlandsche Bibliographie van 1500 tot 1540 (Nijhoff-Kronenberg) III/3: benevens een vervolg op, inleiding tot een derde deel' en enige samenvattende registers (Den Haag 1961).
Marshall, R. G., Short-title Catalog of Books printed in Italy and of Books in Italian printed abroad 1501—1600. Held in selected North American Libraries III (Boston 1970).
Panzer, G. W., Annales typographici, I—V: Ab artis inventae origine ad annum MD, VI—XI: Ab anno MDI ad annum MDXXXVI continuati ([Nürnberg 1793—1797 u. 1798 bis 1803] Hildesheim 1963).
Petreius, Th., Bibliotheca Cartusiana sive illustrium sacri Cartusiensis ordinis scriptorum catalogus (Köln 1609).
Renouard, Ph., Les marques typographiques parisiennes des XVe et XVIe siècles (Paris 1926).
— Répertoire des imprimeurs parisiens. Libraires, fondeurs de caractères et correcteurs d' imprimerie depuis l' introduction de l' imprimerie à Paris (1470) jusqu'à la fin du seizième siècle (Paris 1965).
Schnabel, F., Deutschlands geschichtliche Quellen und Darstellungen in der Neuzeit, I: Das Zeitalter der Reformation 1500—1550 (Leipzig 1931).
Schottenloher, K., Bibliographie zur deutschen Geschichte im Zeitalter der Glaubensspaltung 1517—1585, I—VI (Leipzig 1933—1940) u. VII: Das Schrifttum von 1938 bis 1960, bearb. v. U. Thürauf (Stuttgart 1966).
Sommervogel, C., Bibliothèque des écrivains de la Compagnie de Jésus, I—IX (Brüssel² 1890—1900) u. X: Nachträge v. E. M. Rivière (Toulouse 1911).
Voulliéme, E., Der Buchdruck Kölns bis zum Ende des fünfzehnten Jahrhunderts. Ein Beitrag zur Inkunabelbibliographie: Publikationen der Gesellschaft für Rheinische Geschichtskunde XXIV (Bonn 1903).
Willaert, L., Bibliotheca Janseniana Belgica I—III (Namur-Paris 1949—1951).
Wilson, R. A., Short-title Catalogue of books printed in the Netherlands and Belgium and of Dutch and Flemish books printed in other countries from 1470 to 1600 now in the British Museum (London 1965).

II. Darstellungen

Aarts, J., Die Lehre Martin Luthers über das Amt in der Kirche. Eine genetisch-systematische Untersuchung seiner Schriften von 1512 bis 1525: Schriften der Luther-Agricola-Gesellschaft A 15 (Helsinki 1972).
Alberigo, G., I vescovi italiani al Concilio di Trento (1545—1547): Biblioteca storica Sansoni, Nuova Serie 35 (Florenz 1959).
Altaner, B. u. Stuiber, A., Patrologie. Leben, Schriften und Lehre der Kirchenväter (Freiburg⁷ 1966).
Amann, E., John Maior: Dictionnaire de théologie catholique IX (Paris 1937) 1661f.
Ancel, R., La disgrace et le procès des Carafa (1559—1567) I—IV: Revue bénédictine 22 (1905) 525—535; 24 (1907) 224—253, 284—286, 479—509; 25 (1908) 194—224; 26 (1909) 52—80, 189—220 u. 301—324.

ARNOLD, F. X., Vorgeschichte und Einfluß des Trienter Meßopferdekrets auf die Behandlung des eucharistischen Geheimnisses in der Glaubensverkündigung der Neuzeit: F. X. Arnold u. B. Fischer (Hrsg.), Die Messe in der Glaubensverkündigung (Freiburg 1950) 114—161.

AUGUSTIJN, C., De gesprekken tussen Bucer en Gropper tijdens het godsdienstgesprek te Worms in December 1540: Nederlandsch archief voor kerkgeschiedenis 57 (1966) 208—230.

— De godsdienstgesprekken tussen rooms-katholieken en protestanten van 1538 tot 1541: Verhandelingen rakende den natuurlijken en geopenbaarden godsdienst, uitgegeven door Teylers Godgeleerd Genootschap (Nieuwe Serie) 30 (Haarlem 1967).

— L' esprit d'Érasme pendant le Colloque de Worms (1540): P. Mesnard (Hrsg.), Colloquia Erasmiana Turonensia. Douzième stage international d'études humanistes, Tours 1969, I (Paris 1972) 381—395.

AUTORE, S., Jean Justus Lansperge: Dictionnaire de théologie catholique VIII (Paris 1925) 2606—2609.

BECKER, K. J., Der priesterliche Dienst, II: Wesen und Vollmachten des Priestertums nach dem Lehramt: Quaestiones Disputatae 47 (Freiburg 1970).

BELLINGER, G., Der Catechismus Romanus und die Reformation. Die katechetische Antwort des Trienter Konzils auf die Haupt-Katechismen der Reformatoren: Konfessionskundliche und kontroverstheologische Studien XXVII, hrsg. v. Johann-Adam-Möhler-Institut (Paderborn 1970).

BERNARDS, M., Zur Kartäusertheologie des 16. Jahrhunderts. Der Kölner Prior Petrus Blomevenna († 1536) und seine Schrift „De bonitate divina": R. Bäumer (Hrsg.), Von Konstanz nach Trient. Beiträge zur Geschichte der Kirche von den Reformkonzilien bis zum Tridentinum: Festgabe für August Franzen (Paderborn 1972) 447—479.

BEUMER, J., Rupert von Deutz und sein Einfluß auf die Kontroverstheologie der Reformationszeit: Catholica 22 (1968) 207—216.

— Friedrich Nausea und seine Wirksamkeit zu Frankfurt, auf den Colloquien zu Hagenau und Worms und auf dem Trienter Konzil: Zeitschrift für katholische Theologie 94 (1972) 29—45.

BEUTEL, G., Über den Ursprung des Augsburger Interims (Dresden 1888).

BODEM, A., Das Wesen der Kirche nach Kardinal Cajetan. Ein Beitrag zur Ekklesiologie im Zeitalter der Reformation: Trierer Theologische Studien 25 (Trier 1971).

BÖMER, A., Aus dem Kampf gegen die Colloquia familiaria des Erasmus: Archiv für Kulturgeschichte 9 (1911) 1—73.

BOON, R., Offer, priesterschap en reformatie. Een uitnodiging tot beraad (Nijkerk 1966).

BORN, K. E., Moritz von Sachsen und die Fürstenverschwörung gegen Karl V.: Historische Zeitschrift 191 (1960) 18—66.

BRAECKMANS, L., Confession et communion au moyen âge et au Concile de Trente: Recherches et synthèses. Section de morale VI (Gembloux 1971).

BRANDI, K., Kaiser Karl V. Werden und Schicksal einer Persönlichkeit und eines Weltreiches I—II (München 1937—1941).

BRAUNISCH, R., Die „Artikell" der „Warhafftigen Antwort" (1545) des Johannes Gropper. Zur Verfasserfrage des Worms-Regensburger Buches (1540/41): R. Bäumer (Hrsg.), Von Konstanz nach Trient. Beiträge zur Geschichte der Kirche von den Reformkonzilien bis zum Tridentinum: Festgabe für August Franzen (Paderborn 1972) 519—545.

— Die Theologie der Rechtfertigung im „Enchiridion" (1538) des Johannes Gropper. Sein kritischer Dialog mit Philipp Melanchthon: Reformationsgeschichtliche Studien und Texte 109 (Münster 1974).

— Johannes Gropper zwischen Humanismus und Reformation. Zur Bestimmung seines geistigen Standorts bis 1543: Römische Quartalschrift 69 (1974) 192—209.

— Cardinalis designatus. Zur Ablehnung des Roten Hutes durch Johannes Gropper: Annalen des Historischen Vereins für den Niederrhein 176 (1974) 58—82.

BRECHT, M., Herkunft und Ausbildung der protestantischen Geistlichen des Herzogtums Württemberg im 16. Jahrhundert: Zeitschrift für Kirchengeschichte 80 (1969) 163—175.

BRUNOTTE, W., Das geistliche Amt bei Luther (Berlin 1959).

CALENDINI, P., Geoffroy Boussard: Dictionnaire d'histoire et de géographie ecclésiastiques X (Paris 1938), 260f.

CANTÙ, C., Gli Eretici d' Italia. Discorsi storici I—III (Turin 1865—1866).

CARDAUNS, L., Zur Geschichte der kirchlichen Unions- und Reformbestrebungen von 1538 bis 1542: Bibliothek des Preußischen Historischen Instituts in Rom V (Rom 1910).

CASPAR, B., Das Erzbistum Trier im Zeitalter der Glaubensspaltung bis zur Verkündigung des Tridentinums in Trier im Jahre 1569: Reformationsgeschichtliche Studien und Texte 90 (Münster 1966).

CAVALLERA, F., L' Enchiridion christianae institutionis de Jean Gropper (1538): Bulletin de littérature ecclésiastique 39 (1938) 130—151 u. 40 (1939) 25—47.

CISTELLINI, A., Figure della riforma pretridentina (Brescia 1948).

CONGAR, Y., Der Laie. Entwurf einer Theologie des Laientums (Stuttgart³ 1964).

— Tatsachen, Probleme und Betrachtungen hinsichtlich der Weihevollmacht und der Beziehungen zwischen dem Presbyterat und dem Episkopat: Y. Congar, Heilige Kirche. Ekklesiologische Studien und Annäherungen (Stuttgart 1966) 285—316.

— Zwei Faktoren der Sakralisierung des gesellschaftlichen Lebens im europäischen Mittelalter: Concilium 5 (1969) 520—526.

COPPENS, J., Érasme et le célibat: J. Coppens (Hrsg.), Sacerdoce et célibat. Études historiques et théologiques (Gembloux-Löwen 1971) 443—458.

CORDES, P. J., Sendung zum Dienst. Exegetisch-historische und systematische Studien zum Konzilsdekret „Vom Dienst und Leben der Priester": Frankfurter Theologische Studien 9 (Frankfurt 1972).

CREMANS, H., Zur Geschichte des hebräischen Sprachstudiums an der Cölner Universität im Jahre 1546: Annalen des Historischen Vereins für den Niederrhein 21/22 (1870) 206—216.

DITTRICH, F., Gasparo Contarini 1483—1542. Eine Monographie ([Braunsberg 1885] Nieuwkoop 1972).

DUHR, B., Der erste Jesuit auf deutschem Boden, insbesondere seine Wirksamkeit in Köln: Historisches Jahrbuch 18 (1897) 792—830.

DUVAL, A., Quelques idées du bienheureux Jean d'Avila sur le ministère pastoral et la formation du clergé: La vie spirituelle, supplément 6 (1948) 121—153.

— Das Weihesakrament auf dem Konzil von Trient: J. Guyot (Hrsg.), Das apostolische Amt (Mainz 1961) 210—250.

EHSES, St., Johannes Groppers Rechtfertigungslehre auf dem Konzil von Trient: Römische Quartalschrift 20 (1906) 175—188.

ELIAS, N., Über den Prozeß der Zivilisation. Soziogenetische und psychogenetische Untersuchungen, II: Wandlungen des Verhaltens in den weltlichen Oberschichten des Abendlandes (Bern² 1969).

ESQUERDA BIFET, J., Escuela sacerdotal española del siglo XVI: Juan de Avila (1499—1569): Anthologica Annua 17 (1970) 133—185.

FAHRNBERGER, G., Bischofsamt und Priestertum in den Diskussionen des Konzils von Trient. Eine rechtstheologische Untersuchung: Wiener Beiträge zur Theologie 30 (Wien 1970).

— Amt und Eucharistie auf dem Konzil von Trient: P. Bläser (Hrsg.), Amt und Eucharistie: Konfessionskundliche Schriften des Johann-Adam-Möhler-Instituts 10 (Paderborn 1973) 174—207.

FARNESE, G. B. da, Il sacramento dell' ordine nel periodo precedente la sessione XXIII del Concilio di Trento (1515—1562), (Rom 1946).

FEIFEL, E., Grundzüge einer Theologie des Gottesdienstes. Methode und Konzeption der Glaubensverkündigung Michael Heldings (Freiburg 1960).

FELD, H., Martin Luthers und Wendelin Steinbachs Vorlesungen über den Hebräerbrief. Eine Studie zur Geschichte der neutestamentlichen Exegese und Theologie: Veröffentlichungen des Instituts für Europäische Geschichte Mainz, Abteilung für Abendländische Religionsgeschichte, 62 (Wiesbaden 1971).

FISCHER, B., Die Predigt vor der Kommunionspendung. Eine Skizze ihrer Geschichte im Abendland: Th. Filthaut u. J. A. Jungmann (Hrsg.), Verkündigung und Glaube, Festgabe für Franz Xaver Arnold (Freiburg 1958) 223—237.

FOERSTER, H., Reformbestrebungen Adolfs III. von Schaumburg (1547—1556) in der Kölner Kirchenprovinz: Reformationsgeschichtliche Studien und Texte 45/46 (Münster 1925).

FRAENKEL, P., La version française d'un célèbre manuel de controverse: les lieux communs de Jean Eckius: Mélanges d'histoire du XVIᵉ siècle offerts à Henri Meylan (Genf 1970) 49—64.

— Johann Eck und Sir Thomas More 1525—1526. Zugleich ein Beitrag zur Geschichte des „Enchiridion locorum communium" und der vortridentinischen Kontroverstheologie: R. Bäumer (Hrsg.), Von Konstanz nach Trient. Beiträge zur Geschichte der Kirche von den Reformkonzilien bis zum Tridentinum: Festgabe für August Franzen (Paderborn 1972) 481—495.

FRANSEN, P., Das Konzil von Trient und das Priestertum: A. Descamps (Hrsg.), Priester — Beruf im Widerstreit? (Innsbruck 1971) 101—137.

FRANZEN, A., Das Schicksal des Erasmianismus am Niederrhein im 16. Jahrhundert: Historisches Jahrbuch 83 (1964) 84—112.

— Zölibat und Priesterehe in der Auseinandersetzung der Reformationszeit und der katholischen Reform des 16. Jahrhunderts: Katholisches Leben und Kirchenreform im Zeitalter der Glaubensspaltung 29 (Münster 1969).

— Bischof und Reformation. Erzbischof Hermann von Wied in Köln vor der Entscheidung zwischen Reform und Reformation: Katholisches Leben und Kirchenreform im Zeitalter der Glaubensspaltung 31 (Münster 1971).

— Das Kölner Provinzialkonzil von 1536 im Spiegel der Reformationsgeschichte: F. Groner (Hrsg.), Die Kirche im Wandel der Zeit. Festschrift für Joseph Kardinal Höffner (Köln 1971) 95—110.

FREUDENBERGER, Th., Zur Benützung des reformatorischen Schrifttums im Konzil von Trient: R. Bäumer (Hrsg.), Von Konstanz nach Trient. Beiträge zur Geschichte der Kirche von den Reformkonzilien bis zum Tridentinum: Festgabe für August Franzen (Paderborn 1972) 577—601.

FRIEDENSBURG, W., Zur Vorgeschichte des Interim: Archiv für Reformationsgeschichte 4 (1907) 213—215.

GADAMER, H. G., Wahrheit und Methode. Grundzüge einer philosophischen Hermeneutik (Tübingen ²1965).

GANZER, K., Zum Kirchenverständnis Gasparo Contarinis: Th. Kramer u. A. Wendehorst (Hrsg.), Aus Reformation und Gegenreformation. Festschrift für Theobald Freudenberger: Würzburger Diözesangeschichtsblätter 35/36 (1974) 241—260.

GESCHER, F., Ein Synodalschreiben des Kölner Erzbischofs Hermann von Wied aus dem Jahre 1538: Jahrbuch des Kölnischen Geschichtsvereins 13 (1931) 123—132.

— Die kölnischen Diözesansynoden am Vorabend der Reformation (1490—1515). Untersuchungen und Texte: Zeitschrift der Savigny-Stiftung für Rechtsgeschichte, Kanonistische Abteilung 21 (1932) 190—288.

GILLMANN, F., Zur Lehre der Scholastik vom Spender der Firmung und des Weihesakramentes (Paderborn 1920).

GREVEN, J., Die Kölner Kartause und die Anfänge der katholischen Reform in Deutschland, hrsg. v. W. Neuss: Katholisches Leben und Kämpfen im Zeitalter der Glaubensspaltung 6 (Münster 1935).

GULIK, W. v., Johannes Gropper (1503 bis 1559). Ein Beitrag zur Kirchengeschichte Deutschlands, besonders der Rheinlande im 16. Jahrhundert. Mit Benutzung ungedruckter Quellen: Erläuterungen und Ergänzungen zu Janssens Geschichte des deutschen Volkes V/1—2 (Freiburg 1906).

HAUBST, R., Der Leitgedanke der „repraesentatio" in der cusanischen Ekklesiologie: Mitteilungen und Forschungsbeiträge der Cusanus-Gesellschaft 9 (1971) 140—159.

HEATH, P., The English Parish Clergy on the eve of the Reformation (London-Toronto 1969).

HEERMANN-VARDY, A., Über das Leben des Pfarrklerus im späten Mittelalter und während der Reformationszeit bis zum Jahre 1536 (Kölner Provinzialkonzil): Theol. Staatsarbeit (Freiburg 1968).

HERMANN, R., Zur theologischen Würdigung der Augustana: Luther Jahrbuch 12 (1930) 162—214.

HILLENBRAND, M., Johannes Groppers Meßopferlehre nach dem „Enchiridion Christianae Institutionis" aus dem Jahre 1538: Theol. Staatsarbeit (Freiburg 1964).

HÖDL, L., Die Geschichte der scholastischen Literatur und der Theologie der Schlüsselgewalt I: Die scholastische Literatur und die Theologie der Schlüsselgewalt von ihren Anfängen an bis zur Summa Aurea des Wilhelm von Auxerre: Beiträge zur Geschichte der Philosophie und Theologie des Mittelalters XXXVIII/4 (Münster 1960).

HÖROLDT, D., Das Stift St. Cassius zu Bonn von den Anfängen der Kirche bis zum Jahre 1580: Bonner Geschichtsblätter 11 (Bonn 1957).

ISERLOH, E., Die Eucharistie in der Darstellung des Johannes Eck. Ein Beitrag zur vortridentinischen Kontroverstheologie über das Meßopfer: Reformationsgeschichtliche Studien und Texte 73/74 (Münster 1950).

— Die protestantische Reformation: H. Jedin (Hrsg.), Handbuch der Kirchengeschichte IV (Freiburg 1967) 3—341 u. 354—446.

JEDIN, H., Ein Streit um den Augustinismus vor dem Tridentinum (1537—1543): Römische Quartalschrift 35 (1927) 351—368.

— Studien über die Schriftstellertätigkeit Albert Pigges: Reformationsgeschichtliche Studien und Texte 55 (Münster 1931).

— Girolamo Seripando. Sein Leben und Denken im Geisteskampf des 16. Jahrhunderts I—II (Würzburg 1937).

— Die deutschen Teilnehmer am Trienter Konzil: Tübinger Theologische Quartalschrift 122 (1941) 238—261 u. 123 (1942) 21—37.

— Das Konzil von Trient und der Unionsgedanke: Theologie und Glaube 40 (1950) 493—519.

— Geschichte des Konzils von Trient I—III (Freiburg ²1951, 1957, 1970).

— Fragen um Hermann von Wied: Historisches Jahrbuch 74 (1955) 687—699.

— Das Autograph Johann Groppers zum Kölner Provinzialkonzil von 1536:
K. Repgen u. St. Skalweit (Hrsg.), Spiegel der Geschichte. Festgabe für Max
Braubach (Münster 1964) 281—292.

— Krisis und Abschluß des Trienter Konzils 1562/63. Ein Rückblick nach vier
Jahrhunderten: Herder Bücherei 177 (Freiburg 1964).

— Das Bischofsideal der Katholischen Reformation. Eine Studie über die Bischofsspiegel vornehmlich des 16. Jahrhunderts: H. Jedin, Kirche des Glaubens — Kirche der Geschichte. Ausgewählte Aufsätze und Vorträge II: Konzil und Kirchenreform (Freiburg 1966) 75—117.

— Das Konzil von Trient und die Reform der liturgischen Bücher: H. Jedin,
Kirche des Glaubens — Kirche der Geschichte. Ausgewählte Aufsätze und
Vorträge II: Konzil und Kirchenreform (Freiburg 1966) 499—525.

— Katholische Reform und Gegenreformation: H. Jedin (Hrsg.), Handbuch der
Kirchengeschichte IV (Freiburg 1967) 449—604 u. 650—683.

— Das Leitbild des Priesters nach dem Tridentinum und dem Vaticanum II:
Theologie und Glaube 60 (1970) 102—124.

JUNKER, D., Über die Legitimität von Werturteilen in den Sozialwissenschaften
und in den Geschichtswissenschaften: Historische Zeitschrift 211 (1970) 1—33.

KASTNER, K., Cochläus und das Priestertum. Ein Gedenkblatt zur 400. Wieder-
kehr seines Todestages: Archiv für schlesische Kirchengeschichte 10 (1952)
84—105.

KÖTTER, F. J., Die Eucharistielehre in den katholischen Katechismen des
16. Jahrhunderts bis zum Erscheinen des Catechismus Romanus (1566): Reformationsgeschichtliche Studien und Texte 98 (Münster 1969).

KOHLS, E. W., Die Deutungen des Verhaltens Luthers in Worms innerhalb der
neueren Historiographie: Archiv für Reformationsgeschichte 63 (1972) 43—70.

LAARHOVEN, J. v., La formation des prêtres dans la première moitié du XVIᵉ
siècle; quelques considerations méthodologiques: D. Baker (Hrsg.), Miscellanea Historiae Ecclesiasticae III (Löwen 1970) 151—165.

LANDGRAF, A. M., Dogmengeschichte der Frühscholastik III: Die Lehre von den
Sakramenten 1 (Regensburg 1954).

LAUCHERT, F., Die italienischen literarischen Gegner Luthers: Erläuterungen
und Ergänzungen zu Janssens Geschichte des deutschen Volkes VIII (Freiburg 1912).

LENTNER, L., Volkssprache und Sakralsprache. Geschichte einer Lebensfrage bis
zum Ende des Konzils von Trient: Wiener Beiträge zur Theologie 5 (Wien
1964).

LEZIUS, F., Gleichheit und Ungleichheit. Aphorismen zur Theologie und Staatsanschauung Luthers: Greifswalder Studien. Theologische Abhandlungen
Hermann Cremer zum 25jährigen Professorenjubiläum dargebracht (Gütersloh 1895) 285—326.

LIEBERG, H., Amt und Ordination bei Luther und Melanchthon: Forschungen
zur Kirchen- und Dogmengeschichte 11 (Göttingen 1962).

LIMBURG, H. J., Das Votivoffizium von der Menschwerdung in Johannes Groppers „Libellus piarum precum" (1546): Theol. Lizentiatsarbeit (Trier 1968).

LINGG, M., Geschichte des Instituts der Pfarrvisitation in Deutschland (Kempen
1888).

LIPGENS, W., Kardinal Johannes Gropper 1503—1559 und die Anfänge der
katholischen Reform in Deutschland: Reformationsgeschichtliche Studien und
Texte 75 (Münster 1951).

LOHSE, B., Priestertum in der christlichen Kirche: Die Religion in Geschichte
und Gegenwart V (Tübingen ³1961) 578—581.

LOSCHI, G., Il cardinale Giovanni Gropper, arcidiacono di Colonia: Cardinali
III/1 (Udine 1896).

Lubac, H. de, Exégèse médiévale. Les quatre sens de l' Ecriture II/2 (Paris 1964).

Lutz, H., Christianitas afflicta. Europa, das Reich und die päpstliche Politik im Niedergang der Hegemonie Kaiser Karls V. (1552—1556), (Göttingen 1964).

Manns, P., Amt und Eucharistie in der Theologie Martin Luthers: P. Bläser (Hrsg.), Amt und Eucharistie: Konfessionskundliche Schriften des Johann-Adam-Möhler-Instituts 10 (Paderborn 1973) 68—173.

Marin Martinez, T., El obispo Juan Bernal Diaz de Luco y sus tratados ascético-pastorales: Corrientes espirituales en la España del siglo XVI. Trabajos del II Congreso de Espiritualidad (Barcelona 1963) 451—508.

Massaut, J. P., Josse Clichtove, l'humanisme et la réforme du clergé I—II: Bibliothèque de la Faculté de Philosophie et Lettres de l'Université de Liège 183 (Paris 1968).

— Vers la Réforme catholique. Le célibat dans l' idéal sacerdotal de Josse Clichtove: J. Coppens (Hrsg.), Sacerdoce et célibat. Études historiques et théologiques (Gembloux-Löwen 1971) 459—506.

Matheson, P. C., Cardinal Contarini at Regensburg (Oxford 1972).

Meersseman, G. G., Il tipo ideale di parroco secondo la riforma tridentina nelle sue fonti letterarie: Il concilio di Trento e la riforma tridentina. Atti del convegno storico internazionale Trento 2—6 settembre 1963 I (Rom 1965) 27—44.

— Joh. Groppers Enchiridion und das tridentinische Pfarrerideal: E. Iserloh u. K. Repgen (Hrsg.), Reformata Reformanda, Festgabe für Hubert Jedin, II (Münster 1965) 19—28.

Mehlhausen, J., Die Abendmahlsformel des Regensburger Buches: L. Abramovski u. J. F. G. Goeters (Hrsg.), Studien zur Geschichte und Theologie der Reformation, Festschrift für Ernst Bizer (Neukirchen-Vluyn 1969) 189—211.

Meier, J., Johannes Groppers Predigt vor den Trienter Konzilsvätern am Dreikönigsfest 1552: Annuarium Historiae Conciliorum 5 (1973) 134—151.

— Das „Enchiridion christianae institutionis" (1538) von Johannes Gropper. Geschichte seiner Entstehung, Verbreitung und Nachwirkung: Zeitschrift für Kirchengeschichte 86 (1975) 289—328.

Merkle, S., Das Konzil von Trient und die Universitäten. Festrede zur Feier des dreihundertdreiundzwanzigjährigen Bestehens der Königl. Julius-Maximilians-Universität zu Würzburg gehalten am 11. Mai 1905 (Würzburg 1905).

Meseguer Fernandez, J., Bibliotheca del Conde de Luna, embajador de Felipe II en el Concilio de Trento: Il concilio di Trento e la riforma tridentina. Atti del convegno storico internazionale Trento 2—6 settembre 1963 II (Rom 1965) 667—677.

Meuser, Zur Geschichte der Kölnischen Theologen des 16. Jahrhunderts (III: Johannes Gropper): Katholische Zeitschrift für Wissenschaft und Kunst I/2 (1844) 183—212, 366—390; II/1 (1845) 352—364; II/2 (1845) 76—90.

Mobilia, A., Cornelio Musso e la prima forma del decreto sulla giustificazione (Neapel 1960).

Moltmann, J., Der gekreuzigte Gott. Das Kreuz Christi als Grund und Kritik christlicher Theologie (München 1972).

Mühlen, H., Die Besonderheit des kirchlichen Leitungsamtes, Überlebensfrage der Kirchen: Theologie und Glaube 62 (1972) 302—319.

— Das mögliche Zentrum der Amtsfrage. Überlegungen zu vier ökumenischen Dokumenten: Catholica 27 (1973) 329—358.

Müller, O., Schriften von und gegen Julius Pflug bis zu seiner Reise nach Trient 1551/1552. Ein Bericht aus der Stiftsbibliothek Zeitz: E. Iserloh u. K. Repgen (Hrsg.), Reformata Reformanda, Festgabe für Hubert Jedin, II (Münster 1965) 29—69.

Müller, W., Die Kaplaneistiftung (praebenda sine cura) als spätmittelalterliche Institution: R. Bäumer (Hrsg.), Von Konstanz nach Trient. Beiträge zur Geschichte der Kirche von den Reformkonzilien bis zum Tridentinum: Festgabe für August Franzen (Paderborn 1972) 301—315.

Newald, R., Beatus Rhenanus: Neue Deutsche Biographie I (Berlin 1963) 682f.

O'Rourke, W. J., St. John Fisher's defence of the holy priesthood: Heythrop Journal 8 (1967) 260—292.

Ott, L., Das Weihesakrament: M. Schmaus, A. Grillmeier u. L. Scheffczyk (Hrsg.), Handbuch der Dogmengeschichte IV: Sakramente — Eschatologie 5 (Freiburg 1969).

Padberg, R., Erasmus als Katechet. Der literarische Beitrag des Erasmus von Rotterdam zur katholischen Katechese des 16. Jahrhunderts: Untersuchungen zur Theologie der Seelsorge IX (Freiburg 1956).

— Glaubenstheologie und Glaubensverkündigung bei Erasmus von Rotterdam. Dargestellt auf der Grundlage der Paraphrase zum Römerbrief: Th. Filthaut u. J. A. Jungmann (Hrsg.), Verkündigung und Glaube. Festgabe für Franz-Xaver Arnold (Freiburg 1958) 58—75.

— Reformatio Catholica — Die theologische Konzeption der Erasmischen Erneuerung: R. Bäumer u. H. Dolch (Hrsg.), Volk Gottes. Festgabe für Josef Höfer (Freiburg 1967) 293—305.

Pas, P., La doctrine de la double justice au Concile de Trente: Ephemerides Theologicae Lovanienses 30 (1954) 5—53.

Pastor, L. v., Geschichte der Päpste seit dem Ausgang des Mittelalters, VI: Geschichte der Päpste im Zeitalter der katholischen Reformation und Restauration: Julius III. Marcellus II. und Paul IV. (1550—1559), (Freiburg 10-12 1928).

Paulus, N., Kaspar Schatzgeyer. Ein Vorkämpfer der katholischen Kirche gegen Luther in Süddeutschland: Straßburger Theologische Studien III/1 (Freiburg 1898).

— Die deutschen Dominikaner im Kampfe gegen Luther (1518—1563): Erläuterungen und Ergänzungen zu Janssens Geschichte des deutschen Volkes IV/1—2 (Freiburg 1903).

Pfnür, V., Einig in der Rechtfertigungslehre? Die Rechtfertigungslehre in der Confessio Augustana (1530) und die Stellungnahme der katholischen Kontroverstheologie zwischen 1530 und 1535: Veröffentlichungen des Instituts für Europäische Geschichte Mainz, Abteilung für Abendländische Religionsgeschichte, 60 (Wiesbaden 1970).

Pollet, J. V., Johann Gropper und Julius Pflug nach ihrer Korrespondenz: P. W. Scheele (Hrsg.), Paderbornensis Ecclesia. Beiträge zur Geschichte des Erzbistums Paderborn. Festschrift für Lorenz Kardinal Jaeger (Paderborn 1972) 223—244.

Polman, P., L'Élément historique dans la controverse religieuse du XVIe siècle: Universitas Catholica Lovaniensis-Dissertationes II/23 (Gembloux 1932).

Postina, A., Der Karmelit Eberhard Billick. Ein Lebensbild aus dem 16. Jahrhundert: Erläuterungen und Ergänzungen zu Janssens Geschichte des deutschen Volkes II/2—3 (Freiburg 1901).

Prenter, R., Die göttliche Einsetzung des Predigtamtes und das allgemeine Priestertum bei Luther: Theologische Literaturzeitung 86 (1961) 321—332.

Prosperi, A., Tra evangelismo e controriforma: G. M. Giberti (1495—1543): Uomini e dottrine 16 (Rom 1969).

Rabe, H., Reichsbund und Interim. Die Verfassungs- und Religionspolitik Karls V. und der Reichstag von Augsburg 1547/48 (Köln 1971).

Ramsauer, M., Die Kirche in den Katechismen: Zeitschrift für katholische Theologie 73 (1951) 129—169 u. 313—346.

Ratzinger, J., Opfer, Sakrament und Priestertum in der Entwicklung der Kirche: Catholica 26 (1972) 108—125.

Rensing, Th., Das Dortmunder Dominikanerkloster (1309—1816), (Münster 1936).

Ritter, G., Erasmus und der deutsche Humanistenkreis am Oberrhein: Freiburger Universitätsreden 23 (Freiburg 1937).

Roth, E., Die Privatbeichte und die Schlüsselgewalt in der Theologie der Reformatoren (Gütersloh 1952).

Rotscheidt, W., Ein Brief des Bischofs Jacob Sadolet an Erzbischof Hermann von Wied vom 29. Nov. 1541: Monatshefte für Rheinische Kirchengeschichte 23 (1929) 129—135.

Rouleau, P., Jean Marre, évêque de Condom (1436—1521), sa vie, ses oeuvres, ses idées de réforme (Paris 1931).

Rückert, H., Die theologische Entwicklung Gasparo Contarinis: Arbeiten zur Kirchengeschichte VI (Bonn 1926).

Schlette, H. R., Sakrament, Dogmengeschichtlich-Systematisch: H. Fries (Hrsg.), Handbuch theologischer Grundbegriffe IV (Deutscher Taschenbuch Verlag München 1970) 13—21.

Schlüter, Th., Die Publizistik um den Reformationsversuch des Kölner Erzbischofs Hermann von Wied aus den Jahren 1542—1547. Ein Beitrag zur rheinischen Reformationsgeschichte und -bibliographie: Phil. Diss. masch. (Bonn 1957).

Schmidlin, J., Geschichte der deutschen Nationalkirche in Rom S. Maria dell' Anima (Freiburg 1906).

Schröer, A., Das Tridentinum und Münster: G. Schreiber (Hrsg.), Das Weltkonzil von Trient — Sein Werden und Wirken II (Freiburg 1951) 295—370.

Schwartz, H., Die Grabsteininschrift des design. Kardinals Johannes Gropper: Zeitschrift des Vereins für die Geschichte von Soest und der Börde 44/45 (1929) 287—289.

Schwarz, W., Der päpstliche Nuntius Kaspar Gropper und die katholische Reform im Bistum Münster: Westfälische Zeitschrift 68/I (1910) 1—96.

Schweizer, J., Ambrosius Catharinus Politus (1484—1553), ein Theologe des Reformationszeitalters. Sein Leben und seine Schriften: Reformationsgeschichtliche Studien und Texte 11/12 (Münster 1910).

Skalweit, St., Reich und Reformation: Propyläen Bibliothek der Geschichte (Berlin 1967).

Spijker, W. van't, De ambten bij Martin Bucer (Kampen 1970).

Stein, W., Das kirchliche Amt bei Luther: Veröffentlichungen des Instituts für Europäische Geschichte Mainz, Abteilung für Abendländische Religionsgeschichte 73 (Wiesbaden 1974).

Stratenwerth, H., Die Reformation in der Stadt Osnabrück: Veröffentlichungen des Instituts für Europäische Geschichte Mainz, Abteilung für Abendländische Religionsgeschichte 61 (Wiesbaden 1971).

Stüwer, W., Das Bistum Paderborn in der Reformbewegung des 16. und 17. Jahrhunderts: G. Schreiber (Hrsg.), Das Weltkonzil von Trient — Sein Werden und Wirken II (Freiburg 1951) 387—450.

STUPPERICH, R., Der Humanismus und die Wiedervereinigung der Konfessionen: Schriften des Vereins für Reformationsgeschichte 160 (Leipzig 1936).

— Der Ursprung des „Regensburger Buches" von 1541 und seine Rechtfertigungslehre: Archiv für Reformationsgeschichte 36 (1939) 88—116.

— Schriftverständnis und Kirchenlehre bei Butzer und Gropper: Jahrbuch des Vereins für Westfälische Kirchengeschichte 43 (1950) 109—128.

— Caspar Hedio: Die Religion in Geschichte und Gegenwart III (Tübingen³ (1959) 111f.

TEETAERT, A., François Le Roy: Dictionnaire de théologie catholique XIV (Paris 1939) 139f.

TELLECHEA IDIGORAS, J. I., La renuncia de Carlos V y la elección de Fernando de Austria: Scriptorium Victoriense 7 (1960) 7—78 u. 207—283.

TROELSTRA, A., De toestand der catechese in Nederland gedurende de vóór — reformatorische eeuw: Diss. theol. Utrecht 1901 (Groningen 1901).

VARRENTRAPP, C., Hermann von Wied und sein Reformationsversuch in Köln. Ein Beitrag zur deutschen Reformationsgeschichte I—II (Leipzig 1878).

VOLZ, H., Bibelübersetzungen. Die Luther-Bibel: Die Religion in Geschichte und Gegenwart I (Tübingen ³1957) 1202—1207.

WERTELIUS, G., Oratio continua. Das Verhältnis zwischen Glaube und Gebet in der Theologie Martin Luthers: Studia Theologica Lundensia 32 (Lund 1970).

WISNIOWSKI, E., La formation du clergé polonais au XVe et au début du XVIe siècle: D. Baker (Hrsg.), Miscellanea Historiae Ecclesiasticae III (Löwen 1970) 235—237.

BIBELSTELLENREGISTER

ORTSREGISTER

PERSONENREGISTER

Gymnich, J. sen. 11, 123, 157, 198, 281
Gymnich, J. jun. 69
Gymnich, M. 69

Hadrian VI., Papst 112
Hagen, B. von 45, 77
Haner, J. 52
Hansen, J. 105
Hardenberg, A. 63
Hartzheim, J. 61, 67, 78—80, 82, 83,
    95, 165, 173, 222, 226, 227, 230—
    232, 250, 254—256, 261, 262, 265,
    266, 268—271, 276, 278—281, 283,
    299—301, 308, 309, 312, 314, 317,
    323—325, 327, 328, 332, 333, 335
Haubst, R. 260
Heath, P. 5
Hedio, C. 255
Heermann-Vardy, A. 32
Hegendörfer, C. 255
Heinrich II., König von Frankreich 89
Heinrich VIII., König von England 14,
    65, 118
Heinrich von Segusia 167
Helding, M. 27, 67, 70, 73—76, 81,
    135, 202, 253, 279, 282
Helmesius, H. 256
Herborn, N. 120
Heresbach, K. 39
Hermann, R. 16
Hernheim, Th. 103
Hesychius von Jerusalem 99
Heusenstamm, S. von 86, 90
Hieronymus 11, 13, 21, 54, 86, 99, 123,
    142, 145, 154, 161, 163, 183, 184,
    189, 191, 193, 198, 210, 213, 224,
    241, 242, 278, 316, 324
Ps. Hieronymus 182
Hilarius von Poitiers 11, 99, 174
Hillenbrand, M. 31, 44, 127, 276
Hincmar von Reims 322
Hinschius, P. 98, 110, 126, 154—156,
    161, 163, 164, 172, 174, 176—178,
    181—183, 186, 190—192, 268, 289,
    303, 312, 317, 324, 325, 333
Hödl, L. 195
Hoernen, A. ther 7
Höroldt, D. 77
Hoffmeister, J. 69, 73, 256
Hofmann, H. 73
Holl, K. 116
Honnef, C. von 67
Hooper, B. 5
Hortulanus, C. D. 56

Hosius, St. 27, 43, 56
Host, J. 17, 23, 120
Hosteden 39
Hoyer, K. 37, 93, 102, 106
Hrabanus Maurus 10, 85, 278
Hugo, Ch. L. 88
Hugo von St. Viktor 119
Huguccio 167
Hurter, H. 95

Ignatius von Antiochien 98, 172, 177,
    184
Illyricus, Th. 120, 121
Imperadore, B. 50
Innozenz II., Papst 169, 206
Innozenz III., Papst 156, 273, 278, 280
Irenäus von Lyon 11, 99, 142, 144, 253
Isachino, G. 112
Isenburg, J. von 86
Iserloh, E. 30, 120, 207, 236
Isidor von Sevilla 85, 126, 163, 166,
    184, 278
Ps. Isidor 192

Jacobazzi, D. 86
Jaffé, Ph. 161, 163
Jedin, H. 2, 3, 10, 21—23, 26, 29, 30,
    32, 38, 43, 45, 47, 49, 50, 53, 59,
    80, 87—89, 157, 262, 270, 322, 337
Johann III., Herzog von Jülich-Kleve-
    Berg 38, 39, 256
Johann Albrecht I., Herzog von Meck-
    lenburg 90
Johann Friedrich, Kurfürst von Sachsen
    72
Johannes Chrysostomus 11, 13, 21, 44,
    54, 99, 126, 148, 172, 184, 208, 214,
    242, 247, 256, 270, 273, 284, 285,
    287, 289, 291
Johannes Damascenus 99, 256
Johannes Teutonicus 167
Jonas, J. 33
Jouve, M. 83, 84
Jud, L. 249
Julian, M. 17
Julianus Pomerius 11
Julius III., Papst 80, 86, 90, 91
Junker, D. 36
Justinianus, V. 56

Kaiser, M. 236
Kalff, A. 182
Karl V., Kaiser 65, 66, 68, 71, 72, 74,
    75, 78, 86, 87, 90, 107, 114, 218,
    228, 229, 248, 252, 256